Au Nom
d'ALLAH
le Miséricordieux, le Compatissant

Ne sois pas triste

- Titre: *Ne sois pas triste*
- Auteur: Dr 'Aïdh Abdullah AL QARNI
- Traduit par Bachir KAABECHE
          Ahmad LAROUSSI
- Edition Française 1: 2007
- Mise en page: Hicham Challah
- Cover Design: Samo Press Group
- Filming: Samo Press Group

Ne sois pas triste

لا تحزن

Dr 'Aïdh Abdullah AL-QARNI

Traduit par :

Bachir KAABECHE *et* **Ahmad LAROUSSI**

الدار العالمية للكتاب الإسلامي

INTERNATIONAL ISLAMIC PUBLISHING HOUSE

© **International Islamic Publishing House, 2007**
King Fahd National Library Cataloging-in-Publication Data

Al-Qarni, 'Aïdh Abdullah
   Ne sois pas triste : 'Aïdh Abdullah Al-Qarni ; Traduit par: Bachir
Kaabeche et Ahmad Laroussi ; 1ère édition - Riyadh, 2007

   ...p ; cm

   ISBN Hard Cover: 9960-9748-8-X
   ISBN Soft Cover: 9960-9748-9-8

   1- Islamic psychology   2- Sadness   I-Title

   215.1572 dc

      ISBN Hard Cover: 9960-9748-8-X   Legal Deposit no. 1427/1691
      ISBN Soft Cover: 9960-9748-9-8   Legal Deposit no. 1427/1717

International Islamic Publishing House (IIPH)
P.O.Box 55195 Riyadh 11534, Saudi Arabia
Tel: 966 1 4650818 - 4647213 - Fax: 4633489
E-Mail: iiph@iiph.com.sa - www.iiph.com.sa

Veuillez participer à ce travail noble en transmettant vos commentaires par e-mail, fax ou à l'adresse postale.

'Ayidh Ibn Abdallah AL QARNI

Ce livre est une étude sérieuse, attirante, responsable dont le but est de traiter l'aspect malheureux de la vie de l'humanité. Plus exactement, le souci, l'inquiétude, l'incertitude, la confusion, le chagrin, le scepticisme, la tristesse, l'affliction, le désespoir et le découragement.

C'est aussi une solution aux problèmes du siècle sous la lumière de la Révélation divine et de la conduite du Message prophétique, en accord avec la nature respectée, les expériences convenables, les exemples vivants, les récits attrayants, la politesse charmante. Il contient de même, des reportages des Compagnons pieux et les bons, parmi ceux qui les ont suivis. Il relate aussi quelques vers de grands poètes, des recommandations de médecins experts, des conseils de gens judicieux et des instructions de savants. Et il y a à l'intérieur, des thèses d'Occidentaux, d'Orientaux, d'anciens et de novateurs.

Tout cela, en plus des faits valides et véridiques rapportés par toutes sortes de médias: journaux, revues, publications périodiques, annexes et circulaires.

Ce livre est un mélange ordonné, un effort poli et raffiné, qui te dit succinctement: «Sois heureux et confiant, réjouis-toi, espère et ne sois pas triste».

Introduction de la première édition

La Louange est à Allah, Prière et Paix sur le Prophète, sa famille et ses Compagnons.

Voici le livre *Ne sois pas triste* ; peut-être seras-tu heureux de le lire et te sera-t-il utile. Avant d'entamer sa lecture, tu devrais, en le jugeant, te baser sur une logique saine et un raisonnement juste et, au-dessus de tout cela, une approche ayant trait à son intégralité.

Il est injuste d'avoir un jugement avancé sur une chose avant de l'imaginer, de la goûter et de la sentir. Et c'est porter préjudice à la connaissance que de formuler une opinion hâtive, avant de connaître, de raisonner attentivement, d'entendre les argumentations, de voir la preuve et de lire la démonstration.

J'ai écrit ce discours à celui qui a vécu une difficulté, qui a été pris d'un malheur ou d'une tristesse, ou entouré de calamités, pour qui le lit est devenu insupportable et le sommeil errant, suite à une inquiétude: et qui de nous n'est pas à la merci de cela ?

Ici, dans cette œuvre, il y a des versets et des vers, des images et des significations, des avantages et des particularités, des exemples et des récits, où j'ai mis la crème à laquelle sont arrivés les brillants de ce siècle, comme médicament destiné au cœur paniqué, à l'âme épuisée, à la personne triste et malheureuse.

Ce livre dit: «Réjouis-toi et sois heureux, espère et sois confiant. Plus encore, il dit: vis la vie telle qu'elle est, bonne, satisfaite et agréable».

Ce livre corrige pour toi les erreurs contraires à la nature, dans ton comportement avec les habitudes, les gens, les choses, le temps et le lieu.

Il t'interdit formellement de persister à affronter la vie en contrariant la destinée, d'être en conflit avec la méthode et de ne pas accepter les preuves. Il t'appelle aussi de près, du fond de ton âme et des parties de ton esprit à être rassuré de ta bonne destinée, faisant confiance à tes données, d'investir tes dons, d'oublier les misères et les chagrins de la vie ainsi que les difficultés du trajet.

Et je veux attirer l'attention sur des *questions importantes*, tout au début de ce livre:

La première: c'est que le but de ce livre est d'offrir le bonheur, la tranquillité, le calme, l'aisance. C'est aussi l'ouverture d'un brin d'espoir, d'optimisme, de soulagement et d'un avenir prospère. Tout comme il rappelle la Miséricorde d'Allah, Son Pardon, Son Aide, le fait de se fier à Lui et de Lui faire confiance, ainsi que la foi dans le Destin et la Fatalité, de vivre au jour le jour, de ne pas s'inquiéter de l'avenir et de ne pas oublier les Grâces d'Allah, le Très-Haut.

La deuxième: c'est d'essayer de bannir le souci et le chagrin, la tristesse et la mélancolie, l'inquiétude et l'instabilité, le malaise, l'effondrement et le désespoir, la désespérance et l'abattement.

La troisième: j'y ai réuni tout ce qui a trait au Coran et aux Paroles de l'Infaillible, des exemples exceptionnels et des récits éloquents, des vers émouvants et ce qu'ont dit les sages, les médecins et les spécialistes de littérature. Il contient aussi un brandon d'expériences manifestes, des preuves flagrantes et des paroles sérieuses, pas seulement des prêches nus, ni des commodités intellectuelles, ni des conceptions politiques, mais c'est une invitation pressante pour ton bonheur.

La quatrième: ce livre est destiné au musulman et aux autres, et j'y ai tenu compte des sentiments et échappatoires de l'âme humaine, prenant en considération la méthode divine véritable, c'est-à-dire la religion naturelle innée.

La cinquième: tu trouveras dans ce livre des copies d'Orientaux et d'Occidentaux, et peut-être que je ne mérite pas de reproche pour cela, car la sagesse est l'objectif du croyant et celui qui le découvre en bénéficie.

La sixième: je n'ai pas réservé d'annotations de bas de pages à ce livre pour alléger et faciliter la tâche au lecteur et pour que sa lecture soit continue et son esprit corrélé, et j'y ai assemblé les références avec le Coran et la Sunna.

La septième: je n'ai pas mentionné le numéro de la page, ainsi que la partie du livre, tout comme ceux qui m'ont précédé dans ce domaine, considérant cela plus bénéfique et plus facile: tantôt je rapporte les faits à ma façon, tantôt tels qu'ils sont dans le texte, c'est-à-dire ce que j'ai compris du livre ou de la publication.

La huitième: je n'ai pas partagé, ni classé ce livre en chapitres et paragraphes, mais j'y ai diversifié les idées, ce qui, probablement, m'emmène à faire des inclusions entre les contradictions, à passer d'un sujet à un autre, puis y revenir après, dans les pages suivantes pour qu'il soit plus attirant, plus plaisant au lecteur, lui procurant ainsi davantage de sensation.

La neuvième: je n'ai pas mentionné les numéros des versets et la chaîne de transmission des Hadiths. Si parmi ces derniers, il y a ceux qui sont faibles, j'en fais la remarque. Si le Hadith est authentique *(sahih)* ou apprécié *(hassan),* je le signale ou je ne dis rien — et tout cela dans le seul but d'abréger, d'éviter les répétitions, la monotonie et la lassitude et «celui qui se vante de ce qu'il ne possède pas est comparable à celui qui porte deux faux habits.»

La dixième: il se pourrait que le lecteur remarque des répétitions de sens sous des versions variées et des manières différentes ; ceci est voulu et intentionnel de ma part, de telle sorte que l'idée se confirme de diverses façons et que l'information se grave dans la mémoire sous l'effet des nombreuses reproductions: d'ailleurs celui qui étudie avec attention le Coran constatera cela.

Voilà dix recommandations toutes entières à celui qui veut lire ce livre qui, je l'espère, comportera des informations véridiques, de l'impartialité dans le jugement, de l'équité dans la parole, de la certitude dans la connaissance, de la précision dans le point de vue et de la clairvoyance dans la compréhension.

Je m'adresse à tous et je parle à l'ensemble, sans particularité pour une secte, ou une génération propre, ou un groupe déterminé, ou un pays quelconque, mais à tous ceux qui veulent vivre dans le bonheur.

Et les diamants perlaient en lui si bien qu'il
Luisait sans soleil et que de nuit même sans lune, il
*   marchait*
Ses yeux fascinaient, son front brillait comme une épée,
Ah! Les cils, le cou et les yeux noirs que le blanc cernait.

'Ayidh Ibn Abdallah AL QARNI
26.4.1415 H.

Ô ALLAH !

❮ Il est sollicité de tous ceux qui sont dans les cieux et sur terre. Chaque jour, Il est à une occupation. ❯   *(Coran 55:29)*:

Quand la mer est houleuse, que les vagues sont déchaînées et que les vents orageux sont réveillés, les passagers du bateau crient: ô Allah !

Quand le guide s'est égaré dans le désert, que les voyageurs se sont détournés de leur chemin et que la caravane trouve de la difficulté à avancer, chacun d'eux crie: ô Allah !

Quand la calamité est arrivée, que le sinistre s'est réalisé et que la catastrophe s'est accomplie, le sinistré crie: ô Allah !

Quand les portes se sont fermées aux demandeurs et que les rideaux se sont baissés aux visages des questionneurs, ils crient: ô Allah !

Quand les ruses se sont achevées, que les issues se sont resserrées, que les espoirs se sont dissipés et que les cordes se sont brisées, on crie: ô Allah !

Si la terre devient étroite autour de toi et que tu sentes ton âme se rétrécir par ce qu'elle porte, crie: ô Allah !

Et je T'ai évoqué avec la noirceur de mes malheurs et
Le visage de l'existence poussiéreux et assombri
J'ai évoqué à l'aube, Ton Nom en criant,
Et voilà que ceux qui aiment tout le bonheur ont souri.

A Lui montent la bonne parole, la prière pure, l'appel sincère, la larme innocente et l'affliction extrême.

A Lui s'allongent les paumes des mains dans le désert et au moment du besoin.

Vers Lui se dirigent les yeux quand arrivent les malheurs et les accidents.

Par Son Nom, les langues chantent, demandent l'aide, épèlent et appellent.

Par Son Eloge, les cœurs se soulagent, les âmes s'apaisent, les sentiments se rassurent, les nerfs se calment, la dextérité est récompensée et la certitude stabilisée,

❰ Allah est doux envers Ses serviteurs ❱ *(Coran 42:19)*

Allah:

Ce sont les plus beaux Noms, les plus sincères expressions et les paroles les plus valeureuses, ❰ Lui connais-tu un homonyme ? ❱

(Coran 19:65)

Allah:

C'est la richesse et l'existence, la force et le support, la gloire, la capacité et la sagesse, ❰ A qui appartient le royaume aujourd'hui ? A Allah, l'Unique, le Dompteur ❱. *(Coran 40:16)*

Allah:

C'est la douceur et le soin, le secours et le soutien, la cordialité et la bonté ;

❰ Tout ce dont vous jouissez comme bienfait provient d'Allah ❱

(Coran 16:53)

Allah:

Digne de tout honneur, de toute grandeur, de tout respect et de toute omnipotence

Bien que nous dessinions sur Ta majesté comme,
Lettres sacrées que les âmes fredonnent,
Toi, Tu en es plus grand et tous les sens,
Ô Seigneur, devant Ta gloire s'amplifient.

Ô Allah ! Remplace l'agitation par la consolation, fais que la tristesse soit récompensée par le bonheur et qu'après la peur vienne la sécurité.

Ô Allah ! Refroidis le feu du cœur par la neige de la certitude et les braises des âmes par l'eau de la Foi.

Ô Seigneur ! Offre aux yeux éveillés un sommeil sécurisant, aux esprits agités une tranquillité et récompense-la d'une victoire, proche.

Ô Seigneur ! Guide ceux qui ne savent que faire à Ta Lumière, ceux qui sont dévoyés à Ton droit chemin et ceux qui en sont éloignés vers Ta Religion.

Ô Allah ! Enlève le souci dû au tentateur par une aube sincère de lumière, extermine le faux des esprits par un bataillon de vérité et brise les malices du démon par un soutien de Tes soldats aguerris.

Ô Allah ! Fais disparaître de nos cœurs la tristesse, les soucis et l'inquiétude.

Nous invoquons Ta protection contre la peur autre que la Tienne, la dépendance en dehors de Toi, l'aide sauf de Toi, la demande excepté à Toi, Tu es notre Seigneur, le Meilleur des patrons et des soutiens.

Réfléchis et remercie

C'est-à-dire que tu n'oublies pas les grâces d'Allah qui t'entourent de toutes part au-dessus de toi et sous tes pieds ❰ Et si vous énumérez les bienfaits d'Allah, vous ne pourrez jamais les recenser ❱ ; *(Coran 14:34)* la bonne santé du corps, la sécurité au pays, la nourriture et les habits, l'air et l'eau ; la vie est à toi sans que tu t'en aperçoives et tu possèdes l'existence sans que tu le saches ; ❰ Et vous a comblés de ses bienfaits apparents et non apparents ❱, *(Coran 31:20)* tu jouis de deux yeux, d'une langue, de deux lèvres, de deux mains et de deux pieds ❰ Quels bienfaits de votre Seigneur qualifiez-vous donc, vous deux, de mensonges ? ❱, *(Coran 55:13)* considères-tu que le fait de marcher de tes deux pieds est chose facile, alors que d'autres les ont perdus, que tes jambes te soutiennent, alors que pour d'autres elles ont été coupées, t'est-il insignifiant que tu dormes à pleins yeux alors que la douleur en prive beaucoup, que tu remplisses ton estomac de nourriture succulente et que tu t'abreuves d'eau douce et fraîche alors qu'il y a ceux pour qui l'alimentation et la boisson ont été interdites par des maladies et altérations ? Pense à ton ouïe et ta chance de n'avoir pas fait l'objet d'une surdité, médite au sujet de ta vue et de n'avoir pas été aveugle, observe ta peau et le fait d'avoir été sauvé de la lèpre et autres maladies cutanées, ton bon sens et ta raison qui t'ont été dédiés par Sa Grâce t'évitant ainsi la folie et la déraison.

Accepterais-tu pour ta vue uniquement l'équivalent en or du mont Ouhoud ?

Aimerais-tu vendre ton ouïe pour le poids de Thahlan en argent ? Voudrais-tu devenir muet en échange des châteaux de Zahra ? Pourrais-tu donner ta main à couper pour des colliers d'émeraudes et de diamants ?

Tu jouis de grâces et d'avantages innombrables, mais tu ne t'en rends pas compte.

Tu vis soucieux, chagriné, triste et malheureux alors que tu possèdes du pain chaud, de l'eau fraîche, le sommeil paisible, la tranquillité absolue ; tu penses à ce qui est perdu et tu ne remercies pas pour ce qui est disponible, tu t'agaces pour un déficit d'argent alors que tu détiens la clé du bonheur, des tonnes toutes entières de bien, de dons, de talents, d'agréments et de choses, réfléchis et sois reconnaissant ; ❨Et en vous-mêmes, ne voyez-vous donc pas ?❩, *(Coran 51:21)* médite sur toi-même, ta famille, ta, maison, ton travail, ta santé, tes amis, tes camarades et la vie autour de toi ❨Ils reconnaissent la grâce d'Allah, puis ils la renient❩.   *(Coran 16:83)*

Ce qui est passé est révolu

Se rappeler le passé, en être frappé et s'attrister par ses misères est une idiotie et une folie même ; c'est tuer la volonté et gaspiller la vie présente, chez les sages, le dossier du passé se ferme et ne se raconte pas, on l'enferme à jamais, dans la cellule de l'oubli, on l'attache d'une corde résistante dans la prison des choses perdues jusqu'à la fin des temps, on le boucle de telle sorte qu'il ne verra plus de lumière, puisqu'il est révolu et fini ; la tristesse ne le rendra pas, les soucis ne le répareront pas, les chagrins ne le corrigeront pas, l'impureté ne le ressuscitera pas, étant donné que c'est un néant. Ne vis pas sur le cauchemar du passé et sous l'ombre de ce qui est révolu, délivre-toi de ce fantôme, voudrais-tu renvoyer le fleuve à son aval, le soleil à son lever, le bébé au ventre de sa mère, le lait aux mamelles, la larme aux yeux ?

Ta réaction sur le passé, ton inquiétude à son sujet, tes brûlures par son feu et ta soumission face à ses obstacles, tout cela est alarmant, terrorisant, terrible et effrayant.

La lecture du livre du passé entraîne la perte du présent, un anéantissement de l'effort et une destruction de l'état actuel ; Allah a parlé des générations passées et a dit : ❨ C'est une communauté du passé ❩ ; *(Coran 2:134)* la question ne se pose plus, il est inutile de faire l'autopsie du cadavre du temps et de retourner la roue de l'histoire.

Celui qui tient au passé est comparable au meunier qui fait broyer la farine une deuxième fois ou à celui qui scie la sciure de bois ; jadis on disait à celui qui pleure le passé: ne fais pas sortir les morts de leurs tombeaux. On a rapporté que les bêtes ont demandé à l'âne pourquoi il ne ruminait pas, il a répondu: je déteste le mensonge.

Notre faiblesse est que nous sommes incapables d'assumer le temps présent et nous nous intéressons au passé, nous délaissons nos beaux châteaux et nous pleurons les ruines anciennes ; les djinns et les humains, rassemblés, ne pourraient pas retracer le passé car c'est de l'impossible incarné.

Les gens ne regardent pas à l'arrière et ne se retournent pas non plus car le vent se dirige à l'avant, l'eau aussi, ainsi que la caravane: ne contrarie donc pas la loi de la vie.

Ton jour, ton jour

Si tu t'es réveillé le matin, n'attends pas le soir, tu vivras aujourd'hui uniquement, ni hier qui est parti avec son bien et son mal, ni le lendemain qui n'est pas encore arrivé, ce jour dont le soleil t'a enveloppé et dont le matin s'est levé pour toi, c'est le tien, c'est toute ton existence, pense à vivre ce jour comme si tu y es né et que tu y mourras: à ce moment, ta vie ne trébucheras pas entre l'obsession du passé, de ses soucis et chagrins et les prévisions futures, son spectre effrayant et son avance terrorisante.

A ce jour seulement, consacre ton attention, ton intérêt, ton imagination, ton assiduité et ton sérieux. Pour ce jour, il te faudrait présenter une prière pieuse, tu devrais lire le Coran avec réflexion, rendre gloire à Allah du fond du cœur, tu es tenu aussi de faire de l'équilibre dans tout, d'avoir une bonne conduite, d'accepter de bon cœur tout ce qui a été destiné, de prendre bien soin de ton corps et d'être profitable aux autres. Aujourd'hui, tu devrais partager ton jour en heures et considérer que sa minute a la durée d'une année et que sa seconde égale un mois, tu y sèmeras le bien, tu y feras des faveurs, tu y imploreras le Pardon d'Allah, tu y invoqueras le Seigneur, tu te prépareras au départ sans retour ; tu vivras ce jour dans le bonheur et la gaieté, la sécurité et la tranquillité, tu seras satisfait de tout ce que tu possèdes ; ta femme, tes enfants, ta profession, ta maison, ton savoir, ton niveau ❬Prends ce que Je t'ai donné et sois parmi les reconnaissants ❭   *(Coran 7:144).*

Tu vivras ce jour sans tristesse, ni agacement, ni colère, ni rancune, ni envie.

Il t'est indispensable d'écrire sur le tableau de ton cœur, ainsi que sur ton bureau, la seule et unique expression: *(Ton jour, ton jour)*. Si tu as mangé du pain chaud et délicieux, celui de la veille qui est dur et mauvais, ou celui du lendemain qui est inexistant et attendu te feraient-ils mal ?

Si aujourd'hui, tu as bu une eau fraîche, suave, pourquoi t'attrister pour celle de la veille qui était salée et âpre ou celle de demain qui sera chaude et désagréable ?

Si tu es franc envers toi-même, avec une volonté de fer, stricte, impétueuse, tu soumettrais ton «moi» à cette théorie: je ne vivrais que ce jour. A ce moment-là, tu en utiliseras chaque instant à la construction de ton être, au développement de tes facultés, à la purification de ton travail, tu diras: pour ce jour uniquement, je ne m'exprimerai qu'en bien, je ne dirai ni gros mots, ni insultes, ni médisance, ni calomnie. Aujourd'hui exclusivement, je rangerai ma maison et ma bibliothèque, pas de confusion, ni désordre, mais discipline et ordre.

Ce jour en exclusivité, je vivrai, je m'occuperai de la propreté de mon corps, j'améliorerai mon aspect, je soignerai ma tenue, je mettrai de l'équilibre dans ma démarche, mes paroles et tous mes mouvements.

Ce jour-ci, je me dévouerai complètement à Allah, en pratiquant mes prières comme il se doit, en faisant œuvres surérogatoires, en lisant le Saint Coran et d'autres livres bénéfiques. Je planterai dans mon cœur le bien et j'en extirperai l'arbre du mal et ses racines épineuses telles que l'arrogance, l'amour de soi, l'ostentation, l'envie, la rancune, la rancœur, la conjecture, le doute et les arrière-pensées.

Aujourd'hui, je serai utile aux autres ; je serai reconnaissant, je rendrai visite à un malade, j'assisterai à l'enterrement d'un mort, je conseillerai un homme confus, je donnerai à manger à un affamé, je soulagerai un angoissé, je supporterai un homme tyrannisé, j'intercéderai en faveur d'un opprimé, je consolerai un sinistré, je serai généreux envers un homme pieux, je serai indulgent pour un enfant, j'aurai du respect pour un vieux.

Aujourd'hui seulement, je vivrai: ô passé révolu et fini, disparais comme ton soleil je ne te pleurerai pas et je te bannirai de ma mémoire car tu nous as quittés, abandonnés et que tu es parti pour ne plus jamais revenir.

Ô futur, toi tu appartiens à l'inconnu, je ne me laisserai pas aller aux rêves, je ne me vendrai pas aux illusions et je ne hâterai pas la naissance d'un perdu, car demain c'est le néant, puisqu'il n'est pas encore né et qu'il n'a pas été cité.

Ton jour, ton jour, ô être humain, la meilleure parole existante dans le dictionnaire du bonheur pour celui qui voudrait une vie dans ses plus belles images et parures.

Laisse l'avenir jusqu'à ce qu'il arrive

❨La décision d'Allah est arrivée. N'ayez point hâte de la voir venir❩ *(Coran 16:1)*; ne devance pas les événements, voudrais-tu faire avorter le bébé avant sa complète formation et cueillir le fruit avant sa maturité. Demain est chose perdue sans vérité, ni existence, ni goût, ni couleur, pourquoi donc nous en occuper, craindre ses calamités, s'intéresser à ses incidents, prévoir ses catastrophes, alors que nous ne sommes pas certains de le rencontrer, d'y avoir affaire ou d'en être empêchés même s'il est de toute joie et de toute gaieté. C'est qu'il appartient à l'inconnu et qu'il n'est pas encore arrivé sur terre et que nous sommes tenus de traverser un pont pour le joindre et qui sait ? Il se pourrait qu'on soit obligé de s'arrêter avant d'atteindre le pont ou que ce dernier s'effondre avant qu'on y arrive, comme il est probable qu'on y parviendra et qu'on le traversera en toute sécurité. Donner à l'esprit une surface plus large de réflexion sur le futur, l'ouverture du livre de l'inconnu et être brûlé par ses inquiétudes, est un acte défendu par la Religion car c'est un espoir à long terme, comme il est dénigré par la raison car c'est un combat contre une ombre. De nombreuses gens de ce monde prévoient la faim, la nudité, les maladies, la pauvreté et les calamités et tout cela relève du programme de l'école des démons — ❨Satan vous promet la pauvreté et vous ordonne l'immoralité et Allah vous promet une rémission de Sa part et une générosité❩. *(Coran 2:268)*

Nombreux sont ceux qui pleurent parce qu'ils auront faim, paraît-il, qu'ils tomberont malades dans une année et que la fin du monde arrivera dans cent ans.

Celui dont la vie dépend d'autrui, ne doit pas parier sur le néant et celui qui ne sait pas quand il mourra n'a pas le droit de s'intéresser à une chose inexistante, sans aucune vérité. Laisse «demain» jusqu'à ce qu'il arrive, ne demande pas de ses nouvelles et n'attends pas sa venue parce que tu es occupé par «aujourd'hui».

Et si tu t'étonnes, le plus étonnant est que ces personnes-ci empruntent le souci en espèces, pour le rembourser à crédit un jour dont le soleil ne s'est pas encore levé et dont la lueur n'est pas apparue: qu'on fasse alors bien attention à l'espoir durable !

Comment te comporter face au dénigrement

Les personnes effrontées, les idiots ont insulté le Créateur, le Fournisseur, le Respectueux par sa Grandeur et ils ont injurié le Seul, l'Unique, pas de divinité que Lui, que devrais-je attendre, moi, toi et nous tous qui sommes dotés d'injustice et d'erreurs, sinon que tu rencontreras dans ta vie une bataille ruineuse, sans merci, comportant des dénigrements amers, de la destruction étudiée et voulue, de l'humiliation intentionnelle, et tant que tu donnes, tu construis, tu persuades, tu peux et tu brilles.

Et ces gens-là ne se tairont que si tu empruntes un tunnel sous terre ou que tu uses d'une échelle dans le ciel pour leur échapper. Mais tant que tu seras parmi eux, tu récolteras de leur part du mal, ce qui fera pleurer tes yeux, ce qui fera saigner ton globe oculaire et ce qui te privera de sommeil.

Celui qui est assis par terre ne risque pas de chuter, les gens ne bottent pas un chien mort, mais ils seront en colère contre toi car tu leur as fait perdre un bien, une connaissance, une œuvre littéraire ou une fortune. Pour eux, tu es coupable et que ton repentir ne sera accepté que si tu abandonnes tes talents, les Grâces dont Allah t'a pourvu, que tu te débarrasses de toutes les qualités de la Louange, te défaire de tous les sens de la noblesse, de rester peu intelligent, vidé, brisé, épuisé: voilà ce qu'ils veulent exactement.

Donc, résiste et sois ferme face à leurs paroles, leur critique, leur altération et leur mépris: «*Sois ferme,* Ouhoud !». Sois pareil à une pierre silencieuse, imposante, sur laquelle se brisent les grains de la grêle pour prouver son existence et sa capacité de survivre. En écoutant ces gens et en réagissant à leurs dires, tu exauceras leurs vœux les plus chers à troubler ta vie et à contrarier ton existence ; ô non, pardonne donc de la belle manière, éloigne-toi d'eux et ne sois pas opprimé par leurs intrigues.

Leur critique insensée est une traduction respectable en ta faveur et ce dénigrement artificiel sera proportionnel à ta valeur effective.

Sache que tu ne pourras ni fermer leurs bouches ni emprisonner leurs langues mais, par contre, tu enterreras leur mal et leurs fausses accusations en t'éloignant d'eux, en les ignorant et en rejetant leurs paroles: ❨Mourez de votre rancœur❩.   *(Coran 3:119)*

Mais tu peux remplir leurs bouches de moutarde par plus de vertus, par ta bonne éducation et en corrigeant tes défauts. Si tu as cru être accepté et estimé par tous, dépourvu de tout défaut, tu as demandé l'impossible et escompté un bien loin espoir.

N'attends de remerciements de personne

Allah a créé les êtres humains pour qu'ils Le vénèrent et Il les a pourvus de Ses Grâces pour qu'ils Lui soient reconnaissants mais voilà que beaucoup adorent d'autres que Lui et la majorité remercie d'autres que Lui car la nature de la méconnaissance, du désaveu, de la vanité, de l'ignorance des agréments, domine les âmes, ne sois pas choqué si ces gens-là ont méconnu tes faveurs, brûlé tes bontés et oublié tes services rendus, peut-être même se sont-ils transformés en ennemis et t'ont catapulté très loin, en raison de leur haine latente pour la seule et simple raison que tu as été bon envers, eux: ❨Toute leur rancœur vient de ce qu'Allah, ainsi que son Messager, les a comblés de Sa générosité❩.   *(Coran 9:74)*

Et lis donc le registre de notre présent, tu trouveras dans l'un de ses chapitres, l'histoire d'un père qui a élevé son fils, l'a nourri, l'a habillé, lui a procuré de quoi manger et boire, a veillé sur son enseignement, s'est privé de sommeil pour que le petit dorme, a eu faim afin qu'il soit rassasié, a souffert de sorte qu'il se repose mais, quand une moustache lui a barré le visage et que ses bras prirent de la force, il devint pour son père tel un chien mordant, avec du mépris, du dédain, de la haine, de l'impétuosité éclatante, de la douleur malsaine.

Que se calment donc ceux dont les feuilles de bons services se sont brûlées chez les gens dénaturés et les briseurs de volontés et qu'ils se réjouissent d'une substitution compensatrice chez Celui dont les armoires ne se vident jamais.

Ce vif discours ne t'invite pas à abandonner l'accomplissement d'actes valeureux et de bonnes actions envers les autres, mais il t'avertit sur le fait que tu rencontreras de la méconnaissance et de l'ingratitude: ne t'embarrasse donc pas de ce qu'ils fabriquaient.

Fais du bien pour l'amour d'Allah car tu seras le gagnant en tous les cas de figure, puis la personne méprisable ne cause pas de dommages par son mépris, ni l'ingrat par son ingratitude. Rends donc grâce à Allah car tu es le bienveillant et un tel homme le malveillant, et puis la main haute est meilleure que la main basse: ❨ Nous ne vous donnons à manger que par amour d'Allah, nous ne voulons de vous ni récompense, ni remerciements ❩.

(Coran 76:9)

De nombreux hommes pieux et raisonnables ont ignoré l'ingratitude de ces viles personnes qui semble-t-il, n'ont pas entendu la Révélation respectueuse dans laquelle il y a des réprimandes à leur égard pour leur insolence et leur rébellion: ❨ Il passe comme s'il ne Nous a jamais imploré pour un mal qu'il l'a touché ❩.

(Coran 10:12)

Ne sois pas surpris si tu as été outragé par un homme mal élevé à qui tu as offert un stylo pour écrire ou d'être frappé sur la tête par un grossier personnage à qui tu as donné un bâton pour lui servir de support et à faire tomber des feuilles des arbres pour son troupeau: c'est la nature de cette misérable humanité enveloppée du linceul de l'ingratitude envers son Créateur, le Respectueux de Sa Grandeur. Alors qu'en serait-il à mon égard et au tien?

La bienfaisance envers autrui

La faveur est comme l'indique son nom, la bienfaisance c'est comme le suggère sa calligraphie et le Bien ressemble à la saveur de son goût. Les premiers bénéficiaires du bonheur des gens sont ceux qui en ont eu l'initiative, ils recueilleront incessamment ses fruits dans leurs âmes, dans leurs caractères et dans leurs consciences en trouvant de l'aise, du réconfort, du calme et de la tranquillité.

Si tu es soucieux ou chagriné, offre à autrui un bon service ou fais-leur une faveur et tu trouveras délivrance et repos. Donne à un pauvre malheureux, soutiens un opprimé, sauve un misérable, donne à manger à un affamé, rends visite à un malade, aide un sinistré et le bonheur t'entourera de tous côtés.

Le bienveillant est pareil au musc qui profite à son porteur, à son vendeur et à son acheteur. Les revenus moraux du bien sont des médicaments bénis disposés dans la pharmacie de ceux dont les cœurs sont remplis de bien et de générosité.

La distribution des sourires aux pauvres parmi les serviteurs est une aumône perpétuelle dans le monde des qualités, «même quand tu accueilles ton frère d'un visage souriant», et celui dont le visage est renfrogné fait l'annonce d'une guerre farouche dont Seul le Connaisseur de l'Inconnu est au courant de la déclaration.

Une gorgée d'eau — de la main d'une prostituée — à un chien mordant a été récompensée par un Paradis dont la largeur égale les cieux et la terre, puisque Celui qui gratifie est Absoluteur, Très Reconnaissant, Beau et Il aime la beauté, Riche et Louable.

Ô Vous qui êtes menacés par les cauchemars du malheur, de l'inquiétude et de la peur, accourez au jardin des bienfaits, occupez-vous de faire du bien, accordez des avantages aux autres, donnez un poste de travail, une consolation, une aide quelconque, une faveur et, vous trouverez le goût, la couleur et la saveur du bonheur: , ❰Rien de ce qu'il peut détenir comme bien n'a sa récompense ❱, ❰Sauf s'il les dépense pour l'amour de son Seigneur, le Sublime❱, ❰Et il sera certainement satisfait❱.   *(Coran 92:19-21)*

Chasse l'oisiveté par le travail

Les gens oisifs dans la vie sont ceux qui font circuler les mensonges et les rumeurs, car leurs esprits sont éparpillés çà et là: ❰ Ils ont accepté de rester avec ceux de l'arrière ❱.   *(Coran 9:87)*

L'esprit est dans une situation dangereuse le jour où son partenaire n'a plus d'occupation. Il reste alors, comme une voiture sans chauffeur, roulant à vive allure dans une descente en zigzaguant de droite à gauche.

Si dans ton existence il t'arrive d'être inoccupé, prépare-toi alors aux soucis, aux chagrins et à l'inquiétude, car ce vide te fera sortir tous les dossiers passés, présents et futurs des tiroirs de la vie. A ce moment-là tu te trouveras devant une situation troublante. Mon conseil, à toi et à moi-même, est que tu te mettes à l'œuvre et que tu essaies de fructifier tes journées au lieu de cette décontraction mortelle qui n'est qu'un enterrement entraînant une mort latente et un suicide à l'aide d'un comprimé analgésique.

L'inoccupation est comparable à la torture lente pratiquée dans les prisons chinoises et qui consiste à placer le prisonnier sous un tuyau coulant goutte à goutte, toutes les minutes: dans l'attente de ce ruissellement, le détenu est souvent atteint de folie.

Le repos est une inattention, l'oisiveté est un voleur professionnel et ta raison est la proie de ces batailles imaginaires.

Lève-toi donc, maintenant, prie ou lis le Livre Saint, ou glorifie le Nom d'Allah, ou écris, ou range ta bibliothèque, ou répare des choses dans ta maison, ou aide quelqu'un afin de combattre ce mal et je ne suis pour toi qu'un conseiller.

Egorge l'oisiveté à l'aide de l'épée du travail et les médecins du monde t'assureront 50% de bonheur contre cette disposition exceptionnelle. Observe les cultivateurs, les boulangers et les maçons chanter des refrains comme des oiseaux, dans une entière félicité et un repos remarquable, alors que toi, tu es sur ton lit en train de sécher tes larmes, inquiet de ton sort — et tout cela parce que tu es piqué par l'inactivité.

Ne sois pas un imitateur

N'incarne pas de personnalité autre que la tienne et ne te dissous pas dans les autres, car c'est un supplice durable, et nombreux sont ceux qui oublient leur identité, leurs voix, leurs mouvements, leurs paroles, leurs dons et leurs conditions pour se mettre à imiter d'autres: à ce moment-là, il n'y a rien d'autre que la vantardise, la brûlure, l'homicide de l'être et de l'amour-propre.

Depuis Adam jusqu'à la dernière des créatures, il n'y a jamais eu deux personnes qui se soient ressemblées parfaitement, pourquoi alors vouloir cette ressemblance dans les facultés et les caractères ?

Toi, tu es une chose différente, il n'y en a pas eu de semblable dans toute l'histoire de l'humanité et il n'y en aura jamais de pareille dans la vie.

Tu es différent de Zeyd et de 'Amr, ne t'enfonce pas alors dans la cave de l'imitation, des critères et de la dissolution. Démarre sous ton allure et ta nature: ❨Chaque tribu sut alors d'où elle devait boire❩ *(Coran 2:60)*; ❨A chacun une direction vers laquelle il s'oriente, disputez-vous donc les bonnes œuvres❩. *(Coran 2:148)*

Vis tel que tu as été créé, ne change pas ta voix, ni ton accent, ne diverge pas ta démarche, purifie-toi par la Sainte Révélation mais, surtout, n'annule pas ton existence et ne tue pas ton indépendance.

Tu es d'un goût spécial et d'une couleur unique, et nous te voulons ainsi car tu as été créé de la sorte: «Qu'aucun d'entre vous ne soit imitateur».

Les gens, dans leurs habitudes, sont comparables au monde des arbres: sucré et acide, long et court. Qu'il en soit ainsi: donc si tu ressembles à une banane, n'essaie pas de te transformer en poire, car ta beauté et ta valeur sont que tu sois tel que tu as été façonné. Les nuances existantes dans nos couleurs, nos dialectes et langues, nos dons et nos capacités sont des signes du Créateur, ne les nie pas.

Destin et Fatalité

❰ Il n'y a pas de calamité qui vous touche sur terre ou en vous-mêmes qui ne soit déjà inscrite dans un livre avant même que Nous la créions ❱.

(Coran 57:22)

Le calame s'est asséché, les feuillets ont été levés, ce qui devait arriver est arrivé, les destins se sont tracés: ❰ Il ne nous arrivera que ce qu'Allah nous a assigné ❱.

(Coran 9:51)

Ce qui t'a touché ne pouvait te rater et ce qui ne t'est pas arrivé ne pouvait t'atteindre.

Si cette doctrine s'est gravée dans ton esprit et s'est installée dans ta conscience, le malheur sera pour toi un don, la difficulté une récompense et tous les événements, alors, des prix et des décorations: «Celui à qui Allah veut du bien, est mis à l'épreuve», ne sois pas peiné par une maladie, le décès, un déficit financier ou ta maison incendiée. Le Créateur a décidé, la sentence est appliquée, le choix a été de la sorte, la décision est à Allah, le salaire est acquis et le péché est absous.

Réjouissez-vous, vous qui avez été éprouvés par des calamités auxquelles vous vous êtes résignés et que vous avez acceptées, puisqu'elles venaient de la part du Preneur, le Donateur, le Contraignant, ❰ On ne Lui demande pas de comptes sur Ses actes, mais eux, ils seront questionnés ❱.

(Coran 21:23)

Et tes nerfs ne se calmeront, tes confusions ne s'apaiseront, tes soucis ne disparaîtront que lorsque tu croiras au jugement et au Destin. Le calame s'est asséché à la limite qui t'était fixée, ne regrette pas donc ce qui est passé, ne crois pas empêcher le mur de s'écrouler, d'arrêter l'eau de couler, d'interdire au vent de souffler et d'empêcher le verre de se briser: ceci n'est pas vrai. Malgré nous, ce qui est destiné arrivera, le jugement sera appliqué et ce qui est écrit viendra: ❰ Que celui qui veut croire, croie et que celui qui veut renier, renie ❱.

(Coran 18:29)

Rends-toi à l'évidence avant que tu ne sois encerclé d'une armée de colère, de plainte et de lamentation. Reconnais la sentence avant que tu ne sois écrasé par l'affluent du regret.

Donc, sois tranquille si tu as exploité les circonstances, fais ce que tu as pu et s'il est arrivé ce que tu craignais, c'est parce que c'est fatalement ce qui devait survenir, et surtout ne dis pas: «Si j'avais fait ceci ou cela, mais dis: Allah a apprécié et a fait ce qu'Il voulait».

❨ *Certes, la difficulté est accompagnée d'aisance* ❩

(Coran 94:6)

Ô être humain ! Sache qu'après la faim il y a le rassasiement, qu'après la soif il y a la boisson désaltérante, qu'après la veillée il y a le sommeil, qu'après la maladie vient la guérison, que l'absent rentrera, que la personne égarée sera guidée vers le droit chemin, que l'obsession sera résolue et que les ténèbres se dissiperont: ❨Peut-être qu'Allah apportera-t-Il la victoire ou une occurrence ❩. *(Coran 5:52)*

Annonce à la nuit un matin authentique qui la pourchassera aux sommets des montagnes et les conduits des vallées. Annonce au soucieux une délivrance inattendue qui arrivera à la vitesse de la lumière ou en un clin d'œil. Annonce au sinistré une charité latente.

Si tu vois le désert s'allonger, puis s'allonger encore, sache que derrière lui, il y aura une verger verdoyant et bien ombragé.

Si tu vois la corde se serrer, puis se serrer davantage, sache qu'elle finira par se briser.

Avec la larme, il y a le sourire. Avec la peur, il y a la sécurité. Avec l'inquiétude, il y a la tranquillité: les flammes n'ont pas brûlé Ibrahim Al Khalil car la prévenance divine a ouvert la fenêtre: ❨...Fraîcheur et paix ❩. *(Coran 21:69)*

La mer n'a pas noyé Moussa qui a parlé à Allah, car la voix forte, sincère a dit: ❨Que non ! Mon Seigneur est avec moi et Il me guidera ❩. *(Coran 26:62)*

L'infaillible (ﷺ), dans la caverne a annoncé à son ami qu'Allah était avec eux, alors la sécurité, le succès et la tranquillité sont descendus.

Les esclaves de leurs heures présentes et de leurs sombres conditions ne voient que la maussaderie, le malaise et la misère parce qu'ils ne regardent que le mur de la chambre et la porte de la maison, pas plus. Qu'ils dirigent donc leurs regards derrière les voiles et qu'ils lâchent les brides de leurs idées afin qu'elles aillent au-delà des clôtures.

Donc, ne te décourage pas car la persistance d'une situation est chose impossible et la meilleure adoration est d'attendre la délivrance: les jours changent, le temps est instable, les nuits sont pleines de surprises, l'inconnu est caché et le Sage est, chaque jour à une occupation et il se pourrait qu'Allah fasse intervenir entre-temps un élément nouveau et les situations difficiles sont suivies d'autres vraiment aisées.

Prépare avec du citron une boisson sucrée

L'intelligent qualifié transforme la perte en bénéfice, alors que d'une catastrophe l'ignorant couard en fait deux.

Le Messager (ﷺ) fut expulsé de la Mecque, mais il s'installa à Médine et fonda un Etat qui a rempli l'ouie et la vue de l'histoire.

Ahmed Ibn Hanbel fut emprisonné et cravaché, pourtant il est devenu Imam de la Sunna.

Ibn Taymiya fut aussi incarcéré, mais il est sorti de prison pourvu d'une connaissance et d'une piété extraordinaires. Al Sarakhsi fut jeté au fond d'un puits abandonné, et il en est sorti doté de vingt volumes de *Fiqh*. Ibn Al Athir qui fut infirme composa *Jami' al ossol* et *Annihaya*, l'un des plus célèbres et bénéfiques livres du Hadith. Ibn Al Jawzi fut banni de Baghdad, il apprit alors les sept façons de psalmodier le Coran. Malek Ibn Rib fut atteint de la fièvre typhoïde, et il a envoyé aux connaisseurs son extraordinaire poésie répandue partout dans le monde, qui égale les livres de poésies de l'Etat abbasside: à la mort des fils d'Abi Dhouaïb Al Hadhli, il composa en leur honneur une magnifique élégie que le temps a écoutée, que le public a appréciée et que l'histoire a acclamée.

Si tu as été surpris par une calamité, considère alors son côté positif: si quelqu'un t'offre un verre de citron, ajoutes-y une poignée de sucre. Si on te donne un serpent, prends sa peau chère et jette le reste. Si tu as été piqué par un scorpion, sache que c'est un vaccin préventif et immunisant contre le poison des autres bêtes.

Adapte-toi à tes pénibles circonstances pour nous en sortir des fleurs, des roses et du Jasmin: ❨Et il se peut que vous détestiez une chose et qu'elle soit un bien pour vous❩.   *(Coran 2:216)*

En France, avant sa violente révolution, deux glorieux poètes ont été emprisonnés — l'un optimiste et l'autre pessimiste. Ils ont sorti leurs têtes par la fenêtre de la prison: le premier a regardé les étoiles et a souri, quant à l'autre, il a observé la boue dans la rue avoisinante, et a pleuré.

Regarde l'autre côté de la tragédie, car le mal pur n'existe pas, mais il y a aussi du bien, du profit, du succès et de la récompense.

❨*Et qui répond au désespéré quand il L'implore*❩
(Coran 27:62)

Qui est celui vers Qui se précipite le chagriné, dont le sinistré implore le secours, vers Qui accourent les êtres existants, qu'implorent les créatures, à Qui les langues rendent grâce continuellement et Qui est dans les cœurs des croyants ? C'est Allah, pas d'autre divinité que Lui !

Et c'est certainement un devoir pour moi ainsi que pour toi de Le prier pendant les moments difficiles et à la bonne aise, dans le bonheur et le malheur, d'accourir vers Lui dans les désolations, L'implorer dans les afflictions, s'allonger sur le seuil de Sa porte demandant, pleurant, se repentant et suppliant: à ce moment-là viendra Son renfort, Son aide arrivera, Sa délivrance s'activera et Son succès s'accomplira. ❨Et Qui répond à l'appel de celui qui est acculé

par les peines ⧽ *(Coran 27:62)*. Il sauve le naufragé, rend l'absent aux
siens, tranquillise l'éprouvé, soutient l'opprimé, guide le dévoyé,
guérit le malade et soulage celui qui est affligé: ⧼Et Qui répond à
l'appel de celui qui est acculé par les peines quand il L'implore ⧽.

(Coran 29:65)

Et je ne te citerai pas des formules de prière à évoquer dans les
situations difficiles telles que le souci, le chagrin, la tristesse et
l'affliction, mais je t'orienterai plutôt en te conseillant de te reporter
aux livres de la Sunna pour que tu apprennes des paroles nobles qui te
serviront quand tu t'adresseras à Lui pour L'implorer, L'appeler, Le
prier et Le supplier. Si tu Le découvres, tu as tout trouvé et si au
contraire tu perds la croyance en Lui, tu as tout perdu. Ton invocation
d'Allah est une autre façon de L'adorer et une très grande soumission
supplémentaire, en plus de l'acquisition de ce qui est demandé. Une
personne qui a du savoir-faire dans l'invocation d'Allah ne risque pas
d'être soucieuse, chagrinée, ou perturbée: toutes les cordes se brisent
excepté la Sienne, toutes les portes se ferment hormis la Sienne, il est
Proche, Il entend et répond à l'appel de celui qui est acculé par les
difficultés. Il t'ordonne, à toi le pauvre, le faible, le nécessiteux, à
L'implorer, Lui, le Fort, l'Unique, le Glorieux: ⧼Votre Seigneur a dit:
implorez-Moi et Je vous répondrai ⧽. *(Coran 40:60)*

Si tu es éprouvé par des incidents et entouré de malheurs,
invoque-Le constamment, acclame Son Nom, demande-Lui Son
Soutien, son Succès et Sa Gloire, frotte ton front par terre pour
sanctifier Son Nom et obtenir la couronne de la liberté, oblige-toi à Sa
soumission pour gagner la médaille du salut, allonge tes mains, lève
tes paumes, libère ta langue, demande-Lui davantage, exagère dans
son imploration, supplie-le, reste constamment à Sa porte, attends Sa
mansuétude, prévois Son succès, fredonne Son Nom, ne doute pas de
Sa bienfaisance, consacre-toi à Lui et à son adoration pour que tu sois
heureux et que tu récoltes le succès.

Que ta demeure te suffise

L'isolement dans la législation coranique et la Sunna c'est: t'éloigner du mal et des malfaiteurs, des oisifs, des distraits et des anarchistes, afin que tes capacités mentales et physiques soient réunies, que tu sois posé, que ton esprit soit reposé et brille par les bons jugements et que tu survoles de tes yeux le jardin de la connaissance.

L'isolement de tout ce qui distrait du bien et de la soumission à Allah, est un médicament cher qui a été expérimenté par les autres «cardiologues» et a fait l'objet d'une magnifique réussite et je t'en donne un aperçu: l'éloignement de la malfaisance, des absurdités et de la foule, est un vaccin pour la pensée et le fondement de la loi de la crainte d'Allah, la célébration de la naissance du repentir et de la réflexion.

Cependant, les réunions louées, la cohabitation digne d'éloges dans les prières, les associations bienfaisantes, éducatives et scientifiques sont recommandées.

Quant aux assemblées de l'oisiveté et de l'inaction, elles sont à bannir. Tu dois t'en éloigner de toute ton âme et conscience. Pleure pour tes péchés, garde ta langue et contente-toi de ta demeure, la mixité bestiale est une guerre coriace contre l'âme et une menace dangereuse pour la sécurité et la stabilité de ton esprit, car tu fréquentes des cercles de rumeurs, des héros des mensonges et des professeurs de la prédication des épreuves, des catastrophes et des peines jusqu'à ce que tu décèdes sept fois avant que ne t'arrive la mort: « S'ils étaient partis avec vous, ils ne vous auraient ajouté que du trouble ».
                                                                (Coran 9:47)

Mon seul souhait donc est que tu t'occupes de tes affaires et que tu te retires dans ta chambre, sauf quand il s'agit de dire une bonne parole ou d'accomplir une bienfaisance. A ce moment-là tu constateras que ton cœur t'est revenu. Sauve ton temps de la perte, ta vie de la perdition, ta langue de la médisance, ton cœur de l'inquiétude, tes oreilles des injures et ton âme des doutes. Celui qui a fait l'expérience a su ; celui qui s'est embarqué sur la monture des illusions et s'est laissé aller à la populace, dis-lui: adieu.

La compensation est d'Allah

Quand Allah te prend une chose, Il te la remplace par meilleure qu'elle si tu te résignes, en espérant Son salaire: «Celui à qui J'ai pris ses deux bien-aimées et qui s'est résigné, aura en échange, le Paradis», — c'est-à-dire ses deux yeux. «A celui qui a perdu un être préféré de la vie ici-bas, puis l'a crédité chez Moi, Je donnerai en échange, le Paradis».

Celui qui a perdu son fils et qui a patienté se verra construire la Maison de la Louange dans le monde éternel: à toi donc de comparer, ceci n'étant qu'un exemple.

Ne sois pas peiné d'une calamité car Celui Qui l'a provoquée possède le Paradis, une récompense et une grande compensation.

Les gens d'Allah qui ont été éprouvés par les malheurs auront les éloges dans le Paradis du *Firdaws:* ❨ Salut sur vous pour ce que vous avez patienté, félicité pour l'ultime Demeure ❩.   *(Coran 13:24)*

Et il est de notre de devoir d'observer la compensation de la calamité, sa récompense et le bien qu'il y a derrière elle: ❨ Ceux-là ont sur eux des prières de leur Seigneur et une miséricorde, et ce sont ceux-là qui sont bien guidés ❩ *(Coran 2:157)*. Bien en fasse aux malheureux, bonne nouvelle aux sinistrés !

La durée de la vie est courte et son trésor est minable, l'Au-delà est meilleur et plus durable: celui qui a été touché ici sera récompensé là-bas, celui qui aura enduré ici, se reposera là-bas. Par contre, ceux qui sont si attachés à la vie présente, la chérissent et lui font confiance: leur plus grand souci est la crainte d'être privés des chances qui se présentent d'elle et que leur prospérité soit troublée parce qu'ils ne veulent qu'elle. C'est pour cela que les calamités et les catastrophes les terrorisent. En effet, ils ne regardent que sous leurs pieds, si bien qu'ils ne voient que cette vie évanescente, insignifiante et basse.

Ô vous qui avez été touchés, rien n'est perdu et vous êtes les gagnants: en effet, Il vous a envoyé une lettre comprenant entre ses lignes de la douceur, de la compassion, de la récompense et le bon choix. Que celui qui est éprouvé et couvert par le pavillon des calamités regarde pour voir que le résultat sera: ❨Il fut bâti une muraille avec une porte dont l'intérieur contient la miséricorde et devant sa face apparente se trouve le châtiment❩.   *(Coran 57:13)*

Ce qu'il y a chez Allah est meilleur, plus durable, plus tranquille, plus profitable, plus important et plus haut.

La Foi, c'est la vie

Les malheureux, au sens propre du mot, sont les faillis des trésors de la foi et de la réserve de la certitude. Ils sont constamment dans la misère, la colère, l'humiliation et la bassesse: ❨Et celui qui aura tourné le dos à Mon Rappel, aura une malvie❩.

(Coran 20:124)

Rien d'autre que la foi en Allah, le Seigneur des univers, ne peut procurer à l'âme le bonheur, la netteté, la pureté, la joie, tout en dissipant ses peines et ses chagrins. D'ailleurs, sans foi, la vie n'a aucun goût.

La méthode exemplaire des athées est de se suicider pour se reposer de ces charges, ces chaînes, ces ténèbres et ces malheurs. Qu'elle est malheureuse cette vie sans foi !

Quelle damnation éternelle entoure ceux qui se sont éloignés du chemin d'Allah sur terre ! ❨Nous brouillerons leurs cœurs et leurs yeux de la même manière qu'ils n'y ont pas cru la première fois, et Nous les laisserons divaguer dans leur impudence, comme des aveugles❩.   *(Coran 6:110)*

Il est temps pour le monde, qu'il soit absolument convaincu et qu'il croît sincèrement qu'*il n'y a aucune divinité autre qu'Allah*. Après une longue et difficile expérience, à travers des siècles enterrés, la Raison a finalement compris que les idoles sont une plaisanterie, que la négation est une damnation, que l'athéisme est un mensonge, que les Messagers sont véridiques et qu'Allah est la Vérité: Il a le Pouvoir, la Louange et est Capable de tout faire.

Ton bonheur, ton repos et ta sérénité seront à l'image de ta croyance, quant à la force et la faiblesse, la chaleur et la froideur. ❴Quiconque effectue une bonne œuvre, fût-il mâle ou de *[sexe]* féminin, Nous lui ferons vivre une vie agréable et Nous le rétribuerons d'un salaire selon le meilleur de ce qu'ils faisaient❵.

(Coran 16:97)

Et cette vie agréable est l'assurance de leurs âmes des meilleures promesses de leur Seigneur, la fermeté de leurs cœurs dans l'amour de leur Créateur, la pureté de leurs consciences des saletés de l'égarement, la froideur de leurs nerfs face aux accidents, la sérénité de leurs esprits quand les décisions divines s'accomplissent et leur acceptation du Destin, dès lors qu'ils ont consenti qu'Allah est leur Seigneur, que l'Islam est leur religion, que Mohammed (ﷺ) est leur Prophète et Messager.

Récolte le miel et ne brise pas la ruche

La douceur embellit les choses qui la contiennent et enlaidit celles qui en sont dépourvues. La souplesse dans le discours, le sourire clair à l'égard des vivants et la belle parole lors de toute rencontre, sont des parures tissées que portent ceux qui sont bienheureux et ce sont là les qualités du croyant, à l'instar de l'abeille: elle mange de ce qui est bon et fait ce qui est succulent, et si elle se pose sur une fleur, elle ne la casse pas, car Allah donne pour la douceur ce qu'Il ne donne pas pour la violence. Il y a des personnes pour qui les cous se dressent à leur arrivée, les yeux se fixent à leur vue, les cœurs les saluent et les âmes les accompagnent parce qu'ils sont aimés quand ils parlent, prennent et donnent, achètent ou vendent, lors de leur rencontre et à l'occasion de leur départ.

L'acquisition des amis est un art étudié dans lequel excellent les gens nobles et vertueux. Ils sont toujours et continuellement entourés d'un cercle de gens, leur présence apporte de la joie et de la familiarité, leur absence entraîne des questions à leur sujet et des prières en leur faveur.

C'est que ces gens bienheureux ont une constitution de morale qui a pour titre: ❨Repousse par une plus belle, et voilà que celui qui avait une inimitié contre toi devient tel un allié intime❩.

(Coran 41:34)

Ils absorbent les rancunes par leurs sentiments abondants, leur mansuétude chaleureuse et leur pardon innocent, ils oublient la malveillance et gardent la bienveillance, ils entendent les paroles répugnantes mais leurs oreilles ne les retiennent pas. Mieux encore, elles partent loin, là-bas sans retour, ils sont sereins, sécurisants pour les autres gens et paisibles pour les musulmans: «Le véritable musulman est celui qui ne touche pas les autres musulmans de sa langue et de ses mains et le croyant est celui à qui les gens confient leurs biens et leur sang»; «Allah m'a ordonné de lier la relation mutuelle avec celui qui l'a coupée, de pardonner à celui qui a été injuste envers moi et de donner à celui qui m'a privé», après ❨Ceux qui refoulent leur colère et pardonnent aux gens❩.   *(Coran 3:134)*

Annonce-leur, à ceux-là, de la tranquillité, du calme et de la sérénité, comme récompense ici-bas. Et annonce-leur, une récompense dans l'Au-delà, à proximité d'un Seigneur Miséricordieux dans des jardins et des fleuves, ❨Dans une ambiance de vérité, chez un Roi omnipotent❩.   *(Coran 54:55)*

❨N'est-ce pas à l'évocation d'Allah que se rassurent les cœurs❩

(Coran 13:28)

La sincérité est l'ami d'Allah, la vérité est le savonnage des cœurs, l'expérience est une preuve, le véritable chef est celui qui ne ment pas aux siens et il n'existe pas une œuvre plus réconfortante et une récompense plus grande que l'invocation: ❨Evoquez-Moi, Je vous évoque❩ *(Coran 2:152)*. Invoquer l'Elogieux est un paradis sur Sa terre. Celui qui n'y est pas entré ne pénétrera pas celui de l'Au-delà, tout comme il est un sauvetage de l'âme de sa misère, de ses difficultés et de ses perturbations. Mieux encore, c'est un chemin facile et court vers le gain et le salut. Parcours les Livres de la Révélation pour voir les bénéfices de l'Invocation et essaie avec le temps son baume afin d'obtenir la guérison.

Par Son invocation, se dissipent les nuages de la peur, de la terreur, du malheur et de la tristesse.

Par Son invocation, disparaissent les montagnes de l'affliction, du chagrin et de la désolation.

Et il n'est pas étonnant que les invocateurs soient sereins, puisque c'est l'origine noble, mais le plus étonnant, c'est qu'il existe sur terre des gens distraits de Son, invocation: ⟨Des morts, nullement des vivants et n'ayant pas conscience de l'heure où ils seront ressuscités⟩.

(Coran 16:21)

Ô toi qui te plains d'insomnie, qui pleure de douleur, qui a été terrorisé par les accidents et terrassé par les problèmes ! Vas-y et acclame Son Nom Sacré: ⟨Lui connais-tu un homonyme ?⟩

(Coran 19:65)

En L'invoquant beaucoup, le bonheur emplit ton esprit, la sérénité et le calme entrent dans ton cœur, la joie enveloppe ton âme et ta conscience se repose, parce que dans Son invocation, le Majestueux dans Sa Grandeur, il y a les sens de Son aide, Sa confiance, Son secours, le retour à Lui, l'absence de doutes envers Lui et l'attente du soulagement de Sa part. Il est proche s'Il est invoqué, Audient s'Il est appelé, Répondant s'Il est demandé. Humilie-toi donc, soumets-toi, aie de la crainte, répète Son Excellent Nom béni, reconnaissant ainsi Son Unicité, sa Glorification, sa Louange, son invocation, sa Supplication et Son Repentir, et tu trouveras, par Son vouloir et Son pouvoir, le bonheur, la sécurité, la joie, la lumière et la gaieté: ⟨Allah leur accorda la récompense dans ce bas monde et la splendeur de celle de l'Au-delà⟩.

(Coran 3:148)

❨ *Ou est-ce qu'ils envient les gens de ce qu'Allah leur accorda de Sa Grâce* ❩

(Coran 4:54)

L'envie est comparable aux mangeurs affamés qui rongent les os. C'est une maladie chronique qui ravage le corps, et on a dit: il n'y a pas de repos pour un envieux ; c'est une personne injuste dans les habits d'un juste. Et ils ont dit: grand bravo à la jalousie ! Qu'elle est équitable ! Elle a commencé par son ami et l'a tué.

Je déconseille, à toi et à moi-même, la jalousie, par pitié pour toi ainsi que pour moi avant les autres, car par notre jalousie envers eux, nous faisons manger le souci à nos chairs et boire le chagrin à notre sang et nous distribuons le sommeil de nos paupières aux autres.

Le jaloux allume un four, le fait chauffer et s'y jette. Le dépit, la maussaderie et le chagrin actuel sont des maladies que la jalousie fait naître si bien qu'elle anéantit le repos et la vie agréable.

Le malheur de l'envieux est qu'il a contrarié le jugement, a accusé le Créateur dans Sa Justice, s'est mal comporté avec la Législation et a contredit le Messager.

Que de maladies et de calamités, le jaloux sera privé de leurs récompenses dans l'Au-delà, et il restera de la sorte jusqu'à ce qu'il meure ou que les grâces des gens, à son égard, disparaissent. L'entente est possible avec tous, sauf avec l'envieux car il te faut abandonner les Grâces d'Allah et tes dons, annuler tes spécificités et tes qualités: si tu fais cela, peut-être alors en sera-t-il satisfait tout en ayant des remords. Nous nous réfugions auprès d'Allah du mal de l'envieux quand il est jaloux, car il devient tel un serpent noir venimeux qui enfonce son dard dans le corps d'un innocent et ne le retire que s'il s'est complètement vidé.

Préserve-toi de la jalousie, préserve-toi et implore Allah de te protéger de l'envieux car il te guette.

Accepte la vie telle qu'elle est

La situation de la vie est ainsi: elle dépite les plaisirs, est pleine de responsabilités, cause la maussaderie des visages, comprend beaucoup de pollution, est mélangée d'impureté et formée de contrariétés. Et toi, tu en es affligé !

Et tu ne trouveras pas un enfant, une épouse, un ami, un noble, un appartement, ou encore une fonction qui ne contienne de l'affliction ou possédant souvent ce qui est nuisible. Eteins donc le feu de son mal par le froid de son bien pour être sauvé, tête pour tête et les blessures par compensation.

Allah a voulu que cette vie assemble les deux opposés, les deux sortes, les deux équipes et les deux opinions: bien et mal, bienveillance et malveillance, joie et tristesse, puis Il choisit tout le bien, la bienveillance et la joie dans le Paradis, ensuite rassemble tout le mal, la malveillance et la tristesse dans l'enfer. Et dans le Hadith, il y a: «La vie est maudite et tout ce qu'elle contient est maudit, hormis: l'évocation d'Allah et ce qui s'y assimile, et celui qui est savant ou élève».

Vis ton actualité, ne te laisse pas errer dans l'imagination et envole-toi dans le ciel de l'idéalisme. Accepte ta vie telle qu'elle est, adapte ton âme à son existence et à sa citoyenneté, tu n'y trouveras, certainement pas, un ami intime, comme tu ne pourras pas y parfaire une quelconque œuvre parce que l'élite, la perfection et l'achèvement ne sont pas de son ressort, ni de ses qualités.

Tu ne pourras jamais avoir une épouse parfaite. Dans le Hadith, il y a: «Un croyant ne doit pas haïr une croyante ; s'il déteste un de ses traits de caractère, il sera satisfait d'un autre.»

Il faut nous entendre, nous rapprocher, pardonner, absoudre, nous contenter du possible et abandonner ce qui est difficile, faire parfois semblant de n'avoir rien vu, réparer les fautes et ignorer certaines choses.

Console-toi par ceux qui sont affligés

Tourne-toi à droite et à gauche, vois-tu autre chose que des gens calamiteux, des sinistrés, des femmes qui sanglotent dans chaque maison, des larmes sur toute les joues et dans chaque vallée, il y a les 'Béni Saad'.

Combien y a-t-il de personnes calamiteuses et résignées ? Tu n'es pas le seul touché. Mieux encore, ton problème est insignifiant par rapport à d'autres. Combien de malades allongés sur leurs lits depuis des années, se retournant tantôt à droite, tantôt à gauche, rongés par les douleurs et criant de la douleur de la maladie ?

Combien de prisonniers n'ont pas vu le soleil de leurs yeux, depuis des années, et ne connaissent que leurs cellules ?

Combien d'hommes et de femmes ont perdu leurs jeunes enfants, parties intégrantes de leur propre foie, à la fleur de l'âge ?

Combien de gens angoissés, endettés, désolés ou affligés ?

Il est temps que tu te consoles de ces gens et que tu saches que cette vie est une prison pour le croyant, une maison de tristesse et de malheur. Au matin, les châteaux sont pleins des leurs, le soir, ils sont vides, tout en ruines. Alors que tout est à l'union, les corps sont dans la tranquillité, la fortune est abondante et les enfants sont nombreux, voilà que, dans l'espace de quelques jours, arrivent la misère, la mort, la séparation, les maladies: ❨Il vous est apparu, en toute évidence, comment Nous les avons traités et Nous vous avons cité des exemples❩.   *(Coran 14:45)*

Tu dois ancrer ton âme comme l'implantation du chameau expérimenté qui s'agenouille sur le rocher, et de comparer ce qui t'est arrivé à ceux qui t'entourent et ceux qui t'ont devancé dans le trajet de cette ère, pour que tu constates que tu es dans la quiétude par rapport à ceux-là et que ce qui t'a atteint n'est qu'une piqûre indolore, insignifiante.

Loue Allah pour Sa mansuétude, remercie-Le pour ce qu'Il a laissé, espérant qu'Il te récompensera pour ce qu'Il a pris et apaise-toi par ceux qui t'entourent.

Tu as d'ailleurs dans le Prophète (ﷺ) un exemple excellent: en effet, le placenta a été versé sur sa tête, ses pieds ont été ensanglantés, il a été gravement atteint au visage, comme il a été assiégé dans des vallées jusqu'à la contrainte de manger des feuilles d'arbres. Il fut banni de la Mecque, ses deux incisives furent cassées, il fut atteint dans la chasteté de sa femme honorable, soixante-dix de ses compagnons ont été tués, il a perdu son fils et la plupart de ses filles, a calmé sa faim en attachant une pierre à son ventre, a été traité de poète, de prêtre, de sorcier, de fou, de menteur: mais Allah l'a protégé de tout cela. Pourtant, c'était une affliction fatale et un examen sans pareil. D'autre part, le prophète Zakaria a été tué, Yahia égorgé, Moussa expulsé, l'ami d'Allah Ibrahim jeté dans le feu. Les imams ont eux aussi parcouru ce chemin: Omar a été couvert de son sang, Othmane fut assassiné, Ali poignardé, les dos des gens pieux furent cravachés, les bonnes gens furent emprisonnés et les dévots torturés. ﴾Ou estimeriez-vous entrer au Paradis sans aucunement passer par des épreuves analogues de ceux qui vous ont précédés ? Calamité et douleur les affectèrent et ils furent ébranlés ﴿.   *(Coran 2:214)*

La prière... la prière

﴾Ô vous qui avez cru ! Prenez aide dans la patience et la prière ﴿.
(Coran 2:153)

Quand la peur te hante, que le chagrin t'assiège et que la désolation te prend à la gorge, lève-toi sur-le-champ et fais la prière, ton âme sera récompensée et ton esprit réconforté, car elle est capable, avec la permission d'Allah, d'envahir «les colonies» des soucis et de la tristesse et de pourchasser «les groupes» du chagrin.

Quand un problème le préoccupait, le Prophète (ﷺ) disait: «Procure-nous du repos par la prière, ô Bilal !». Et c'était là son extrême bonheur, sa réjouissance et sa joie.

Et j'ai lu sur des gens pieux qui, lorsqu'ils se trouvaient dans des situations fâcheuses et que la maussaderie se voyait sur leurs visages, se précipitaient à la prière, craintifs et soumis, et voilà que leur reviennent la force, la volonté et l'ardeur.

La prière de la peur a été légiférée pour qu'elle soit accomplie au moment de la frayeur, le jour où les têtes volent en l'air et que les vies disparaissent sous les lames des épées: dans ces instants de terreur, il n'y a pas mieux qu'une prière craintive pour être raffermi.

Que cette génération, tourmentée par les maladies psychologiques et psychiques, fasse connaissance avec la mosquée et qu'elle fasse frotter le front par terre pour satisfaire son Seigneur d'abord, et ensuite sauver son existence de cette torture immuable, sinon les larmes brûleront ses paupières et la tristesse fera craquer ses nerfs, et il n'a pas d'autre énergie que la prière qui puisse l'alimenter de tranquillité et de sécurité.

Ces cinq prières quotidiennes, si nous étions raisonnables, sont une des plus grandes Grâces d'Allah. En effet, elles font absoudre nos péchés, élever nos degrés auprès de notre Seigneur, comme elles sont aussi un traitement bénéfique à nos misères et un médicament efficace contre nos maladies, de même qu'elles font affluer dans nos consciences des quantités pures de certitude et remplissent nos cœurs de satisfaction. Par contre, ceux qui se sont éloignés des mosquées et ont abandonné la prière, ils rencontrent ennui sur ennui, tristesse sur tristesse et malheur sur malheur: ❨Malheur à eux et Il fera égarer leurs actions❩.

(Coran 47:8)

❨*Allah nous suffit, et quel bon défenseur !*❩

(Coran 3:173)

Laisser les problèmes à Allah, compter sur Lui, ne pas avoir de doutes sur ce qu'Il a promis, être satisfait de ce qu'Il a fait, avoir pleine confiance en Lui et attendre de Lui le soulagement: tout cela constitue les plus merveilleux fruits de la foi et les qualités les plus nobles du croyant. Quand la personne se sent rassurée de sa bonne destinée et s'en remet à son Seigneur dans toutes ses affaires, elle trouvera l'attention, l'occupation, la suffisance, le soutien et le succès.

Quand Ibrahim — que le salut d'Allah soit sur lui — fut jeté au feu, il a dit: Allah nous suffit et quel bon défenseur! Le feu fut transformé par Allah en froid et salut. Notre Prophète (ﷺ) et ses compagnons, quand ils furent menacés par les armées des incroyants et les bataillons de l'idolâtrie ont dit: ❨Allah nous suffit, et quel bon défenseur! Ils s'en sont retournés par une grâce d'Allah et une générosité sans qu'aucun mal pût les affecter, suivant l'agrément d'Allah, et Allah a une générosité immense❩. *(Coran 3:173-74)*

L'être humain ne peut pas contrarier tout seul les événements, s'opposer aux malheurs et lutter contre les ennuis, puisqu'il fut créé faible et incapable. Mais il doit prendre comme soutien son Seigneur et faire confiance en son Maître, Lui laissant toute action: sinon, de quelle ruse est-il capable, cet être humain misérable, minable, lorsque les calamités l'envahissent et les catastrophes l'entourent — ❨Et que les croyants s'en remettent à Allah❩! *(Coran 5:23)*

Que celui qui veut se conseiller soi-même suive: remets-t-en au Puissant, le Riche à la force, le Solide afin qu'Il te sauve des malheurs, te sorte des chagrins et fasse de ces paroles: *Allah nous suffit, et quel bon défenseur!* ta devise et ta couverture.

Lorsque ta fortune diminue, que tes dettes augmentent, que ton approvisionnement s'est asséché et que tes revenus sont devenus avares, crie: *Allah nous suffit, et quel bon défenseur!*

Et si tu as peur d'un ennemi, ou terrorisé par un tyran ou effrayé par une catastrophe, acclame: *Allah nous suffit, et quel bon défenseur!*

❨Et ton Seigneur suffit comme Guide et Soutien❩.

(Coran 25:31)

❨*Dis: parcourez la terre*❩ *(Coran 6:11)*

Parmi les choses qui détendent la poitrine et dissipent les nuages des soucis et des chagrins, il y a le voyage dans les campagnes, la traversée du désert, le déplacement dans cette terre immense et la contemplation du livre ouvert de l'univers pour que tu observes les calames de la capacité en train d'écrire sur les feuillets de l'existence, les signes de la beauté, afin que tu voies de beaux jardins, joyeux, charmants et touffus.

Sors de chez toi et médite sur ce qu'il y a autour de toi, devant toi et derrière toi. Escalade les montagnes, descends dans les vallées, grimpe sur les arbres, prends une poignée d'eau limpide, mets ton nez dans les branches de jasmin: à ce moment-là, tu trouveras ton âme libre et indépendante à l'instar des oiseaux qui voltigent dans l'espace du bonheur. Sors de chez toi, enlève le voile noir de tes yeux, puis déplace-toi dans la Grandeur d'Allah, en L'implorant et en Le glorifiant.

L'isolement dans une chambre étroite, avec le vide mortel, est une voie au suicide réussi, et ta chambre n'est pas tout le monde comme tu n'es pas l'ensemble des gens. Pourquoi donc la soumission face aux bataillons des chagrins? Que non! Crie de ta vue, de ton ouie et de ton cœur: ❨Courez au front équipés, légèrement ou lourdement❩ *(Coran 9:41)*. Viens lire le Coran ici, entre les ruisselets et les bosquets, parmi les oiseaux qui gazouillent les discours d'affection et parmi l'eau qui raconte l'histoire de son arrivée des plaines.

La promenade par les chemins terrestres est un plaisir conseillé par les médecins, pour celui dont l'âme s'est alourdie et dont la chambre exiguë s'est assombrie.

Allons-y, que l'on voyage pour être heureux et joyeux, pour réfléchir et penser.

❨...Et méditent sur la création des cieux et de la terre: notre Seigneur! Tu n'as pas créé tout cela en vain❩   *(Coran 3:191)*

Une belle patience donc

La caractéristique de la patience est de la nature des êtres exceptionnels qui reçoivent les mauvaises nouvelles d'un cœur ouvert, d'une force de volonté remarquable et d'une haute immunité. Et toi et moi, si nous ne patientons pas, que pouvons-nous faire?

As-tu pour nous, une solution autre que la patience?

Connais-tu pour nous, une provision autre qu'elle?

Il y avait parmi les sublimes personnes, un homme qui était le théâtre des afflictions et le terrain des catastrophes. Il sortait d'un chagrin pour entrer dans un autre mais il restait ferme ayant, pour cuirasse, sa patience et, pour bouclier, sa confiance en Allah.

C'est ainsi que font les nobles: ils luttent contre les calamités et terrassent les catastrophes.

On est rentré chez Abou Bakr alors qu'il était malade. Ils ont dit: ne devrons-nous pas appeler un médecin? Il a répondu: le médecin m'a vu. Ils ont dit: qu'a-t-il dit?

Il a répliqué: il a dit qu'Il faisait ce qu'Il voulait.

Patiente donc, et ta patience ne peut se faire que par Allah. Sois certain de la délivrance, que ta destinée sera bonne. Demande la récompense, espérant l'absolution de tes péchés, patiente quelles que soient la noirceur du malheur et l'obscurité du chemin: la victoire vient par la patience, le soulagement arrive après la désolation et le dépit est accompagné d'aise.

J'ai lu la biographie de certaines éminentes personnalités passées par cette vie ici-bas: je fus étonné de leur grande patience et de leur forte endurance. Les calamités qui tombaient sur leurs têtes étaient pour eux des gouttes d'eau froide, du fait de leur fermeté comparable à celle des montagnes, dans la détermination de la vérité et de la justice. Et voilà que, peu de temps après, leurs visages s'illuminent des rayons de l'aube du soulagement, de la joie du succès et du moment de la victoire. L'un d'eux, ne s'est pas seulement contenté de cela, mais il a combattu les catastrophes et a crié au visage des afflictions, les défiant.

Ne porte pas le globe terrestre sur ta tête

Parmi les gens, il y a un groupe qui se font tourner une guerre mondiale dans leurs esprits alors qu'ils sommeillent sur leur lit. Quand la guerre éclate effectivement, ils récoltent un ulcère d'estomac et une hypertension artérielle. Ils brûlent avec les événements, se mettent en colère pour l'augmentation des prix, se révoltent pour le retard des pluies, font un scandale pour la baisse de la valeur des devises: bref, ils sont dans un agacement continu et une inquiétude durable. ❰Ils croient que tout cri les vise❱.

(Coran 63:4)

Et mon conseil est: ne porte pas le globe terrestre sur la tête. Laisse les événements sur terre, ne les mets pas dans tes tripes. Le cœur de quelques personnes est, semble-t-il, comme une éponge. En effet, il absorbe les rumeurs et les mensonges, s'agace des futilités, est secoué par les nouvelles, perturbé par toute chose. Un tel cœur est une garantie de destruction de son partenaire et de son être.

Les gens tenant aux bons principes voient leur foi consolidée par les exemples et les sermons. Par contre, ceux, aux faiblesses caractérisées, voient les tremblements de terre ajouter de la peur à la leur, et il n'y a pas plus bénéfique, dans les situations désastreuses et les ouragans, qu'un cœur courageux.

En effet, l'homme valeureux est très calme, son cœur est ferme, sa certitude enracinée, ses nerfs bien froids et il est enjoué. Quant au lâche, il s'égorge plusieurs fois par jour à l'aide de l'épée des prévisions, des mensonges, des illusions et des rêves. Si tu veux avoir une vie stable, il te faut affronter les problèmes avec courage et endurance et ne suis surtout pas les gens incertains, et ne sois pas gêné par ce qu'ils trament.

Sois plus ferme que les événements, plus puissant que les vents des crises, plus fort que les ouragans. Ô ! Ta grâce Allah pour ceux qui ont des cœurs faibles: comme les journées les agitent ! ❰Et tu les trouveras certainement, plus que personne, cramponnés à la vie❱ *(Coran 2:96)*. Mais les personnes dignes ont un soutien d'Allah et sont certaines de la promesse ❨Puis Il fit descendre Sa sérénité sur eux ❩.   *(Coran 48:18)*

Que les futilités ne te brisent pas

Combien de personnes sont soucieuses pour des choses insignifiantes et futiles qui ne se disent pas !

Regarde les hypocrites, comme elles sont basses, leurs ardeurs et comme elles sont froides, leurs résolutions. Voici leurs dires: ❨Ne courez pas au front par ces chaleurs ❩, *(Coran 9:81)* ❨Donne-moi ta permission, mais épargne-moi la tentation ❩, *(Coran 9:49)* ❨Nos maisons sont sans défense ❩, *(Coran 33:13)* ❨Nous craignons d'être atteints d'un retournement de fortune ❩ *(Coran 5:52)*, ❨Allah et son Messager ne nous ont promis qu'une duperie ❩ *(Coran 33:12)*. Quelle défaillance pour ces 'nez', quelle misère pour ces âmes !

Ils n'ont pour soucis que leurs ventres, les plats, les maisons et les châteaux. Ils ne lèvent pas leurs yeux au ciel des exemples, ne regardent jamais aux étoiles des vertus.

Le souci de chacun d'eux et tout ce qu'il connaît: sa monture, ses habits, ses chaussures et son banquet. Une mésentente avec l'épouse, un fils, un proche ou le fait d'avoir entendu une parole répugnante ou constaté une attitude futile sont, en général, l'origine des problèmes de bon nombre de personnes. Ils n'ont pas de buts exemplaires qui les occupent, ils n'ont pas non plus de préoccupations importantes pour utiliser à bon escient leur temps et on a dit: quand l'eau sort de l'ustensile, ce dernier se remplit d'air.

Donc, pense à la question qui te donne du souci et du chagrin: mérite-t-elle vraiment cet effort et cette peine ? Puisque tu lui as donné de ta raison, de ta chair, de ton sang, de ton repos et de ton temps, ce qui est un désavantage dans l'affaire et une perte énorme dont le prix est insignifiant. Les psychologues disent: donne à toute chose une limite raisonnable. Mieux encore et avec beaucoup plus d'éloquence, la Parole du Très-Haut: ❨Allah a effectivement établi, pour chaque chose, une mesure ❩ *(Coran 65:3)*. Accorde donc à l'affaire sa mesure, son poids et sa valeur mais, prends garde, quant à l'injustice et à l'exagération.

Sous le fameux arbre, le souci des Compagnons était la fidélité à l'allégeance faite au Prophète et ils ont obtenu la Satisfaction d'Allah. Mais un homme parmi eux avait un autre souci: son chameau, si bien qu'il rata la vente et par conséquent, sa récompense fut la privation et le mépris.

Terrasse donc les futilités et la préoccupation qui en découle, tu constateras que la plus grande partie de tes soucis s'est dissipée en se transformant en bonheur et en joie.

Sois satisfait de ce qu'Allah t'a attribué et tu seras le plus riche des gens

On a déjà cité quelques significations de cette raison, mais je la simplifierai ici, pour plus de compréhension: tu devrais être satisfait de ce qui t'a été attribué comme corps, argent, enfants, habitation et capacités. Ceci est la logique du Coran: ❲Prends ce que Je t'ai donné et sois de ceux qui sont reconnaissants❳.   *(Coran 7:144)*

La majorité de nos ancêtres et des savants de la première génération étaient pauvres, ils n'avaient pas de donations, ni de belles maisons, ni de voitures, ni de serveurs et malgré cela, ils ont enrichi la vie, fait leur bonheur et celui de l'humanité parce qu'ils ont utilisé le bien qui leur a été offert par Allah, dans Son chemin véridique, si bien que leurs œuvres, leur temps et leurs capacités furent fructifiés par la Grâce d'Allah. Par opposition à ce genre d'hommes, d'autres ont été pourvus d'argent, d'enfants et de grâces multiples qui furent, pour eux, malheur et misère parce qu'ils se sont éloignés de la voie de la rectitude et de la méthode véridique. Ceci est une preuve flagrante que les choses en elles-mêmes ne sont pas tout dans la vie. Regarde celui qui a des diplômes de renommée mondiale mais qui reste anonyme, dans le vrai sens du mot, dans son octroi, sa compréhension et ses vestiges. Par contre, d'autres n'ont que des connaissances limitées dont ils ont fait un fleuve coulant d'avantages, d'amendement et de développement.

Si tu veux le bonheur, sois satisfait de l'image dont Allah t'a doté, de ta situation familiale, de ta voix, du niveau de ta compréhension et de tes revenus financiers — et même de ce qui en est moins. En effet, quelques pédagogues ascétiques vont plus loin en disant: «Contente-toi de moins de ce que tu as et de toute situation différente».

Voici, à ton intention, une liste excellente pleine d'illustres dont les chances viagères ont été lésées:

- Ata Ibn Rabah, savant unique dans son époque, était un domestique noir au nez épaté, paralysé, aux cheveux crépus.

- Al Ahnaf Ibn Qays, le plus patient de tous les Arabes, était très maigre, le dos bossu, les jambes arquées et de faible constitution physique.

- Al 'Amach, virtuose du Hadith à l'échelle planétaire, était un non-Arabe, à la vue faible, très pauvre, portant des habits déchirés, avec une allure et un état social piteux.

Même les honorables Prophètes, que les prières d'Allah et Son salut soient sur eux, ont tous été des bergers de moutons, Daoud était forgeron, Zakaria menuisier et Idris couturier, alors qu'ils restent l'élite des gens et les meilleures de toutes les créatures.

Donc, ta valeur dépend de tes talents, de tes œuvres bienfaisantes, de l'avantage que tu apportes aux gens et de tes comportements. Alors ne te chagrine pas — ou ne sois pas triste — pour ce que tu ne possèdes pas comme beauté, argent ou progéniture et sois satisfait de ce qui t'a été octroyé par Allah: ❪Nous avons réparti leur subsistance dans la vie ici-bas❫.   *(Coran 43:32)*

Rappelle-toi le Paradis dont les dimensions égalent les cieux et la terre

Si tu as eu faim ici-bas ou si tu as été séparé, attristé, malade, lésé d'un droit ou si tu as goûté une injustice, rappelle-toi l'aisance parce que si tu te persuadais de ce principe et œuvrais pour arriver à cette fin, ta perte se transformerait en gain et tes malheurs en cadeaux.

Les gens les plus raisonnables sont ceux qui œuvrent pour l'Au-delà qui est meilleur et durable, quant aux plus ridicules et les moins intelligents de cette création pensent que cette vie est leur stabilité, leur demeure et la fin de leurs espoirs. Tu les trouves des plus éprouvés dans les calamités et des plus contrariés dans les accidents, parce qu'ils ne voient que leur vie insignifiante, basse et éphémère. Ils ne se soucient pas d'autre chose et ne font rien en dehors d'elle. Ils ne veulent donc pas que leur bonheur soit brouillé et leur joie affligée. S'ils avaient enlevé la couverture existante sur leurs cœurs et le voile de l'inconscience de leurs yeux, ils se seraient rappelés la Demeure éternelle, ses délices, ses maisons et ses châteaux. Ils auraient aussi entendu et écouté le discours de la Révélation qui la décrivait: c'est, par Allah, la Demeure qui mérite tout l'intérêt, l'assiduité et l'effort.

Avons-nous médité longuement sur les habitants du Paradis, savons-nous qu'ils ne tombent jamais malades, qu'ils n'ont pas de chagrins, qu'ils ne meurent pas, que leur jeunesse est éternelle, que leurs vêtements ne s'usent pas, qu'ils sont dans des chambres dont l'intérieur est vu de l'extérieur et vice versa, où il y a ce que nul œil n'a vu, nulle oreille n'a entendu et nulle créature ne peut imaginer.

La caravane circule dans l'un de ses arbres pendant cent ans sans qu'elle le traverse, la longueur de la tente est de soixante *miles*, ses fleuves interminables, ses châteaux hauts, ses fruits proches, ses sources courantes, ses lits élevés, ses coupes placées à portée de main, ses coussins alignés, ses tapis étendus dans tous les coins, ses joies se sont achevées, son plaisir a pris de l'importance, sa connaissance s'est diffusée, sa description est magnifique, les merveilleux espoirs y sont: où sont donc nos cerveaux, pourquoi ne réfléchit-on pas? Qu'est-ce qui nous prend de ne pas méditer?

Si la demeure destinée est celle-là, que les calamités soient sans importance pour ceux qui en sont touchés, que se réconfortent alors les yeux de ceux qui sont affligés et que se réjouissent les cœurs des condamnés !

Ô vous qui êtes écrasés par la misère, épuisés par la pauvreté, affectés par les peines, faites du bien pour que vous habitiez le Paradis d'Allah et que vous L'avoisiniez, que soient sanctifiés Ses Noms, ❮ Salut sur vous pour ce que vous avez patienté ! Félicité dans l'ultime Demeure ❯.

(Coran 13:24)

❮ Ainsi Nous fîmes de vous une Communauté médiane ❯

(Coran 2:143)

La justice est une revendication de raison et de foi, sans exagération ni minimisation, sans excès ni abus. Et que celui qui veut être heureux règle ses sentiments et ses réactions, qu'il soit équitable dans sa satisfaction, son énervement, sa joie et son chagrin, parce que l'amoindrissement et l'exagération dans la conduite lors des événements causent du tort à l'âme, et que la position médiane est bonne, d'autant plus que la religion est descendue par mesure, la vie s'est faite par la justice, et le plus malheureux des gens est celui qui obéit à ses caprices, s'est soumis à ses sentiments et ses penchants.

A ce moment-là, les accidents s'amplifient chez lui, les angles s'obscurcissent à ses yeux et des combats féroces de rancœur, d'arrière-pensées et de rancunes naissent dans son cœur parce qu'il vit avec des illusions et des imaginations. Parmi ces personnes-là, quelques-uns pensent que tout le monde est contre eux, d'autres croient qu'un complot se trame à leur détriment. Et ainsi, leurs doutes leur font penser que toute la vie les surveille, si bien qu'ils vivent dans des nuages noirs de peur, de chagrin et de malheur.

La désinformation est interdite par la religion, reste une habitude vile, et n'est pratiquée que par des gens dépourvus de toutes les valeurs vivantes et les principes divins. ❮ Ils croient que tout cri les concerne ❯.

(Coran 63:4)

Fais asseoir ton cœur sur sa chaise, la majeure partie de ce dont il a peur n'arrivera pas, et, avant que n'arrive ce que tu prévoyais, tu dois t'attendre aux pires suppositions puis préparer ton esprit à les accepter. A ce moment-là, tu échapperas aux probabilités injustes qui brisent le cœur avant que ne survienne l'événement et, de la sorte, il survivra.

Ô toi qui es raisonnable et éveillé, donne à toute chose son volume, ne gonfle pas les événements, les comportements et les affaires. Au contraire, ménage, soit juste et ne dépasse pas les bornes, ne te laisse pas aller avec les fausses illusions et les mirages trompeurs. Ecoute la balance de l'amour et de la haine dans ce propos noble: «Aime ton ami avec modération, car il se peut qu'il te déteste un beau jour, et déteste avec modération celui qui te déteste, car il se peut qu'un beau jour, il soit ton ami.»

❨Il se peut qu'Allah établisse une amitié entre vous et ceux d'entre eux dont vous avez été les ennemis. Allah est Omnipotent, Allah est Absoluteur et Miséricordieux❩.   *(Coran 60:7)*

Ainsi beaucoup d'intimidations et de mensonges sont sans fondement.

Le chagrin n'est ni conseillé dans la religion, ni désiré du tout

Le chagrin est défendu dans la parole du Très-Haut: ❨Ne faiblissez pas et ne vous chagrinez pas❩ *(Coran 3:139)* et Sa parole: ❨Et ne te chagrine pas pour eux❩ *(Coran 16:127)*. Cela a été répété dans plusieurs autres versets du Coran: ❨Ne te chagrine pas, Allah est avec nous❩ *(Coran 9:40)*, ❨Et ils n'auront aucune crainte et ils ne ressentiront aucun chagrin❩ *(Coran 2:38)*. Le chagrin est un apaisement du tison de la demande, un sommeil de l'ardeur, une froideur dans l'âme et c'est une fièvre qui paralyse le corps vital.

Et le secret dans cela est que le chagrin immobilise et n'est pas commandé, il n'apporte aucun intérêt au cœur, et la chose la plus aimée du diable est qu'il attriste l'être humain pour l'empêcher de continuer son chemin et l'éloigner de son comportement. Allah a dit: «Le conciliabule est l'œuvre du diable pour chagriner ceux qui ont cru» *(Coran 58:10)*, et le Prophète (ﷺ) a défendu aux trois: «Que deux ne tiennent pas de conciliabule entre eux sans le troisième, car cela le chagrinera».

Le chagrin du croyant n'est ni conseillé, ni désiré, puisque c'est un mal qui atteint l'esprit. Et il a été demandé au musulman de le proscrire, de ne pas s'y soumettre, de le repousser, de lui résister et de le combattre par tous les moyens légaux.

Le chagrin n'est pas conseillé, il n'est pas désiré non plus, il est sans intérêt: le Prophète (ﷺ) en a sollicité la protection d'Allah en disant: «Ô Allah! Je demande Ta protection contre le souci et l'embarras.» Il est le compagnon du souci et la différence entre eux est que si le désagrément qui atteint le cœur, n'est pas encore arrivé, il le fait hériter du souci, et que si c'est du passé il lui procure du chagrin, alors que tous les deux l'affaiblissent vis-à-vis de la continuité et de la résolution.

Le chagrin est une contrariété pour la vie et un dépit pour l'existence. C'est aussi un sérum empoisonné de l'âme qui le fait hériter de la langueur, de la maussaderie et de la confusion. Et comme elle est atteinte d'un mutisme flétrissant devant la beauté, elle est incapable de faire du bien et s'éteint face aux joies de la vie. Alors, elle boit d'un verre de pessimisme, de regret et de douleur.

Mais l'atteinte par son affliction est obligatoire, selon la réalité, et c'est pour cela que ceux qui entrent au Paradis disent: «Louange à Allah qui a fait partir loin de nous l'embarras» *(Coran 35:34)*. Ceci prouve qu'ils étaient touchés malgré eux par le chagrin dans leur vie, ainsi que par toutes les autres calamités. Si le chagrin arrive en dehors de la volonté de l'âme et qu'elle n'en soit pas responsable, elle sera récompensée pour ce qui lui est arrivé, car c'est un genre d'afflictions, et dans ce cas, la personne doit le repousser à l'aide d'implorations et les moyens existants à même de le bannir.

Quant à Sa parole, le Très-Haut: «Ni ceux qui vinrent à toi pour que tu leur fournisses une monture, tu leur dis: «Je ne trouves pas de quoi vous monter», ils s'en retournèrent les yeux débordant de larmes, bien embarrassés de ne pouvoir y subvenir 》 *(Coran 9:92)*, ils n'ont pas été complimentés pour le même genre de chagrin, mais pour ce qu'il a apporté comme preuve de la force de leur foi, puisqu'ils n'ont pas pu accompagner le Messager d'Allah (ﷺ) en étant incapables de dépenser. Ceci est une insinuation aux hypocrites qui ne se sont pas attristés d'avoir manqué la participation mais, au contraire, ils en furent ravis.

Le chagrin loué *a posteriori* est celui qui a été causé par un manque d'obéissance ou une affliction survenue. Le chagrin de l'être pour son manquement envers son Seigneur et sa négligence à l'égard de son Maître, est une preuve qu'il est vivant, de son acceptation de la rectitude, de son illumination et de sa foi.

Quant à Sa parole (ﷺ) dans le Hadith authentique: «Quand le croyant est touché de souci, de peine ou de chagrin, Allah lui en absout ses péchés», prouve que c'est une affliction d'Allah à l'encontre de Sa créature qui bénéficiera d'une absolution de ses fautes, mais pas une situation qui doit être demandée et implorée. Il n'est pas permis à l'humain de demander le chagrin en croyant que c'est un dévouement et que la religion encourage, ordonne ou accepte de le pratiquer ou, encore moins, l'a légiféré pour ses pratiquants. Si c'était vrai, le Prophète (ﷺ) aurait accablé son existence de chagrins et l'aurait enveloppée de soucis. Comment en serait-il ainsi, alors que sa poitrine est enjouée, son visage souriant, son cœur satisfait et son bonheur permanent ?

Quant au Hadith d'Ibn Abi Hala sur l'attitude du Prophète (ﷺ): «Il était continuellement chagriné», il n'est pas authentifié dans sa chaîne de transmission, il y a des inconnus et il est contraire à la réalité et à la situation du Prophète (ﷺ).

Et comment serait-il continuellement triste alors qu'Allah l'a préservé du chagrin de la vie et de ses causes, lui a défendu de se chagriner pour les négateurs et l'a absous de tous ses péchés, antérieurs et ultérieurs ? D'où lui viendrait le chagrin ? Et comment arriverait-il à son cœur, et par quelle voie, alors qu'il est habité par les implorations, assouvi de rectitude, débordant de croyance divine, rassuré de la promesse d'Allah, satisfait de ses décisions et de ses œuvres ? Au contraire, il était toujours gai, riant à pleines dents comme dans sa qualification «le jovial, le tueur *[des mécréants]*» — que les prières d'Allah et Son salut soient sur lui. Celui qui s'approfondit dans ses nouvelles, examine méticuleusement les profondeurs de sa vie et explore ses jours, s'apercevra qu'il est venu pour supprimer l'injustice, réfuter l'inquiétude, le souci, le chagrin et la tristesse, délivrer les âmes de la colonisation de la méfiance, des doutes, du polythéisme, de l'incertitude et de la confusion ainsi que des abîmes des dangers. Par Allah, comme il combla de faveurs l'humanité entière !

Pour ce qui est de la nouvelle rapportée: «Qu' Allah aime tout cœur triste», sa chaîne de transmission n'est pas connue, pas plus que celui qui l'a rapportée et on ne sait pas sa réalité. Comment pourrait-il être authentique alors que la Communauté est venue de manière différente et que la religion est son contraire ? En supposant qu'il est vrai, le chagrin est une affliction qui est une mise à l'épreuve d'Allah pour Ses créatures: si ces gens éprouvés se résignent, Il appréciera alors leur patience — et non leur épreuve.

Ceux qui ont loué la tristesse et l'ont exaltée en attribuant ce fait à la religion se sont trompés et il n'est pas arrivé, à son sujet, autre chose que son interdiction et l'ordre d'œuvrer pour ce qui est son contraire, c'est-à-dire la joie pour la Grâce d'Allah, Sa Générosité qu'Il a descendues sur Son Prophète (ﷺ), le bonheur d'avoir été guidé sur le droit chemin et l'enjouement pour cette nouvelle bénie qui est descendue du ciel sur les cœurs des saints.

Quant à l'autre citation: «Quand Allah aime une personne, il dresse dans son cœur une pleureuse, et quand Il la hait, Il y place une flûte...», c'est une citation israélite et on a dit qu'elle est contenue dans la Torah. Cependant, elle a un sens juste par le fait que le musulman est triste de ses péchés et le débauché s'amuse et se divertit, fredonnant de joie. Si une peine survient dans les cœurs des gens pieux, c'est bien pour ce qu'ils ont raté de bienfaisances, leur insuffisance dans les bonnes actions pour atteindre les hauts degrés et ce qu'ils ont commis comme péchés. Or cela est tout à fait le contraire du chagrin des humains désobéissants, et qui est causé par ce qu'ils ont perdu de la vie, de ses plaisirs, de ses désirs, de ses avantages et de ses objectifs. Leurs soucis, chagrins et malheurs sont à elle, à cause d'elle et pour elle.

Concernant Sa parole, Lui le Très-Haut, à propos de Son Prophète Yaqoub: ❨Et ses yeux blanchirent de chagrin, tellement il se contenait❩ *(Coran 12:84)*, c'est une nouvelle de sa situation affligeante due à la perte de son fils et bien-aimé Youssouf et qu'Il l'a éprouvé tout comme ce fut le cas pour la séparation entre eux. Mais le fait de donner des nouvelles sur la chose ne signifie pas que c'est conseillé, imposé ou qu'on y est incité. Au contraire, on nous a ordonné d'implorer le secours d'Allah contre le chagrin, puisque c'est un lourd nuage, une longue nuit inerte et un handicap sur le chemin qui mène aux œuvres nobles.

Toutes les sommités du comportement en général sont d'accord que le chagrin dans la vie ici-bas, n'est pas loué, hormis Abou Othmane Al Jabri qui a dit: le chagrin dans son ensemble est une vertu et un ajout au croyant tant qu'il n'est pas causé par un péché. Il a ajouté: parce que s'il n'est pas exigé en particulier, il l'est comme épreuve.

On dit que c'est sans aucun doute une épreuve et une affliction d'Allah, tout comme la maladie, la peine et le souci. Quant à dire que c'est une étape obligatoire de la Route, alors non. Tu dois attirer le bonheur, exhorter la bonne aise, demander à Allah une belle vie, une existence satisfaisante, des idées pures et un esprit large. Ce sont là des grâces de la vie ici-bas. D'ailleurs, d'aucuns ont dit que dans la vie, il existe un paradis, celui qui n'y entre pas, ne rentera pas dans celui de l'Au-delà.

Et Allah est le Seul capable d'assurer un enjouement à nos poitrines par la lumière de la certitude, de guider nos cœurs à Son chemin de rectitude et de nous sauver de la vie de gêne et de mesquinerie.

Une pause

Allez viens pour acclamer ensemble cette imploration chaleureuse et sincère. C'est pour dissiper le malheur, le souci et le chagrin:

«Il n'y a de divinité qu'Allah le Puissant, le Patient, il n'y a de divinité qu'Allah le Seigneur de l'immense Trône, il n'y a de divinité qu'Allah le Seigneur des cieux, de la terre et le Seigneur du Trône généreux, ô Vivant, ô Eternel, il n'y a de divinité que Toi, par Ta Grâce, je demande le secours.»

«Ô Allah, je souhaite Ta Grâce, ne n'abandonne pas à mon âme — ne serait-ce qu'un clin d'œil. Arrange mon tout, il n'y a de divinité que Toi.»

«J'implore le pardon d'Allah, il n'y a de divinité que Lui, le Vivant, l'Eternel et je me repens à Lui.»

«Il n'y a pas d'autre divinité que Toi, Gloire à Toi, j'étais parmi les personnes injustes.»

«Ô Allah, je suis Ton esclave, fils de Ton esclave, mon front est à Ta disposition, Ton jugement m'a été prédestiné, Ta sentence envers moi est juste: je T'implore par tout Nom T'appartenant, que Tu T'es attribué ou que Tu as descendu dans Ton Livre, ou appris à une de Tes créatures, ou que Tu as réservé dans la science de l'Inconnu auprès de Toi, que Tu fasses que le Coran soit le printemps de mon cœur, la lumière de ma poitrine, l'effacement de mon chagrin et la dissipation de mon souci.»

«Ô Allah, j'implore Ta protection contre le souci et l'embarras, l'incapacité et la paresse, l'avarice et la lâcheté, le poids de l'endettement et l'assujettissement des hommes.»

«Allah nous suffit, et quel bon protecteur.»

Souriez

Le rire modéré est un baume aux soucis, une pommade aux chagrins et il a une force étonnante pour l'enjouement de l'âme et la joie du cœur. Ainsi, Abou Addarda a dit: je ris afin que ce soit un, lavage de mon cœur. Et le plus noble des gens (ﷺ) riait des fois jusqu'à ce que paraissent ses molaires. Ceci est le rire des sages, les, connaisseurs de la maladie de l'âme et de son remède.

Le rire est le sommet de l'enjouement et du repos ; c'est aussi la fin de la joie. Mais sans trop d'exagération: «Ne ris pas trop car, cela tue le cœur». Donc avec modération: «Ton sourire au visage de ton frère, est une aumône». ❴Il sourit, riant de ses dires❵ *(Coran 27:19)*, pas par ironie et moquerie: ❴Quand il leur vint avec Nos signes, les voilà qui se mettent à en rire❵ *(Coran 43:47)*. Et le rire est un des bonheurs des habitants du paradis: ❴Et aujourd'hui, ce sont eux qui ont cru qui rient des mécréants❵.

(Coran 83:34)

Les Arabes vantaient celui qui riait à pleines dents et considéraient cela comme étant un signe d'aisance de l'âme, de prodigalité de la main, d'une habitude généreuse, de magnanimité de la nature et de largeur de l'esprit:

Le bon rieur est enchanté par les dons
Et est content quand il est demandé.

Et Zoheir a dit:
Tu le vois rayonnant quand tu vas à lui,
Comme si tu lui donnais ce que tu es venu lui demander.

En vérité, l'Islam est bâti sur le juste-milieu et la modération dans la foi, les adorations, le caractère et le comportement: ni maussaderie sombre, ni gros rires permanents abusifs, mais du sérieux respectable et une légèreté d'esprit sûre.

Abou Tammam dit:
Je donnerai ma vie pour le père d'Ali,
C'est l'aube pour qui espère et l'astre pour qui réfléchit,
Jovial, très sérieux des fois, car
La vie de celui qui ne plaisante pas, dépérit.

La contraction du visage et la maussaderie sont des signes de la souffrance de l'âme, de l'ébullition de l'esprit et du désarroi du tempérament.

Leurs visages sont maussades par la noirceur de l'orgueil,
Comme si malgré eux, au feu infernal ils étaient conduits,
Pas comme ceux qui, lorsque tu les rencontres par hasard
Sont telles les étoiles pour le marcheur de nuit.

«Même en accueillant ton frère avec un visage souriant»

Ahmed Amine dit dans son *Faïdh Al Khater* (La surabondance de l'esprit): ceux qui sourient à la vie ne sont pas seulement heureux de leur sort, mais ont plus de volonté de travail, plus d'aptitude à assurer des responsabilités, plus de capacité d'affronter les difficultés et résoudre les problèmes et ils accomplissent de grandes œuvres qui leur sont bénéfiques ainsi qu'aux autres.

Si on me donnait à choisir entre beaucoup d'argent — ou un poste très important — et une âme satisfaite, souriante, je choisirais la seconde. Que peut faire en effet l'argent avec la maussaderie? Et de quel intérêt serait le poste avec l'amertume? Et quel bien apporterait tout ce qui existe dans la vie si on est embarrassé, peiné comme quelqu'un qui revient de l'enterrement d'un ami cher? Et qu'est-ce qu'une belle épouse si elle transforme la maison en Enfer? Une épouse moins belle qu'elle, qui arrive à faire de sa maison un paradis, est mille fois meilleure.

Et le sourire n'a de valeur que lorsqu'il se dégage de ce qui a d'exceptionnel dans la nature de la personne. En effet, les fleurs sourient, à l'instar des forêts, des océans, des fleuves, du ciel, des étoiles et des oiseaux. D'ailleurs, l'être humain est de nature souriante: il n'y a que la cupidité, le mal et l'égoïsme qu'il rencontre, qui le rendent maussade. Il est ainsi une discordance dans l'harmonie des notes de la nature. Et de là, il ne voit pas la beauté, du fait de la maussaderie de son esprit et il ne voit pas non plus la réalité de la souillure de son cœur.

Toute personne voit la vie à travers son travail, sa pensée et ses impulsions. Si son travail est bon, sa pensée propre et ses impulsions saines, sa vision de la vie en devient pure et de ce fait, il voit la vie belle, telle qu'elle a été créée. Sinon, sa vision s'obscurcit, son tempérament se noircit et il voit toute chose noire, ténébreuse.

Il y a des âmes qui peuvent transformer toute chose en malheur et d'autres qui en font du bonheur. Il existe un genre de femmes au foyer qui ne voient que les défauts: ainsi, cette journée sera obscure parce qu'une assiette a été cassée, que le cuisinier a mis trop de sel dans un certain plat, qu'elle a remarqué un bout de papier par terre dans la chambre. Elle s'énerve alors, s'agite, profère des insultes, tout le monde présent paie et c'est une des flammes du feu...

Il y a aussi parmi les hommes celui qui s'emporte, se cause du dépit ainsi qu'à son entourage: pour une parole entendue et comprise à sa façon, une affaire futile qui lui est arrivée ou qu'il a faite, une perte quelconque, un gain attendu qui n'est pas parvenu, et toute la vie devient noire autour de lui et de ceux qui l'entourent.

Ces gens-là ont un pouvoir d'exagération dans le mal, ils font d'un pépin une coupole, d'une graine un arbre et n'ont pas la faculté de faire du bien, ne sont pas satisfaits de ce qu'ils possèdent, ni heureux de ce qu'ils ont obtenu, même en suffisance.

La vie est un art, un art qui s'apprend et le mieux pour l'être humain est de se consacrer à pourvoir sa vie de fleurs, de basilic et d'amour, au lieu de persévérer à assembler la fortune dans sa poche ou dans sa banque. Que devient la vie si tous les efforts se dirigent uniquement vers l'entassement de fonds négligeant ainsi de développer le côté comprenant la beauté, la compassion et l'amour?

La majorité des gens n'ouvrent pas leurs yeux aux bonheurs de la vie, mais au dirham et au dinar. Ils passent devant les jardins luxuriants, les jolies fleurs, l'eau ruisselante et les oiseaux gazouillants sans en tenir compte, mais en s'intéressent au dinar qui rentre et à celui qui sort. Le dinar n'est qu'un moyen de la belle vie:

mais eux, ils ont renversé la situation, en vendant l'existence heureuse pour cet amour de l'argent. Nos yeux nous ont été implantés pour regarder la beauté, mais nous les avons habitués à ne voir que le dinar.

Il n'y a pas pire que le désespoir pour rendre l'âme et le visage maussades: combats-le donc, si tu veux le sourire. L'occasion est favorable pour toi et les autres, la porte de la réussite t'est ouverte ainsi qu'aux autres, habitue alors ta raison à l'espoir et à l'espérance dans le bien futur.

Si tu conçois que tu a été créé dans cette vie pour accomplir de petites œuvres, tu n'atteindras dans ta vie que ce qui est insignifiant. Mais si, au contraire, tu t'imagines que tu l'as été pour une finalité plus importante, tu constateras ta volonté de vouloir briser les limites et les obstacles pour arriver à un large champ et d'objectifs nobles. Ceci existe et est justifié dans l'existence matérielle: celui qui participe à une course de cent mètres, se sent fatigué après la compétition, mais celui qui dispute l'épreuve des quatre cents mètres ne sentira pas de fatigue après cent ou deux cents mètres. L'âme fournit à ta détermination ce que tu lui as tracé comme objectif. Détermine ton but et qu'il soit noble, difficile à réaliser, ne te décourage pas tant que tu fais chaque jour un nouveau pas pour l'atteindre. Mais ce qui entartre l'âme, la ternit et la claustre dans une prison sombre, c'est le désespoir et la désespérance, la mauvaise existence au vu des méfaits, la recherche des défauts des gens et la complaisance de parler des méfaits des autres, pas plus.

La bonne réussite pour la personne est de tomber sur un bon éducateur qui lui développe harmonieusement ses capacités naturelles, lui élargit son horizon, lui inculque l'indulgence et la grandeur d'esprit. Qui lui apprenne aussi que le meilleur objectif qu'il devrait se tracer est qu'il soit une source de bien pour autrui, tant qu'il peut. Que son âme soit un soleil rayonnant de lumière, d'amour et de bienfaisance, que son cœur soit rempli de sentiments, de bonté, d'humanité et d'altruisme envers toutes ses relations.

L'âme souriante a du plaisir à rencontrer les difficultés qu'elle veut surmonter, elle les regarde le sourire aux lèvres, les traite en souriant et en vient à bout... en souriant. L'âme maussade ne les regarde pas, elle les évite. Et si par hasard, elle les rencontre, elle en fait une immensité, minimisant sa capacité et se justifiant par: «ou, si, lorsque». Et cette exécration du temps n'est due qu'a son éducation et à son tempérament: tout simplement, il veut réussir dans la vie sans frais, voit dans chaque chemin un lion couché, attend que le ciel pleuve de l'or ou que la terre s'ouvre sur un trésor caché. Les difficultés de l'existence sont relatives, toute chose est très difficile chez une âme très petite, et il n'y a pas de complication importante pour une très grande âme.

Alors que l'importance de l'âme forte augmente en affrontant les problèmes, la maladie de l'âme faible évolue en fuyant les difficultés qui sont comme le chien mordant: s'il voit que tu as peur de lui et que tu te mets à courir, il se met à aboyer et à te poursuivre; si au contraire, il s'aperçoit que tu te moques de lui, que tu ne lui accordes aucune importance et que tu fais briller tes yeux en sa direction, il te laisse le champ libre, se blottissant dans sa peau.

Ensuite, il n'y a pas chose plus mortelle pour l'âme que d'avoir des sentiments de bassesse, d'insignifiance, d'infime valeur, qu'il est impossible qu'une bonne action puisse lui être attribuée, et qu'on ne doit attendre aucune bienfaisance de sa part.

Cette impression de bassesse fait perdre à la personne la confiance en soi et la foi en sa capacité: c'est de là que, quand elle entame un travail, elle a des doutes sur son aptitude, la possibilité de réussite et le traite avec indolence si bien qu'elle échoue dans sa tâche.

La confiance en soi est une très grande vertu dont dépend tout succès dans la vie. Ne la confondons alors surtout pas avec la fatuité qui n'est qu'une dépravation: la différence entre les deux, c'est que dans la seconde, l'âme compte sur l'imagination et l'arrogance, par contre dans la première, elle compte sur sa capacité, sa prise de conscience de la responsabilité, la consolidation de ses facultés et l'amélioration de sa préparation. Ilia Abou Madhi a dit:

Il a dit: le ciel est triste et s'est renfrogné

J'ai dit: souris, la maussaderie dans le ciel, suffit!

Il a dit: la jeunesse est passée! Je lui ai dit: souris

Le regret ne rendra jamais la jeunesse partie!

Il a dit: celle qui était mon ciel, en amour

Est devenue un enfer, pour mon esprit!

Elle a trahi ses promesses après que je lui ai offert

Mon cœur, est-il possible que je souris!

J'ai dit: souris et sois heureux, si tu l'avais eue

Tu serais resté, souffrant, toute ta vie!

Il a dit: le commerce est dans un conflit énorme

Comme le voyageur auquel la soif a failli dire: péris!

Ou une jeune femme tuberculeuse ayant besoin

De sang, qui en haletant, expectore, des hématies!

J'ai dit: souris, tu n'as pas causé son mal

Et sa guérison, peut-être alors, si seulement tu souris!

Est-ce possible qu'un autre que toi soit criminel, et que tu te couches

Craintif, comme si c'était par toi que le crime fut commis?

Il a dit: les ennemis autour de moi ont élevé leurs voix

Devrais-je insister alors qu'ils m'entourent, mes ennemis?

J'ai dit: souris, ils ne te chercheront pas, par leur bassesse

Sauf si tu ne leur es pas plus digne et plus affermi!

Il a dit: les signes des fêtes sont apparus

M'exposant des jouets et des habits!

Et j'ai, pour les amis, une obligation nécessaire

Mais ma main ne possède aucun sou dont elle jouit!

J'ai dit: il te suffit d'être encore vivant

Et tu n'es pas complètement dépourvu d'amis!

Les nuits m'ont fait boire de l'amertume

J'ai dit: même si c'est amer, souris!

Peut-être qu'un autre te voyant fredonner
Fredonnera lui aussi et oubliera ses soucis !
Gagnerais-tu par l'ennui de l'argent
Ou perdrais-tu un butin quand tu te réjouis ?
Ô mon ami, il n'est pas utile que tes lèvres se fendent
Et que ton visage soit meurtri !
Souris, les étoiles scintillent dans la nuit
Et c'est pour cela que les étoiles nous sont chéries !
Il a dit: l'allégresse ne fait pas le bonheur de quelqu'un
Qui vient et s'en va malgré lui, de la vie !
J'ai dit: souris, tant qu'il y a entre toi et la mort
Un empan, car après, le sourire sera parti !!!

Comme nous avons besoin de sourire, de jovialité au visage, d'aise, de caractère posé, de douceur de l'âme et l'indulgence de l'aspect: «Allah m'a révélé que vous soyez modestes, pour qu'aucun n'opprime un autre et qu'aucun ne prétende être meilleur qu'un autre».

Une pause

Ne sois pas triste: tu as essayé le chagrin hier, mais cela ne t'a pas été bénéfique: ton fils a échoué, tu t'es attristé, a-t-il réussi ? Ton enfant est décédé, tu t'es affligé, t'est-il revenu vivant ? Tu as eu des déficits dans ton commerce, tu t'es renfrogné, tes pertes se sont-elles transformées en bénéfices ?

Ne sois pas triste: tu t'es endeuillé pour une calamité, d'autres sont ensuite, survenues. Tu t'es chagriné pour ta pauvreté, tu as été plus malheureux. Tu t'es peiné pour le dénigrement des gens, tu les as rendus plus durs. Tu t'es affligé parce que tu craignais un malheur, et il n'est pas arrivé.

Ne sois pas triste: rien ne te sera profitable, ni une demeure merveilleuse, ni une belle épouse, ni une fortune considérable, ni un poste important, ni des enfants excellents.

Ne sois pas triste: le chagrin te transforme l'eau douce en boue, la fleur en épis, le jardin en un désert sec et la vie en une prison insupportable.

Ne sois pas triste: tu as deux yeux, deux oreilles, deux lèvres, deux mains, deux pieds, une langue, une demeure, la sécurité, l'espérance et le corps en bonne santé: « Quels bienfaits de votre Seigneur, qualifiez-vous donc, vous deux, de mensonges ? »

(Coran 55:13)

Ne sois pas triste: tu as une religion à laquelle tu crois, une maison où habiter, du pain à manger, de l'eau à boire, des habits à porter et une épouse à qui tu as recours, pourquoi alors te chagrines-tu?

La grâce de la douleur

La douleur n'est pas dénigrée sur toute la ligne, ni détestée complètement: en effet, elle peut être un bienfait pour la personne.

L'imploration ardente vient pendant les douleurs, la glorification sincère les accompagne, la souffrance de l'étudiant pendant ses études et tout ce qu'il endure durant cette période fera de lui un vrai connaisseur. Il s'est consumé au début, il s'est illuminé à la fin. Le poète a si souffert et a tellement supporté pour produire une littérature touchante et attirante: en effet, il a accepté les calomnies, souffrant de son cœur, de ses nerfs et de son sang si bien qu'il arrive à éveiller les sentiments et à remuer les cœurs. Les épreuves de l'écrivain font sortir un produit vivant, attirant plein d'exemples, d'images et de souvenirs.

L'étudiant qui a vécu une existence de docilité et de repos, que les crises n'ont pas ébranlé et que les peines n'ont pas brûlé, restera toujours paresseux, mou et froid.

Le poète qui n'a pas connu la douleur, ni goûté l'amertume, ni bu de malheurs ne peut produire que des poésies composées d'un amoncellement de bas discours, d'entassement de bonnes paroles, parce qu'elles n'émanent pas du fond du cœur, mais de la bouche seulement, et que c'est sa compréhension qui s'est exprimée alors que son cœur et ses sentiments ne les ont pas vécues.

Et le plus noble et le plus haut exemple à donner est celui des premiers croyants qui ont vécu l'aube de la Mission, la naissance de la Religion et le début de la révélation. Ils ont eu une foi plus forte, des cœurs plus pieux, des paroles plus sincères, des connaissances plus approfondies parce qu'ils ont vécu la souffrance et les difficultés, la douleur de la faim et de la pauvreté, l'errance, le préjudice, l'expulsion, l'éloignement, la séparation des intimes, l'abandon des bien-aimés. Ils ont goûté les douleurs des blessures, de la tuerie et des tortures et ils furent, en toute vérité, l'élite pure, le groupe choisi, des signes de sainteté, des marques de noblesse et des symboles de sacrifice — ❪Et cela parce que nulle soif, fatigue ou faim qui les atteint dans le chemin d'Allah, qu'ils n'y feront nul pas provoquant l'irritation des négateurs, qu'ils ne feront sur l'ennemi nulle prise sans que leur soit inscrite une bonne œuvre, et Allah ne frustre pas les bienfaiteurs de leur salaire ❫.   *(Coran 9:120)*

Et dans le monde ici-bas, des gens ont produit d'excellentes œuvres parce qu'ils ont été affectés.

Al Moutanabi a été touché d'une fièvre, il composa alors son chef-d'œuvre:

Et ma visiteuse, comme si elle avait honte,
Ne me rendait visite que dans l'obscurité !

Et Al Nabigha, menacé de mort par Al Nou'mane Ibn Al Moundhir, présenta aux gens:

Tu es le soleil et les rois des planètes
Lorsqu'il se lève, aucune d'elles ne paraît.

Et nombreux sont ceux qui ont enrichi la vie parce qu'ils ont souffert.

Donc, ne sois pas fâché de la douleur et n'ait pas peur des difficultés: c'est peut-être une force pour toi et une jouissance proches. Le fait de vivre le cœur passionné, le désir fervent, l'esprit éveillé, est meilleur et plus pur que de vivre avec des sentiments froids, une intention indolente et un esprit éteint ❨Mais Allah a détesté qu'ils s'élancent et c'est pour quoi Il les entrava, et on a dit alors: «Restez avec les impotents!» ❩. *(Coran 9:46)*

Cela me rappelle un poète qui a vécu les malheurs, les peines et la souffrance de la séparation, alors que la mort le prenait et qu'il respirait ses derniers souffles, il en fit une description dans une poésie d'une beauté merveilleuse, d'une renommée répandue, loin de l'affectation et de la décoration: c'est Malek Ibn Raïb faisant son élégie:

Ne vois-tu pas que j'ai échangé l'égarement contre
La rectitude et dans l'armée d'Ibn Afan, conquérant
Bravo à moi, le jour où j'abandonnerai, soumis
Dans les deux jardins, mon argent et mes enfants
Ô mes compagnons de route, la mort approche, descendez
A cette colline, j'y passerai des moments
Restez avec moi aujourd'hui ou une partie de la nuit
Ne vous pressez pas, ce que j'ai est apparent
Creusez avec les pointes des épées ma tombe
Et couvrez-moi les yeux de mes habits restants
Et ne m'enviez pas, qu'Allah vous bénisse
Si la terre s'élargissait pour moi en s'étalant.

A la fin de cette voix tremblante, les lamentations oppressantes et ce cri affligé qui a surgi intimement du cœur de ce poète chagriné dans son âme et atteint dans sa vie.

Le sermon enflammé arrive à l'endocarde du cœur, pénètre au fond de l'âme, puisqu'il a vécu la souffrance et les peines. ❨Il sut ce qu'il y avait dans leurs cœurs, Il descendit sur eux la sérénité et les récompensa d'une victoire prochaine ❩. *(Coran 48:18)*

Ne blâme pas le désireux pour ses attraits,
Jusqu'à ce que ton cœur soit à la place du sien.

J'ai vu des livres de poètes, mais ils étaient froids et sans âme parce qu'ils les ont dits sans peine et les ont composés dans le bien-être, si bien qu'ils furent des blocs de neige et des tas de boue.

Et j'ai vu des genres de prêches qui ne font pas bouger un seul cheveu de l'auditeur et qui ne soulèvent pas un grain chez celui qui y prête attention parce qu'ils les disent sans angoisse, ni agitation, ni souffrance, ni difficultés — ❰Ils disent de leurs bouches ce qu'ils n'ont pas aux cœurs❱.

(Coran 3:167)

Si tu veux convaincre par tes paroles ou ta poésie, sois-en enflammé en premier, sois-en ému, goûte-les et réagis avec, tu constateras que tu intéresseras les autres, ❰Dès que Nous faisons descendre sur elle l'eau, elle se soulève, augmente de volume et fait germer toutes sortes de couples à la beauté éclatante❱.

(Coran 22:5)

La grâce du savoir

❰Et Il t'a enseigné ce que tu ne savais point, la générosité d'Allah à ton égard a été immense❱.

(Coran 4:113)

L'ignorance est une mort pour la conscience, un égorgement pour la vie et un anéantissement pour l'existence: ❰Je te conseille de ne point faire partie des ignorants❱.

(Coran 11:46)

La connaissance est une lumière pour la perspicacité, une vie pour l'âme et un carburant pour le caractère: ❰Est-ce que celui qui était mort, et que Nous avons ramené à la vie et à qui Nous avons fait une lumière grâce à laquelle il marche parmi les gens, est pareil à celui qui est comme les ténèbres dont il n'est pas près de sortir❱.

(Coran 6:122)

La joie et l'aisance viennent par la connaissance, car cette dernière permet de mettre la main sur ce qui est vague, l'obtention de la chose désirée, la découverte de ce qui est caché et l'esprit est passionné de connaître le nouveau et de savoir ce qui est unique.

Par contre, l'ignorance n'est qu'ennui et tristesse, car c'est une vie sans nouveauté, ni sensationnel, ni plaisir, hier comme aujourd'hui et aujourd'hui comme demain.

Si tu veux le bonheur, demande le savoir, cherche la connaissance et acquiers des profits pour que disparaissent de chez toi les soucis, les chagrins et les malheurs — ⁅Et dis: Seigneur, ajoute-moi encore plus de savoir⁆ *(Coran 20:114)*, ⁅Lis au Nom de Ton Seigneur qui a créé⁆ *(Coran 96:1)*. Ensuite, «Quand Allah veut du bien à quelqu'un, il lui enseigne les règles religieuses».

Et qu'aucun de vous ne se vante de son argent ou de sa puissance, alors qu'il est

ignorant, un nul en matière de savoir. Sa vie n'est pas pleine et son existence n'est pas complète: ⁅Est-ce que celui qui sait ce qui t'a été descendu de ton Seigneur est la vérité est comme celui qui est aveugle?⁆.   *(Coran 13:19)*

Az-Zamakhchari, l'exégète du Coran, dit:
Ma veillée pour la révision des sciences m'est plus
    plaisante,
Que l'amour d'une belle femme et de baisers ivres,
Et ma pavane heureuse pour résoudre une difficulté,
Est plus sucrée et plus appétissante que le vin du serveur,
Et le grincement de mes stylos sur mes feuilles,
Est plus doux que les fêtes et leurs ardeurs,
Et, est plus délicieux que le coup de la fille sur son
    tambourin,
L'ensablement de mes feuilles afin d'en sécher l'encre,
Ô celui qui espère arriver à mon rang,
Qui est si cher pour les uns et si haut pour les autres,
Resterais-je éveillé toute la nuit alors que,
Tu y es endormi et tu veux après çà me rejoindre.

L'art de la joie

La joie du cœur est une des plus exaltantes grâces, ainsi que sa stabilité et sa tranquillité. En effet, dans sa joie, il y a la fermeté de l'esprit, la bonne qualité de la production et l'aisance de l'âme. On a dit: la joie est un art qui s'apprend, celui qui sait comment l'attirer à lui, l'acquérir et a eu la chance de l'avoir, bénéficie du bonheur de la vie, du chemin de l'existence et des bienfaits qui existent.

Et l'origine noble dans la demande de la joie est l'endurance, de ne pas être secoué par les ouragans, de ne pas s'affoler lors des accidents et de ne pas s'inquiéter des futilités. Et par la force du cœur et sa pureté, brille l'âme.

La fragilité de la nature, la faiblesse de la résistance et l'irritation de l'âme sont des sorties des soucis, des afflictions et des chagrins. Pour celui qui a habitué son âme à la patience et à l'endurance, les troubles se minimisent et les crises s'allègent.

Si le jeune s'est habitué à affronter la mort,
Tout ce qui l'embourbera sera, pour lui, facile.

Et l'étroitesse des horizons est un ennemi de la joie, ainsi que la vue superficielle, l'égoïsme et l'oubli du monde et ce qu'il contient. Allah a décrit ses ennemis par: ❪Et ils ne se soucièrent que d'eux-mêmes❫ *(Coran 3:154)*, comme si ces incapables voient l'existence en eux, ne s'occupant pas des autres, ne vivant que pour eux-mêmes, ne pensant pas à autrui. Nous devons, toi et moi, oublier notre «moi» de temps en temps et nous éloigner quelques fois des nôtres, pour oublier nos blessures, nos soucis et nos chagrins: ainsi nous gagnerons deux choses — faire plaisir aux autres et à nous-mêmes.

Parmi les principes de l'art du bonheur, il y a ce qui suit: retenir et protéger tes réflexions des dépassements, des absurdités et des bassesses. En effet, si tu les laisses libres, ils peuvent faire l'objet de mutisme, de débordement, te répéter les dossiers de tes chagrins, te lire le livre de tes misères depuis que ta mère t'a mis au monde.

Les réflexions errantes te reproduirons le passé blessé et le futur effrayant, ce qui secouera ton soutien et ton être, brûlera tes sentiments: fais-leur alors porter la muselière de ton orientation sérieuse, concentrée sur le travail fructueux et profitable et ❰Remets-toi en au Vivant qui ne meurt jamais ❱. *(Coran 25:58)*

Et parmi les principes dans l'étude du bonheur, il y a aussi ce qui suit: que tu donnes à la vie sa juste valeur et que tu la places dans son véritable rang. Cette vie n'est qu'un divertissement qui ne mérite que la contrariété et le refus, car elle est la mère de l'abandon, la nourrice des malheurs, l'attraction des catastrophes: ce sont là ses qualifications, comment alors lui accorder de l'importance, s'attrister pour ce qui a été raté d'elle ? Sa limpidité est une impureté, ses éclairs sont des fascinations, ses promesses ne sont que de profonds mirages, son nouveau-né sera perdu, celui qui y maître est envié, ses agréments sont menacés et son amant sera tué par l'épée de sa perfidie.

Ô frères ! Nous sommes des gens respectables,
Jamais le corbeau de la séparation entre nous, ne croassera
Nous pleurons la vie mais tous ceux
Qu'elle a unis, un jour elle les séparera.
Où sont les tyrans, les premiers Chosroês qui ont rassemblé
les trésors?
Ils sont partis et pas un grain de leurs fortunes ne restera
Pour celui à qui la vaste terre ne suffisait pas
Il entrera à la tombe étroite et il y demeurera,
Ils sont sourds lorsqu'on les appelle, comme s'ils ne
savaient pas
Que la parole leur était permise et que toujours elle le sera.

Dans le Hadith, on peut lire: «La connaissance s'obtient par l'apprentissage, et la mansuétude par l'indulgence».

Dans la morale: le bonheur s'obtient par sa recherche, l'attraction de son sourire, la chasse de ses causes et l'invention de ses signes jusqu'à ce qu'il devienne une habitude.

La vie ici-bas ne mérite pas, de notre part, la maussaderie, la plainte et le mécontentement à cause d'elle.

Le verdict de la mort dans les créatures s'applique,
Cette vie ici-bas n'est pas une durable demeure
Tu y vois l'être humain qui rapportait des nouvelles
Devenir un jour, une nouvelle parmi tant d'autres
Tu es de nature trouble et tu veux,
Qu'elle soit saine des saletés et des souillures
Celui qui demande aux jours d'être contre leur nature,
Est comme celui qui allume dans l'eau, un sinistre
Si tu espères l'impossible c'est que tu édifies
Ton espoir sur un précipice qui s'effondre
La vie est un sommeil et la mort un éveil
Et la personne entre les deux est une ombre
Accomplissez vos tâches hâtivement
Vos existences ne sont que des livres parmi d'autres
Profitez de votre jeunesse et faites du bien
Avant que Celui Qui vous l'a prêtée ne vous la retire
Le temps, même si tu insistais, ne peut être pacifique
Il est l'ennemi des gens valeureux et cela, de nature.

Et la vérité est qu'il t'est impossible de te débarrasser complètement du chagrin, car la vie a été créée ainsi, ❨Nous avons effectivement créé l'être humain pour l'affliction❩ *(Coran 90:4)*, ❨Nous avons créé l'être humain d'une goutte hétérogène afin de l'éprouver❩ *(Coran 90:4)*, ❨Pour vous mettre à l'épreuve afin de savoir qui de vous œuvrera pour le mieux❩ *(Coran 11:7)*. Mais ce qui est demandé de toi est que tu diminues de ton chagrin, de ton souci et de tes peines, quant à s'en démettre en tout et pour tout, cela fait partie du Paradis de l'aisance et c'est pour cette raison que ceux qui se réjouissent au Paradis disent: ❨Louange à Allah qui a éloigné de nous le chagrin❩.

(Coran 35:34)

Et c'est une preuve que sa disparition définitive ne se fera que là-bas, comme toute rancune d'ailleurs: ❨Et nous avons extirpé tout ce qu'il y avait comme rancune dans leurs poitrines❩ *(Coran 15:47)*. Celui qui a connu l'état de la vie et ses qualifications, l'excusera pour sa répulsion, ses ordures et sa perfidie, et constatera que c'est cela sa nature, son caractère et sa description.

Elle a juré de ne pas trahir nos pactes, comme si
Elle a fait serment de ne pas tenir promesse.

Si sa situation est telle que nous l'avons décrite et que le problème est ce que nous avons cité, le mieux pour le sceptique intelligent est de ne pas l'aider en se soumettant au malheur, au souci, au chagrin et à l'affliction, mais de les rejeter de toute la force dont il dispose — ❨ Préparez-leur ce que vous pouvez comme force et haras de chevaux, de quoi terrifier l'ennemi d'Allah et le vôtre ❩ *(Coran 8:60)*, ❨ Ils ne se sont nullement découragés par ce qui leur est arrivé dans le chemin d'Allah, n'ont pas faibli, n'ont pas abandonné la lutte et Allah aime ceux qui patientent ❩.   *(Coran 3:146)*

Une pause

Ne sois pas triste: si tu es pauvre, d'autres que toi sont emprisonnés par les endettements. Si tu ne possèdes pas un moyen de transport, d'autres ont les deux pieds coupés. Si des douleurs te font souffrir, bon nombre de gens sont allongés sur des lits blancs depuis des années. Et si tu as perdu un enfant, d'autres que toi en ont perdu plusieurs en un seul accident.

Ne sois pas triste: parce que tu es musulman, tu as cru en Allah, en Son Prophète, en Ses Anges, au Jour de la Résurrection et en la Destinée — son bien comme son mal — alors qu'eux n'ont pas cru en leur Seigneur, ont démenti le Messager, ont été en désaccord sur le Livre, ont nié le Jour Dernier et ont renié le Destin et la Fatalité.

Ne sois pas triste: si tu as commis un péché, repens-toi, si tu as fait une faute, implore l'absolution d'Allah, si tu t'es trompé, corrige-toi. La Grâce est immense, la porte est ouverte, le pardon est sans fin et le repentir est accepté.

Ne sois pas triste: parce que tu troubles tes nerfs, tu agites ton être, tu fatigues ton cœur, tu éveilles ton lit et tu veilles tes nuits.

Le poète a dit:

Peut-être qu'un incident faisant peiner le jeune homme
Est un bouclier et auprès d'Allah, sera son dénouement
Il s'aggrava et quand ses anneaux se furent bouclés,
La délivrance vint, il pensait qu'il n'y aurait pas de
*   soulagement.*

Régler les sentiments

Les sentiments s'enflamment et les passions s'embrasent pour deux raisons:

Une joie abondante et la calamité insupportable. Dans le Hadith, il y a: «Il m'a été défendu deux cris ridicules, débauchés, l'un poussé pour une grâce et l'autre pour une affliction». ❨Afin que vous ne vous affligiez pas de ce qui vous a manqué et que vous ne vous réjouissiez pas de ce qui vous a atteint❩ *(Coran 57:23)*. C'est pour cela que le Prophète (ﷺ) a dit: «Vous devez être patients à la première émotion». Celui qui retient ses sentiments et se contient face à un événement insupportable et devant un bonheur abondant mérite d'être qualifié de ferme et de vigoureux, de même qu'il a obtenu le bonheur de la sérénité et le plaisir de la victoire sur son esprit. Allah, le Glorieux dans Sa Grandeur, a qualifié l'être humain de joyeux, vantard. Si le mal le touche, il s'irrite et s'il est atteint de bien, il est avare, sauf ceux qui pratiquent régulièrement la prière. Ceux-là ont des réactions médianes dans la joie comme dans la tristesse, remercient dans le bien-être et patientent dans l'affliction.

Les sentiments agités fatiguent énormément la personne, lui causent de la peine, le font veiller. Quand il s'énerve, il s'irrite tellement qu'il en bave, fait trembler et menace. Tout ce qui était embusqué en lui s'éveille, ses nerfs s'enflamment, il dépasse ainsi toutes les bornes. Lorsqu'il est inondé de joie, il se met à chanter, à se réjouir jusqu'à commettre des absurdités, s'oublie complètement et dépasse aussi ses bornes. S'il est en désaccord avec quelqu'un, il le dénigre, oubliant toutes ses bienfaisances, effaçant toutes ses vertus. S'il en aime un autre, il fait de lui une perfection, le couvrant de médailles et de vénérations. On a dit: «Aime ton ami avec modération, car il se peut qu'il te déteste un beau jour, et déteste avec modération celui qui te déteste, car il se peut qu'un beau jour, il soit ton ami.», Et dans le Hadith, on peut lire: «Je te demande l'équilibre dans l'irritation et la satisfaction.»

Celui qui se contiendra à propos de ses sentiments et fera de sa raison l'arbitre en pesant les choses, donnant à chacune d'elles sa juste mesure, aura vu la justice, aura connu la droiture et sera tombé sur la vérité — ❰Oui, nous avons envoyé Nos Messagers avec les preuves évidentes et avons fait descendre avec eux le Livre et la Balance, afin que les gens fassent régner la justice❱.

(Coran 57:25)

L'Islam est venu avec la balance des vertus, des caractères et des comportements, ainsi qu'avec la Voie correcte, la religion satisfaisante et la nation sacrée — ❰Et ainsi, Nous fîmes de vous une nation médiane❱ *(Coran 2:143)*. La justice est une revendication insistante dans les qualités comme dans les jugements, la religion a été bâtie sur la sincérité dans les nouvelles et la justice dans les jugements, les dires, les actions et les caractères — ❰Et la Parole de ton Seigneur s'est accomplie en toute vérité et justice❱.

(Coran 6:115)

Le bonheur des compagnons
avec Mohammed (ﷺ)

En effet, notre Prophète (ﷺ) est venu aux gens avec la Mission divine et non pas avec une propagande de la vie ici-bas. Il n'a pas reçu de trésor, ni de verger d'où il pourrait manger tout comme il n'a pas habité un château. Ceux qui l'ont aimé se sont précipités pour lui donner l'allégeance, ont été soumis à des épreuves vitales et à de véritables difficultés, le jour où ils n'étaient qu'un nombre insignifiant de faibles sur terre, craignant que les gens autour d'eux ne les attrapent ou les kidnappent. Mais malgré cela, ses partisans l'ont aimé du fond de leurs cœurs.

Ils furent assiégés dans les vallées, privés de nourriture, humiliés dans leur dignité, combattus par les proches, éprouvés par les gens, mais ils l'ont aimé de toutes leurs âmes.

Les uns furent traînés par terre sous une chaleur torride, d'autres cernés en plein air. Parmi eux, il y avait aussi ceux qui ont subi tout genre de torture et de punition de la part des incroyants réjouis et cela ne les a pas empêchés de l'entourer de toute leur affection.

Ils ont été privés de leur pays, de leurs vergers, de leurs familles, de leurs biens et de leur argent mais rien à faire: ils continuaient de l'aimer, fût-ce au prix de leurs vies.

Les croyants ont été affligés à cause de son Message révélé, ils ont tremblé, et de quelle façon ! Leurs cœurs ont atteint leurs gosiers jusqu'à la désespérance, mais ils l'ont si pleinement aimé.

L'élite de leurs jeunes gens virent sur leurs têtes telles des branches d'arbres en feuilles, les épées dégainées.

Et comme si l'ombre de l'épée était celle d'un jardin
Vert qui fait pousser autour de nous, des fleurs.

Leurs hommes furent poussés au combat, ils allaient vers la mort allégrement, comme s'ils étaient dans une distraction ou une nuit de fête — et pourquoi ? Parce qu'il l'ont aimé sincèrement, de tout cœur.

Celui parmi eux qui est chargé d'un message, sait pertinemment qu'il ne reviendra pas vivant, mais il y va. Il en fut de même pour celui qui est envoyé en mission sachant d'avance que ce sera sa fin, mais il l'accomplit en toute satisfaction: c'est logique, ils l'ont aimé.

Mais pourquoi ils l'ont aimé et furent heureux de son Message, convaincus de sa méthode, comblés de son arrivée, et ont oublié toute souffrance, toute difficulté, tout effort et toute affliction pour le suivre ? Parce qu'ils ont vu en lui tous les exemples de bienfaisance et de bonheur, tous les signes d'honnêteté et de vérité. En effet, il était une indication aux inquisiteurs dans la noblesse des choses, il a assouvi la soif de leurs cœurs par sa clémence, gelé leurs poitrines par ses paroles et rempli à fond leurs âmes par son Message. La satisfaction a coulé dans leurs cœurs, ils n'ont accordé à leurs souffrances imputées à son Message aucun intérêt: leurs âmes débordèrent de certitude si bien qu'ils oublièrent toute blessure, toute impureté et tout dépit.

Il a poli leurs consciences par son Orientation, illuminé leurs vues par sa Lumière, les a débarrassés des péchés de l'incroyance, délivré leurs dos du poids de l'idolâtrie, arraché de leurs cous les cordes du polythéisme et de l'égarement, a éteint de leurs esprits le feu de la rancune et de l'hostilité, a versé sur leurs sentiments l'eau de la certitude, leurs âmes se sont tranquillisées, leurs corps se sont calmés, leurs cœurs se remplirent de sérénité et leurs nerfs se refroidirent.

Ils ont trouvé le plaisir de la vie avec lui, l'amitié auprès de lui, la satisfaction à ses côtés, la sécurité en sa compagnie, le salut en se soumettant à ses directives et la richesse de l'avoir comme symbole.

❬Nous ne t'avons envoyé que comme miséricorde pour les mondes❭ *(Coran 21:107)*, ❬Et tu ne fais que guider vers le chemin rectiligne❭ *(Coran 42:52)*, ❬Et Il les fait sortir des ténèbres vers la lumière❭ *(Coran 5:16)*, ❬C'est Lui qui a envoyé parmi les illettrés un Messager venant d'eux-mêmes, leur récitant Ses versets, les purifiant et leur enseignant le livre et la sagesse alors qu'ils furent dans un égarement manifeste❭ *(Coran 62:2)*, ❬Répondez à l'Appel d'Allah et du Messager lorsqu'il vous invite à ce qui vous fait revivre❭ *(Coran 8:24)*, ❬Vous étiez au bord du gouffre de l'Enfer et Il vous en a sauvés❭. *(Coran 3:103)*

Ils étaient véritablement heureux avec leur Imam, leur modèle à suivre, et ils méritaient d'être contents et joyeux.

Ô ! Nuit de la tristesse, ne reviendrais-tu pas ?
Ton temps était irrigué par une pluie fine et continue.

Ô Allah ! Que Ta prière et Ton salut soient sur celui qui a délivré les esprits des chaînes de la débauche, le sauveur des âmes du malheur des erreurs, et sois satisfait de ses glorieux compagnons, comme récompense de ce qu'ils ont fourni et de ce qu'ils ont fait.

Exclus l'ennui de ta vie

Il est fort possible que celui qui vit sur un même rythme soit atteint par l'ennui parce que l'âme se lasse, l'être humain de par sa nature s'ennuie de la situation stable. C'est pour cela d'ailleurs qu'Allah a varié entre les périodes et les endroits, les nourritures et les boissons, les créatures, le jour et la nuit, les plaines et les montagnes, le noir et le blanc, le chaud et le froid, l'ombre et la chaleur, le sucré et l'amer. D'ailleurs, Il a parlé de cette diversité et de cette différenciation dans Son Livre sacré: ❨Il sort de leurs ventres une boisson aux couleurs variées❩ *(Coran 16:69)*, ❨Aux souches communes ou séparées❩ *(Coran 13:4)*, ❨Se ressemblant et différents❩ *(Coran 6:141)*, ❨Et dans les montagnes, des rayures blanches, rouges et de couleurs différentes❩ *(Coran 35:27)*, ❨Et de telles journées, Nous les faisons alterner entre les gens❩ *(Coran 3:140)*. En effet, les israélites se sont jadis lassés de la meilleure nourriture parce qu'ils en ont toujours mangé: ❨Nous ne patienterons point à une seule nourriture❩ *(Coran 2:61)*. Al Ma'moun lisait assis, debout et en marchant, puis il a dit: l'âme se lasse — ❨Ceux qui évoquent Allah, debout, assis et sur leurs côtés❩ *(Coran 3:191)*. Et celui qui médite sur les adorations, trouve la diversité et le renouveau: il y a les œuvres ayant trait avec le cœur, d'autres avec la parole, les unes pratiques, les autres pécuniaires, la prière, la *Zakate* (aumône obligatoire), le jeûne, le pèlerinage à la Mecque et le djihad. La prière elle-même se compose de plusieurs positions: en étant debout, courbé, en se prosternant, assis. Celui qui veut le repos, l'activité et la continuité de l'octroi, doit faire des diversifications dans son travail, dans sa connaissance et dans sa vie quotidienne. Quand on lit, par exemple, il faut se consacrer à différentes sortes de lecture: Coran, biographie du Prophète, Hadiths, législation musulmane, histoire, littérature, culture générale, etc. Il partage son temps entre adoration d'Allah et l'accomplissement d'actes permis, visite d'autrui et accueil d'invités, sport et divertissement: il trouvera alors que son esprit est tout rayonnant et actif parce qu'il aime la variété et trouve bon ce qui est nouveau.

Il a vécu deux jours dans le bonheur et le malheur,
Et dans les deux, il a connu l'éminence et la dignité,
Dans l'un, il soulageait les gens de sa générosité,
Dans l'autre, il répandait la mort dans la grande armée.

Délaisse l'inquiétude

Ne sois pas triste, ton Seigneur dit: ❰Ne t'avons-Nous pas détendu *[la]* poitrine ?❱ *(Coran 94:1)* Ceci est général, à tous ceux qui se sont pourvus de justice, qui ont vu la lumière et pris le chemin de la rectitude.

❰Est-ce que celui dont Allah a détendu la poitrine à l'Islam et qui détient la lumière de son Seigneur, malheur à ceux dont les cœurs se durcissent à l'évocation d'Allah❱ *(Coran 39:22)*: il y a donc une justice qui détend les poitrines et une injustice qui les endurcit. ❰Celui qu'Allah veut le mettre dans la rectitude, il lui détend la poitrine❱ *(Coran 6:125)*. Cette religion est un objectif qui n'est atteint que par celui qui est bien guidé.

❰Ne te chagrine pas, Allah est avec nous❱ *(Coran 9:40)*: ceci devrait être dit par tous ceux qui ont la certitude de l'attention d'Allah, de Sa compétence, de Sa charité et de Son soutien.

❰Ceux à qui les gens ont dit: les gens ont mobilisé contre vous, craignez-les, cela augmenta leur foi et ont dit: il nous suffit d'avoir Allah et quel bon défenseur !❱ *(Coran 3:173)*: Sa suffisance te suffit et Sa compétence te protège.

❰Ô Prophète ! Il te suffit d'avoir Allah et ceux des croyants qui t'ont suivi❱ *(Coran 8:64)*: tous ceux qui suivent ce droit chemin obtiendront ce succès.

❰Remets-toi en au Vivant qui ne meurt jamais❱ *(Coran 25:58)*: toute chose hormis Lui, est morte et non vivante, disparaîtra et ne subsistera pas, est basse et nullement noble.

❰Patiente et ta patience ne peut se faire que par Allah, ne te chagrine pas pour eux et ne sois pas opprimé par leurs intrigues❱, ❰Certes Allah est avec ceux qui sont pieux et ceux qui sont bienfaiteurs. ◀ *(Coran 16:127-128)*: ceci est Son amitié particulière à Ses gens pieux, par l'observation, l'attention, le support, la compétence, selon leur piété et leur djihad.

◀ Ne faiblissez pas et ne soyez pas tristes alors que vous êtes les supérieurs si vous êtes croyants ▶ *(Coran 3:139)*: ils sont supérieurs dans la vénération et dans l'importance.

◀ Ils ne vous causeront de mal que par des calomnies, et s'ils venaient à vous combattre, ils vous tourneraient le dos, puis ils ne vous vaincront pas. ▶

(Coran 3:111)

◀ Allah a écrit: je vaincrai, Moi et Mes Messagers. Allah est Fort et Puissant ▶ *(Coran 58:21)*, ◀ Assurément, Nous donnerons la victoire à Nos Messagers et à ceux qui ont cru dans la vie ici-bas et le jour où se dresseront les témoins ▶ *(Coran 40:51)*: ceci est une promesse qui ne sera ni manquée, ni retardée.

◀ Et je m'en remets à Allah, Allah voit parfaitement les serviteurs ▶, ◀ Allah le préserva des méfaits de leurs machinations ▶ *(Coran 40:44, 45)*, ◀ Et que les croyants s'en remettent à Allah ! ▶

(Coran 3:122).

> *Ne te chagrine pas et considère que tu ne vivras qu'un jour,*
>   *pas plus,*
> *pourquoi alors te chagriner, te fâcher et t'exciter, en ce*
>   *jour ?*

N'a-t-on pas dit: «Si tu t'es réveillé, n'attends pas le soir, et si tu es arrivé au soir, n'attends pas le lendemain» ?

C'est-à-dire que tu vis dans les limites de ton jour, pas plus, ne te rappelle donc pas le passé et ne t'inquiète pas de l'avenir. Le poète a dit:

> *Le passé est révolu et ce qui est attendu est absent,*
> *Et tu n'as en ta possession que l'heure présente.*

S'intéresser au passé, se le rappeler, ruminer les calamités arrivées et passées, les catastrophes finies, n'est que manque d'intelligence et folie. Un dicton chinois dit: ne traverse pas le pont avant d'y être arrivé. Ceci veut dire: n'anticipe pas sur les événements, leurs soucis et leurs malheurs avant de les atteindre et de les vivre effectivement.

Quelqu'un de la génération passée a dit: ô fils d'Adam, ton existence n'es que trois jours — ta veille qui est révolue, ton lendemain qui n'est pas encore arrivé et ton jour présent. Sois-y donc pieux !

Comment peut vivre celui qui porte les soucis du passé, du jour présent et de l'avenir ? Comment peut-il se reposer en se rappelant ce qui est arrivé et révolu ?

Il le revoit dans sa mémoire, cela le fait alors souffrir et sa souffrance ne lui sera d'aucune utilité !

La signification de «Si tu t'es réveillé, n'attends pas le soir, et si tu es arrivé au soir, n'attends pas le lendemain» c'est que ton espérance doit être courte, que tu te prépares au départ sans retour et que tu t'appliques dans ton travail. N'aspire pas par tes chagrins à un jour autre que celui que tu vis, de telle sorte que tu y concentres tous tes efforts, ordonnes tes œuvres, y verses toute ton attention à propos de ton comportement et de ta santé, et que tu corriges ta conduite envers les autres.

Une pause

Ne sois pas triste: car la sentence est irrévocable, ce qui était destiné est arrivé, les stylos se sont vidés, les carnets se sont fermés et toute chose s'est stabilisée, ta tristesse ne peut rien rajouter à la réalité, ni retarder, ni ajouter, ni enlever.

Ne sois pas triste: parce que par tes peines, tu veux arrêter le temps, emprisonner le soleil, retourner les aiguilles de la montre, marcher en arrière et rendre le fleuve à son amont.

Ne sois pas triste: en effet, le chagrin est comme un cyclone qui infecte l'atmosphère, trouble l'eau, transforme le ciel et brise les fleurs mûres dans les jardins.

Ne sois pas triste: parce que l'être attristé est tel un fleuve passif, son origine est la mer ainsi que sa destination — ressemblant à celle qui a défait sa quenouille après l'avoir fortement filée, et à celui qui souffle dans un sac troué et à celui qui écrit sur l'eau.

Ne sois pas triste: puisque ton existence véritable est ton bonheur, ta sérénité. Ne dépense donc pas tes jours dans la tristesse, ne gaspille pas tes nuits dans les soucis, ne distribue pas tes heures entre les malheurs, n'exagère pas dans la perte de ta vie. En effet, Allah n'aime pas ceux qui sont prodigues.

Ne sois pas triste, car ton Seigneur absout les péchés et accepte le repentir

Ta poitrine ne se détendrait-elle pas, tes soucis et tes malheurs ne se dissiperaient-ils pas, ton bonheur n'est-il pas provoqué par ce qu'a dit ton Seigneur, le Glorieux dans Sa Supériorité: ❨Dis: ô Mes serviteurs qui avez été outranciers envers vous-mêmes, ne désespérez pas de la miséricorde d'Allah, car Allah absout les péchés en leur totalité. C'est Lui l'Absoluteur, le Miséricordieux.❩ *(Coran 39:53)*

Il s'est adressé à eux, en leur disant: «*Ô Mes serviteurs*» pour apprivoiser leurs cœurs, sécuriser leurs âmes, en particulier ceux qui se sont surchargés parce qu'ils ont commis beaucoup de péchés et de fautes. Comment les changer alors ? Il leur a défendu la désespérance et le désespoir de l'absolution et a annoncé qu'Il absout tous les péchés, grands et petits, futiles et importants, à celui qui se repent, puis Il s'est qualifié par les articles définis, et «le», justement un article défini, nécessite la perfection de la qualification, et c'est de là qu'Il a dit: ❨C'est Lui l'Absoluteur, le Miséricordieux❩.

(Coran 39:53)

N'es-tu pas heureux et content d'entendre Sa parole, Lui le Glorieux: ❨Et ceux qui, lorsqu'ils ont fait un acte immoral ou commis une injustice envers eux-mêmes, se rappellent Allah puis demandent l'absolution, et qui d'autre qu'Allah absout les péchés ? Et qui ne persistent pas dans ce qu'ils ont fait, maintenant qu'ils savent ?❩

(Coran 3:135)

Et Sa Parole sacrée: «Celui qui a fait une mauvaise chose ou s'est montré injuste envers lui-même, puis demande l'absolution d'Allah, trouvera Allah absoluteur et miséricordieux».

(Coran 4:110)

Ainsi que Sa parole: «Si vous évitez les grands péchés de ce qui vous a été proscrit, Nous effacerons vos mauvaises actions et Nous vous ferons entrer d'une issue généreuse». *(Coran 4:31)*

De même Sa parole, Lui le Glorieux des diseurs: «Et si, ayant été injustes envers eux-mêmes, ils étaient venus vers toi, avaient imploré rémission d'Allah et que le Messager l'eut implorée pour eux, ils auraient trouvé Allah très absoluteur et très miséricordieux».

(Coran 4:64)

Sa parole aussi, le Très-Haut: «Et de plus, Je suis absoluteur à l'égard de celui qui se repent, a cru, a œuvré pour le bien, puis a suivi la bonne voie». *(Coran 20:82)*

Quand le prophète Moussa a tué une personne et qu'il a dit: *«Mon Seigneur, pardonne-moi»*, Il lui a pardonné.

Et Il a dit de Daoud quand il s'est repenti et revenu: «Ainsi lui avons-Nous pardonné cela, et il a auprès de Nous une place proche et un retour splendide». *(Coran 38:25)*

Qu'Il soit Glorifié, comme Il est miséricordieux, comme Il est généreux ! Il a même proposé Sa clémence aux partisans de la trinité. En effet, il a dit à leur sujet: «Ont effectivement mécru ceux qui ont dit: «Allah est le troisième de la trinité», et il n'y a de divinité qu'un Dieu unique, et s'ils ne mettent pas fin à leurs dires, un supplice douloureux touchera ceux parmi eux, qui ont mécru», «Ne vont-ils donc pas se repentir à Allah et imploré Son pardon ? Et Allah est absoluteur et miséricordieux». *(Coran 5:73-74)*

Et le Prophète (ﷺ) a dit dans ce qui a été reconnu comme étant un Hadith authentique: «Ô fils d'Adam, tant que tu M'évoqueras et M'imploreras, Je te pardonnerai tout ce que tu as commis et sans hésitation. Ô fils d'Adam, si tes péchés ont atteint les nuages du ciel, puis que tu M'as imploré, je te pardonnerai, et sans hésitation. Ô fils d'Adam, si tu Me viens avec l'équivalent de la terre de fautes, puis tu

Me rencontres sans M'avoir associé autre chose, Je te donnerai son équivalent d'absolution».

Et dans un autre Hadith authentique, il (ﷺ) a dit: «Allah étend Sa Main de nuit afin que se repente le malfaiteur de la journée et étend Sa Main de jour pour que se repente le malfaiteur de la nuit, et ainsi jusqu'à ce que le soleil se lève de son coucher.»

Et dans le Hadith *Qodoussi [Parole divine hors Coran]:* «Ô Mes serviteurs, vous péchez de nuit et de jour, et Moi, J'absous tous les péchés, implorez-Moi, Je vous pardonnerai».

Et encore dans un autre Hadith authentique: «Par Celui Qui tient mon âme entre Ses Mains, si vous ne péchez pas, Allah vous fera disparaître et vous remplacera par d'autres qui pécheront, puis imploreront Sa clémence et Il leur pardonnera.»

Dans un autre Hadith, non moins authentique: «Par Celui qui tient mon âme entre Ses Mains, si vous ne péchez pas, je craindrai pour vous ce qui est pire que le péché: l'orgueil.»

Dans un autre Hadith, tout aussi authentique: «Vous êtes tous des pécheurs, et le meilleur des pécheurs est celui qui se repent.»

Et de ce qui a été authentifié en sa provenance (ﷺ), il y a a: «Allah est plus heureux du repentir de Son serviteur que celui parmi vous qui, sur sa monture, portait sa nourriture et sa boisson qu'il a égarée dans le désert après l'avoir cherchée jusqu'à ce qu'il perde tout espoir de la retrouver. Il s'est endormi, puis s'est réveillé, la voyant debout au-dessus de sa tête, il a dit: ô Allah, tu, es mon esclave et moi Ton Dieu ! Il s'est trompé, du fait de la joie infinie qu'il eut.»

Et dans ce qui est authentique aussi: «Une personne a commis une faute, puis elle a dit: ô Allah, pardonne ma faute, il n'y a que Toi qui pardonne les péchés. Elle a péché une autre fois et a dit: ô Allah pardonne mon péché, il n'y a que Toi qui pardonne les péchés. Puis elle a encore fait une mauvaise action et a dit: ô Allah, pardonne mon, péché, il n'y a que Toi qui pardonne les péchés. Allah, le Puissant, le Respectueux, a dit: Mon serviteur a su qu'il a un Seigneur qui punit pour le péché et le pardonne, que Mon serviteur fasse ce qu'il veut».

Tout ceci veut dire que tant que la personne se repent, implore et regrette, Allah lui pardonne.

Ne sois pas triste, toute chose est le fruit du Destin et de la Fatalité

Toute chose est le fruit du Destin et de la Fatalité, et ceci est la Foi des musulmans, les partisans du Messager de la rectitude (⬧): aucune chose ne peut arriver dans l'Univers sans la connaissance d'Allah, Sa permission et Son évaluation.

❨Il n'y a pas de calamité dans la terre ou en vous-mêmes, qui vous touche, qui ne soit déjà inscrite dans un livre, avant que Nous la créions, ceci est pour Allah, facile❩.   *(Coran 57:22)*

❨Nous avons créé toute chose selon une mesure déterminée❩.
                                                          (Coran 54:49)

❨Cependant, Nous vous éprouverons par un peu de crainte, de faim, de diminution dans les biens, les personnes et les fruits, et annonce la bonne nouvelle aux patients❩.   *(Coran 2:155)*

Et dans le Hadith, il y a: «Etonnante est la question du croyant ! Tout pour lui est du bien: si une joie l'atteint et qu'il est reconnaissant, c'est du bien pour lui. Si c'est une adversité qui l'a touché et qu'il patiente, c'est aussi du bien pour lui, et ceci n'est que pour le croyant».

Il a été authentifié de sa part (⬧) que: «Si tu demandes, fais-le à Allah et si tu veux une aide, demande-la à Allah, et sache que si tous les membres de la Communauté se rassemblaient pour t'apporter quelque profit, ils ne le feraient que par une chose qu'Allah t'a destinée, et s'ils se rassemblaient pour te nuire, ils ne te nuiraient que par ce qu'Allah t'a prédestiné: les calames ont été pris et les livrets fermés».

Dans le Hadith authentique aussi: «Et sache que ce qui t'a atteint ne peut te rater et que ce qui t'a manqué ne peut te toucher.»

Dans ce qui est authentique aussi: «Le calame, s'est asséché, ô Aba Houraïra, là où il te convient».

Toujours, dans ce qui est authentique aussi: «Persévère dans ce qui te profite, remets-toi en à Allah, ne te décourage pas et ne dis pas: si j'avais fait cela, cela aurait été ceci et cela, mais dis: Allah a prédestiné et a fait ce qu'Il voulait».

Dans un autre Hadith authentique: «Allah n'exécute un jugement sur Son serviteur sans que cela soit bienfaisant pour lui.»

Cheikh Al Islam, Ibn Taymiya fut questionné sur le péché: est-ce une bienfaisance pour la personne? Il a répondu: oui, sous conditions de regret, de repentir, d'imploration et de soumission.

Et Sa Parole sacrée, Lui le Prédominant: ❴Et il se peut que vous détestiez une chose et qu'elle soit un bien pour vous, et que vous aimiez une chose et qu'elle soit un mal pour vous, Allah sait et vous ne savez point. ❵

(Coran 2:216)

C'est le destin, fais-moi des reproches, ou laisse courir
Le destin tel le point de couture de l'aiguille.

Ne sois pas triste et attends le soulagement

Dans le Hadith d'Al Tirmidhi: «La meilleure des adorations est le fait d'attendre le soulagement».

❴L'aube n'est-elle pas toute proche?❵   *(Coran 11:81)*

L'aube des gens soucieux et des malheureux s'est levée, regarde le matin, et attends le succès et le Vainqueur.

Les Arabes disent: «Quand la corde se tend beaucoup, elle se rompt.»

Le sens en est que quand les choses s'aggravent, attends-toi à une ouverture et une sortie.

Allah a dit: ❴Celui qui craint pieusement Allah, Allah lui efface ses péchés et lui augmente énormément son salaire❵. *(Coran 65:2)*

❴Celui qui craint pieusement Allah, Allah lui facilite son problème❵.

(Coran 65:4)

Et les Arabes ont dit:

Les généreuses l'engendrent là-bas,
Puis partent, et ne le cachent pas.

Et dans le Hadith authentique, il y a: «Je suis auprès de ce que pense Mon serviteur de Moi: qu'il pense de Moi ce qu'il veut».

❨Jusqu'à ce que les Messagers désespérèrent et crurent qu'ils furent démentis, alors leur est venue Notre assistance de sorte que Nous sauvâmes qui Nous voulons❩.   *(Coran 12:110)*

Il y a aussi Sa parole, qu'Il soit glorifié: ❨Certes, la difficulté est accompagnée d'aisance, la difficulté est certes accompagnée d'aisance❩.   *(Coran 94:5-6)*

Quelques exégètes du Coran ont dit — alors que d'autres considèrent que c'est un Hadith: «Une seule difficulté ne battra jamais deux aisances.»

Allah a dit aussi: ❨Peut-être qu'Allah fera-t-Il intervenir, entre-temps, un fait nouveau❩.   *(Coran 65:1)*

Et Il a dit, que Son Nom soit vénéré: ❨Certes, la clémence d'Allah est proche❩ *(Coran 2:214)*, ❨La clémence d'Allah est proche des bienfaiteurs❩.   *(Coran 7:56)*

Et dans le Hadith, il y a: «Et sache que la victoire vient par la patience et que la délivrance vient après l'affliction.»

Et le poète a dit:

Si un problème s'aggrave, attends-toi à un soulagement,
Le moins que l'on puisse espérer, c'est une délivrance.

Un autre a dit:

Des yeux veillent et d'autres dorment
Pour ce qui n'est que simples suppositions
Laisse donc le souci tant que tu peux
C'est une folie, ta soumission aux afflictions
Si le Seigneur t'a protégé, la veille
Le lendemain, tu auras Sa protection.

Un autre a dit:

Laisse la Destinée telle qu'elle fut tracée
Et dors, ton esprit, de tout souci, libéré
Le temps d'un clin d'œil suffit
Pour qu'Allah fasse tout changer.

Une pause

Ne sois pas triste: l'argent que tu as dans ton compte, les grands châteaux et les vergers verdoyants — avec le chagrin le souci et le désespoir — ne feront qu'augmenter tes peines, tes malheurs et tes afflictions.

Ne sois pas triste: les remèdes des médecins, les médicaments des pharmaciens, l'ordonnance du praticien ne feront pas ton bonheur, car la tristesse a habité ton cœur, tu l'as couverte de tes yeux, tu lui as ouvert tes bras et tu l'as enveloppée de ta chair.

Ne sois pas triste: alors que tu as en ta possession l'Imploration, tu sais te jeter au seuil de la divinité, tu connais aussi l'art de l'humiliation aux portes du Roi des rois, tu as avec toi le dernier tiers de la nuit et des heures dans lesquelles tu peux frotter ton front par terre, pendant la prosternation.

Ne sois pas triste: Allah a créé pour toi la terre et tout ce qu'elle contient, Il t'a fait pousser des jardins luxuriants, des vergers pourvus d'accouplement agréable, de hauts palmiers aux fruits bien ordonnés, des étoiles étincelantes, des bosquets et des ruisselets, et malgré cela tu t'attristes !

Ne sois pas triste: tu bois de l'eau douce et limpide, tu respires de l'air pur, tu marches droit sur tes pieds et tu dors tranquillement de nuit.

Ne sois pas triste et implore le pardon, ton Seigneur est absoluteur

❨J'ai dit: implorez le pardon de votre Seigneur, il est absoluteur❩, ❨Il dépêchera sur vous des averses du ciel❩, ❨Il vous pourvoira de biens et de fils, vous assignera des jardins, vous assignera des rivières❩.

(Coran 71:10-12)

Implore constamment le pardon et tu verras le soulagement, la sérénité, une subsistance honorable, une progéniture louable et la pluie abondante.

❨Et implorez l'absolution de votre Seigneur, puis revenez à Lui et Il vous accordera une agréable jouissance jusqu'à un délai fixé et accordera à quiconque méritant une faveur, Sa Grâce❩.

(Coran 11:3)

Et dans le Hadith, il y a: «Celui qui implore beaucoup l'absolution, Allah le soulagera de tout souci et le sauvera de toute gêne».

Et à toi d'utiliser la meilleure des implorations dans le Hadith de Boukhari: «Ô Allah, tu es mon Seigneur, pas d'autre divinité que Toi, Tu m'as créé et je suis Ton esclave, je tiens à Ton pacte et à Ta promesse autant que je peux, je Te demande protection contre le mal que j'ai fait, je Te suis reconnaissant pour Ta grâce envers moi, et je reconnais mon péché, accorde-moi Ton pardon, il n'y a que Toi qui absous les péchés.»

Ne sois pas triste
et évoque continuellement Allah

Il a dit, Lui le Glorieux: ❨N'est-ce point à l'évocation d'Allah que les cœurs se rassurent?❩   *(Coran 13:28)*

Et Il a dit : ❨Evoquez-Moi, Je vous évoque❩.   *(Coran 2:152)*

Et Il a dit : ❨Ceux et celles qui évoquent beaucoup Allah❩ *(Coran 33:35)*. Et Il a dit: ❨Ô vous qui avez cru, évoquez beaucoup Allah❩, ❨Proclamez Sa gloire matin et soir❩.   *(Coran 33:41-42)*

Et Il a dit: ❨Ô Vous qui avez cru ! Ne vous laissez pas distraire de l'évocation d'Allah, par vos biens et vos enfants❩. *(Coran 63:9)*

Et Il a dit: ❨Et évoque ton Seigneur, si tu as oublié❩.

(Coran 18:24)

Et Il a dit: ❨Proclame la gloire et la louange de ton Seigneur, à ton réveil❩, ❨Proclame Sa gloire une partie de la nuit et quand s'évanouissent les étoiles❩.   *(Coran 52:48-49)*

Et Il a dit: ❲Ô vous qui avez cru ! Quand vous rencontrez un clan, tenez bon et évoquez beaucoup Allah, peut-être obtiendrez-vous le succès❳.

(Coran 8:45)

Et dans le Hadith authentique, il y a: «Celui qui évoque son Seigneur et celui qui ne L'évoque pas sont comparables au mort et au vivant».

Et sa parole (ﷺ): «*Al Moutafarridoune* ont pris de l'avance». Ils ont dit: qui sont les *Al Moutafarridoune*, ô Messager d'Allah ? Il a dit: «Ceux et celles qui évoquent beaucoup Allah».

Et dans un autre Hadith authentique: «Ne vous informerai-je pas de vos meilleures œuvres, les plus pures chez votre Seigneur, les plus bénéfiques pour vous que de dépenser de l'or et de l'argent, plus avantageuses que de rencontrer vos ennemis qui frapperont vos gorges et que vous frappiez les leurs ?» Ils ont dit: «Que non, ô Messager d'Allah». Il a dit: «L'évocation d'Allah».

Et dans un autre Hadith authentique: un homme est venu chez le Prophète (ﷺ) et a dit: ô Messager d'Allah ! Les lois de l'Islam sont nombreuses pour moi, et j'ai vieilli, apprends-moi une chose à laquelle je m'attacherai. Il a dit: «Que ta langue reste humide par l'évocation d'Allah».

Ne sois pas triste
et ne désespère pas de la clémence d'Allah

❲Ne désespère de la clémence d'Allah que la gent mécréante❳ *(Coran 12:87)*, ❲Jusqu'à ce que Nos Messagers désespèrent et croient qu'ils furent démentis, alors leur est venue Notre assistance❳.

(Coran 12:110)

❲Et Nous le sauvâmes du désespoir et ainsi sauvons-Nous les croyants❳ *(Coran 21:88)*. Et Il a dit au sujet des musulmans: ❲Et que vous conjecturiez sur Allah des choses !❳, ❲En l'occurrence, les croyants furent éprouvés, et secoués d'une secousse violente❳.

(Coran 33:10-11)

Ne te chagrine pas par le tort que te causent les autres, et sois indulgent

Celui qui veut se venger des gens à l'égard desquels il garde des rancunes, verse un prix exorbitant: il le paie de son cœur, de sa chair et de son sang, de ses nerfs et de son repos, de son bonheur et de sa gaieté. Et s'il est en colère contre eux ou a une rancœur envers eux, c'est lui le perdant sans aucun doute.

Allah nous a montré ses médicaments et ses soins en disant: ❴Et ceux qui refoulent leur colère et qui sont indulgents envers les gens❵.

(Coran 3:134)

Et Il a dit: ❴Sois indulgent, ordonne selon les convenances et détourne-toi des ignorants❵.

(Coran 7:199)

Et Il a dit aussi: ❴Repousse par une plus belle, et voilà que celui qui avait contre toi une inimitié devient un allié intime. ❵

(Coran 41:34)

Ne te chagrine pas pour ce qui est passé, car tu as de nombreuses faveurs

Réfléchis aux importantes grâces d'Allah, à Ses dons abondants, remercie-Le pour Ses agréments et sache que tu es inondé de Ses Mains.

Il a dit, que son nom soit glorifié: ❴Et si vous comptez les grâces d'Allah, vous ne pourrez pas en connaître le nombre. ❵

(Coran 16:18)

Et Il a dit: ❴Et vous a comblés de Ses grâces apparentes et non apparentes. ❵

(Coran 31:20)

Il a dit aussi: ❴Tout ce dont vous jouissez comme bienfait provient d'Allah. ❵

(Coran 16:53)

Et Il a dit en déterminant au serviteur Ses grâces à son égard: ❴Ne l'avons-Nous pas doté de deux yeux, d'une langue et de deux lèvres❵, ❴Et Nous lui avons indiqué les deux voies. ❵

(Coran 90:8-10)

Les grâces, une par une: la vie, la santé, l'ouie, la vue, les deux mains, les deux pieds, l'eau, l'air, la nourriture et la plus importante de toutes, l'Orientation divine: l'Islam. Un homme a dit: voudrais-tu un million de dollars pour tes deux yeux ? Voudrais-tu un million de dollars pour tes deux oreilles ? Voudrais-tu un million de dollars pour tes deux pieds ? Voudrais-tu un million de dollars pour tes deux mains ? Voudrais-tu un million de dollars pour ton cœur ? Quelle belle fortune tu possèdes et tu n'as pas rendu grâce !!

Ne sois pas triste pour ce qui ne mérite pas la tristesse

Ce qui stabilise le bonheur, l'augmente et l'approfondit, c'est que tu n'accordes pas d'importance aux futilités. En effet, celui qui est bien raisonnable a pour souci l'Au-delà.

Un de nos prédécesseurs conseillant un de ses frères, a dit: fais que ton souci soit un seul, celui de la rencontre d'Allah, que Son Nom soit glorifié, le souci de l'Au-delà, le souci d'être en face de Lui et de L'affronter, ❪Ce jour-là, vous serez exposés, rien n'échappera de ce que vous cachiez.❫

(Coran 69:18)

Il n'y a pas d'autres soucis plus grands, et quel souci que celui de cette vie ? Ses postes et ses fonctions, son or et son argent, ses enfants, ses richesses et sa puissance, la célébrité, ses châteaux et ses maisons, rien de tout cela !!

Allah a décrit Ses ennemis, les hypocrites, en disant: ❪Ils ne se soucièrent que d'eux-mêmes, ils pensent d'Allah, ce qui n'est pas juste❫ *(Coran 3:154)*. Leur souci: eux-mêmes, leurs ventres et leurs plaisirs, et ils n'ont pas de personnalité, jamais !

Quand les gens ont prêté le serment d'allégeance au Prophète (ﷺ), sous l'arbre, un des hypocrites cherchait son chameau de couleur rougeâtre et a dit: le fait d'avoir trouver mon chameau me réjouit mieux que votre allégeance. D'où il a été rapporté: *«L'absolution a été accordée à vous tous, sauf au propriétaire du chameau rougeâtre»*.

Un des hypocrites, se souciant de lui-même, a dit à ses compagnons: ne courez pas au front par ces chaleurs, mais Allah a dit: «Le feu de l'Enfer est bien plus chaud encore».

(Coran 9:81)

Un autre a dit: «Donne-moi la permission et ne me soumets pas à la tentation» *(Coran 9:49)*, se souciant de lui-même, mais Allah a dit: «Or, c'est dans la tentation qu'ils sont tombés.»

(Coran 9:49)

D'autres se souciant de leurs biens et de leurs familles: «Nous avons été préoccupés par nos biens et nos familles, implore-nous l'absolution de nos péchés.»

(Coran 48:11)

Ce sont tout simplement les soucis futiles et bas de ces vils hypocrites. Par contre, les glorieux Compagnons recherchaient la générosité d'Allah et Sa pleine satisfaction.

Ne sois pas triste et exclus le souci

Le repos du croyant est une inattention, l'oisiveté tue, le chômage est une inertie et les plus soucieux, les plus tristes, les plus affligés des gens sont les chômeurs oisifs. La désinformation ainsi que les obsessions sont le capital des faillis du travail sérieux et productif.

Bouge-toi et travaille, fréquente et lis, psalmodie le Coran et évoque les éloges d'Allah, écris et rends visite, profite de ton temps, ne laisse aucune minute à l'oisiveté, car quand tu n'as rien à faire, les soucis et les malheurs t'habitent, ainsi que les obsessions et les tentations, et tu seras le terrain de jeu du diable.

Ne sois pas triste à cause des ingrats qui ne reconnaissent pas tes bienfaits...

Fais en sorte que tes œuvres soient uniquement pour l'amour d'Allah, n'espère de remerciement de personne d'autre, ne te soucie pas et ne t'attriste pas. Si, après avoir été bienfaisant vis-à-vis de quelqu'un, tu le trouves abject ne reconnaissant pas cette main blanche que tu lui as tendue et le bienfait accompli, demande alors ta récompense d'Allah.

Le Glorieux dit au sujet de Ses bien-aimés: ❨Recherchant une générosité d'Allah et Sa pleine Satisfaction ❩ *(Coran 48:29)*. Et Il a dit, à propos de Ses Prophètes: ❨Je ne vous en demande aucun salaire❩ *(Coran 26:109)*, ❨Dis: ce que je vous demande comme salaire est à vous ❩ *(Coran 34:47)*, ❨Ne le faisant point en échange de quelque bienfait reçu ❩ *(Coran 92:19)*, ❨Nous ne vous donnons à manger que par amour d'Allah, nous n'attendons de vous ni récompense, ni remerciement. ❩   *(Coran 76:9)*

Le poète a dit:

Celui qui fait du bien ne sera pas dépourvu de récompense,
Les coutumes ne sont pas vaines entre Allah et les gens.

Adresse-toi à l'Unique, le Seul, sans plus, c'est Lui qui récompense, donne et offre, punit et demande des comptes, se complaît et se fâche, Gloire à Lui.

Des martyrs ayant été tués à Qandahar, Omar a dit aux Compagnons: qui sont les tués ? Ils lui ont cité des noms et ont dit: et d'autres que tu ne connais pas. Ses yeux se remplirent de larmes et il a dit: mais Allah les connaît. Un des gens pieux a donné à manger du *Falaouj* — un des plats succulents —, à un aveugle. Son épouse a dit: cet aveugle ne sait pas ce qu'il est en train de manger ! Il lui a répondu: mais Allah sait ! Du moment qu'Allah te voit et sait ce que tu accomplis comme bonnes actions, bienfaisance et générosité, tu n'as que faire des gens.

Ne te chagrine pas par les remontrances et les blâmes des autres

❨Et ils ne vous nuiront jamais que par la calomnie ❩.

(Coran 3:111)

❨Et ne sois pas opprimé par leurs intrigues ❩.   *(Coran 16:127)*

❨Allah l'a alors disculpé de leurs dires ❩.   *(Coran 33:48)*

❴Ne t'occupe pas de leurs intrigues et remets-toi en à Allah❵.

(Coran 33:69)

La mer débordante ne peut être perturbée
Par une pierre qu'un enfant y a jetée.

Dans un Hadith *apprécié*, le Prophète (ﷺ) a dit: «Ne me dites pas de mal sur mes compagnons, car je veux sortir à vous avec ma poitrine toute saine».

Ne te chagrine pas à cause de la pauvreté: avec elle, tu es sain et sauf

A chaque fois que le corps se pourvoit de luxe, l'âme se complexe, le manque contient l'intégrité et l'ascétisme dans la vie est un repos prématuré qu'Allah offre à qui Il veut de Ses serviteurs: ❴Certes, nous hériterons de la terre et de tout ce qu'elle contient❵.

(Coran 19:40)

L'un des poètes a dit:

Eau, pain et ombrage
C'est un agrément débordant,
Je nie la grâce de mon Seigneur
Si je dis que cela m'est insuffisant.

Qu'est-ce que la vie si ce n'est une eau fraîche, du pain chaud et une ombre de feuillage ?

Un autre a dit:

Fais tomber des perles, ô ciel de Sarandib
Et ton or, puits de Takrour, fais-le déborder
Moi, si je vis j'aurai ma subsistance,
Et si je meurs, une tombe, je l'aurai
Mon dessein est celui des rois et mon âme celle d'un homme
*   libre*
Pour qui l'humiliation est une impiété
Et si je me contente de ma nourriture,
Pourquoi demanderai-je à Zeyd ou à 'Amr de m'aider ?

C'est la fierté de ceux qui sont sûrs de leurs principes, sincères dans leurs incitations et sérieux dans leurs messages.

Ne te chagrine pas de ce qui tu appréhendes

On a trouvé écrit dans la Bible: «Beaucoup de ce qui est appréhendé n'arrive pas !»

Ce qui veut dire que la plupart de ce que craignent les gens ne s'accomplit pas. Les illusions qui existent dans les esprits dépassent en effet les accidents que voient les yeux.

Un autre poète a dit:

Et j'ai dit à mon cœur: si la crainte d'un malheur te prend
Réjouis-toi, la majeure partie de sa frayeur est fausse.

C'est-à-dire que s'il t'est arrivé un accident ou entendu une calamité, sois calme, sois indolent et ne t'attriste pas: en effet, la plupart des nouvelles et des prévisions sont sans fondement. Et s'il y a celui qui commande les destinées, il faut le chercher, s'il n'y en a pas, ce qui est impossible, où peut-il donc être ? ❨Et je m'en remets à Allah, certes Allah voit Ses serviteurs❩, ❨Allah le préserva des méfaits de leurs machinations❩.

(Coran 40:44-45)

Ne te chagrine pas à cause
des gens injustes et des envieux

Tu es récompensé pour leurs dénigrements et de leurs rancunes, pour ta patience. Ensuite, leurs critiques égalent ta valeur, les gens ne bottent pas un chien mort et les gens futiles n'ont pas d'envieux.

Quelqu'un a dit:

Les nobles sont tout le temps enviés
Alors que les ignobles ne sont jamais jalousés.

Un autre a dit:

Ils ont envié le jeune, ne pouvant briser ses efforts

Les gens lui devinrent ennemis et adversaires
Comme les coépouses de la belle, dirent que sur son visage
Il y a de la jalousie et du dédain, rien qui puisse plaire.

Zouheir a dit:
Ils sont jalousés pour ce qu'ils ont de grâces,
Allah ne leur ôtera pas ce pour quoi ils furent enviés.

Un autre a dit:
Ils m'ont envié pour ma mort, ô quel malheur!
Même pour la mort, je n'échappe pas à la jalousie.

Et l'autre poète a dit:
Tu t'es plaint de l'injustice du rapporteur, et tu ne trouveras
*   pas*
Un être pourvu de gloire qui ne fasse l'objet d'envie
Tu es, ô toi à la générosité débordante, toujours envié
Et le misérable peu sage ne craint aucune jalousie.

Un autre aussi a dit:
Lorsque le jeune atteint le ciel de sa gloire,
Ses ennemis seront au nombre des étoiles,
Ils lui lanceront tous genres d'insultes mais,
Ils n'égaleront jamais son niveau, par leurs paroles.

Moussa a demandé à son Seigneur de faire taire les gens qui le décriaient, Allah a dit: «Ô Moussa ! Je n'ai pas fait cela pour Moi, je les crée, Je subviens à leurs besoins et ils M'insultent et M'injurient» !!

Et dans ce qui est authentique, le Prophète a dit: «Allah, que Son Nom soit glorifié, a dit: le fils d'Adam M'insulte, le fils d'Adam M'injurie, et il ne devrait pas. Quant à ses insultes à Mon encontre, c'est le Temps qu'il insulte, et Moi, je suis le Temps, je retourne la nuit et le jour comme Je veux. Quant à ses injures à Mon encontre, c'est le fait qu'il dit: J'ai une conjointe et un fils, alors que Je n'ai ni conjointe, ni fils».

Tu ne peux donc pas emprisonner les langues des êtres humains et les empêcher de te dénigrer, mais tu peux faire du bien, éviter leurs dires et leurs critiques.

Hatem a dit:

La parole d'un jaloux sans aucune raison
Je l'ai entendue, puis je lui ai dit de passer et de me laisser
Ils m'ont dénigré avec, mais elle ne m'a pas offensé
Et je ne lui consacrerai jamais ma pensée.

Un autre a dit:

Je passe près de l'être peu sage et il m'insulte,
Je continue, me disant que cela ne me concerne pas.

Un troisième a dit:

Lorsqu'un être peu sage se met à parler, ne lui réponds pas,
Ton silence sera plus bénéfique qu'une réponse.

En effet, les gens peu intelligents et les arriérés rencontrent un défi éhonté chez les nobles, les illuminés et les experts.

Mes vertus avec lesquelles je démontre
Sont pour eux des méfaits, comment donc m'excuser?

Dans la plupart des cas, les riches vivent des troubles: quand leurs parts augmentent, leur tension artérielle diminue, ❨Malheur à tout moqueur et médisant invétéré. Qui a amassé une fortune, l'a comptée et recomptée. Pensant que sa richesse lui a assuré l'éternité. Que non! Il sera jeté dans la broyeuse❩.   *(Coran 104:1-4)*

Un auteur Occidental a dit: fais ce qui est juste, puis tourne ton dos à toute critique peu intelligente.

Et parmi les avantages et les expériences: ne réponds pas à une parole blessante, un article ou une poésie car supporter signifie l'enterrement des défauts, la mansuétude est une fierté, le silence soumet les ennemis, l'indulgence est une récompense et un honneur. La moitié de ceux qui ont lu les dénigrements à ton égard les a oubliés, l'autre moitié ne les a pas lus, les autres ne connaissent ni les raisons, ni le problème ! Ne l'enracine pas et ne l'approfondis pas en répondant sur ce qui a été dit.

Un poète a dit:

Ne dévoile pas tes chagrins à tes compagnons, en effet,
Parmi eux, il y a les jaloux et les gens injurieux.

Une maison où il y a de la tranquillité avec du pain d'orge est meilleure que celle qui est remplie de différentes sortes de plats succulents, mais qui est un champ d'agitation et de bruit.

Une pause

Ne sois pas triste: la maladie disparaîtra, l'affliction passera, le péché sera absous, les dettes seront remboursées, le prisonnier sera libéré, l'absent viendra, le pécheur se repentira et le pauvre s'enrichira.

Ne sois pas triste: la chaleur du soleil se dissipera par l'ombre du feuillage, la soif de midi sera désaltérée par l'eau limpide, la morsure de la faim se calmera par le pain frais, l'endurance de la veillée sera suivie d'un sommeil reposant, les douleurs de la maladie seront apaisées par les délices de la santé: il ne t'est cependant demandé qu'un peu de patience et d'attendre un petit instant.

Ne sois pas triste: certes, les médecins sont troublés, les sages sont impuissants, les savants sont incapables, les poètes se sont questionnés et toutes les ruses ont échoué face à la matérialisation de la puissance, l'accomplissement de la sentence et la nécessité de la Destinée.

Ali Ibn Jabala a dit:

Peut-être qu'un soulagement viendra, il se peut,
Nous disons à nos âmes, peut-être, ce n'est qu'allégation
Ne désespère pas, même si tu rencontres
Un malheur qui te coupe la respiration
La personne est toute proche de la délivrance,
Quand elle perd tout espoir de solution.

Ne sois pas triste
et accepte ce qu'Allah a choisi pour toi

Lève-toi s'Il t'a fait lever et assieds-toi s'Il a fait que tu t'assieds, patiente s'Il a fait de toi un pauvre, et sois reconnaissant s'Il a fait de toi un riche.

Ceci est partie intégrante de: «J'ai accepté Allah comme Seigneur, l'Islam comme religion et Mohammed (ﷺ) comme Prophète».

Quelqu'un a dit:

N'essaie pas de te gérer,
Ceux qui gèrent devront un jour, disparaître
Accepte ce que Nous décidons
Nous sommes plus aptes que toi à te connaître.

Ne sois pas triste et ne te préoccupe pas des comportements des gens: puisqu'ils ne possèdent ni l'avantage, ni le dommage, ni la vie, ni la mort, ni la Résurrection, ni la récompense, ni le châtiment.

Un autre poète a dit:

Celui qui surveille les gens meurt de chagrin
Et le courageux profitera des plaisirs.

Et Bachar a dit:

Celui qui surveille les gens n'atteindra pas son but,
Et le meurtrier persévérant gagnera les bonnes choses.

Ibn Al Roumi a dit:

Peut-être que les nuits, après le trouble de l'éloignement,
Nous rassembleront dans l'ombre de l'amitié
Oui, les jours auront, après leur départ,
Des sentiments meilleurs et multipliés.

Ibrahim Ibn Ad'hem a dit: nous avons une vie pour laquelle les rois auraient croisé le fer avec nous, s'ils en étaient réellement au courant !

Ibn Taymiya a dit: le cœur est traversé des fois par des situations si bonnes que je me dis: si ceux du Paradis sont dans le même état que le nôtre, ils ont alors une bonne existence !

Il a dit aussi: le cœur est pris des fois par des états d'âme dans lesquels il danse de ravissement par le bonheur de Son évocation, le Glorieux, le Très-Haut et de Sa compagnie.

Il a dit aussi quand il a été emprisonné et que le geôlier ferma la porte: « C'est alors qu'on éleva entre eux, une muraille avec une porte — son intérieur contient la miséricorde et sa face apparente a devant elle le châtiment ».   *(Coran 57:13)*

Il a également dit quand il était en prison: que feront-ils de moi, mes ennemis ? Moi, mon Paradis et mon jardin sont dans ma poitrine, où je vais, ils sont avec moi. Mon assassinat est un martyre, mon expulsion de mon pays c'est du tourisme et mon incarcération est un isolement.

Ils disent: qu'a-t-il trouvé celui qui a perdu Allah ?! Et qu'a-t-il perdu celui qui a trouvé Allah ? Ils ne s'égaleront jamais: celui qui a trouvé Allah a tout trouvé alors que celui qui a perdu Allah a tout perdu.

Ne sois pas triste
et connais le prix de ce qui t'attriste

Le Prophète (ﷺ) dit: «Le fait que je dis: qu'Allah soit glorifié, louange à Allah, pas de divinité qu'Allah et Allah est le plus grand m'est plus adorable que tout ce que couvre le soleil levé».

Un de nos prédécesseurs a dit au sujet des riches, de leurs châteaux, de leurs maisons et de leurs biens: nous mangeons et ils mangent, nous buvons et ils boivent, nous regardons et ils regardent, nous ne rendrons pas de comptes et ils rendront des comptes.

La première nuit dans la tombe fera oublier,
Les châteaux de Khaouarnuk et les trésors de Chosroês

❮Vous voilà venus à Nous, un par un, tels que Nous vous avons créés la première fois❯.

(Coran 6:94)

Les croyants diront: ❮Allah a dit la vérité, ainsi que Son Prophète❯.

(Coran 33:22)

Les hypocrites diront: ❮Allah et Son Prophète ne nous ont promis qu'une duperie❯.

(Coran 33:12)

Ton existence est le fruit de tes pensées, celles que tu investis, auxquelles tu réfléchis et que tu vis, celles qui influencent ta vie dans le bonheur comme dans le malheur.

Quelqu'un a dit: si tu as les pieds nus, regarde celui dont les deux jambes ont été coupées, et tu loueras alors ton Seigneur pour la grâce des pieds.

Le poète a dit:

La frayeur n'emplit pas mon cœur avant qu'elle ne se réalise,
Et elle ne m'affligera pas quand elle s'accomplira.

Ne te chagrine pas tant que tu es bienfaisant envers les gens

La bienfaisance envers les gens est un chemin du bonheur. Selon un Hadith authentique, Allah dit à Son serviteur en lui demandant des comptes, le Jour de la Résurrection:

"Ô fils d'Adam! J'ai eu faim et tu ne M'as pas donné à manger, il dit: comment Te donnerais-je à manger alors que Tu es le Seigneur des mondes? Il dit: tu as su qu'untel fils d'untel a eu faim et tu ne lui as pas donné à manger, si tu lui avais donné à manger, tu l'aurais trouvé auprès de Moi. Ô fils d'Adam! J'ai eu soif et tu ne M'as pas désaltéré, il dit: comment Te désaltérais-je alors que Tu es le Seigneur des mondes? Il dit: tu as su que Mon serviteur untel fils d'untel a eu soif et tu ne l'as pas désaltéré, si tu l'avais désaltéré, tu l'aurais trouvé auprès de Moi. Ô fils d'Adam! Je suis tombé malade et tu ne m'as pas rendu visite, il dit: comment Te rendrais-je visite alors que Tu es le Seigneur des mondes? Il dit: tu as su que Mon serviteur untel fils d'untel est tombé malade et tu ne lui as pas rendu visite, si tu lui avais rendu visite, tu M'aurais trouvé auprès de lui''.

Une remarque s'impose ici à propos de: «*Tu M'aurais trouvé auprès de lui*». Il n'a pas dit, comme dans les deux précédentes: «*Tu l'aurais trouvé auprès de Moi*», parce qu'Allah est proche de ceux dont les cœurs sont brisés tels que le malade. Et dans un autre Hadith: «Dans toute chose vivante peinée, il y a un salaire».

Et sache qu'Allah a fait entrer au Paradis une prostituée israélite pour avoir désaltéré un chien assoiffé: qu'en serait-il alors de celui qui aura donné à manger et à boire, aura effacé une misère ou aura dissipé une peine?

Et dans un Hadith authentique, le Prophète (ﷺ) a dit: «Que celui qui a du ravitaillement en plus donne à celui qui n'en a pas, et que celui qui possède plus d'une monture donne à celui qui n'en a pas».

Hatem a dit:
Je n'ai pas l'intention, même si je tenais ses brides,
De la faire boire de l'abreuvoir avant les autres chamelles
Si tu es le propriétaire de celle qui est la meilleure
Ne laisse pas ton compagnon marcher derrière elle
Couche-la et fais le monter, si elle ne peut vous
Prendre tous les deux, montez à tour de rôle.

Et Hatem a dit de beaux vers, recommandant à son domestique de trouver un hôte:
Allume car aujourd'hui la nuit est froide
Si un hôte arrive, tu seras libre.

Et il dit à son épouse:
Si tu as préparé à manger, trouve-lui
Un hôte car je ne le mangerai pas seul.

Il a dit aussi:

Ah, les richesses s'en iront et reviendront
Et il n'en restera que les propos et l'évocation
Ah, la fortune ne sera d'aucune utilité
Le râle de l'agonie venu, la poitrine saisie de suffocation.

Et il a dit:

Notre richesse ne nous a pas honorés plus que nos proches,
Comme elle n'a pas amoindri la pauvreté de nos
descendants.

Uroua Ibn Hazm a dit:

Te moquerais-tu de moi si tu as engraissé et que tu vois
En mon visage la pâleur de la justice fatiguée
Je dispense mon corps dans de nombreux autres,
Et je sirote de l'eau limpide bien glacée.

Ibn Al Moubarak avait un voisin juif à qui il donnait à manger avant ses enfants et le vêtait aussi avant eux. Ils ont dit une fois au juif: vends-nous ta maison. Il a dit: pour deux mille dinars — mille pour le prix de la maison et mille pour le voisinage d'Ibn Al Moubarak ! Ce dernier ayant entendu cela, il dit alors: ô Allah guide-le vers l'Islam. Il s'y est converti par la permission d'Allah.

Le même Ibn Al Moubarak est passé parmi sa caravane se dirigeant à la Mecque quand il aperçut une femme se saisissant d'un corbeau mort de l'intérieur d'une poubelle. Il lui envoya son domestique l'interroger, elle a dit: nous n'avons mangé depuis trois jours que ce qui y est jeté. Ses yeux se remplirent de larmes et il ordonna de distribuer tout le contenu de la caravane dans ce village. Il s'en est retourné chez lui et n'a pas accompli le Hadj de cette année-là. Il a vu en songe quelqu'un qui disait: Pèlerinage béni, effort louable et péché absous !

Allah le Glorieux dit: ❨ Ils les préfèrent à eux-mêmes, même s'ils sont dans le besoin ❩.

(Coran 59:9)

Un poète a dit:

Même si je suis très éloigné d'un ami,
Habitant une terre et un ciel autres que les miens,
Je répondrai à son invitation et à son appel,
Je dissiperai ses soucis et il aura mon soutien,
Et s'il lui arrive de porter un joli vêtement,
Je ne dirai pas: comme j'aimerais qu'il soit le mien!

Ô Allah! Quelle belle moralité! Quels dons superbes! Quel bon caractère! Personne ne doit regretter l'accomplissement des bienfaisances, même si on en a fait plus qu'il n'en faut, mais le regret doit être pour les méfaits, fussent-ils insignifiants.

Quelqu'un a dit dans ce contexte:
Le bien persiste quelle que soit sa longévité
Le mal est la plus vile chose que tu puisses épargner.

Ne sois pas triste si ton oreille est frappée par une parole répugnante, la jalousie existe depuis toujours:
Insiste à rassembler les vertus et persévère,
Abandonne les reproches du jaloux ou du rancunier
Sache que la vie est une période de dévotions
Acceptées et après la mort, la jalousie ne peut exister.

Un des érudits contemporains a dit: que ceux qui ont des susceptibilités se versent un peu de froideur dans les nerfs, face aux critiques injustes et despotiques.

Et ils ont dit: grand bravo à la jalousie! Qu'elle est équitable! Elle a commencé par son auteur et l'a tué!

Al Moutanabi a dit:
L'évocation du jeune est son deuxième âge, son besoin
Est ce qui est passé, ce qui reste de la vie est à faire.

Ali, qu'Allah soit satisfait de lui, a dit: la raison est un paradis inaccessible.

Un des sages a dit: le lâche meurt plusieurs fois, le courageux ne meurt qu'une seule fois.

Lorsque Allah veut du bien à Ses serviteurs, Il les pourvoit d'un sommeil sécurisant, au moment des crises, comme cela est arrivé à Talha, qu'Allah soit satisfait de lui, à Ouhd, si bien que son épée lui est tombée de sa main plusieurs fois, en étant sécurité et sérénité pour lui.

Cependant, il y a le sommeil des innovateurs. En effet, Choubaïb Ibn Yazid a somnolé sur son mulet et il était un des hommes les plus courageux ! Et son épouse, Ghazala, fut la femme courageuse qui a expulsé Al Hajaj. Ainsi le poète a dit:

Pour moi, c'est un lion et dans les combats, une autruche,
Qui, au premier sifflement, s'enfuit de frayeur,
Pourquoi n'es-tu pas apparu à Ghazala, au combat
Ou bien, c'est dans les ailes d'un oiseau qu'était ton cœur ?

Allah a dit: ❴Dis: attendriez-vous qu'il nous arrive autre chose que les deux splendeurs ? Et nous, nous attendons qu'Allah vous atteigne d'un supplice de Sa part ou de nos mains. Attendez donc, nous attendons avec vous❵.

(Coran 9:52)

Allah a dit aussi: ❴Il n'appartient à aucune âme de mourir qu'avec la permission d'Allah, selon un terme fixé dans le livre❵.

(Coran 3:145)

Et le poète a dit:

Je lui dis, alors que des multitudes de héros
Se sont élancés: honte à toi, de vouloir reculer
Car si tu demandes à rester un jour en plus
De ce qui t'a été tracé, tu ne seras pas exaucé
Patience, quant à la mort, patience
L'acquisition de l'éternité est une impossibilité
Et l'habit de la vie qui est arraché à un frère,
Servile et apeuré, n'est pas une dignité.

Autrement dit, et par Allah, si leur terme est arrivé, ils ne le reculeront et ne l'avanceront, pas non plus, d'une heure.

Ali, qu'Allah l'agrée, a dit:

De quel jour de la mort, devrais-je fuir
Celui qui a été tracé ou celui qui ne l'a pas été
Le jour qui n'a pas été déterminé, je ne le crains pas
Et de celui qui a été destiné, le prudent ne peut être sauvé.

Abou Bakr, qu'Allah soit satisfait de lui, a dit: demandez la mort et la vie vous sera offerte.

Une pause

Ne sois pas triste: Allah a pris ta défense, les Anges implorent pour toi le pardon, les croyants partagent avec toi leurs évocations dans chaque prière, le Prophète (ﷺ) intercède, le Coran te promet une belle promesse et, par-dessus tout cela, la miséricorde du plus Clément de tous les cléments.

Ne sois pas triste: la bienfaisance est multipliée par dix jusqu'à soixante-dix fois et beaucoup plus encore. La malfaisance est comptée telle quelle sous réserve encore d'être absoute par ton Seigneur: que de générosité inégalable de Sa part, et quelle magnanimité !

Ne sois pas triste: tu es un des pionniers de l'Unicité, des porteurs de la Foi, de ceux de la direction inspirée, tu possèdes l'origine de l'amour d'Allah et de Son Prophète (ﷺ), tu regrettes quand tu commets des péchés et tu te réjouis quand tu fais une bonne action, tu as du bien à ta portée, mais tu n'en es pas conscient.

Ne sois pas triste: tu es dans le bien — dans ta joie et ta peine, dans ta richesse et ta pauvreté, dans ton malaise et ton bien-être: «Etonnante est la question du croyant ! Tout pour lui est du bien: si une joie l'atteint et qu'il est reconnaissant, c'est du bien pour lui. Si c'est une adversité qui l'a touché et qu'il patiente, c'est aussi du bien pour lui, et ceci n'est que pour le croyant».

Ne sois pas triste: la patience sur les désagréments et l'endurance sont le chemin du succès et du bonheur

❨Patiente et ta patience ne peut se faire que par Allah❩.

(Coran 16:127)

❨Une belle patience ! Et qu'Allah me vienne en aide pour ce que vous prétextez❩.

(Coran 12:18)

❨Patiente d'une belle patience❩.

(Coran 70:5)

❨Salut sur vous pour ce que vous avez patienté❩. *(Coran 13:24)*

❨Et patiente pour ce qui t'a atteint❩.

(Coran 31:17)

❨Patientez et rivalisez de patience, et tenez-vous sur vos gardes❩.

(Coran 3:200)

Omar, qu'Allah soit satisfait de lui a dit: «Par la patience, nous avons eu une belle existence».

Les partisans de la loi du Prophète (ﷺ) ont trois arts, face aux calamités: la patience, l'Evocation et l'attente de la délivrance.

Et le poète a dit:

Nous leur avons servi un verre, ils nous ont rendu la pareille,

Mais, nous étions plus patients pour la mort.

Et dans un Hadith authentique: «Aucun n'est plus patient, pour un préjudice qu'il a entendu, comme Allah: ils prétendent qu'Il a un fils et une conjointe et Il les protège et assure leur subsistance».

Il (ﷺ) a dit aussi: «Que la miséricorde d'Allah soit sur Moussa, il a été éprouvé plus que cela, mais il a patienté».

Il (ﷺ) a dit également: «Celui qui se patiente, Allah le fait patienter».

Tu as pris ta monture pour la gloire et les gens patients ont atteint

L'effort des âmes et l'ont remplacé par la puissance

Et ils ont souffert pour la gloire jusqu'à ce que la plupart d'eux se lasse

Et a embrassé la gloire, celui qui a eu de la persévérance

Ne pense pas que la gloire est une datte à manger
Tu ne l'atteindras que lorsque tu lécheras la patience.

Les grandeurs ne s'obtiennent pas par les rêves et les songes pendant le sommeil, mais par la résolution et la détermination.

Ne te chagrine pas des œuvres du Créateur envers toi, et regarde à ce qu'ils font avec Lui

Chez Ahmed, dans le livre *Al Zouhd* (l'ascétisme) Allah dit:
"Tu es étonnant, ô fils d'Adam ! Je t'ai créé et tu adores autre que Moi, Je subviens à tes besoins et tu remercies d'autres, Je tiens tant à t'aimer par l'entremise de Mes grâces alors que Je n'ai que faire de toi, et tu cherches à te faire détester auprès de Moi par tes péchés alors que tu as grand besoin de Moi: Mon bien à toi, descend et ton mal à Moi, monte !"

On a rapporté dans la biographie de 'Issa — Jésus — que le salut d'Allah soit sur lui, qu'il a soigné trente malades et guéri beaucoup d'aveugles, puis ils se sont retournés contre lui, devenant ainsi ses ennemis.

Ne te chagrine pas de la parcimonie de la subsistance

La subsistance des créatures est d'Allah, le seul, l'unique et Il S'est généreusement chargé de cela: ❨C'est dans le ciel qu'est votre subsistance et ce qui vous a été promis❩.   *(Coran 51:22)*

Etant donné qu'Allah est le seul qui subvient aux besoins de ses créatures, pourquoi l'humanité se flatte-t-elle donc ? Il a dit, qu'Il soit glorifié: ❨Il n'y a pas d'être vivant sur terre dont la subsistance n'incombe à Allah❩ *(Coran 11:6)*. Et Il a dit: ❨Ce qu'Allah ouvre aux humains de Sa miséricorde, nul ne peut le retenir et ce qu'Il retient, nul ne peut le relâcher, en dehors de Lui❩.   *(Coran 35:2)*

Ne sois pas triste, il y a des raisons qui amortissent les calamités pour celui qui est affligé

1- Attendre le salaire et la récompense de la part d'Allah: « Certes, ceux qui patientent auront leur salaire sans aucun compte ».

(Coran 39:10)

2- La vue des gens calamiteux:
S'il n'y avait pas ceux qui pleuraient leurs frères
Autour de moi, je me serais donné la mort.

Tourne-toi à droite, puis à gauche, tu ne verras que des humains affligés ou éprouvés. Et, comme l'on dit, dans chaque vallée, il y a les fils de Sa'd.

3- Et qu'elle est plus facile qu'autre chose.

4- Et qu'elle ne concerne pas la religion de la personne, mais sa vie ici-bas.

5- Et que la servitude dans la résignation face à ce qui est détestable est meilleure, quelquefois, que ce qui désiré.

6- Et qu'on n'y peut rien:
Abandonne la machination dans sa mutation,
La véritable ruse est de s'éloigner des astuces.

7- Et que le choix est à Allah, le Seigneur des mondes: « Et il se peut que vous détestiez une chose et qu'elle soit un bien pour vous ».

(Coran 2:216)

N'incarne pas la personnalité d'autrui

« A chacun sa direction vers laquelle il s'oriente. Concourez donc pour les bonnes œuvres ».

(Coran 2:148)

« C'est Lui qui vous donna la succession du pouvoir sur la terre et vous éleva par degrés, les uns sur les autres » *(Coran 6:165)*, « Tous les gens surent d'où il leur convenait de boire ».

(Coran 2:60)

Les gens se différencient dans les dons, les capacités, l'énergie et la dextérité, et la grandeur de notre Messager (ﷺ) fut aussi le fait d'avoir employé ses compagnons suivant leurs aptitudes et leurs préparations. Ainsi, il désigna Ali à la justice, Mou'adh au savoir, Oubey au Coran, Zeyd aux règles de succession, Khaled au djihad, Hassêne à la poésie et Qays Ibn Thabet à la rhétorique.

La générosité utilisée à mauvais escient,
Est aussi importante que l'épée.

La dissolution dans autrui est un suicide, la couverture par les qualités des autres est un meurtre prémédité.

Et parmi les signes d'Allah, le Glorieux, il y a: la disparité des qualités des hommes et de leurs dons, la diversité de leurs langues et de leurs couleurs. Ainsi Abou Bakr, profitable à la Nation et à la foi par sa clémence et son indulgence, et Omar, par sa dureté et sa rigidité, ont fait que l'Islam et ses partisans aient été victorieux. La satisfaction de ce que tu as est un talent, investis-le donc, développe-le, propose-le et fais-en profiter les gens, ❨Allah ne charge une âme que se dont elle est capable❩. *(Coran 2:286)*

L'imitation aveugle et la fusion excessive dans les personnalités des autres sont des obstacles aux dons, une mort de la volonté et une abolition de la distinction intentionnelle et du caractère exceptionnel voulu de la création.

L'isolement et son avantage sur la personne

Je veux dire par là l'isolement du mal et la discrétion dans ce qui est permis, c'est également ce qui réconforte et fait disparaître la tristesse.

Ibn Taymiya a dit: il est nécessaire que la personne s'isole pour l'adoration, l'évocation, la lecture du Coran, pour faire aussi le pour et le contre de soi-même, ses supplications, son éloignement du mal, et tout ce qui s'en suit.

Et Ibn Al Jawzi a lié trois chapitres dans le livre *Sayd El Khatir* (Le butin de l'esprit), dans lesquels il a dit en résumé: je n'ai ni entendu, ni vu rien de pareil à l'isolement. C'est un repos, une fierté et un honneur, un éloignement des méfaits et du mal, une protection de l'effort et du temps, une conservation de la vie, l'évitement des jaloux, des gens agaçants et vils, une facilitation des pensées à l'Au-delà, la préparation à la rencontre d'Allah, un profit dans l'obéissance, le parcours de la réflexion sur ce qui est profitable, la sortie des trésors de la sagesse et les déductions des textes.

C'est à peu près ce qu'il a voulu dire sur l'isolement.

J'ai dit dans un chapitre précédent: l'isolement est une gloire qui n'est perçue que par Allah. En effet, il y a l'investissement de la raison, la récolte des fruits de la réflexion, le repos du cœur, l'intégrité, l'abondance du salaire, l'interdiction des méfaits, l'abandon des divertissements et des préoccupations, la fuite des séductions. C'est aussi l'éloignement de l'amadouement de l'ennemi, de la vilenie du rancunier, des regards du jaloux, de l'agacement du lourd d'esprit, les excuses pour les reproches, la réclamation des droits, la flagornerie de l'être hautain, la patience envers celui qui manque d'intelligence. Et puis, dans l'isolement, il y a une couverture des défauts de la langue, du comportement, des bévues de l'esprit et des frivolités de l'âme.

Dans l'isolement, il y a également un voile sur les avantages, des coïncidences d'avoir des bénédictions et des manches pour la chance des vertus. Et que l'isolement avec un livre est bon! C'est une richesse pour l'existence, une amplitude pour la raison, une aisance dans l'intimité, un voyage dans une obéissance et du tourisme dans la méditation.

Tu trouveras aussi dans l'isolement la méditation, l'expectative, la réflexion et la contemplation.

Tu insisteras également sur les significations, tu obtiendras des douceurs, tu méditeras sur les finalités, tu construiras l'édifice de l'opinion et tu érigeras la structure de la raison.

L'âme est dans l'isolement, toute réjouie, le cœur l'est encore plus. L'esprit est en quête des avantages, tu ne feras pas l'objet d'ostentation, puisque seul Allah te voit, personne n'entend tes paroles, excepté l'Audient, le Voyant.

Tous les brillants fort utiles, les génies, les experts, les ténors de l'époque, les pionniers de l'Histoire, les gens vertueux, les yeux de l'ère, les étoiles des assemblées, ont irrigué les graines de leur noblesse de l'eau de l'isolement jusqu'à ce qu'elles se dressent sur leurs tiges: ainsi a poussé l'arbre de leur grandeur qui a donné ses fruits à tout moment par la permission de son Seigneur.

Ali Ibn Abdelaziz Al Jarjani a dit:

Il me disent que je suis contracté mais
Ils ont vu un homme qui a refusé l'humiliation
Si on dit: voilà un fournisseur, je dis: je vais voir
Mais l'âme du pur supporte la soif sans réclamation
Et je serai infidèle au savoir si, à chaque fois
Qu'une cupidité m'apparaît, j'en fais une solution
Aurais-je souffert en le plantant pour que la servilité soit sa
*   récolte*
La voie de l'ignorance aurait été une meilleure résolution
Et si les illuminés l'avaient protégé, il les aurait préservés
S'ils l'avaient exalté, il aurait obtenu la glorification
Mais ils l'ont humilié, ainsi ils ont souillé
Son visage par l'avidité jusqu'à son affliction.

Ahmed Ibn Khalil Al Hanbali a dit:

Celui qui veut l'honneur et se reposer
D'un souci qui a trop duré
Qu'il fasse partie des gens
Et qu'il soit du peu, satisfait
Comment, à une vie malsaine,
Une personne peut-elle aspirer
Entre les insinuations d'un dupeur
Et d'un individu antipathique voulant le flatter
Et la souffrance causée par un avare
Et un jaloux qui espère l'amadouer

Ah! Sur la connaissance des gens
De toutes les origines, de tous les sentiers!

Le cadi Ali Ibn Abdelaziz Al Jarjani a aussi dit:
Je n'ai goûté le plaisir de la vie que
Lorsque je devins l'intime du livre et de la maison
Il n'y a pas mieux que la connaissance
Je ne voudrais aucun autre compagnon
L'humiliation vient de la fréquentation des gens
Abandonne-les et vis honorable et indépendant.

Un autre a dit:
J'ai pris pour ami ma solitude en restant chez moi
Ma sérénité a duré et mon bonheur a prospéré
J'ai boycotté les créatures sans me soucier
Si l'armée s'est réjouie ou si le prince est monté.

Al Hamidi Al Mouhadith a dit:
La rencontre des gens n'est d'aucun intérêt
Si ce n'est beaucoup de «on a entendu»
Diminue de tes rencontres sauf pour l'acquisition
Du savoir ou la résolution d'un malentendu.

Ibn Farès a dit:
Ils ont dit: comment vas-tu? J'ai dit: bien
Une chose s'accomplit et d'autres ne sont pas réalisées
Si notre poitrine est bondée de soucis, nous disons
Peut-être qu'un jour nous serons soulagés.
Mon chat est mon compère, le compagnon de mon âme
Mes livrets et la lampe mes bien-aimés.

Ne te chagrine pas en raison des cas de détresse

Les malheurs donnent des forces au cœur, effacent les péchés, brisent la complaisance, soufflent l'orgueil. Ce sont aussi une dissolution des étourderies, un attisage du rappel, l'attraction de la compassion des créatures, des implorations de la part des gens pieux, une soumission des tyrans, la résignation au Seul, le Dompteur, une répression présente et un avertissement donné, un réveil de l'évocation, une supplication par la patience, un espoir de récompense pour les hommes éprouvés, une préparation à la rencontre du Seigneur, un trouble contre la confiance et la satisfaction en cette vie ici-bas. Et ce qui a été caché de la compassion est plus important, ce qui a été dissimulé des péchés est plus grand et ce qui a été pardonné des fautes est plus ample.

Ils ont dit: l'isolement est un honneur pour tous ceux qui l'ont aimé. Et je t'invite à revoir le livre *Al Ouzla* (L'isolement) d'Al Khatabi.

Une pause

Ne sois pas triste: parce que le chagrin t'affaiblit dans l'adoration, te retardera du djihad, te fera hérité de la déception, t'invitera à avoir de mauvais doutes et te fera tomber dans le pessimisme.

Ne sois pas triste: en effet, la tristesse et l'inquiétude sont parmi les causes principales des maladies psychologiques, l'origine des troubles nerveux et la matière de l'anéantissement, de l'obsession et de l'agitation.

Ne sois pas triste: tu as avec toi le Coran, l'évocation, l'imploration, la prière, l'aumône, les bonnes œuvres, le travail profitable et productif.

Ne sois pas triste: ne te soumets pas à la tristesse par le biais de l'oisiveté et de l'inaction. Prie, glorifie, lis, écris, travaille, reçois, visite, médite.

❪Invoquez-Moi, je vous répondrai❫.   *(Coran 40:60)*

❪Invoquez votre Seigneur en toute humilité et discrétion, Il n'aime pas les transgresseurs❫.   *(Coran 7:55)*

❪Dis: invoquez Allah, ou bien invoquez le Tout-Miséricordieux, sous quel nom que vous l'invoquiez, il a les Noms les plus beaux❫.
                    (Coran 40:14)

❪Invoquez Allah en Lui consacrant toute votre adoration❫.
                    (Coran 17:110)

Ne sois pas triste et lis ces règles du bonheur

1- Sache que si tu ne vis pas dans les limites de ton jour, ton esprit se disperse, tes affaires se perturbent, tes soucis et tes malheurs augmentent, c'est le sens de: si tu t'es réveillé le matin, n'attends pas le soir, et si tu arrives au soir n'attends pas le lendemain.

2- Oublie le passé et ce qu'il contient, car s'intéresser à ce qui est révolu et fini n'est

que stupidité et folie.

3- Ne t'occupe pas de l'avenir qui est dans la science de l'inconnu, n'y pense pas et attends qu'il arrive.

4- Ne t'ébranle pas face à la critique, soit ferme et sache qu'elle égale ta valeur.

5- La foi en Allah et la bienfaisance sont la belle et heureuse vie.

6- Celui qui veut la sérénité, le calme et le repos, qu'il invoque Allah, le Prédominant.

7- Que le serviteur sache que tout est par Destin et Fatalité.

8- N'attends de remerciements de personne.

9- Prépare-toi à confronter les pires épreuves.

10- Dans ce qui t'est arrivé, il y aurait peut-être du bien pour toi.

11- Toute sentence est un bien pour le musulman.

12- Pense aux grâces et remercie.

13- Tu es, avec ce que tu as, supérieur à beaucoup de gens.

14- D'heure en heure, une issue.

15- De l'affliction, on tire l'invocation.

16- Les calamités sont de l'amertume pour les esprits et de la force pour les cœurs.

17- La difficulté est suivie d'aisance.

18- Que les futilités ne t'abattent pas !

19- Ton Seigneur est Tout-Miséricordieux.

20- Ne te fâche pas, ne te fâche pas, ne te fâche pas !

21- La vie: pain, eau et ombre. Ne t'occupe pas d'autre chose.

22- ❨Et dans le ciel, votre subsistance et ce qui vous a été promis❩.   *(Coran 51:22)*

23- La majeure partie de ce qui est appréhendé, n'arrive pas.

24- Tu as dans les gens éprouvés un exemple à suivre.

25- Quand Allah aime des gens, il les affecte.

26- Répète les invocations se rapportant aux calamités.

27- Il faut que ton travail soit sérieux et productif, exclus l'oisiveté.

28- Abandonne les désinformations et ne crois pas les rumeurs.

29- Ta rancœur et ton désir de vengeance nuisent beaucoup plus à ta santé, qu'à ton adversaire.

30- Tout ce qui t'afflige est une absolution de tes péchés.

'Pourquoi te chagriner, alors que tu as six mixtures ?'

L'auteur de *Al Faraj baâd al chida* (Le soulagement après la détresse) a dit: un sage a été éprouvé par une calamité, ses frères entrèrent chez lui pour compatir à sa souffrance. Il leur a dit: j'ai pris un médicament composé de six mixtures. Ils ont dit: et quelles sont-elles ? Il a dit:

1- Le premier: la confiance en Allah.

2- Le deuxième: j'ai su que tout ce qui est destiné arrive.

3- Le troisième: la patience est le meilleur remède de ceux que les humains affligés aient utilisé.

4- Le quatrième: et si je ne patience pas, que pourrais-je faire d'autre ?

5- Le cinquième: et je n'apporterai aucune aide à mon âme en me fâchant.

6- Le sixième: d'heure en heure, un soulagement.

Ne sois pas triste si tu as été offensé, insulté, humilié...

Cheikh Al Islam, Ibn Taymiya a dit: le croyant ne réclame pas, ne blâme pas et ne spécule pas non plus.

Ne sois pas triste et réserve-toi les bons qualificatifs des gens en accomplissant de bonnes œuvres

Un des gens généreux a secouru un poète éprouvé par une catastrophe, ce dernier a alors composé une poésie faisant son éloge:

Un enfant qu'Allah a doté d'une beauté d'adolescent,
Sur son visage on voit de toute révérence, le signe
Ayant vu que les habits de la gloire ont été empruntés
Il s'enveloppa de larges vêtements et d'un pagne
Comme si les Pléiades étaient suspendues à son front
Que Sirius était sur son cou et sur son visage, la lune.

Ne sois pas triste si tu fais face à des difficultés: patiente et résiste

Ô temps ! S'il te reste encore de quoi humilier les révérencieux, montre-le. La patience est plus indulgente que l'inquiétude, l'endurance est plus honorable que la fragilité et celui qui ne patiente pas de son plein gré, se résignera malgré lui.

Al Moutanabi a dit:

Le temps m'a frappé d'afflictions si bien que
Ce fut une protection pour mon cœur

De sorte que, quand je suis atteint des flèches de l'archer
Leurs pointes se brisent les unes contre les autres
J'ai vécu sans soucis avec les calamités
Car, me soucier ne dissipera pas mes malheurs.

Et Abou Al Madhafar Al Ibiourdi a dit:
Le temps s'est déguisé et il ne sait pas,
Que ses plus chers moments me sont insignifiants
Il ne cessa de me montrer comment ils l'ont agressé
Et je n'ai cessé de lui montrer comment être patient.

Ne sois pas triste: tu as avec toi des frères et des fans solidaires

Et je vais t'offrir des vers que tu fredonneras, si tu veux, et qui susciteront un repos en ton cœur.

Quelqu'un a dit, à propos de la domestication des cœurs et du rapprochement des âmes:
Nous sommes descendus chez une Yéménite de Qays
Dont les parents étaient des gens pieux
Elle a dit, en soulevant un coin du voile qui nous séparait:
Où allez-vous ou qui êtes-vous les deux?
Je lui ai dit: quant à mon compagnon, il est de
Tamim, et moi du Yémen, si c'est ce que tu veux
Deux compagnons différents l'un de l'autre, réunis par le
    temps,
Les antagonistes se rencontrent et s'unissent, oui il se peut.

La fraternité dissipe les chagrins. Quelqu'un a dit: s'il n'y avait pas l'obsession, je n'aurais pas fréquenté les gens.

《Les intimes seront, ce jour-là, ennemis, excepté les gens pieux》.   *(Coran 43:67)*

Un autre a dit, à propos d'un voyageur étranger:
Celui dont l'esprit est disséminé, n'habite pas dans

Une demeure, n'a ni famille, ni voisinage
Il s'habitua à l'éloignement si bien que le voyage lointain
Devint pour lui une promenade dans les parages.

Ne sois pas triste si quelqu'un ne t'a pas aidé ou si le visage d'un homme morose s'assombrit en te voyant...

Soufiane Al Thaouri a des vers dans lesquels il dit:
Tu te contenteras pour ce que tu ne connais pas,
Et qui fut la cupidité des gens, de sel et de pain durci
Tu boiras une eau douce et tu te laveras
T'opposant à ceux qui mangent du pain garni
A toi de roter s'il leur arrive de le faire, comme si
Tu divisais les différentes sortes de pâtisserie.

Une cabane en bois, une tente en poils et du pain d'orge, avec la dignité, la préservation de l'âme et le fait que la face soit sauvée, est mieux qu'un grand château et un verger paysager avec la perturbation et l'impureté.

L'épreuve est comme la maladie, il lui faut un certain temps pour qu'elle disparaisse: il en est ainsi pour la calamité et le chagrin. Il leur faut aussi du temps pour que leurs traces se dissipent, et l'homme éprouvé devrait s'armer de patience, attendre le soulagement et invoquer Allah en permanence.

Une pause

❰Et ne désespérez pas de la clémence d'Allah. En effet, ne désespère de la miséricorde d'Allah que la gent mécréante❱.

(Coran 12:87)

❰Et ne désespèrent de la clémence de leur Seigneur que les êtres égarés❱.
(Coran 15:56)

❰Car la miséricorde d'Allah est proche des bienfaiteurs❱.

(Coran 7:56)

《Tu ne peux pas savoir — peut-être qu'Allah fera intervenir, entre-temps un élément》 *(Coran 65:1).* 《Et il se peut que vous détestiez une chose et qu'elle soit un bien pour vous, et il se peut que vous aimiez une chose et qu'elle soit un mal pour vous》.

(Coran 2:216)

《Allah est doux envers Ses serviteurs》. *(Coran 42:19)*

《Et Ma miséricorde englobe toute chose》. *(Coran 7:156)*

《Ne te chagrine pas, Allah est avec nous》. *(Coran 9:40)*

《Lorsque vous imploriez le secours de votre Seigneur et qu'Il vous répondit》.

(Coran 8:9)

《Et c'est Lui Qui fait descendre la pluie bienfaisante, après qu'ils désespérèrent, et Qui déploie Sa miséricorde》. *(Coran 42:28)*

《Et ils Nous invoquaient par appétence et par crainte et étaient, à Notre égard, pleins de recueillement》. *(Coran 21:90)*

Le poète a dit:

Comment la vie va-t-elle te pourvoir du Bien
Si tu n'en acceptes pas le caractère
N'as-tu pas vu les pierres si précieuses
Sortir de la mer dont l'eau est saumâtre
Et peut-être qu'une horreur effrayante
Sera pour toi allégresse — et frayeur pour d'autres
Et il se peut qu'une facilité accompagne une difficulté
Et qu'une droiture suive une tortuosité, peut-être.

Et le meilleur compagnon parmi les êtres: un livre

Parmi les causes du bonheur: se consacrer à la lecture d'un livre, s'intéresser à la lecture d'une façon générale et développer la raison par des avantages.

Al Jahidh te conseille la lecture pour bannir le chagrin. Il dit:

Le livre est le compagnon qui ne te vante pas, l'ami qui ne te tente pas, le camarade qui ne se lasse pas de toi, le voisin qui ne te cause pas de problèmes, l'allié qui ne veut pas profiter de ce que tu as par adulation, qui ne te traite pas avec fourberie, ne te trahit pas par hypocrisie et ne te dupe pas par des mensonges.

Et le livre fait durer ta réjouissance, affûte ton empreinte, facilite ta langue, perfectionne tes doigts, donne de la magnificence à ton langage, égaye ton âme, emplit ta poitrine, t'offre l'admiration des gens et l'amitié des rois. Il te fait savoir en un mois ce que tu ne sauras pas en un an de la bouche des hommes et ce, en t'évitant les dépenses, les souffrances de la demande, l'attente devant les portes des établissements d'enseignement et le fait de t'asseoir sur un banc en face de quelqu'un à qui tu es supérieur tant en éducation qu'en noblesse, et enfin il t'épargne la compagnie des haineux et la relation des riches.

Le livre est à ta disposition de jour comme de nuit, en voyage comme au repos, n'est pas complexé par le sommeil ni par l'épuisement de la veillée. C'est le professeur qui quand tu as besoin de lui, ne te prive pas, quand tu lui coupes le gain, ne te coupe pas l'avantage, quand tu l'isoles, ne s'arrête pas de te respecter. Quand un vent de tes ennemis souffle, il ne se retourne pas contre toi, quand tu es avec lui, attaché à une raison ou que tu tiens à une corde quelconque, il sera pour toi ce que les autres ne seront pas. Avec lui, tu ne risques pas d'être solitaire et d'être en compagnie d'un malfaiteur. Même si le seul profit et la bienveillance qu'il t'a apportés se résument au fait qu'il t'ait évité de t'asseoir au pas de ta porte, de regarder les passants avec tout ce que cela contient comme possibilités d'accomplissement de péchés, tels que les regards tentants, les discussions sur ce qui ne t'intéresse pas, les relations des bas parmi les gens, écouter leurs paroles dénigrantes et leurs significations corrompues — en plus de leur mauvaise éducation et de leur ignorance répugnante. Mais il y a aussi l'intégrité et le butin, l'acquisition de l'essentiel avec l'avantage tiré de l'accessoire. Si ce n'est pas le cas, il te détourne alors des sottises de l'imagination, de l'habitude du repos, du jeu et de tout ce qui y ressemble.

Il est pour son ami la meilleure faveur et une grande grâce.

Et nous avons su que ce qui, pour les oisifs, remplit le mieux leurs journées, et pour les plaisantins leurs nuits, c'est bien le livre, qui ne leur est pourtant bénéfique en rien, tant en expérience qu'en raisonnement, aussi bien en qualité d'homme qu'en dignité, tant en ajustement de la religion qu'en investissement financier, ni en maîtrise d'un métier ni en mûre réflexion.

Aphorismes sur les bienfaits du livre

Abou Oubaïda a dit que Al Mouhallab a recommandé à ses fils: ô mes enfants, dans les marchés, intéressez-vous seulement au libraire et fabricant de boucliers.

Un de mes amis m'a dit: j'ai lu un livre d'un cheikh syrien dans lequel il parlait de l'exploit de Ghatafène. Il a dit: les noblesses sont toutes parties sauf celles du livre. J'ai entendu Hassan Ellouelouï dire: en quarante ans, je n'ai jamais fait la sieste, je n'ai nullement dormi la nuit et je ne me suis allongé sans qu'un livre soit sur ma poitrine.

Et Ibn Al Jahm a dit: s'il m'arrive d'avoir sommeil en dehors du temps imparti à cela — et c'est mauvais de dormir plus qu'il n'en faut -je prends un livre, mon esprit en frémit, en raison de ses avantages et de la sérénité qui m'envahit quand je découvre des choses. Leur éclaircissement dont j'ai besoin me réveille plus que ne le ferait le braiment d'un âne ou le bruit d'une démolition.

Le même Ibn Al Jahm a dit aussi: quand le livre me plaît, qu'il m'attire, que j'espère en tirer profit, et que j'y trouve cela, si tu me voyais alors, tu constaterais que je suis tout le temps en train d'en compter les feuilles de peur de terminer sa lecture et d'arrêter la matière qui en sort. Cela est valable aussi avec le Coran qui est volumineux et dont le nombre de feuilles est remarquable. Ainsi, je sens de la plénitude dans l'existence.

Al Atabi a dit à propos d'un livre de quelqu'un parmi les prédécesseurs: s'il n'était pas trop long avec toute une multitude de pages, je l'aurais transcrit. Ibn Al Jahm a dit: ce qui m'a plu dans ce livre, c'est ce qui t'en a repoussé. Je n'ai jamais lu un livre volumineux sans que j'en tire un avantage. Par contre, je ne me souviens pas exactement combien de petits livres j'ai lus, mais ce dont je suis certain, c'est que j'en sors comme j'y entre. Et le plus noble, le plus honorable et le plus sublime: ❨Un Livre qui t'a été descendu, que ta poitrine n'en éprouve aucune angoisse, afin que tu avertisses par son biais ❩.

(Coran 7:2)

Avantages de la lecture et de l'initiation

1- L'exclusion de l'obsession, du souci et du chagrin.

2- La dérobade à ce qui est injustice.

3- L'occupation des oisifs et des chômeurs.

4- L'aiguisement de la langue, l'entraînement sur la parole, jouir de l'éloquence et de la compréhension.

5- Le développement de la raison, l'amélioration de l'esprit et la purification de l'âme.

6- L'abondance du savoir, la multiplicité de l'acquisition et de la compréhension.

7- Le profit tiré de l'expérience des gens, de la maturité des sages et les déductions des savants.

8- Trouver la faculté d'assimilation des sciences et l'initiation à la culture consciente, vu son rôle dans la vie.

9- L'augmentation de la foi en lisant, en particulier des livres des gens de l'Islam, car le livre est un des plus grands prédicateurs, des plus illustres moyens de dissuasion, l'une des plus grandes sources de prohibition et l'un des plus sages ordonnateurs.

10- Un repos pour l'esprit contre l'éparpillement, pour le cœur contre la dispersion et le temps contre la perte.

11- La fermeté dans la compréhension du mot, la composition de la matière, l'objet de l'expression, la signification de la phrase et la connaissance des secrets de la sagesse.

Les secrets des sens sont la véritable vie de l'âme,
Et nullement ce que tu as mangé et ce que tu as bu.

Ne te chagrine pas alors que tu sais qu'à travers tes bienfaits, tu t'es ménagé des langues qui font ton éloge

Et des paumes de mains qui s'élèvent au ciel pour invoquer Allah à ton profit, des bouches qui font ton éloge pour ce que tu leur as fait comme agréments: la louange est un deuxième âge, un enfant éternel, un patrimoine abondant et un bon héritage béni.

Un poète, faisant l'éloge d'un bienfaiteur, a dit:

Comme s'il t'était écrit que «non»
Est prohibé pour toi, c'est un péché
Lorsque c'est l'hiver tu es le soleil
Si c'est l'été, tu es l'endroit ombragé
Et quand tu distribues ton argent tu ne sais pas,
Si tes dons sont en grande ou faible quantité
Fasses que tu sois récompensé de tout le bien
Tu es l'illustre, le héros glorifié
Ton visage nous éclaire dans nos marches
Ton front est de nuit, tout illuminé
Ton nom, un bon guide pour les oreilles
Est, en chœur et sans lassitude, répété
Nous rançonnerons nos vies pour toi, contre toute frayeur
Ainsi que tous les pèlerins à leur arrivée.

Une pause

Abou Bakr, qu'Allah soit satisfait de lui, tomba malade, on lui rendit visite,

Ils lui ont dit: ne devrons-nous pas appeler le médecin? Il a dit: le Médecin m'a déjà vu. Ils ont dit: qu'a-t-il dit? Il a répondu en faisant allusion à Allah le Très-Haut: «Je fais ce que Je veux».

Omar Ibn Al Khatab, qu'Allah soit satisfait de lui, a dit: nous avons trouvé notre meilleure existence par la patience. Et il a dit aussi: la meilleure existence que nous avons passée fut par la patience, mais cette dernière a été généreuse pour les hommes.

Ali Ibn Abi Taleb, qu'Allah soit satisfait de lui a dit: certes la patience fait partie de la foi, tout comme la tête par rapport au corps: si la tête est coupée, le corps devient inerte, puis il a élevé la voix et a dit: celui qui n'a pas de patience n'a pas de foi. Il a dit aussi: la patience est une monture qui ne culbute pas.

Al Hassan a dit: la patience est un trésor de bienfaisance qu'Allah ne donne qu'à celui qui est généreux auprès de Lui.

Omar Ibn Abdelaziz a dit: lorsque Allah donne à Son serviteur une grâce puis la lui arrache, il la lui remplace par la patience et cette dernière est mieux que ce qui a été enlevé.

Maïmoun Ibn Mahran a dit: rien d'autre que la patience n'englobe tout le bien.

Souleimen Ibn Al Qassem a dit: toute action accomplie a une récompense connue, sauf la patience, car Allah a dit: ❨Mais seuls ceux qui patientent recevront leurs salaires au-delà de tout compte❩ *(Coran 39:10)*. Il a ajouté: comme de l'eau torrentielle.

Ne sois pas triste, car il y aura un autre spectacle, une autre vie et un autre jour

Allah y rassemblera les premiers et les derniers et ceci te rassure de Sa justice: celui dont les biens ont été spoliés ici, les trouvera là-bas, celui qui a été tyrannisé ici, sera soulagé là-bas et l'oppresseur dans ce bas monde sera puni dans l'Au-delà!

Il a été rapporté de Kant, le philosophe allemand: «La pièce théâtrale de la vie n'est pas encore terminée, il y a certainement un autre acte car nous voyons des opprimés et des oppresseurs mais on ne trouve pas d'équité. Des gagnants et des perdants, mais il n'y a pas de vengeance, il est donc indéniable qu'il y aura un autre monde où la justice sera faite».

Cheikh Ali Al Tantaoui, commentant cela a dit: ces paroles sont une reconnaissance catégorique par cet étranger, du Jour Dernier et de la Résurrection.

Si le ministre est un tyran ainsi que ses secrétaires

Et que le juge de ce monde n'est pas équitable
Malheur, malheur puis malheur
Au juge de la terre, de Celui du ciel.

❰Point d'injustice aujourd'hui, Allah est prompt à dresser le compte❱.   *(Coran 40:17)*

Aphorismes universels et narration d'expériences humaines

Ne te chagrine pas des embrouillements de tes affaires et de l'accumulation de tes travaux.

Robert Louis Stevenson a écrit: chaque personne peut accomplir son travail, quelle que soit sa dureté, en un seul jour et chacun est capable de vivre dans le bonheur jusqu'à ce que le soleil se couche. C'est la signification de la vie.

Quelqu'un a dit: «Tu n'as de ta vie qu'un seul jour, hier est parti et le lendemain n'est pas encore arrivé».

Stephen Leacock a écrit: «Le garçon dit: quand je serai adolescent, l'adolescent dit: quand je serai jeune. Et lorsque je serai jeune, je me marierai. Mais qu'y aura-t-il après le mariage? Qu'y aura-t-il après toutes ces étapes? L'idée change et devient: quand j'arriverai à l'âge de la retraite. Il regarde derrière lui, un vent glacial le secoue, son existence est passée sans qu'il en vive une seule minute, mais nous apprenons lorsque c'est trop tard que la vie se passe dans chaque minute et dans chaque jour de notre temps présent». C'est le cas des atermoiements à propos du repentir.

Un de nos prédécesseurs a dit: je vous ai avertis, «la particule du futur» est un mot qui a empêché beaucoup de bien et a retardé de nombreuses bienfaisances.

❰Laisse-les manger, jouir et se divertir d'espoirs, bientôt ils sauront❱.   *(Coran 15:3)*

Le philosophe français Montaigne a dit: «Mon existence a été remplie de malchance qui ne pardonne jamais».

Je me suis dit: ces gens-là n'ont pas connu la sagesse de leur création, malgré leur intelligence et leur savoir, ils ne se sont pas guidés par ce qui a été révélé par Allah, à Mohammed (ﷺ): ❨Et celui à qui Allah n'a pas fait de lumière, n'a plus aucune lumière❩ *(Coran 24:40)*, ❨Nous l'avons guidé sur le chemin, soit il est reconnaissant, soit il est ingrat❩.   *(Coran 76:3)*

Dante dit: «Pense que ce jour n'émanera pas une deuxième fois».

J'ai dit: une autre parole plus belle et plus éloquente implique: «Accomplis ta prière en pensant que tu fais tes adieux à la vie».

Et celui qui se met dans l'esprit l'idée que ce jour est son dernier, renouvelle son repentir, améliore son travail, s'applique dans l'obéissance à son Seigneur et l'imitation de Son Prophète (ﷺ).

Un acteur de théâtre hindou a écrit:

Salut à l'aube

Regarde ce jour

Parce que c'est lui la vie, la vie elle-même.

Dans sa brève existence, tu trouveras toutes les vérités de la tienne

La grâce du développement

Le travail glorieux

Et la beauté de la victoire

Et comme hier n'est plus qu'un rêve

Et le lendemain n'est qu'un songe

Mais le jour que nous vivons en entier fait de la veille un joli rêve

Et tout lendemain un songe d'espoir

Regarde bien ce jour

C'est cela le salut de l'aube.

Ne te chagrine pas et pose-toi ces questions sur ton jour, la veille et le lendemain

Ferme des portes en fer sur le passé et l'avenir puis vis les minutes de ton jour:

1- Est-ce que je veux reporter mon existence présente pour des soucis au sujet de l'avenir ou la nostalgie d'un jardin ensorcelant derrière l'horizon?

2- Devrais-je faire de mon présent une amertume par le souvenir de choses qui se sont passées et révolues dans le temps?

3- En me réveillant le matin, me suis-je décidé à exploiter ma journée et à profiter

au maximum de ses vingt-quatre heures?

4- Aurais-je des avantages de l'existence si je vivais les minutes de mon jour?

5- Quand ferais-je cela? La semaine prochaine? Demain? Ou alors aujourd'hui?

Ne sois pas triste et questionne ton âme

1- Quelle est la plus mauvaise éventualité qui pourrait arriver?

2- Prépare-toi à l'accepter et à l'affronter.

3- Puis entame, avec tout ton calme, l'amélioration de cette probabilité: ❨Ceux à qui les gens ont dit: les gens ont mobilisé contre vous, craignez-les. Cela augmenta leur croyance et dirent: il nous suffit d'avoir Allah, et quel bon défenseur!❩   *(Coran 3:173)*

Une pause

❨Celui qui craint pieusement Allah, Allah lui aménage une issue. Et Il lui accorde Ses biens d'où il ne s'y attendait pas, et celui qui s'en remet à Allah, Allah lui suffit❩.   *(Coran 65:2-3)*

❨Allah fera après la difficulté, une facilité❩.   *(Coran 65:7)*

«Et sache que la victoire vient par la patience, que le soulagement vient après le malheur et que la difficulté est suivie d'une aisance».

«Je suis auprès de ce que pense Mon serviteur de Moi: qu'il pense de Moi ce qu'il veut».

❨ Allah te protégera de leur mal, il est l'Audient, l'Omniscient ❩. *(Coran 2:137)* ❨ Remets-toi en au Vivant qui ne meurt jamais ❩.

(Coran 25:58)

❨ Peut-être qu'Allah apportera la victoire ou une occurrence de Sa part ❩ *(Coran 5:52)*. ❨ Nul autre qu'Allah ne peut en dévoiler le secret ❩.

(Coran 53:58)

Quand Allah veut que les choses se facilitent
Leurs forces s'affaiblissent et leurs difficultés
  s'amoindrissent
Combien de ceux qui sont désireux ne sont pas exaucés
Et combien de choses après le désespoir, s'accomplissent
Et combien de gens effrayés devinrent redoutables, des
  avares qui
Se sont enrichis et d'amertumes qui s'adoucissent
Et la vie peut trahir de sorte que les riches s'appauvrissent
Et que les pauvres après des difficultés, s'enrichissent
Et combien avons-nous vu de vies contrariées
Et d'autres qui, après des misères, se réjouissent.

Ne te chagrine pas car le chagrin détruit la force et affaiblit le corps

Le docteur Alexis Carrel, le prix Nobel de médecine, a dit: «Les hommes d'affaires qui ne savent pas affronter l'inquiétude, meurent trop tôt».

Je dis: toute chose est soumise au Destin et à la Fatalité, mais cela peut signifier que l'inquiétude est une des raisons ruineuses du corps et destructrices de l'être — et ceci est vrai.

'Et le chagrin active aussi l'ulcère d'estomac !'

Le docteur Joseph. F. Mantagno, l'auteur du livre *Le problème de la nervosité:* tu n'es pas atteint d'un ulcère provenant de ce que tu prends comme nourriture, mais de ce qui te mange !».

Al Moutanabi a dit:

L'inquiétude transforme la grosseur en maigreur,
Blanchit le toupet de l'adolescent et le fait vieillir.

Voici quelques conséquences de l'inquiétude

Une partie du livre *Laisse l'inquiétude et va vers le meilleur* du docteur Edouard Bodowlsky, m'a été traduite, et en voici quelques titres de chapitre:

* Que fait l'inquiétude du cœur.
* L'hypertension artérielle est nourrie par l'inquiétude.
* L'inquiétude peut être la cause des maladies de rhumatisme.
* Ne t'inquiète pas trop de façon à être généreux envers ton estomac.
* Comment l'inquiétude peut causer le froid.
* L'inquiétude et la glande thyroïdienne.
* Le diabète et l'inquiétude.

Et dans la traduction du livre *L'être humain contre lui-même,* du médecin Karl Maninger, spécialiste des maladies psychologiques, il dit: le docteur Maninger ne te donnera pas des règles de la manière d'éviter l'inquiétude, mais un rapport ahurissant sur la façon d'anéantissement de nos corps et de nos raisons par l'inquiétude et le refoulement, la rancune et le mépris, la nervosité et la peur.

Parmi les plus grands bienfaits de la Parole divine ﴾Et ceux qui pardonnent aux gens﴿ *(Coran 3:134),* il y a la sérénité du cœur, la quiétude de l'esprit, la tolérance et le bonheur.

Dans la ville française de Bordeaux, Montaigne, le célèbre philosophe, a dit: «Je voudrais résoudre vos problèmes de mes mains et non de mon foie et de mes poumons».

Que font l'inquiétude, le chagrin et la rancune

Le docteur Russel Cecil, de *Cornell University*, institut de médecine, a cité quatre causes courantes provoquant l'inflammation des articulations:

1- L'effondrement du mariage.

2- Les catastrophes matérielles et le chagrin.

3- La solitude et l'inquiétude.

4- Le mépris et la rancune.

Et le docteur W. M. Gaungil, dans un discours devant les membres de l'Union des chirurgiens-dentistes américains: les sentiments tristes, comme l'inquiétude et la peur, peuvent influencer la propagation du calcium dans le corps et, par la suite, entraîner la détérioration de la dentition.

Et réalise tes affaires calmement

Dale Carnegie dit: les Indiens qui vivent au sud du pays et les Chinois sont rarement atteints de maladies cardiaques causées par l'inquiétude, parce qu'ils résolvent leurs problèmes avec calme.

Et il dit aussi que le nombre d'Américains qui se suicident est plus grand que celui de ceux qui meurent suite aux cinq maladies dévastatrices.

C'est une réalité stupéfiante qui paraît incroyable !

Aie confiance en ton Seigneur

William James: «Allah nous pardonne nos péchés, mais notre organisme nerveux ne le fait jamais».

Ibn Al Ouazir a dit dans son livre *Al Awacem ou Al Qawacem* (Les paratonnerres et les désastres): «L'espoir est dans la grâce d'Allah, le Glorieux, le Majestueux pour qu'Il donne au serviteur l'espérance, qu'Il lui vient en aide dans son obéissance et qu'Il le dote d'énergie afin d'accomplir des œuvres surérogatoires et se consacrer aux bienfaits».

Je dis: ceci est vrai, car quelques âmes ne se corrigent que par le rappel de la grâce d'Allah, Sa mansuétude, Son absolution et Son indulgence de sorte qu'elles s'approchent de Lui, persévère sans relâche.

Atteins grâce à Lui les étoiles, hautes fussent-elles ou
  basses
Retiens tes paupières de force ou de bon gré.
Si elles se plaignent, justifie-toi par la galaxie qui disparaît
A la lueur du jour, et promets-leur le repos à la matinée.

Si tu es pris par l'imagination

Thomas Edison dit: «L'être humain n'a en sa possession aucun moyen qui puisse lui faire éviter la réflexion».

Ceci est vrai par expérience: la personne lit ou écrit tout en réfléchissant, mais ce qui peut le mieux restreindre la réflexion et la maîtriser, c'est bien le bon travail sérieux productif et bénéfique. Les oisifs sont généralement soumis à l'imagination, la déviance et la désinformation.

Ne t'énerve pas des conseils constructifs et objectifs mais accueille-les plutôt avec entrain

Un Occidental a dit: tout ce qui correspond à nos désirs personnels nous semble véridique et tout ce qui leur est contraire provoque notre colère.

Je dis: il en est ainsi pour les conseils et les critiques dans la plupart des cas. Nous aimons les éloges et nous en sommes heureux même si la vérité est toute autre, et nous détestons les critiques, les reproches, même si c'est la réalité: et ceci est un vilain défaut et une faute grave.

❝ Quand on les invite à venir à Allah et à Son Messager afin qu'il juge entre eux, voilà qu'un groupe parmi eux s'y refuse, et lorsque le droit est de leur côté, ils viennent à lui, pleins de soumission ❞.

(Coran 24:48-49)

William James dit: lorsqu'on arrive à une décision et qu'elle est appliquée le jour même, tu te débarrasseras alors définitivement des soucis qui te hantent quand tu réfléchis aux résultats du problème: ce qui veut dire que si tu as pris une sage décision basée sur les faits, n'hésite pas à passer à son application sans t'inquiéter ou vouloir revenir sur ta résolution, ne cours pas à ta perte par les doutes qui n'auront comme fruits que des doutes et ne t'attarde pas ainsi à regarder derrière toi.

Et ils ont fredonné ce vers:

Et celui dont les décisions sont dispersées,
Dépense sa vie, perplexe, sans succès, ni échec.

Un autre poète a dit:

Si tu as une opinion, aie une bonne volonté,
La dégradation du point de vue vient de l'incertitude.

Le courage dans la prise de décision est une issue pour toi contre l'inquiétude et la confusion. ❝ Et lorsque la Décision devient irrévocable, s'ils tenaient alors leur promesse envers Allah, ce serait bien meilleur pour eux ❞.

(Coran 47:21)

Ne reste pas pensif et indécis, mais travaille, fais de ton mieux et exclus l'oisiveté

Le docteur R. Cabot, professeur de médecine à l'université de Harvard, dit dans son livre *De quoi vit l'être humain:* en ma qualité de médecin, je conseille le travail comme traitement à ceux qui souffrent de tremblement causé par les doutes, l'incertitude et la peur.

Le courage que nous donne le travail est l'exemple du compter sur soi qu'Emerson a rendu excellent et de durable.

❨Une fois la prière terminée, répandez-vous sur terre et cherchez quelques effets de la grâce d'Allah❩.   *(Coran 62:10)*

Georges Bernard Shaw dit: «Le secret du malheur peut t'offrir un temps réconfortant de réflexion sur ce qui te rend heureux ou malheureux: ne t'intéresse donc pas à songer à cela, mais adonne-toi au travail, à ce moment-là, ton sang commencera à circuler, ta raison se mettra à réfléchir et la nouvelle existence fera rapidement disparaître l'inquiétude de ton esprit ! Travaille, reste absorbé par ton occupation: ceci est le médicament le moins cher et le meilleur qui existe sur terre».

❨Dis: travaillez et Allah verra votre travail, ainsi que Son Messager et les croyants❩.   *(Coran 9:105)*

On a dit: «La vie est tellement courte qu'elle est insignifiante».

Un sage arabe a dit: «La vie est bien trop courte pour que nous l'écourtions, encore d'hostilités».

❨Il a dit: combien avez-vous demeuré sur terre en nombre d'années ? Ils dirent: nous avons demeuré une journée ou une partie de journée, demande à ceux qui ont compté. Il a dit: vous avez effectivement demeuré peu de temps, si vous pouviez savoir❩.

(Coran 23:112-114)

La plupart des rumeurs sont infondées

Le général G. Kruk, probablement le plus grand combattant indien dans toute l'histoire des Etats-Unis, dit à la page 77 de son mémoire: «Toute l'inquiétude des Indiens et quasiment tout leur malheur viennent de leur imagination et non de la réalité».

Allah a dit: ❨Ils croient que tout cri les vise❩ *(Coran 63:4)*, ❨S'ils étaient sortis parmi vous, ils ne vous auraient ajouté que du trouble❩.

(Coran 9:47)

Le professeur Hawks, de l'université de Columbia, dit qu'il a pris la cantique suivante comme l'un de ses principes: «Pour toute maladie, il existe un médicament ou il n'en existe absolument pas. S'il y en a, essaie de le trouver, sinon ne t'en préoccupe pas».

Et dans un Hadith authentique, il y a: «Pour toute maladie qu'Allah a descendue, Il a descendu aussi son remède, les uns l'ont découvert, d'autres pas».

L'indulgence t'évite les glissades

Un professeur japonais a dit à ses élèves: le fléchissement est comme le saule et l'absence de combativité est comme le chêne.

Et dans le Hadith, il y a: «Le croyant est comme l'épi du champ, le vent le fait balancer de droite à gauche».

Et le sage est comme l'eau, il ne se heurte pas au rocher, mais il lui vient de la droite ou de la gauche, par-dessus ou par-dessous.

Et dans un autre Hadith, il y a aussi: «Le croyant est comme le chameau dédaigneux, si on le fait s'agenouiller sur un rocher, il s'agenouille dessus».

Ce qui est passé ne reviendra point

《Afin que vous ne vous affligiez pas de ce que vous avez manqué 》.
                                                            (Coran 57:23)

Un docteur s'est levé un jour, a jeté une bouteille de lait par terre et s'est écrié: «Ne pleure pas le lait versé».

Et on a dit: ce qui ne t'a pas été destiné, est difficile pour toi.

Adam a dit à Moussa, que le salut d'Allah soit sur les deux: pourquoi me reproches-tu une chose qui m'a été écrite depuis quarante années ? Le Messager d'Allah (ﷺ) a dit: «Ainsi Adam a eu raison face à Moussa, ainsi Adam a eu raison face à Moussa, ainsi Adam a eu raison face à Moussa».

Cherche en ton for intérieur le bonheur, pas dans ton entourage et en dehors de toi

Le poète anglais Milton a dit: «L'esprit, de sa place et de lui-même, peut faire du paradis un enfer, et de l'Enfer un paradis»!

Al Moutanabi a dit:

L'homme raisonnable souffre dans le bonheur par sa raison,

Et l'ignorant dans le malheur, se complaît.

La vie de ce monde ne mérite pas qu'on se chagrine pour elle

A Sainte-Hélène, Napoléon a dit: «Je n'ai pas connu six jours heureux dans ma vie».

Hichem Ibn Abdelmalik, le calife omeyyade, a dit: «J'ai compté les jours de mon bonheur et j'en ai trouvé treize».

Son père Abdelmalik gémissait et disait: «Comme je regrette d'avoir assumé la succession du califat».

Saïd Ibn Al Moussaïb disait: «Louange à Allah qui a fait qu'ils s'enfuient vers nous et non l'inverse».

Ibn Al Sammak, le prédicateur, est entré chez Haroun Al Rachid, ce dernier eut soif et demanda à boire. Ibn Al Sammak a dit: si on te privait de cette eau, donnerais-tu la moitié de ton royaume pour l'obtenir, ô commandeur des croyants? Il a répondu: oui. Quand il eut bu, il lui dit: et si on t'interdisait sa sortie naturelle, donnerais-tu la moitié de ta royauté pour la faire sortir? Il a dit: oui. Ibn Al Sammak: il n'y a aucun bien dans une royauté qui ne vaille pas une gorgée d'eau!

La vie sans la foi est sans valeur, ni poids, ni signification.

Iqbal dit:

Quand la foi disparaît, il n'y a plus de sécurité,

Il n'y a pas de vie pour celui qui n'a pas de religion

Celui qui est satisfait d'une existence sans croyance,

A présagé l'approche de son extermination.

Emerson, à la fin de son article «*La confiance en soi*», a dit: «Le succès politique, l'augmentation des salaires, ta guérison de la maladie ou le retour des beaux jours heureux qui s'ouvrent devant toi, n'y crois pas, car le problème ne sera pas ainsi, et il n'y a aucune chose qui puisse t'attirer la tranquillité en dehors de toi-même».

❨Ô âme toute rassurée. Retourne à ton Seigneur, satisfaite et satisfaisante ❩.

(Coran 89:27-28)

Un philosophe a averti de «la nécessité qu'il y a de dissiper les idées fausses de notre réflexion beaucoup plus que de guérir une tumeur et une maladie de nos corps.»

Et le plus étonnant, c'est que dans le Coran, les avertissements sur les maladies idéologiques et religieuses sont plus importants que ceux se rapportant aux maladies corporelles. Le Très-Haut a dit: ❨Il y avait une maladie dans leurs cœurs, Allah leur ajouta une maladie, et ils auront un châtiment douloureux pour ce qu'ils mentaient ❩ *(Coran 2:10)*, ❨Lorsqu'ils dévièrent, Allah dévia leurs cœurs ❩.

(Coran 61:5)

Le philosophe français Montaigne a adopté pour principe ces paroles: «L'être humain est plus influencé par son opinion sur ce qui arrive que par le fait proprement dit».

Et dans ce qui nous a été transmis, il y a: «Ô Allah ! Donne-moi la satisfaction de Ta Décision jusqu'à ce que je sache que ce qui m'est arrivé ne pouvait pas me rater et que ce qui ne m'a pas touché ne pouvait pas m'atteindre !»

Une pause

Ne sois pas triste: parce que le chagrin t'irrite du passé, t'effraie de l'avenir et fait disparaître pour toi ton propre jour.

Ne sois pas triste: car le chagrin déprime le cœur, le visage en devient maussade, l'âme s'en éteint et l'espoir s'en va avec lui.

Ne sois pas triste: en effet, le chagrin amuse l'ennemi, exaspère l'ami, réjouit le jaloux et te déforme les réalités.

Ne sois pas triste: puisque le chagrin est un conflit avec la Fatalité, une plainte contre le Destin, une sortie de l'intimité et une indignation envers la Grâce.

Ne sois pas triste: puisque le chagrin ne fait revenir ni ce qui est perdu, ni l'absent, ne fait pas revivre un mort, n'arrête pas une destinée et n'apporte aucun avantage.

Ne sois pas triste: le chagrin provient du diable, c'est le désespoir incarné, une pauvreté présente, une désespérance permanente, un découragement certifié et une impuissance catégorique.

❨Ne t'avons-Nous pas détendu *[la]* poitrine? Nous t'avons déchargé de ton lourd fardeau. Qui a fait ployer ton dos. Nous t'avons exalté le rappel. Certes, la difficulté est accompagnée d'aisance, la difficulté est certes accompagnée d'aisance ❩. *(Coran 94:1-8)*

Ne sois pas triste tant que tu crois en Allah

Cette foi est le secret de la satisfaction, de la tranquillité et de la sécurité. Quant au trouble et à la détresse, ce sont les conséquences de l'athéisme et du doute. Et j'ai vu des intelligents, des génies même, dont les cœurs sont dépourvus de la lumière de la Révélation, qui se sont prononcés d'une façon inconvenante sur la religion.

Abou Al Ala Almaari a dit au sujet de la religion:

Une contradiction au sujet de laquelle nous ne possédons que le silence.

Et Al Razi dit:

La fin de la chevauchée des esprits, c'est des entraves.

Al Jouwayni ne sachant pas où est Allah, dit: Al-Hamadhani m'a déconcerté, Al-Hamadhani m'a déconcerté!

Ibn Sina, lui aussi dit: c'est l'esprit efficace seul qui a de l'influence sur l'univers.

Ilia Abou Madhi dit:

Je suis venu, je ne sais d'où, mais je suis arrivé,
J'ai vu devant moi un chemin, j'y ai marché.

Ce sont des paroles, entre autres, qui différent de près et de loin de la vérité.

J'ai su que le bonheur de l'être humain dépend de sa foi, son malheur de sa confusion et de son doute: ces dernières thèses sont les filles des anciennes paroles. En effet, le pervers, le vil Ramsès II a dit, d'après le Saint Coran: ❪Je n' ai pas connu pour vous d'autre divinité que moi❫ *(Coran 28:38)*, ainsi que: ❪C'est moi votre seigneur suprême ! ❫.   *(Coran 21:92)*

Quelles calomnies qui ont détruit le monde !

L'auteur du livre *Comment pense l'être humain* dit: l'être humain découvrira à chaque fois qu'il changera d'idées sur les choses et sur les autres personnes, que ces dernières changeront à leur tour. Abandonne celui dont les pensées ne changent pas, et tu t'étonneras de la rapidité de la transformation de tes circonstances matérielle: la chose sacrée qui est notre objectif, c'est nous-mêmes.

Et à propos des idées fausses et de leur impact, le Très-Haut dit: ❪Vous avez plutôt pensé que jamais le Messager et les croyants ne reviendront aux leurs. Cela vous a été embelli dans vos cœurs et vous avez eu de mauvais doutes et vous étiez des gens perdus❫ *(Coran 48:12)*. ❪Ils se font d'Allah une idée différente de la vérité, une idée de paganisme, ils disent: avons-nous quelque part à la Décision ? Dis: la Décision dans sa totalité, revient à Allah❫.   *(Coran 3:154)*

James Alain dit aussi: «Tout ce que l'être humain arrive à faire est le résultat direct de ses propres idées. Et il peut se relever, triompher et réaliser ses objectifs à partir seulement de ses idées: il restera faible et malheureux s'il refuse cela».

Allah a dit au sujet de la volonté sincère et de la réflexion opportune: ❪S'ils avaient voulu sortir, ils s'y seraient préparés en s'équipant, mais Allah a répugné leur élan❫.   *(Coran 9:46)*

Et Il a dit: ❪Si Allah avait su en eux quelque bien, Il les aurait fait entendre❫ *(Coran 8:23)*. ❪Il sut ce qu'il y avait dans leurs cœurs, alors Il fit descendre sur eux la sérénité❫.   *(Coran 48:18)*

Ne te chagrine pas pour les futilités, la vie dans sa totalité est futile

Un des grands vertueux fut jeté entre les griffes d'un lion, Allah l'en a sauvé. Ils lui ont dit: a quoi pensais-tu ? Il a dit: je pensais à la salive du lion, est-elle pure ou non ! Et à ce qu'ont dit les savants à ce sujet !

Quand j'ai eu peur de lui, j'ai évoqué Allah
Pour les courageux aux javelots perçants
J'ai oublié toutes les jouissances confuses
Le jour du combat au nom de l'Unique et du Puissant.

Allah, le Vénérable dans Sa Grandeur a différencié entre les Compagnons, suivant leurs objectifs. Il a dit: ❨Parmi vous, il y a ceux qui veulent la vie ici-bas et d'autres qui veulent l'Au-delà❩.

(Coran 3:152)

Ibn Al Qayim a dit que la valeur de la personne c'est sa détermination et ce qu'il désire !

Et un des sages a dit: dis-moi ce que cherche l'homme, je te dirai qui il est.

Certes Allah attribua la citadelle à celui qui la veut,
Et ses abords seulement à celui qui les veut.

Un autre poète a dit:

Ils rentrèrent avec les vêtements et les montures
Alors que nous revinrent avec les rois enchaînés.

Une pirogue s'est renversée en mer, un adorateur est tombé à l'eau, il s'est mis à faire ses ablutions en se lavant les membres un à un, s'est rincé la bouche et le nez. La mer l'a fait sortir et il fut sauvé. On le questionna sur cela, il a dit: j'ai voulu faire mes ablutions avant de mourir pour être en état de pureté !

Que ton bienfait soit pour Allah ! Tu n'as pas oublié le
* message*
Auguste bien que tes mains fussent ligotées

Je donnerai ma vie pour toi, tes yeux n'ont même pas cligné
Au moment où la mort aux cils était arrivée.

L'imam Ahmed, dans son agonie, faisait des gestes pour qu'on lui lave sa barbe alors qu'on lui faisait ses ablutions !

❨ Allah leur apporta alors la récompense dans cette vie ici-bas et la belle récompense de l'Au-delà ❩.
(Coran 3:148)

Ne sois pas triste
à cause d'une agression flagrante contre toi

En effet, si tu es indulgent et que tu pardonnes, tu obtiendras la gloire de la vie et l'honneur de l'Au-delà: ❨ Celui qui pardonne et se réconcilie, son salaire incombe à Allah ❩.
(Coran 42:40)

Shakespeare dit: «N'embrase pas trop le four contre ton ennemi afin de pas te brûler avec».

Dis aux yeux chassieux que le soleil a des yeux
Que tu vois en toute vérité au moment du lever et du
*   coucher*
Pardonne aux yeux dont Allah a éteint la lumière
Par leur vue, ils ne sont ni clairvoyants, ni éveillés.

Quelqu'un a dit à Salem Ibn Abdallah Ibn Omar, le savant ayant vécu parmi la génération ayant succédé aux Compagnons: tu es un mauvais homme ! Il a dit: tu es le seul à me connaître !

Un écrivain américain a dit: «Le bâton et la pierre peuvent me briser les os, mais les paroles n'ont aucun impact sur moi».

Un homme a dit à Abou Bakr: par Allah, je t'insulterai de façon que mon injure entre avec toi dans ta tombe ! Abou Bakr a dit: au contraire, elle entrera avec toi dans la tienne !

Et un homme a dit à Amr Ibn Al As: je consacrerai tout mon temps à te combattre. Amr a répondu: parce que ton temps est dans une occupation permanente.

Le général Eisenhower dit: «Faites en sorte que nous ne perdions pas une minute à penser aux gens que nous n'aimons pas».

Le moustique a dit au palmier: tiens-toi bien, je veux m'envoler. Le palmier a dit: par Allah, je n'ai rien ressenti quand tu t'es posé sur moi, comment voudrais-tu que je m'aperçoive de ton départ?

Hatem a dit:

Je pardonne au généreux pour l'apprivoiser,
Et je me passe des injures d'un être vil, par générosité.

Le Très-Haut a dit: ❨Et lorsqu'ils passent devant le verbiage futile, ils continuent dignement❩ *(Coran 25:72)*. Et Il a dit aussi: ❨Et si les ignorants leur parlent, ils disent: *salâmâ*❩.   *(Coran 25:63)*

Confucius a dit: «L'homme fâché est toujours rempli de poison».

Et dans le Hadith, il y a: «Ne te fâche pas, ne te fâche pas, ne te fâche pas».

Et aussi: «La colère est une braise».

Le démon vient à bout du serviteur dans trois situations: la colère, le désir et l'étourderie.

Le monde a été créé ainsi

Marcos W. l'un des plus sages de ceux qui ont gouverné l'empire romain, a dit un jour: aujourd'hui, je rencontrerai des personnes qui parlent beaucoup, d'autres, égoïstes, qui ne sont pas reconnaissants, mais je ne serai pas étonné ou gêné parce que je ne peux m'imaginer un monde, sans ce genre de créatures.

Ne t'étonne pas des malfaiteurs avec leur grand nombre, mais des bienfaiteurs, même peu nombreux

Aristote dit: «L'homme exemplaire est heureux des actions qu'il accomplit pour les autres, est confus quand les autres les font pour lui, car le fait d'offrir la compassion est une preuve de supériorité et le fait d'en faire l'objet est un signe de défaillance».

Dans le Hadith, il y a: «La main supérieure est meilleure que la main inférieure».

La supérieure est celle qui donne et l'inférieure celle qui prend.

Ne te chagrine pas tant que tu possèdes une galette, un verre d'eau et un habit qui te couvre

Un marin s'est égaré dans l'océan atlantique et y est resté 21 jours. Quand il fut sauvé, les gens lui ont demandé quel était le meilleur enseignement qu'il en avait tiré, il a dit: quand tu as en ta possession de l'eau limpide et de la nourriture suffisante, ne te plains jamais !

Quelqu'un a dit: la vie toute entière est une bouchée et une gorgée, le reste c'est un excédent.

Ibn Al Wardi a dit:

Une galette équivaut à l'empire de Chosroês
Et le peu d'eau dont on se contente égale la mer.

Jonathan Swift dit: «Les meilleurs médecins dans le monde sont le docteur 'régime', le docteur 'sérénité' et le docteur 'allégresse'. La diminution de nourriture avec le calme et le bonheur est un médicament efficace qui n'est très recherché».

Je dis: parce que la grosseur est une maladie chronique, la gloutonnerie dissipe l'intelligence. La tranquillité est une réjouissance pour le cœur, une fête pour l'âme, et la joie est un bonheur prompt et une nourriture efficace.

Ne te chagrine pas en raison d'un malheur qui pourrait être un don...

Le docteur Samuel Johnson a dit: «L'habitude de voir le côté positif de chaque événement a plus de valeur que l'obtention de la somme de mille livres par année».

❨Ne voient-ils donc pas qu'ils sont soumis, chaque année, à la tentation une ou deux fois, puis ils ne se repentent pas et ne se souviennent de rien❩.   *(Coran 9:126)*

Et à l'opposé, Al Moutanabi dit:

J'aimerais que les faits me vendent celle qu'ils m'ont
enlevée
En échange de ma patience allouée et de mon essai.

Mouawiya a dit: n'est indulgent que celui qui a de l'expérience.

Abou Tammam a dit à propos des propagateurs:

Combien de grâces d'Allah il possédait
Mais qui étaient cachées et tenues par une lanière.

Un de nos prédécesseurs a dit à un riche: je te vois pourvu d'une grâce, retiens-la par la reconnaissance.

Allah a dit: ❨Assurément, si vous êtes reconnaissants, je vous en ajouterai encore plus. Et si vous reniez, mon châtiment est très dur❩.   *(Coran 14:7)*

❨Allah a donné l'exemple d'une ville qui vivait dans la sécurité et la sérénité et dont la subsistance lui venait en abondance de partout: elle a renié les grâces d'Allah et Allah lui fit goûter l'opacité de la faim et de la peur pour ce qu'ils faisaient❩. *(Coran 16:112)*

Ne sois pas triste, car tu n'es pas comme untel et tu n'as pas été créé à l'image d'untel: tu es différent

Le docteur James Gilkee a dit: «Le problème du désir est que tu te crois aussi ancien que l'histoire et que tu englobes toute l'humanité. De l'autre côté, le problème quand tu n'as pas d'envie, est que ton esprit est la cause de beaucoup de tension et de complexes psychologiques».

Un autre a dit: «Tu es au sein de la création, une autre chose, tu ne ressembles à personne, comme aucun autre ne te ressemble parce que le Créateur, le Vénéré dans Sa Grandeur, a différencié entre les créatures».

Le Très-Haut a dit: ❰Vos activités sont de natures diverses❱.

(Coran 92:4)

Angelo Battero a écrit treize livres et des milliers d'articles sur «l'entraînement de l'enfant» et il dit: «Il n'y a pas plus malheureux que celui qui aspire à être autre que lui-même à propos de son corps et de sa réflexion».

Le Très-Grand, le Très-Haut a dit: ❰Il a fait descendre du ciel une eau, alors des torrents ont coulé❱. (Coran 13:17)

A chacun des qualités, des talents et des aptitudes: aucun ne fond dans l'autre.

Saad leur a donné à boire alors qu'il était emmitouflé
Ce n'est pas ainsi, ô Saad, qu'on fait boire les chameaux.

Tu as été créé avec des dons définis pour accomplir un travail défini et comme on a dit: lis ton esprit et connais ce qu'il réalise.

Emerson a dit dans son article à propos du *«Compter sur soi»*: «Le temps viendra où l'être humain, par sa science, croira que la jalousie est une ignorance, que l'imitation est un suicide et qu'il se considérera tel qu'il est — quelles que soient les circonstances car c'est son sort. Et malgré l'existence d'innombrables bienfaits dans l'univers, il n'obtiendra pas une seule graine qu'après avoir cultivé et pris soin de la terre qui lui a été donnée: la force latente en lui est nouvelle à la nature et personne ne connaîtra sa capacité, même pas lui jusqu'à ce qu'il essaie».

❰Dis: agissez, et Allah verra votre action de même que Son Messager et les croyants.❱

(Coran 9:105)

Une pause

Voici des versets qui augmenteront ton espoir, renforceront ton bras et amélioreront ta pensée à propos de ton Seigneur.

❨Dis: ô Mes serviteurs qui avez trop surchargé votre âme ! Ne désespérez pas de la clémence d'Allah, Allah absout les péchés dans leur totalité entière, c'est Lui, par excellence, l'Absoluteur et le Clément❩ *(Coran 39:53)*. ❨Et ceux qui, lorsqu'ils font une action immorale ou commettent une injustice envers eux-mêmes, se rappellent Allah et demandent l'absolution de leurs péchés, et qui absout les péchés si ce n'est Allah ? Et qui ne persistent pas dans ce qu'ils ont fait alors qu'ils savent❩.   *(Coran 3:135)*

❨Celui qui fait une mauvaise chose ou se montre injuste envers lui-même, puis demande à Allah de l'absoudre, trouvera Allah absoluteur et miséricordieux❩.   *(Coran 4:110)*

❨Et si Mes serviteurs t'interrogent sur Moi, Je suis proche et Je réponds à l'invocation de celui qui M'a invoqué quand il M'invoque: qu'ils Me répondent donc et qu'ils croient en Moi, peut-être deviendront-ils sensés❩.   *(Coran 2:186)*

❨Et Qui répond à celui qui est acculé par les peines et dissipe le mal et fait de vous des successeurs sur terre ? Y a-t-il donc une divinité avec Allah ? Il est rare que vous vous rappeliez❩.

                    (Coran 27:62)

❨Ceux à qui les gens ont dit: «Les gens ont mobilisé contre vous, craignez-les.» Cela augmenta leur foi et ils dirent: «Il nous suffit d'avoir Allah, et quel bon défenseur !»❩. ❨Ils s'en sont retournés par une grâce d'Allah et un effet généreux sans être touchés par aucun mal et ils ont suivi la satisfaction d'Allah et Allah a une générosité immense❩.   *(Coran 3:173-174)*

❨Et je m'en remets à Allah, certes Allah voit parfaitement les serviteurs❩. ❨Allah le préserva des méfaits de ce qu'ils ont comploté❩.   *(Coran 40:44-45)*

Un préjudice pourrait être utile

William James dit: «Nos infirmités nous aident à une limite inattendue, si Dostoïevski et Tolstoï n'avaient pas vécu une vie malheureuse, ils n'auraient pas pu écrire leurs romans éternels. Le fait d'être orphelin, aveugle, pauvre, émigré, pourrait être une cause de supériorité, d'accomplissement, de développement et d'octroi».

> *Allah peut faire d'un grand malheur, un bienfait,*
> *Et éprouver des peuples par des grâces.*

Les enfants et la richesse peuvent être des causes de souffrance: ❨Ne sois pas émerveillé par leurs biens et leurs enfants, Allah veut uniquement les en tourmenter dans la vie ici-bas❩.   *(Coran 9:55)*

Ibn Al Athir a composé ses livres magnifiques *Jami' Al Ossoul* (L'ensemble des Fondements) et *Al Nihaya* (La fin) pour la simple raison qu'il était infirme.

Al Sarakhsi a composé son célèbre, *Al Mabsoute* (Ce qui est détaillé), en quinze volumes, parce qu'il était emprisonné dans un puits.

Et Ibn Al Qayim a écrit *Zad Al Maad* (Les provisions du Retour) alors qu'il était en voyage.

Al Qortobi a expliqué *Sahih Mouslim* alors qu'il était sur un bateau.

Ibn Taymiya a écrit la majorité de ses fatwas en prison.

Des centaines de milliers de Hadiths ont été rassemblés et rapportés par des pauvres et des étrangers.

Un homme vertueux m'a appris qu'il a mémorisé tout le Coran en prison et qu'il a lu quarante volumes !

Abou Al Al Maari a rempli ses livres et ses registres alors qu'il était aveugle.

Taha Hussein devint aveugle, il écrit alors ses mémoires et ses ouvrages.

Et combien d'illuminés révoqués de leurs postes ont apporté à la Nation beaucoup plus de savoir et de points de vue que lorsqu'ils étaient employés.

> *Combien de fois as-tu été entouré d'intrigues,*
> *Allah a choisi pour toi sans que tu le veuilles.*

Francis Bacon: «La connaissance dérisoire de la philosophie fait que l'être humain penche vers l'athéisme, mais quand on s'y approfondit, elle rapproche de la religion».

《Et ne la connaissent que les savants》.   *(Coran 29:43)*

《Ceux qui craignent Allah, de tous Ses serviteurs, ce sont bien les savants》 *(Coran 35:28)*, 《Ceux qui sont dotés de savoir et de foi dirent: vous êtes restés dans le livre d'Allah jusqu'au Jour de la Résurrection》.   *(Coran 30:56)*

《Dis: mais je vous donne un seul conseil: que vous vous mettiez à l'œuvre pour Allah, par deux ou individuellement, puis réfléchissez, votre compagnon n'est nullement possédé》.

(Coran 34:46)

Le docteur A. A. Brill dit: «Un véritable croyant n'est jamais atteint d'une maladie psychologique».

《Ceux qui ont cru et fait des bienfaisances, le Très-Miséricordieux suscitera pour eux de l'amitié》 *(Coran 19:96)*. 《Quiconque fait du bien, homme ou femme, et qui est croyant, Nous lui assurerons certainement une vie agréable》 *(Coran 16:97)*. 《Et Allah guidera certainement ceux qui ont cru, vers le droit chemin》.

(Coran 22:54)

La foi est le meilleur médicament

Le plus grand docteur en psychologie, Carl Jung dit, à la page 264 de son livre *L'homme contemporain dans sa recherche de l'âme*: «Dans les trente dernières années, des personnes de tous les coins du monde sont venues me demander conseil, et j'ai traité des centaines de malades, la plupart d'entre eux étaient au milieu de leur âge, c'est-à-dire qui dépassaient les 35 ans, et il n'y avait pas un seul qui ne cherchât un recours religieux par lequel il aspirait à la vie. Je peux donc dire: chacun d'eux était tombé malade parce qu'il n'avait pas ce que la religion a offert au croyant et aucun d'entre eux ne guérira que lorsque sa foi véritable lui sera revenue».

❨Et celui qui aura tourné le dos à Mon Rappel, aura une malvie❩ *(Coran 20:124)*, ❨Nous jetterons la terreur dans les cœurs de ceux qui auront nié du fait qu'ils ont associé à Allah❩ *(Coran 3:151)*, ❨Des ténèbres, les unes sur les autres, s'il sortait sa main, il ne la voit presque pas, et celui à qui Allah n'a pas fait de lumière, n'a aucune lumière❩.

(Coran 24:40)

Ne sois pas triste. Allah exauce le mécréant contraint, qu'en serait-il alors du musulman ?

Gandhi le Mahatma, le chef hindou après Bouddha, a failli s'effondrer s'il n'avait pas puisé sa compréhension de la force qu'offre la prière. Et d'où ai-je su cela ? Tout simplement parce que Gandhi lui-même a dit: si je ne pratiquais pas la prière, je serais devenu fou depuis longtemps.

Ceci, alors que Gandhi n'était pas musulman et était sur la voie de l'égarement. Mais il avait une foi religieuse: ❨Quand ils prennent le bateau, ils invoquent Allah Lui vouant toute la religion❩ *(Coran 29:65)*, ❨Et qui d'autre répond à celui qui est dans la difficulté quand il L'implore❩ *(Coran 27:62)*, ❨Et ils se sentent entièrement cernés par le danger, ils invoquent alors Allah, Lui vouant toute la religion❩.

(Coran 10:22)

J'ai sondé les propos des savants, des historiens et des écrivains musulmans en général, mais je n'ai pas trouvé de paroles sur l'inquiétude, le trouble et les maladies psychologiques. La raison en est qu'ils ont vécu avec leur religion dans la sécurité et, la sérénité ; ensuite, leur existence était loin des complications et de l'affectation: ❨Et ceux qui ont cru, accompli des bienfaits et ont cru en ce qui a été descendu sur Mohammed, et c'est la vérité de leur Seigneur, Il efface leurs péchés et Il réforme leurs esprits❩.

(Coran 47:2)

Ecoute ce que dit Ibn Hazem: il n'y a entre les rois et moi qu'un seul jour: quant à hier, ils n'en trouveront pas le plaisir, et nous sommes, eux et moi, craintifs du lendemain. Cependant, c'est aujourd'hui qui pose problème. Et ce pourrait d'ailleurs être quoi ?

Et dans le Hadith, il y a: «Ô Allah ! Je Te demande le bien de ce jour : sa baraka, son succès, sa lumière et sa rectitude».

Thabet Ibn Zoheir dit:

Si l'être humain ne discerne pas que son problème est bien sérieux

Il perd dans l'affaire, souffre et s'en détourne

Mais l'homme résolu est celui qui découvre par sa clairvoyance

Le dessein aussitôt que le malheur pour lui débute

C'est l'homme combatif, aucun obstacle ne peut l'arrêter

Quand une issue est fermée, une autre s'ouvre.

❨Ô vous qui avez cru ! Soyez vigilants❩ *(Coran 4:71),* ❨Qu'il soit accommodant et qu'il ne fasse éveiller sur nous l'attention de personne❩. *(Coran 18:19)*

Un poète a dit:

Si les jours ont changé pour nous

En malheur, en grâce et incidents mémorables

Ils ne nous ont pas amoindri nos fermetés

Ni ne nous ont abaissés à ce qui est intolérable

Mais nous les avons passés honorablement

Supportant, quand il le fallait, ce qui est insupportable

Par notre belle patience, nous préservâmes nos âmes

Nos dignités se rétablirent alors que les gens restèrent faibles.

❨Leurs propos se réduisaient à dire: notre Seigneur, pardonne-nous nos péchés et nos outrances de comportement, affermis nos pas et donne-nous la victoire sur la gent mécréante❩, ❨Et Allah leur accorda la récompense de ce bas monde et la splendeur de celle de l'Au-delà❩. *(Coran 3:147-148)*

Ne sois pas triste car la vie est beaucoup plus courte que tu ne t'imagines

Dale Carnegie a rapporté l'histoire d'un malade qui a été atteint d'un ulcère au niveau de ses intestins et dont la gravité était telle que les médecins ont diagnostiqué un décès imminent et lui insinuèrent de préparer son linceul. Il a dit: à la surprise de tout le monde, Hani — c'est son nom — prit une décision extraordinaire et il s'est dit, en son for intérieur: puisqu'il ne me reste que peu de temps à vivre, pourquoi ne pas en profiter au maximum ? J'ai longtemps espéré faire le tour du monde avant que la mort n'arrive, voici donc le moment où mon vœu sera exaucé ? Il a acheté le billet de voyage, ses médecins ont eu peur et lui ont dit: si tu fais cette excursion, la mer sera ta tombe ! Mais il a répondu: jamais cela n'arrivera, car j'ai promis à mes proches que mon cadavre ne devra être enseveli que dans le cimetière de la famille. Et Hani est monté dans le bateau et on pourrait l'imaginer dans ces paroles d'Al Khiyam:

Viens, qu'on relate une histoire aux humains
Et qu'on ampute la vie par les merveilles des contes
Le sommeil n'a jamais prolongé l'existence
Tout comme les longues veillées ne l'abrègent.

Et ces vers ont été dits par un idolâtre, et non par un musulman.

Et l'homme commença donc sa tournée toute pleine d'amusement et d'allégresse. Il a envoyé une lettre à sa femme dans laquelle il dit: j'ai mangé et bu tout ce qu'on pouvait trouver de délicieux dans le navire. J'ai chanté des poèmes, j'ai aussi mangé tous genres de nourriture, même celles qui me sont interdites et je me suis réjoui durant cette période plus que dans toute ma vie passée.

Et après ?

Après, Carnegie prétend que l'homme fut guéri de son mal et que la méthode utilisée est efficace pour surmonter les maladies et les douleurs !

Je ne suis pas d'accord avec ce qu'a dit Al Khiyam dans ses vers parce qu'ils contiennent une déviation de la méthode divine et qu'il s'agit là d'une hérésie, mais le but escompté de cette histoire est que le bonheur, l'allégresse et la sérénité sont beaucoup plus efficaces que les médicaments.

Ne sois pas triste si tu as ce qui te suffit

Ibn Al Roumi a dit:
Le désir a offert un bateau au malheureux
En effet, pour les malheureux, le désir est une embarcation
Que la satisfaction soit la bienvenue et à sa bonne aise
Et que tout ce qui est fatigant ait la queue de la donation.

❨Ni vos biens, ni vos enfants ne sont de nature à vous rapprocher quelque peu de Nous, sauf ceux qui auront cru et fait des bienfaisances, ceux-là auront la récompense du double de ce qu'ils ont fait et seront dans les demeures hautes en toute sécurité❩.

(Coran 34:37)

Dale Carnegie dit: «Le recensement a prouvé que l'inquiétude est le meurtrier numéro un en Amérique. Pendant les années de la seconde guerre mondiale, près de trois millions de combattants parmi nos fils furent tués, et durant la même période, les maladies cardiaques ont fait deux millions de victimes, dont un million à cause de l'inquiétude et des troubles nerveux».

Oui, les maladies cardiaques sont les raisons principales qui poussèrent le docteur Alexis Carrel à dire: «Les hommes d'affaires qui ne savent pas combattre l'inquiétude, meurent de façon prématurée».

La raison en est logique et l'échéance est indiscutable: ❨Il n'appartient à aucune âme de mourir qu'avec la permission d'Allah, selon le terme fixé dans le livre❩.

(Coran 3:145)

Et rares sont les Indiens d'Amérique ou les Chinois qui sont atteints de maladies cardiaques. Ces gens-là prennent la vie à la légère et se la coulent douce. En plus, tu as dû constater que le nombre de médecins qui meurent d'un infarctus du myocarde est vingt fois plus élevé que celui des agriculteurs qui décèdent de ce même mal. Les médecins vivent une existence troublée, violente et ils paient chèrement le prix. «Un médecin qui soigne les gens alors qu'il est lui-même malade...»

Accepter ce qui est arrivé dissipe l'inquiétude

Dans le Hadith, il y a: «Et nous ne disons que ce qui satisfait notre Seigneur».

Tu as un devoir sacré qui est de te soumettre et de te résigner si tu es surpris par le Destin et ce, afin que le résultat soit en ta faveur et que tu bénéficies d'une bonne fin. En effet, de cette façon tu échapperas à la déception à court terme et à la faillite à long terme.

Un poète a dit:

Quand j'ai vu les cheveux blancs paraître sur mes tempes
Et sur ma tête, j'ai dit qu'ils sont les bienvenus
Et même si j'ai appréhendé qu'en retenant mon salut
Ils m'éviteraient, j'aurais aimé qu'ils ne soient advenus
Cependant si l'âme pardonne et patiente
Un jour viendra où disparaîtra la haine contenue.

Il n'y a pas d'autre issue que de croire au Destin, car il s'accomplira même si tu te retires de ta peau et que tu te sépares de tes habits !

Il a été rapporté d'Emerson, dans son livre *La capacité de réalisation* qu'il se demandait d'où nous est parvenue l'idée que la vie prospère, stable, calme et vide de toute difficulté et de tout obstacle, forme réellement les hommes les plus heureux ou les plus importants ? Au contraire, ceux qui se sont habitués à se plaindre continueront à être de la sorte même s'ils vivaient sur de la soie blanche. L'histoire témoigne que la grandeur et le bonheur ont été attribués à des hommes de différents milieux où se côtoient le bon et le mauvais et d'autres milieux encore sans aucune distinction. De tels milieux, sont sortis des hommes qui ont pris les responsabilités sur leurs épaules et non derrière leurs dos».

Ceux qui ont hissé l'étendard divin de la droiture dans les premiers jours de la Révélation sont bien les domestiques, les pauvres et les misérables. Par contre, ceux qui se sont soulevés contre la poussée de la Foi sacrée, dans la majorité, sont bel et bien les notables, les fondés de pouvoir et les riches: ❨Quand on leur récite nos versets probants, ceux qui ont mécru disent à ceux qui ont cru: «Lequel des deux partis a la plus confortable situation et la plus belle compagnie?»❩ *(Coran 19:73)*, ❨Et ils dirent: nous avons plus de richesses et d'enfants et nous ne serons pas châtiés❩.

(Coran 34:35)

❨De nous tous est-ce donc ceux-là qu'Allah a comblés de Ses faveurs? Allah ne connaît-Il pas mieux les reconnaissants?❩.

(Coran 6:53)

❨Et ceux qui ont mécru ont dit à ceux qui ont cru: «Si c'était une bonne chose, ils ne nous y auraient jamais devancés»❩ *(Coran 46:11)*, ❨Ceux qui s'étaient enorgueillis ont dit: «Nous renions absolument ce en quoi vous avez cru»❩ *(Coran 7:76)*, ❨Et ils ont dit: «Pourquoi ce Coran n'est-il pas descendu sur un grand des deux cités?»❩, ❨Seraient-ce donc eux qui répartissent la miséricorde de ton Seigneur?❩. *(Coran 43:31-32)*

J'ai en tête un vers de Antar dans lequel il nous rappelle que sa valeur est dans ses exploits, sa nature et sa noblesse, et nullement dans son origine et sa race.

Il dit à ce sujet:

Si je suis esclave, je suis maître dans la générosité,
Ou noir de couleur, mais blanc de caractère.

Si tu as perdu un de tes organes, il t'en reste d'autres...

Ibn Abbas dit:

Si Allah a pris de mes yeux leur lumière
Dans ma langue et mon ouie, il y a une clarté
Mon cœur est sagace, ma raison saine

Et dans ma bouche un tranchant comme une épée.

Et peut-être y a-t-il du bien pour toi, dans ce qui t'est arrivé: « Et il se peut que vous détestiez une chose et qu'elle soit un bien pour vous ».

(Coran 2:216)

Bechar Ibn Bord dit:

*Les ennemis se moquent de moi alors que le défaut est en
    eux*
Ce n'est nullement honteux qu'on dise aveugle
Si l'homme voit la qualité d'homme et la piété,
La cécité des yeux n'est pas nuisible
J'ai vu des aveugles récompensés, réservés et préservés
Et pour moi, ces trois qualités sont désirables.

Regarde la différence qu'il y a entre ce qu'ont dit Ibn Abbas et Bechar, et ce qu'a dit Salah Ibn Abdelqoddous quand il est devenu aveugle:

Adieu à la vie, un vieillard aveugle
N'a plus de part dans cette existence
L'homme meurt alors qu'on le croit vivant
Son doute est remplacé par une fausse espérance
Le médecin me fait espérer à la guérison
Les parties sont proches l'une de l'autre

Le Destin sera certainement accompli pour celui qui l'accepte et celui qui le refuse, mais l'un sera récompensé et heureux et l'autre commettra un péché et sera malheureux.

Omar Ibn Abdelaziz a écrit à Maïmoun Ibn Mahran: tu m'as écrit pour me présenter tes condoléances à propos d'Abdelmalik. Je m'attendais à cela et quand c'est arrivé, je ne l'ai pas décrié.

Les jours, c'est à tour de rôle

Il a été rapporté qu'Ahmed Ibn Hanbel, que la miséricorde d'Allah soit sur lui, a rendu visite à Baki Ibn Moukhalled durant sa maladie, il lui a dit: «Ô père d'Abderrahmane ! Réjouis-toi de la récompense d'Allah, il n'y a pas de maladie pendant les jours de santé, et il n'y a pas de santé durant les jours de maladie...»

La signification en est: quand on est en bonne santé, on ne pense pas à la maladie, la résolution de la personne se renforce, ses espoirs augmentent, ses ambitions se consolident. Par contre, lorsqu'on est gravement malade, on n'oublie la bonne santé, l'esprit est habité par le désespoir, le serrement du cœur et la désespérance. Et ce qu'a dit l'imam Ahmed est tiré de la parole d'Allah: ‹Et si Nous faisons goûter à l'être humain une miséricorde et que Nous la lui arrachons, il est enclin au désespoir et au reniement›, ‹Et si Nous lui faisons goûter quelque grâce après qu'un malheur l'ait touché, il dira certainement: «Les méfaits sont partis loin de moi». Il est vraiment prompt à donner libre cours à sa joie et à sa vantardise›, ‹Sauf ceux qui ont patienté et accompli des bienfaits, ceux-là auront une absolution et un grand salaire›.   *(Coran 11:9-11)*

Al Hafidh Ibn Kathir que la miséricorde d'Allah le touche, a dit: Allah parle de l'être humain et de ce qu'il possède comme mœurs choquantes, hormis les croyants qui ont été touchés par la grâce d'Allah. En effet, s'il est atteint d'une détresse après un agrément, il désespère et se décourage vis-à-vis de l'avenir et renie toute grâce du passé, comme s'il n'a jamais vu de bien et qu'il n'attend aucun soulagement.

Et ainsi lorsqu'il est touché d'une grâce après une affliction: ‹Il dira certainement, les méfaits sont partis loin de moi› *(Coran 11:10)*, c'est-à-dire qu'il dira qu'il ne lui arrivera plus de mal ni d'injustice: ‹Il est vraiment prompt à donner libre cours à sa joie et à sa vantardise› *(Coran 11:10)*, c'est-à-dire qu'il est content de ce qu'il a entre les mains et se vante auprès des autres. Allah le Très-Haut a dit: ‹Sauf ceux qui ont patienté et accompli des bienfaits, ceux-là auront une absolution et un grand salaire.›   *(Coran 11:11)*

Tu dois voyager dans la vaste terre d'Allah

Quelqu'un a dit: le voyage dissipe les soucis.

En réponse à ceux qui ont dénigré le voyage, et à propos des bénéfices des voyages d'études et des plaisirs qui en sont ressentis, *Al Hafidh* Al Ramahurmuzi a dit, dans son livre *Le parleur vertueux*: "Si celui qui critique ceux qui voyagent connaissait le plaisir que ressent le voyageur dans son déplacement, son dynamisme à sa sortie de son pays et la réjouissance de tous ses organes quand il dispose des fontaines et des descentes, des tréfonds et des phénomènes, la contemplation des villages et leurs difficultés, des régions, leurs jardins et parcs, le regard aux visages, la découverte de ce qu'il n'a pas vu des merveilles des villes, la nuance dans les langues et les couleurs, le repos près des murs et à l'ombre des jardins, le manger dans les mosquées, boire des ruisseaux, le sommeil là où tombe la nuit, l'amitié de celui qu'il aime pour l'amour d'Allah sans aucune honte, l'abandon de la simulation, et tout le bonheur qui arrive à son cœur pour la concrétisation des objectifs qui ont motivé son excursion, notamment la compagnie de ceux dont il convoite le savoir, il apprendrait que toutes les jouissances de la vie existent dans ces perspectives-là, dans la douceur de ces spectacles-là et dans l'acquisition de ces bénéfices-là qui sont plus beaux que les fleurs du printemps et plus valeureuses que les réserves de pierres précieuses dont le dénigreur et ses pareils sont privés.''

Démolis tes tentes d'un pays où tu as été humilié,
Et éloigne-toi de l'ignominie, en effet l'ignominie s'évite.

Une pause

«Quand Allah aime une communauté, il l'éprouve: celui qui s'est résigné aura la satisfaction et celui qui se révolte aura le mécontentement».

«Les Prophètes sont le plus éprouvés, puis, à un degré moindre, les gens pieux et ainsi de suite. L'homme est éprouvé selon la valeur de sa foi, si dans cette dernière il y a une solidité, ses afflictions s'intensifient et s'il y a une fragilité, il sera touché selon cette faiblesse. L'affection ne cessera d'accabler le serviteur que lorsqu'elle le laissera marcher sur terre, sans aucun péché».

«Etonnante est la situation du croyant, elle ne comporte que du bien ! Et cela n'a été attribué qu'au musulman: s'il est atteint d'un, bonheur, il remercie et c'est du bien pour lui, s'il est affligé, il patiente et c'est aussi du bien pour lui».

«Et sache que si toute la Nation s'unissait pour t'avantager d'une chose, elle ne pourrait te faire que ce qui t'a été prédestiné par Allah, et si elle s'unissait pour te nuire, elle ne pourra te faire que ce qui t'a été prédestiné par Allah».

«Les meilleurs des gens vertueux sont affectés».

«Le croyant est comme l'épi d'un champ, le vent le fait vaciller à droite et à gauche».

Ne te chagrine pas dans les derniers instants de ta vie

Regarde Abou Al Rayhan Al Beirouni (mort en 440 H.) avec la longévité de sa vie — il a vécu 78 années toutes passées dans le savoir, s'adonnant à la rédaction des livres.

Le juriste Abou Al Hassan Ali Ibn Aïssa a dit: je suis rentré chez Abi Al Raïhan alors qu'il agonisait, que son âme lui montait à la gorge et que sa poitrine en suffoquait, il m'a dit alors qu'il était dans cet état: que m'as-tu dit un jour, sur les fausses grands-mères ? C'est-à-dire l'héritage qui vient de la mère. Je lui ai dit, par compassion à son égard: en cet état ? Il m'a dit: ô toi, en faisant mes adieux à la vie en connaissant ce problème n'est-il pas mieux que de la quitter alors que j'en suis ignorant ? Je lui ai répété ce qu'il voulait savoir, il a acquis et m'a appris ce qu'il m'avait promis, puis je suis sorti de chez lui et voilà que j'entends des gémissements. Ce sont là les ambitions nobles qui envahissent les tas de craintes.

Al Farouk Omar, agonisant et sa blessure sanguinolente, trouva le moyen de demander aux Compagnons s'il a achevé sa prière ou non !

Et Saad Ibn Al Rabi'e à Ouhoud, alors qu'il était tout ensanglanté, demandait jusqu'au dernier souffle, des nouvelles du Messager (ﷺ): c'est la fermeté de l'âme et la plénitude du cœur !

Ne sois pas triste si la mort te prend, et écoute cette histoire

Ibrahim Ibn Al Djarrah a dit: Abou Youssef est tombé malade, je suis allé lui rendre visite quand je l'ai trouvé évanoui. Lorsqu'il reprit connaissance, il m'a dit: que dis-tu sur cette question ? J'ai dit: dans l'état où tu es ? Il a dit: cela ne fait rien, peut-être qu'elle sera utile à quelque survivant.

Puis il a dit: ô Ibrahim ! Lequel est le mieux dans le lancer des galets *[lors du pèlerinage]:* que l'homme les lance en marchant ou en étant sur une monture ? J'ai dit: sur une monture. Il a dit: tu t'es trompé. J'ai dit: en marchant. Il a dit: c'est faux. J'ai dit: lequel est le mieux, alors ? Il a dit: si l'on est près de l'endroit du lancer, le mieux est de le faire en marchant, mais si l'on en est loin, le mieux est de l'accomplir en étant sur une monture. Je me suis levé et je suis sorti. Je ne suis pas encore arrivé à la porte de sa maison que j'ai entendu des cris et des pleurs: il était décédé — que la miséricorde d'Allah l'atteigne !

Un écrivain contemporain a dit: c'est ainsi qu'ils étaient ! La mort planait sur la tête de l'un d'eux, avec ses frayeurs et ses horreurs, en plus de la suffocation qui s'intensifiait dans son âme et dans sa poitrine, l'évanouissement et les défaillances qui le cernaient, et avec tout cela, dès qu'il se réveillait ou reprenait connaissance, il s'enquérait sur une question scientifique, qu'elle soit secondaire ou recommandée, afin de l'apprendre ou l'enseigner, alors qu'il était dans cet état et que la mort a pris les souffles et le col.

Dans une situation où l'homme indulgent perd
Sa pertinence, et l'intelligent son contrôle.

Ô Allah ! Que la science est chère pour leurs cœurs ! Et que leurs esprits et leurs raisons en sont occupés ! Même à l'heure de l'agonie et de la mort, ils ne se sont pas rappelé leurs épouses ni leurs chers enfants, mais la science ! Que la miséricorde d'Allah leur soit accordée ! C'est par cela qu'ils sont devenus les imams de la science et de la religion.

Ne sois pas triste dans les catastrophes: *tu ne connais ni le secret du problème* *ni les résultats des choses*

L'historien et écrivain égyptien Ahmed Ibn Youssef a rapporté dans son livre, admirable et unique, *Al Moukafaa Oua Housn Al Okba* (La récompense et la fin heureuse): l'être humain a su que la situation, c'est-à-dire l'apparition du malheur et de la souffrance, est suivie de son opposé, et que c'est là une nécessité absolue, tout comme il a su aussi que le départ de la nuit donne naissance au jour. Mais la faiblesse naturelle hante l'âme au moment des catastrophes, et si la personne n'est pas soignée, le mal s'amplifie et la peine augmente parce que si l'âme n'est pas aidée pendant les moments de détresse par ce qui renouvelle ses forces, le désespoir s'empare d'elle et l'anéantit.

Et la réflexion sur les nouvelles de ce chapitre — celui de qui a été éprouvé et qui a patienté et le fruit de sa patience sera une fin heureuse —, encourage l'âme et suscitera en elle l'attachement à la patience et la bonne conduite envers le Seigneur, le Glorieux, convaincue qu'à la fin de l'épreuve, il y aura la faveur.

Il a dit aussi, à la fin du livre: «Epilogue: il a été dit que les malheurs précédant les dons sont comparables à la faim avant le manger, ce qui l'améliorera et permettra de bien le savourer».

Platon a dit: «Les malheurs améliorent l'âme autant qu'ils nuisent à la vie, comme le luxe et la richesse nuisent à l'âme autant qu'ils améliorent l'existence».

Il a dit aussi: «Prends bien soin de tout ami que les malheurs ont conduit vers toi et ne pense pas à celui que les agréments ont attiré à toi».

Comme il a dit aussi: «La richesse est comme la nuit, tu n'y médites pas à ce que tu fais et à ce que tu prends, le malheur est comme le jour, tu y vois tes efforts et ceux des autres».

Il a été dit aussi: «La détresse est un *khôl* avec lequel tu vois ce que tu ne vois pas avec la grâce».

Il a dit aussi: «Et l'essentiel de l'avantage de la question dans la détresse est l'obtention de deux choses: la plus petite d'entre elles est la force du cœur de celui qui en est éprouvé sur ce que cela représente, et la plus grande en est sa bonne soumission à son Possesseur et son Pourvoyeur».

Si l'homme persiste dans ses pensées envers son Créateur, il saura qu'Il ne l'a éprouvé que par ce qui lui implique une récompense ou lui efface un grand péché: ainsi donc, il obtient d'Allah des bénéfices continus et des avantages successifs.

Par contre, si ses réflexions assaillent les créatures, ses dépravations augmentent, ses simulations s'ajoutent, il demeurera agacé par le manque de méditation, ses épreuves lui paraîtront longues et il craindra les malheurs qui, peut-être, ne l'atteindront pas forcément.

La conversation entre l'homme et son Seigneur doit être confidentielle et sincère, car Il connaît les secrets et soutient les visions. Quant au bavardage entre la personne et ses pareilles, il ne contient que des préjudices désavantageux.

Et Allah possède un soulagement qui apparaît quand on perd tout espoir en Lui, Il en fait bénéficier qui Il veut de Ses serviteurs, comme Il a l'envie de rapprocher la joie, de faciliter les choses et d'exaucer le meilleur de ce qui Lui a été demandé. Je m'en remets à Lui et quel bon Défenseur !

J'ai lu le livre *Al Farah baad Al Chidda* (Le soulagement après la détresse) d'At Tanoukhi et je l'ai relu: j'en suis sorti avec ces trois avantages:

Le premier: que le soulagement vient après la détresse et que ceci est une relation passée et prouvée comme le matin suit la nuit; il n'y a là ni doute, ni soupçon.

Le deuxième: que les préjudices sont la plupart du temps plus bénéfiques et plus avantageux au serviteur, pour sa vie et pour sa religion, que les bonheurs.

Le troisième: que celui qui attire l'avantage et repousse le préjudice est bel et bien Allah, le Très-Haut, et sache que ce qui t'a atteint ne pouvait te rater et que ce qui t'a manqué, ne pouvait t'atteindre.

Ne te chagrine pas pour la vie, car elle est plus méprisable que tu ne le penses

Ibn Al Moubarak, le célèbre savant, a dit: je préfère la poésie de Udy Ibn Zeyd au château de l'émir Tahar Ibn Hussein, s'il m'appartenait.

En effet, c'est une poésie magnifique et en voici des vers:

Ô toi l'être injurieux, qui se moque du temps,
Incarnes-tu la parfaite innocence?
Ou as-tu une promesse ferme des jours?
En fait, tu n'es qu'une personne ignorante et hautaine.

C'est-à-dire: ô toi qui te moques des afflictions des autres, es-tu certain que tu n'en seras pas atteint? Ou est-ce que les jours t'ont octroyé une convention sur ta sauvegarde contre toutes les catastrophes et les peines? Pourquoi alors, la raillerie?

Et dans le Hadith authentique, il y a: «Si ce bas monde valait, auprès d'Allah, l'aile d'un moustique, il n'en donnerait pas à boire à l'incroyant une seule gorgée d'eau».

L'aile du moustique est plus chère pour Allah que ce bas monde, et c'est sa valeur réelle et son poids véritable: pourquoi alors, l'anxiété et la consternation pour elle?

Le bonheur: c'est que tu apprécies ta sécurité, celle de ton avenir, celle de ta famille et de ta subsistance, mais cela est compris dans la foi et la satisfaction qu'on a d'Allah, du Destin et de la Fatalité et le contentement, c'est-à-dire la patience.

Ne te chagrine pas, tu as foi en Allah

❪Mais c'est vous plutôt qui êtes redevables à Allah pour vous avoir guidés à la Foi❫.
(Coran 49:17)

Il est une grâce que ne constatent que les gens éveillés: le regard du musulman au mécréant et le rappel de l'agrément d'Allah de l'avoir guidé à l'Islam et de ne lui avoir pas prédestiné d'être comme l'autre qui a nié son Seigneur, qui s'est soulevé contre Lui, qui a renié Ses signes, qui a méconnu Ses qualifications, qui s'est opposé à Son Maître, son Créateur, son Pourvoyeur, qui a démenti Son Messager et Ses livres, qui a désobéi à Ses ordres. Ensuite, souviens-toi que tu es un musulman unificateur qui croit en Allah, en Son Prophète et au Jour Dernier, qui accomplit ses obligations religieuses même si elles sont insuffisantes, et cela est une grâce d'une valeur inestimable, qui ne s'achète pas avec de l'argent, qui ne se compte pas et qui est incomparable: ❪Est-ce que celui qui était croyant est pareil à celui qui était scélérat?❫
(Coran 32:18)

Ainsi quelques exégètes du Coran ont dit qu'une des grâces de ceux qui hériteront du paradis est le fait de regarder ceux qui sont en Enfer et, par conséquent, de remercier leur Seigneur de cette faveur: «Les choses se distinguent par leurs opposés».

Une pause

Il n'y a de divinité qu'Allah: c'est-à-dire qu'il n'y a pas d'adoré véridique autre qu'Allah — que Sa transcendance soit exaltée et Qui est bien loin de ce qu'ils Lui associent, l'Unique dans Ses qualifications de divinité qui sont parfaites.

L'âme de cette parole et son secret c'est: l'Unicité seigneuriale, Sa louange est glorifiée, Ses Noms sont sacrés, Son Nom est béni,

(...) et il n'y a de divinité que Lui, par l'amour, l'éminence, la glorification, la crainte, l'espérance et tout ce qui s'ensuit comme retour à Allah, confiance, désir, intimidation — rien d'autre ne doit être aimé à part Lui, et tout ce qui est aimé doit l'être pour Lui, puisque c'est un moyen d'augmenter Son amour, il est le Seul à être craint, à être invoqué, à Qui on doit s'en remettre, c'est par Son Nom qu'on doit jurer, à Lui seul qu'on doit promettre, se repentir, obéir, n'être satisfait que de Lui, ne demander d'aide dans les malheurs, que de Lui, ne se prosterner qu'à Lui, n'immoler qu'à Lui et qu'en Son Nom, et tout cela est exprimé par une seule parole qui est: que Lui Seul doit être vénéré de différentes sortes d'adoration.

Ne sois pas triste si tu fais l'objet d'un handicap, cela ne t'empêchera de prédominer

Dans l'annexe du journal saoudien *Oukadh*, numéro 10 262 en date du 7-4-1415 H., a été publiée une rencontre avec un aveugle qui s'appelle Mahmoud Ibn Mohammed Al Madani. Il a étudié les livres de littérature par l'intermédiaire des yeux des autres, a entendu les livres d'histoire, les revues et les journaux, et probablement entendu à travers l'un de ses amis jusqu'à trois heures du matin et ce, jusqu'à ce qu'il devienne une référence dans la littérature, l'humour et les nouvelles.

Mustapha Amine a écrit, dans la partie *«Idée»* du journal *Achark Al Awssat*, un article où il a dit: patiente cinq minutes sur les intrigues des conspirateurs, l'injustice des oppresseurs et l'influence des tyrans, le fouet tombera, les chaînes se briseront, le prisonnier sortira, l'obscurité disparaîtra, mais il te faudra patienter et attendre.

Et peut-être qu'une peine affligeant le jeune homme
Sera un bouclier et son dénouement est auprès d'Allah.

J'ai rencontré à Riyadh le Mufti d'Albanie qui fut condamné à vingt ans de travaux forcés par les communistes. Et dans cette situation d'emprisonnement avec ses intrigues, ses punitions et ses injustices, son obscurité et sa faim, il accomplissait sa prière dans un coin des toilettes de peur qu'il ne soit découvert. Mais malgré cela, il a patienté en espérant la récompense d'Allah jusqu'à ce que soit venue la délivrance, ❨Ils retournèrent par une grâce d'Allah et Sa générosité❩.

(Coran 3:174)

Et Nelson Mandela, qui fut emprisonné 27 années durant sans qu'il cesse de proclamer la liberté de sa nation et la délivrance de son peuple de la tyrannie, de la répression, du despotisme et de l'injustice: il est ainsi resté résolu, déterminé, ferme, héroïque, persévérant jusqu'à ce qu'il obtienne sa gloire dans ce monde. ❨Nous leur y donnerons leurs œuvres❩ *(Coran 11:15)*, ❨Si vous souffrez, ils souffrent autant que vous souffrez et vous espérez d'Allah ce qu'ils n'espèrent pas❩.

(Coran 4:104)

Ma sûreté est chaque jour plus courageuse que moi,
Et elle n'est aussi ferme que si, en elle, il y a une raison.

❨Si vous êtes touchés d'une blessure, une blessure pareille a touché les autres❩.

(Coran 3:140)

Ne te chagrine pas si tu as connu l'Islam

Qu'elles sont malheureuses, les âmes qui n'ont pas connu l'Islam et qui n'y sont pas guidées. L'Islam doit faire l'objet de propagande de la part de ses porteurs et de ses partisans, il doit être aussi une proclamation mondiale, puisque c'est une information sensationnelle. Ceci doit être fait d'une façon raffinée, polie, attirante, car le bonheur de l'humanité ne peut exister que dans cette religion véridique et éternelle — ❨Celui qui confesse une religion autre que l'Islam, elle ne sera pas acceptée de lui❩. *(Coran 3:85)*

Un prédicateur musulman célèbre habitait à Munich, en Allemagne. A l'entrée de la ville, il y avait une grande pancarte où il y était écrit en Allemand: «Tu ne connais pas (...)Yokohama». Il a alors dressé un grand panneau non loin de là, sur lequel il écrivit: «Tu ne connais pas l'Islam, si tu veux le connaître, appelle-nous au téléphone, numéro...». Les communications de la part des Allemands tombèrent sur lui de tous les coins du pays, si bien qu'en une année, plus de cent mille personnes, hommes et femmes, se convertirent à l'Islam. Par la suite, il construisit une mosquée, un centre culturel islamique et une maison d'enseignement.

L'humanité est perplexe, déconcertée, dans un besoin vital de cette religion magnifique pour que lui soient rendues sa sécurité, sa sérénité et sa tranquillité, « Par quoi Allah guide sur les voies du salut, ceux qui auront suivi Sa satisfaction suprême, les sort avec Sa permission des ténèbres et les guide au droit chemin ».

(Coran 5:16)

Un grand adorateur a dit: je n'ai jamais pensé qu'il puisse exister dans le monde quelqu'un qui adore autre qu'Allah. Malheureusement: « Et très peu de Mes serviteurs sont reconnaissants » *(Coran 34:13)*, « Et si tu obéis à la majorité des habitants de la terre, ils t'égareront de la voie d'Allah » *(Coran 6:116)*, « Seulement la plupart des gens, même si tu t'y évertuais, ne seraient pas des croyants ». *(Coran 12:103)*

Un savant m'a appris qu'un Soudanais musulman est venu de la campagne à Khartoum du temps de la colonisation anglaise: il a vu un agent de la circulation au centre de la ville à propos duquel il a demandé: qui est-ce ? Ils ont répondu: un mécréant. Il a dit: et de quoi est-il mécréant ? Ils ont dit: d'Allah. Il a dit: y aurait-il quelqu'un qui ne croit pas en Allah ? ! Il s'est serré le ventre, a vomi ce qu'il a entendu et vu, puis est retourné à la campagne: « Qu'ont-ils donc à ne pas croire ? » *(Coran 84:20)*

Al Asma'i dit: un bédouin a entendu quelqu'un lire: « Par le Seigneur du ciel et de la terre que c'est la Vérité, tout aussi vrai que vous êtes doués de parole » *(Coran 51:23)*, il a dit alors: qu'Allah soit glorifié, et qui a obligé le Très-Grand à jurer ?

C'est la bienveillance et l'aspiration à la générosité du Maître, Sa bienfaisance, Son indulgence et Sa miséricorde.

Et il a été authentifié dans le Hadith que le Messager (ﷺ) a dit: «Notre Seigneur sourit». Un bédouin a dit: on ne sera pas privé du bien d'un Seigneur qui sourit.

❲Et c'est Lui qui fait descendre du ciel la pluie après qu'ils aient désespéré❳ *(Coran 42:28)*. ❲Car la miséricorde d'Allah est proche des bienfaiteurs❳ *(Coran 7:56)*. ❲Le soutien d'Allah est certainement proche❳.

(Coran 7:214)

Celui qui lit les biographies des hommes bénéficiera de choses continues et constantes, comme par exemple:

1- Que la valeur de l'être humain est ce qu'il maîtrise. Cela a été dit par Ali Ibn Abi Taleb et veut dire que le savoir de la personne, son éducation, son adoration, sa générosité ou son caractère est sa véritable valeur et non pas son image, sa tenue et son poste: ❲Un esclave croyant est meilleur qu'un païen même s'il vous a plu❳.

(Coran 2:221)

2- Le rang de la personne se définit par sa détermination, son intérêt, ses efforts et son sacrifice. La gloire ne lui sera pas donnée fortuitement:

Ne crois pas que la gloire est une datte que tu manges

❲S'ils avaient voulu sortir, ils s'y seraient préparés en s'équipant❳ *(Coran 9:46)*, ❲Et luttez comme il se doit dans le chemin d'Allah❳.

(Coran 22:78)

3- L'être humain fait à lui seul, avec la permission d'Allah, son histoire et c'est lui qui écrit sa biographie par ses actes, bons ou mauvais: ❲Et Nous écrivons ce qu'ils ont avancé, ainsi que leurs traces❳.

(Coran 36:12)

4- L'existence de la personne est très courte et s'écoule rapidement, et part promptement, qu'elle ne fasse pas alors qu'elle devienne plus raccourcie par les péchés, les malheurs, les soucis et les chagrins: ❲Qu'ils ne sont restés qu'une après-midi ou sa matinée❳.

(Coran 79:46)

Que les chagrins cessent, la vie est éphémère
Et ce n'est pas un bienfait qui satisfait Allah.

Des causes du bonheur

1- Les bonnes œuvres : «Quiconque a fait une bonne œuvre, qu'il soit homme ou femme et qui est croyant, Nous lui assurerons une vie agréable». *(Coran 16:97)*

2- L'épouse vertueuse: «Seigneur ! Donne-nous de nos épouses et de nos enfants, des prunes des yeux». *(Coran 25:74)*

3- La demeure spacieuse: dans le Hadith, il y a: «Ô Allah ! Fais que ma demeure soit spacieuse».

4- La bonne acquisition: dans le Hadith, il y a: «Allah est bon et Il n'accepte que ce qui est bon».

5- Le bon caractère et l'affection des gens: «Il a fait de moi une bénédiction là où je suis». *(Coran 19:31)*

6- La préservation de l'endettement et de la prodigalité dans les dépenses: «Ni prodigues, ni avares» *(Coran 25:67)*, «Et ne garde pas la main entravée à ton col et ne l'ouvre pas non plus trop large».

(Coran 17:29)

Les composants du bonheur

Un cœur reconnaissant, une langue évocatrice et un corps patient.

Reconnaissance, évocation et patience
Contiennent félicité et récompense.

Si je te rassemble le savoir des savants, la sagesse des gens judicieux et les poèmes des écrivains sur le bonheur, tu ne le trouveras que lorsque tu te détermineras sincèrement à le goûter, à l'attirer, à le chercher et à exclure son opposé: «Celui qui viendra à Moi en marchant, J'irai à lui en trottant».

Et du bonheur de la personne, il y a: la dissimilation de ses secrets et la gestion de ses problèmes.

Il a été rapporté qu'on a confié à un bédouin un secret en échange de dix dinars. Il fut embarrassé et il est allé à celui qui lui a donné l'argent, le lui a rendu, en lui proposant dix dinars pour révéler le secret, parce que pour pouvoir garder le silence sur quoi que ce soit, il faut avoir de la fermeté, de la patience et de la détermination: ❨Ne raconte pas ton rêve à tes frères❩ *(Coran 12:5)*, et les points faibles de l'être humain, sont le fait de dévoiler ses cartes aux gens et divulguer ses confidences. D'ailleurs cela est une maladie ancienne, un mal invétéré dans l'humanité: l'âme est passible à dévoiler les secrets et rapporter les nouvelles. Et le rapport qu'il y a avec le thème du bonheur est que celui qui divulgue ses secrets a des remords, regrettera, se chagrinera et se, désolera.

Et Al Jahidh a dans ses thèses littéraires, sur ce sujet, des propos fascinants et celui qui veut s'en assurer, qu'il les lise. Quant à ce qu'en dit le Coran, le voici: ❨Qu'il se montre accommodant et qu'il ne fasse éveiller sur nous l'attention de personne❩ *(Coran 18:19)*, et cela est le principe dans la dissimulation des secrets. Le bédouin dit: dans la dissimulation d'un secret, il y a un coup sur le cou.

Ne te chagrine pas, tu ne mourras pas avant ton terme

❨Lorsque leur terme échoit, ils ne le retarderont pas d'une heure, ni ne l'avanceront❩.

(Coran 7:34)

Ce verset est une sorte de condoléances pour les lâches qui meurent plusieurs fois avant la mort. Qu'ils sachent qu'il y a un terme fixé, pas d'avance, ni de recul. Personne ne pourrait l'avancer et aucun être humain ne pourrait le retarder, même si les gens de l'ex-Est et de l'Ouest se rassemblaient, et cela apporte à la personne la tranquillité, l'apaisement et la fermeté: ❨Et voici venue l'ivresse de la mort avec justesse❩.

(Coran 50:19)

Et sache que l'attachement à un autre qu'Allah est une détresse: ❨Aucun clan en dehors d'Allah, ne fut là pour le secourir et il ne fut guère secouru❩.

(Coran 28:81)

Siyar Aalam An Noubala (Les biographies des virtuoses de la noblesse), écrit par Al Dhahabi, est un ouvrage de 23 volumes où il a fait l'interprétation des œuvres d'écrivains célèbres, de savants, de califes, de rois, d'émirs, de ministres, de riches et de poètes. Après son étude, tu y découvriras deux vérités importantes:

La première: quiconque s'est attaché à la richesse, à sa progéniture, à un poste ou à une profession, Allah le confiera à cette chose qui sera la cause de sa détresse, de sa souffrance, de son anéantissement et de son extermination: ❨Et ils les détournent certainement de la voie et pensent qu'ils sont bien guidés❩ *(Coran 43:37).* En effet, Pharaon et le poste, Coré *(Qâroun)* et la richesse, Oumayya Ibn Khalef et le commerce, Al Walid et la progéniture: ❨Ne me parle pas de celui que J'ai créé seul❩ *(Coran 74:11).* Abou Djahl et la puissance, Abou Lahab et la parenté, Abou Mouslim et l'influence, Al Moutanabi et la célébrité, Al Hajaj et les abus sur terre et Ibn Al Fourate et l'autorité politique.

La deuxième: celui qui se confie à Allah, est fier de Lui, œuvre pour Lui, se rapproche de Lui, et Allah le glorifie, l'élève, le gratifie - sans parenté, ni poste, ni famille, ni richesse, ni tribu: Bilal et l'appel à la prière, Salman et l'autre vie, Soheib et le sacrifice, Ata et le savoir, ❨Et fit que la parole de ceux qui ont mécru soit la plus basse et la Parole d'Allah est la plus haute, et Allah est puissant et sage❩.

(Coran 9:40)

Répétez continuellement:
«*Ô Possesseur de la Majesté et de la Gloire*»

Il a été authentifié que le Prophète (ﷺ) a dit: «Répétez continuellement: "Ô Possesseur de la Majesté et de la Gloire''.» C'est-à-dire persévérez-y, dites-le constamment et beaucoup avec d'autres expressions identiques et d'autres plus signifiantes comme: Ô le Vivant, l'Eternel. On a dit que c'est le Nom le Plus Grand du Seigneur des univers. Il ne reste au serviteur que l'acclamation de cette expression, de s'en servir pour appeler au secours et de s'en attacher pour obtenir la délivrance, le triomphe et le succès: ❨Lorsque vous imploriez le secours de votre Seigneur et qu'Il vous répondit❩.

(Coran 8:9)

Dans la vie du musulman, il y a trois jours considérés comme des fêtes:

Le jour dans lequel il accomplit toutes les obligations et où il est sauvegardé des péchés: ❰Répondez à Allah et au Messager, s'il vous invite ❱.

(Coran 8:24)

Le jour dans lequel il se repent de ses péchés et abandonne sa désobéissance et revient à son Seigneur: ❰Ensuite, Il leur pardonne pour qu'ils se repentent ❱.

(Coran 9:118)

Et le troisième, dans lequel il rencontrera son Seigneur, doté d'une fin heureuse et de bonnes œuvres bénies et admises: «Celui qui aime la rencontre d'Allah, Allah aime la sienne».

J'ai annoncé à mes espoirs la création comme étant une
   personne,
La vie comme demeure et l'ère comme un jour.

J'ai lu les biographies des Compagnons, que la satisfaction d'Allah soit sur eux, et j'ai trouvé dans leurs vies cinq questions qui les distinguent des autres personnes:

La première: la facilité dans leurs existences, l'aisance, l'absence de simulation, la simplicité dans la gestion de leurs affaires, l'abandon de l'approfondissement et de la dureté: ❰Nous le prédisposerons à l'aisance ❱.

(Coran 87:8)

La deuxième: leur savoir est vaste, béni et en rapport avec le travail. Il ne contient aucune indiscrétion, ni marges, ni trop de paroles, ni écume, ni complexité:

❰Ceux qui craignent Allah, de tous Ses serviteurs, ce sont bien les savants ❱.

(Coran 35:28)

La troisième: les œuvres de leurs cœurs leur étaient plus importantes que les actes des sens. Nous considérons que cela était dû à leur sincérité, leur confiance, leur retour à Allah, leur amour, leur désir, leur crainte, leur peur et ce qui s'ensuit. Quant à leurs œuvres surérogatoires en matière de prière et de jeûne, elles étaient bien modestes si bien que l'on constata que, parmi la génération qui venait après, il y en avait certains dont les œuvres surérogatoires visibles étaient plus grandes: ❲Il a su ce qu'il y avait dans leurs cœurs❳.

(*Coran 48:18*)

La quatrième: l'insignifiance de la vie et de ses effets à leurs yeux, de sorte qu'ils s'en sont allégés et ont renoncé à ses ornements et ses choses erronées. Ce qui leur fit hériter du repos, du bonheur, de la tranquillité et de la sérénité: ❲Et celui qui recherche l'Au-delà et fournit des efforts qui y mènent tout en étant croyant❳.

(*Coran 17:19*)

La cinquième: la préférence du djihad à toutes leurs œuvres bienfaisantes, si bien qu'il devint une caractéristique pour eux, un repère, un symbole et un slogan. Et avec le djihad, ils ont anéanti leurs soucis et leur tristesse, car il s'y trouve une Evocation, un travail, une dépense de soi et une activité.

Le combattant au nom d'Allah est le plus heureux des gens, sa poitrine est la plus détendue et son âme est la meilleure: ❲Ceux qui auront combattu pour Notre cause, Nous leur indiquerons Nos voies et Allah est avec les bienfaiteurs❳.

(*Coran 29:69*)

Dans le Coran, il y a des réalités et des «lois» — au sens organique du mot — qui ne disparaîtront jamais et elles ne changeront pas non plus. Je citerai celles qui concernent le bonheur du serviteur et sa sérénité. Parmi ces lois immuables:

Allah accorde Son secours à celui qui le Lui demande: ❲Si vous demandez secours à Allah, Il vous secourra et affermira vos pieds❳ (*Coran 47:7*). Allah répond à celui qui L'invoque: ❲Invoquez-Moi, Je vous répondrai❳ (*Coran 40:60*). Il pardonne à celui qui Lui demande l'absolution: ❲Pardonne-moi, Il lui pardonna❳ (*Coran 28:16*). Il accepte celui qui se repent: ❲Et c'est Lui qui accepte le repentir de Ses serviteurs❳ (*Coran 42:25*). Il suffit à celui qui compte sur Lui: ❲Et celui qui s'en remet à Allah, Allah lui suffit❳. (*Coran 65:3*)

Allah avance la punition et le châtiment de trois choses:

L'outrage: ❲Vos abus ne sont que contre vous-mêmes❳.

(*Coran 10:23*)

La violation: ❲Celui qui renie, ne fait que renier contre lui-même❳. (*Coran 48:10*)

La fourberie: «Et le complot sinistre ne retombe que sur ses auteurs».
(Coran 35:43)

L'être injuste n'échappera pas à la poigne d'Allah: «Et voici leurs demeures désertes du fait de leur injustice» *(Coran 27:52)*. Et le fruit des bonnes actions sera dans ce monde et dans l'Au-delà, car Allah est miséricordieux et très reconnaissant: «Allah leur a donné la récompense de ce monde et la bonne récompense de l'Au-delà» *(Coran 3:148)*. Et celui qui Lui obéit, Il l'aime: «Suivez-moi, Allah vous aimera».
(Coran 3:31)

Si le serviteur a connu cela, il sera heureux et joyeux, puisqu'il a affaire à un Seigneur qui subvient aux besoins de tous et qui offre Son secours: «C'est Allah le Pourvoyeur» *(Coran 51:58)*, «Et le secours ne vient que de la part d'Allah» *(Coran 3:126)*. Il absout: «Et Je suis pardonneur à celui qui se repent» *(Coran 20:82)*. Il est repentant: «C'est Lui le Repentant, le Miséricordieux» *(Coran 2:37)*, et Il se venge de Ses ennemis en faveur de Ses bien-aimés: «Nous Nous vengerons».
(Coran 44:16)

Qu'il soit glorifié, comme Il est parfait! Comme Il est Majestueux! «Lui connais-tu un homonyme?»
(Coran 19:65)

Le cheikh Abderrahmane Ibn Saadi a présenté une thèse de valeur sous le nom d'*Al Wesseil Al Moufida Fi Al Hayet Assaïda* (Les outils utiles à la vie heureuse), et il y a dit: «Parmi les raisons du bonheur, il y a le fait que la personne regarde aux grâces dont Allah l'a pourvue, elle constatera alors qu'elle dépasse, en agréments, des nations entières qu'on ne peut compter: à ce moment-là, elle pressentira la générosité d'Allah en sa faveur».

Je dis: même dans les affaires religieuses avec la défaillance existante de la part du serviteur, il trouvera qu'elle est plus avantagée qu'une multitude de gens, quant à l'observance de la prière en groupe, la lecture du Coran, l'évocation et autres. Et cela n'est qu'une grâce sublime d'Allah, qui n'a pas de prix: «Et Il vous accorda Ses grâces visibles et invisibles».
(Coran 31:20)

Al Dhahabi a dit, en parlant du grand rapporteur de Hadiths Ibn Abdelbâqi: il a passé en revue les gens qui sortaient de la mosquée

«Dar Assalam» à Baghdad, et il n'en a pas trouvé un seul dont il souhaiterait être à la place et à l'endroit où il accomplit sa prière.

Cette parole a un côté positif et un autre négatif: ❨Et Nous les avons préférés à beaucoup de ceux que Nous avons créés, d'une certaine préférence❩. *(Coran 17:70)*

Toutes ces créatures sont honorables et moi
Parmi eux, renonce donc aux détails des phrases.

Une pause

Asma Bent, Oumays, que la satisfaction d'Allah l'atteigne, a dit: le Messager d'Allah (ﷺ) m'a dit: «Ne t'ai-je pas appris des paroles que tu dis au moment de l'affliction? — Allah mon Seigneur, je ne Lui associe aucune chose».

Et dans une autre variante: «Celui qui est atteint d'un chagrin, d'un souci, d'une maladie ou d'une affliction et qui dit: Allah mon Seigneur, aucun associé à Lui. Ce qui l'a touché se dissipe».

«Il y a des choses qui couvrent le cœur de nuages sombres et accumulés, si l'être accourt vers son Seigneur, lui soumet son problème et Lui met son âme entre les Mains, sans Lui associer aucune de Ses créatures, Il le délivre de ce qui le tourmente. Que fasse donc attention toute personne qui dit cela d'un cœur inattentif et distrait».

Le poète a dit:
Si nos vies sont sauvées, aucun souci alors
Des richesses perdues et des implications,
Les biens seront acquis et la gloire sera rendue,
Si Allah préserve nos âmes de la détérioration.

Celui qui craint un envieux

1- Les dernières sourates du Coran, *Al Falaq* et *An Naas*, en plus des évocations et des invocations en général: ❨Contre le mal d'un envieux s'il a envié❩. *(Coran 113:5)*

2- La dissimulation de tes affaires contre la jalousie: ❨N'entrez pas par une seule porte, mais entrez par des portes séparées❩.

(Coran 12:67)

3- S'éloigner du jaloux: ❨Et si vous ne me croyez pas, laissez-moi seul❩.

(Coran 44:21)

4- Sois bon envers lui pour éviter son mal: ❨Repousse de la plus belle manière❩.

(Coran 23:96)

Que ta moralité soit bonne envers les gens

La bonne moralité est une prospérité et un bonheur, la mauvaise est un marasme et une détresse.

«L'homme atteint par sa bonne moralité le rang de celui qui jeûne le jour et prie la nuit». «Ne vous ai-je pas parlé de celui parmi vous qui sera le plus proche de moi, le Jour de la Résurrection ? Celui parmi vous qui a la meilleure moralité». ❨Tu jouis vraiment d'une grande moralité❩ *(Coran 68:4)*, ❨C'est par un effet de la grâce d'Allah que tu te montras doux à leur égard. Si tu étais un rustre au cœur dur, ils se seraient dispersés loin de toi❩ *(Coran 3:159)*, ❨Et dites du bien aux gens❩.

(Coran 2:83)

Et dans le Hadith, à propos de l'infaillible, que la prière de mon Seigneur et Son salut soient sur lui: «Sa moralité était le Coran».

L'ampleur de la moralité et de l'esprit: une grâce dans ce monde et un bonheur présent pour celui dont Allah veut le bien. La rapidité de la réaction, la dureté et la colère: une irritabilité permanente et un supplice réel.

Ne sois pas triste et je vais t'informer
Que doit faire celui qui est atteint d'insomnie?

1- Les évocations légales: ❨N'est-ce pas que c'est à l'évocation d'Allah que les cœurs se rassurent ?❩

(Coran 13:28)

2- Ne pas dormir de jour, sauf pour une nécessité majeure: ❨Nous avons fait le jour pour la vie active❩.

(Coran 78:11)

3- Lire et écrire jusqu'au sommeil: « Et dis: Seigneur ! Donne-moi encore plus de savoir ». *(Coran 20:114)*

4- Se fatiguer le corps par du travail bénéfique pendant le jour: « Et fit du jour, un retour à la vie ». *(Coran 25:47)*

5- Diminuer les boissons excitantes telles que le café et le thé.

Nous nous sommes plaints à nos amis de nos longues nuits,
Ils nous ont dit: comme elle est courte, la nôtre!
En effet, la conviction couvre leurs yeux,
Et le sommeil n'enveloppe pas les nôtres.

L'amertume du péché s'oppose à la douceur de l'obéissance, l'allégresse de la foi et le goût du bonheur.

Ibn Taymiya dit: les péchés empêchent le cœur de se promener dans l'espace de la foi: « Dis: regardez ce qu'il y a dans les cieux et sur terre ». *(Coran 10:101)*

Parmi les résultats malsains du péché

1- Un voile entre le serviteur et son Seigneur: « Que non ! Ce jour-là, entre eux et leur Seigneur, il y aura un voile ».
(Coran 83:15)

2- L'animosité du serviteur envers le Créateur: quand les actions de la personne sont mauvaises, il part en conjectures.

3- Une inquiétude continue: « Leur construction qu'ils ont bâtie ne cesse d'être une source d'inquiétude dans leurs cœurs ».
(Coran 9:110)

4- Une peur dans le cœur et une confusion: « Nous jetterons dans les cœurs de ceux qui ont nié, la terreur pour ce qu'ils ont associé à Allah ». *(Coran 3:151)*

5- Une contrariété dans l'existence: « Il aura une malvie ».
(Coran 20:124)

6- Une dureté et une obscurité dans le cœur: « Nous endurcîmes leurs cœurs ». *(Coran 5:13)*

7- Une noirceur au visage et une maussaderie: ❰Quant à ceux dont les visages noirciront, avez-vous nié?❱.   *(Coran 3:106)*

8- Une aversion dans le cœur des serviteurs: «Vous êtes les témoins d'Allah sur Sa terre».

Une étroitesse dans la subsistance: ❰S'ils avaient appliqué la Torah et l'Evangile, ils auraient mangé de par-dessus leurs têtes et de par-dessous leurs pieds❱.   *(Coran 5:66)*

9- La colère du Miséricordieux, la diminution de la foi, l'apparition des calamités et des chagrins: ❰Ils ont récolté colère sur colère❱ *(Coran 2:90)*, ❰Un voile sombre sur leurs cœurs par ce qu'ils ont acquis❱ *(Coran 83:14)*, ❰Et ils ont dit: nos cœurs sont impénétrables❱.   *(Coran 2:88)*

Demande la subsistance sans trop d'insistance

Le ver de terre reçoit sa subsistance du Seigneur des univers: ❰Il n'est pas un être qui bouge sur terre, ni un oiseau qui vole de ses ailes...❱.   *(Coran 6:38)*

Les oiseaux dans les nids sont nourris par le Clément, le Reconnaissant: «Comme Il pourvoit les oiseaux — ils partent le ventre vide le matin et retournent rassasiés le soir».

Les poissons dans l'eau sont nourris par le Seigneur de la terre et du ciel: ❰C'est Lui qui nourrit et qui n'est point nourri❱.   *(Coran 6:14)*

Et toi, tu es plus pur que les vers de terre, les oiseaux et les poissons: ne te chagrine donc pas pour ta subsistance.

J'ai connu des gens qui n'ont été atteints de la misère, de la turbidité et de l'étroitesse de la poitrine que par leur éloignement d'Allah, le Glorieux. L'un d'eux était riche, sa subsistance en toutes largesses, dans la sécurité de son Seigneur et les bienfaits de son Maître. Il a tourné le dos à l'obéissance d'Allah, a négligé la prière et a commis de grands péchés, son Seigneur lui arracha Ses grâces et lui infligea la misère, les soucis et les chagrins. Il s'est retrouvé d'un malheur à un autre et d'une épreuve à une autre: ❰Et celui qui aura tourné le dos à Mon Rappel, aura une malvie ❭ *(Coran 20:124)*, ❬Cela parce que jamais Allah ne transforme un bienfait qu'Il a accordé à un peuple sans que ce dernier se transforme lui-même ❭ *(Coran 8:53)*. ❬Tout ce qui atteint comme malheurs, vous le devez aux acquis de vos mains, et Il en pardonne beaucoup ❭ *(Coran 42:30)*. ❬Et s'ils avaient fait preuve de droiture sur la Voie, Nous les aurions irrigués d'une eau abondante ❭.   *(Coran 72:16)*

Tu pleures Leila, alors que c'est toi qui l'as tuée
A ton aise et à ta santé, ô meurtrier amoureux !

❬ *Guide-nous sur le droit chemin* ❭: le secret de la rectitude

Et ne sera guidé au bonheur, le trouvera et en profitera que celui qui aura suivi le droit chemin.dont Mohammed (ﷺ) nous a laissé une partie et dont la deuxième partie est au Paradis si précieux: ❬Et Nous les aurions guidés sur le droit chemin ❭.   *(Coran 4:68)*

Le bonheur de celui qui ne s'est pas séparé de la voie rectiligne est le fait d'être rassuré d'un bon résultat, certain d'un sort agréable, serein face à la promesse de son Seigneur, satisfait de la sentence de son Maître, d'avoir choisi ce chemin pour son comportement, de savoir qu'il a un Guide qui lui a montré cette voie, qu'il est infaillible, qui ne prononce pas un seul mot par passion, qui ne suit pas les gens égarés, que ses paroles sont des preuves pour les créatures, qu'il est protégé des intrigues du démon, des erreurs de l'âge et des chutes de l'être humain: ❬Il a des Anges qui se succèdent devant et derrière lui, assurant sa sauvegarde, par ordre d'Allah ❭.   *(Coran 13:11)*

Et cette personne trouve son bonheur dans ce chemin parce qu'elle sait qu'elle a un Dieu, et en face de lui un modèle, un livre dans la main, dans son cœur une lumière, dans son esprit un prédicateur, qu'elle va à une félicité, qu'elle travaille dans l'obéissance et qu'elle œuvre pour le bien: ❬Telle est la rectitude d'Allah par laquelle Il guide qui Il veut ❭.   *(Coran 6:88)*

Où est l'obscurité, ô compagnon du chemin, où est-elle ?
La lumière d'Allah est dans mon cœur et c'est ce que je vois.

Et ce sont deux chemins: l'un moral et l'autre sensoriel. Le premier est celui de la rectitude et de la foi. Quant au chemin sensoriel, il se trouve sur la voie de l'enfer. Ainsi le chemin de la Foi se trouve sur ce bas monde périssable et il a des tenailles de vices, alors que le chemin de l'Au-delà se trouve sur l'Enfer et a des tenailles d'un tel chardon. Si quelqu'un traverse ce chemin par sa foi, il franchira alors l'autre, éphémère, selon son assurance, sa conviction. Et si le serviteur est guidé à la voie rectiligne, ses soucis, ses peines et ses chagrins se dissiperont.

Dix fleurs que cueillera celui
qui veut une vie agréable

1- Un moment aux dernières heures de la nuit, pour implorer l'absolution: ❲Et ceux qui implorent le pardon d'Allah dans les dernières heures de la nuit❳.   *(Coran 3:17)*

2- Une intimité pour la méditation : ❲Et méditent sur la création des cieux et de la terre❳.   *(Coran 3:191)*

3- La compagnie des gens vertueux: ❲Et tiens-toi résolument en compagnie de ceux qui invoquent leur Seigneur❳.   *(Coran 18:28)*

4- L'évocation: ❲Evoquez Allah d'une façon abondante❳.

(Coran 33:41)

5- Une prière avec recueillement: ❲Ceux qui sont dans leur prière, profondément recueillis❳.   *(Coran 23:2)*

6- Lecture du Coran avec méditation: ❲Ne méditent-ils donc pas le Coran ?❳   *(Coran 4:82)*

7- Une aumône en toute discrétion: «De façon que sa gauche ne sache pas ce qu'a donné sa droite».

8- Le jeûne d'une journée torride: «Il abandonne son manger, sa boisson et son plaisir pour Moi».

9- Soulager un musulman d'une affliction: «Celui qui soulage un musulman d'une affliction dans ce bas monde, Allah le soulagera d'une affliction du Jour de la Résurrection».

10- Un ascétisme envers la vie périssable: ❪Et l'Au-delà est meilleur et plus durable❫. *(Coran 87:17)*

Voici donc toutes les dix.

Le malheur du fils du prophète Nouh est ce qu'il a dit: ❪Je vais me réfugier sur une montagne qui me protègera de l'eau❫ *(Coran 11:43)*. S'il s'était réfugié chez le Seigneur de la terre et du ciel, cela aurait été plus glorieux, plus sublime et plus secourant.

Le malheur de Nimroud est ce qu'il a dit: je ressuscite les morts ! Il a mis un habit ne lui appartenant pas, a extorqué une attribution qui ne lui est pas permise: il fut alors stupéfié, rebuté et a échoué.

❪Allah le frappa alors d'un châtiment dans l'Au-delà et dans ce monde❫. *(Coran 79:25)*

La clef du bonheur est une parole, l'héritage de la nation une expression et l'étendard du succès une phrase. La parole, l'expression et la phrase sont: il n'y a de divinité qu'Allah, Mohammed est le Messager d'Allah (ﷺ).

Le bonheur de celui qui la prononcera sur terre est ce qu'on lui dit du ciel: tu as raison — ❪Et celui qui a apporté avec lui la Vérité et y a cru❫. *(Coran 39:33)*

Le bonheur de celui qui œuvrera pour: il sera sauvé de l'anéantissement, de l'infamie, du déshonneur et du feu — ❪Et Allah sauve ceux qui ont été pieux par ce qu'ils ont gagné❫. *(Coran 39:61)*

Le bonheur de celui qui y a invité: il sera aidé, aura le succès et sera remercié — ❪Et ce sont nos armées qui domineront❫. *(Coran 37:173)*

Et le bonheur de celui qui l'a aimée: il sera élevé, honoré et affectionné, ❪Et c'est à Allah que revient la gloire ainsi qu'à Son Prophète et aux croyants❫. *(Coran 63:8)*

Bilal l'esclave l'a acclamée, il devint libre: ❪Il les sort des ténèbres à la lumière❫. *(Coran 2:257)*

Abou Lahab, le Hachémite a bégayé dans sa prononciation, il est mort humilié, avili — ❨Et celui qu'Allah avilit, qui l'honorera?❩

(Coran 22:18)

C'est un élixir qui transforme les tas humains périssables en sommités de foi divine pure: ❨Mais Nous en avons fait une lumière avec laquelle Nous guidons qui Nous voulons de Nos serviteurs❩.

(Coran 42:52)

Ne te réjouis pas de la vie de ce monde si tu as tourné le dos à l'Au-delà, car le supplice épuisant est sur ton chemin, la rancune et la punition t'attendent: ❨A quoi m'ont servi mes biens?❩, ❨Mon autorité s'est évanouie loin de moi❩ *(Coran 69:28-29)*, ❨Oui, ton Seigneur est aux aguets❩.

(Coran 89:14)

Ne te réjouis pas de ton enfant si tu as tourné le dos au Seul, l'Unique, l'Eternel, parce que c'est tout l'abandon, la grande perte et l'humiliation extrême: ❨Ils furent frappés d'humiliation et d'opprobre❩.

(Coran 2:61)

Et ne te réjouis pas de tes biens si tes œuvres sont mauvaises, car c'est un anéantissement du résultat, une perte dans le sort et une damnation dans l'Au-delà:

❨Et le supplice de l'Au-delà est plus avilissant❩ *(Coran 41:16)*, ❨Ni vos biens, ni vos enfants ne sont à même de vous rapprocher de Nous d'un pas, sauf celui qui a cru et accompli des bienfaits❩.

(Coran 34:37)

Une pause

«Ô Vivant, ô Pourvoyeur, de Ta miséricorde, je demande le secours»: dans cette invocation, il y a une commodité merveilleuse, la qualification de «Vivant» comprend toute la perfection et celle de «Pourvoyeur» comprend toutes les sortes d'action, et c'est pour cela, d'ailleurs, que le nom suprême d'Allah, par lequel s'Il est invoqué, répond et, s'Il est demandé, donne, est: le Vivant, le Pourvoyeur.

La vie parfaite s'oppose à toutes les maladies et toutes les douleurs. En effet, ceux qu héritent du Paradis ne sont atteints ni de soucis, ni de chagrins, ni de peines ni d'un autre fléau.

L'imploration, par le biais de la vie et de l'éternité, a une influence directe sur l'élimination de ce qui s'oppose à la vie et de ce qui détériore les actions accomplies.

Un poète a dit:

Le mal ne vient pas de ce que tu crains et
Dont tu te méfies, ni le bien de ce que tu as convoité
La gros de la peur des gens n'est qu'illusion
Pourquoi alors se soucier des inutilités.

Ne sois pas triste et agis avec réalisme

Si tu n'accordes pas trop d'importance à une chose chère, elle devient insignifiante, et si tu en désespères, elle part de ton esprit: ❨Allah nous donnera de Sa générosité, ainsi que Son Prophète, c'est à Allah que va notre désir❩.

(Coran 9:59)

J'ai lu qu'un homme a sauté d'une fenêtre, il avait au doigt de sa main gauche un anneau qui s'est accroché à un clou, ce qui a eu pour conséquence, l'extirpation de son doigt: ainsi il ne lui en resta plus que quatre. Il a dit, en commentant cet incident:

Je ne me rappelle presque pas que j'ai uniquement quatre doigts, ou que j'en ai perdu un, sauf lorsque j'évoque cet incident. Cependant, j'accomplis mon travail comme il se doit et je suis satisfait de ce qui m'est arrivé: *«Allah a estimé et a fait ce qu'Il voulait»*.

Ne dis pas «ah!» au feu car si tu le dis
Le malfaiteur se réjouira et les larmes couleront.

Je connais quelqu'un dont le bras gauche a été coupé, suite à une maladie qui l'a atteint. Il a vécu longtemps, s'est marié et a eu des enfants. Il conduit sa voiture avec aisance, accomplit son travail le plus naturellement possible, comme si Allah ne lui a créé qu'une seule main:«*Contente-toi de ce qu'Allah t'a donné, tu seras le plus riche des gens*».

Divertis-toi, tu seras joyeux tel que tu es,
Les larmes, pourront-elles te rendre le cher absent?

Quelle rapidité dans notre adaptation à la réalité! Et qu'il est étonnant, notre acclimatation à notre situation et à notre existence! Il y a cinquante ans, le parterre de nos maisons était couvert d'un tapis tissé de feuilles de palmier, nous ne disposions que d'une outre d'eau, des ustensiles en terre cuite, une jatte, une écuelle, une cruche, et cela nous suffisait pour notre vie quotidienne parce que nous nous sommes contentés de ce qu nous possédions, que nous y étions résignés et que nous nous étions rendus à l'évidence.

L'âme est désireuse quand tu exauces ses vœux,
Mais lorsque tu l'obliges au peu, elle s'en contente.

Un grave malentendu s'est produit dans la grande mosquée de Koufa, entre deux tribus, si bien qu'ils ont dégainé leur épées et leurs javelots: le champ s'excita et les crânes ont failli se séparer des corps, quelques-uns se sont alors faufilés entre les gens et sont partis à la recherche du grand conciliateur Al Ahnef Ibn Qays. Ils l'ont trouvé chez lui en train de traire ses moutons. Il portait un habit qui ne valait pas dix dinars, le corps chétif, la corpulence mince et les pieds bots. Ils lui racontèrent la nouvelle, pas un seul poil de son corps n'a bougé, aucune perturbation ne l'a secoué, puisqu'il était habitué aux catastrophes et qu'il avait vécu des accidents. Il leur a dit: ce n'est que du bien inchaa Allah, puis on lui apporta son déjeuner comme si de rien n'était. Que peut bien être ce fameux déjeuner? Un morceau de pain dur, de l'huile, du sel et un verre d'eau! Il a prononcé le Nom d'Allah et a commencé à manger. Quand il a fini, il a loué Allah puis a dit: du blé d'Irak, de l'huile de Syrie avec de l'eau du Tigre et du sel de Marwou, ce sont des grâces sublimes. Il s'est habillé, a pris son bâton et s'est dirigé nonchalamment en direction du rassemblement. Lorsqu'il fut près d'eux, leurs cous se tendirent vers lui, leurs yeux le fixèrent, écoutant avec attention ce qu'il disait. Il improvisa un discours de réconciliation puis leur demanda de se disperser, ce qu'ils firent sans difficulté: l'agitation se calma et la polémique s'éteignit.

L'honneur peut atteindre le jeune homme
Aux habits usés et dont la poche du chemisier est trouée.

Dans cette histoire, il y a des leçons à tirer:

La grandeur ne s'obtient pas par la beauté et l'allure, la précarité dans les choses n'implique pas automatiquement la souffrance, tout comme le bonheur ne se fait pas par la quantité et le luxe: ❰Quant à l'être humain, lorsque son Seigneur l'éprouve en le comblant d'honneurs et de biens, il dit: mon Seigneur m'a honoré❱, ❰Et quand Il l'éprouve en lui donnant ses biens avec parcimonie, il dit: mon Seigneur m'a humilié❱.   *(Coran 89:15-16)*

Les dons et les qualités éminentes déterminent la valeur de la personne, et non ses habits, ses chaussures, son château ou sa maison. Tout comme son poids se fait par son travail, sa générosité, son indulgence et sa raison: ❰Les plus nobles d'entre vous pour Allah sont les plus pieux❱ *(Coran 49:13)*. La relation existante dans notre sujet, est que le bonheur ne se fait pas par la richesse indécente, ni par un château immense, ni par l'or et l'argent, mais par la foi dans le cœur, par sa satisfaction, par son intimité et par son illumination: ❰Ne sois pas émerveillé par leurs richesses et leurs enfants❱ *(Coran 9:55)*, ❰Dis: par la générosité d'Allah et Sa miséricorde, voilà de quoi ils devraient se réjouir, c'est mieux que ce qu'ils accumulent❱.

(Coran 10:58)

Habitue-toi à te soumettre au Destin et la Fatalité. D'ailleurs, que pourrais-tu faire? Prendrais-tu un tunnel sous terre ou une échelle dans le ciel? Cela ne te servira à rien, tout comme cela ne les empêchera pas de s'accomplir. Où est la solution alors?

La solution: nous sommes satisfaits et nous nous résignons: ❰Où que vous soyez, la mort vous atteindra, même si vous étiez dans des forteresses imprenables❱.

(Coran 4:78)

Les plus violentes journées de ma vie et les instants les plus horribles de mon existence furent bien l'heure où le médecin spécialiste m'a informé que le bras de mon frère Mohammed, que la miséricorde d'Allah soit sur lui, devrait être coupé à partir de l'épaule. La nouvelle est tombée sur moi comme un obus, je me suis maîtrisé et mon âme s'est raffermie par la Parole du Seigneur: « Une calamité n'arrive que par la permission d'Allah, et celui qui croit en Allah, Il lui guide son cœur » *(Coran 64:11)*, et son autre Parole: « Et annonce la bonne nouvelle aux gens patients », « Ceux qui, lorsqu'une calamité les touche, disent: «Nous sommes à Allah et c'est à Lui que nous retournerons.» »   *(Coran 2:155-156)*

Ces versets furent du frais, de la paix, du repos et une odeur exquise.

Allah ne t'a pas fait aimer une vie dont la fin
N'est qu'une séparation et une fosse étroite comme abri
Il t'a offert la bonne récompense que tu demandais
Et cela t'est arrivé alors que tu étais tout petit.

Et nous ne possédons aucune astuce qui puisse nous servir: la seule ruse qui nous reste est dans notre foi et dans notre soumission: « Ou bien ont-ils combiné une action ? Nous faisons de même » *(Coran 43:79)*, « Allah a pleine maîtrise de Son affaire » *(Coran 12:21)*, « dès qu'Il décrète une chose, Il n'a qu'à lui dire: «Sois», et elle est ».   *(Coran 2:117)*

Al Khansa a été informée en un seul instant et d'un seul coup de la mort de ses quatre fils dans le Chemin d'Allah à Al Qadicia: tout ce qu'elle a dit c'est qu'elle a fait la louange de son Seigneur et a remercier son Maître pour ce bel événement, pour ce choix clément et pour l'accomplissement de la sentence, parce qu'il y avait là une particularité dans la foi et un soutien continu par la conviction. Ce genre de femmes est à gratifier, à récompenser et il sera heureux dans cette vie et dans l'Au-delà.

Si elle ne s'était pas conduite de la sorte, qu'aurait-elle fait alors ? Le mécontentement, la protestation, le refus, puis la perte de ce monde et de l'Au-delà !

«Celui qui est satisfait aura la satisfaction, et celui qui est mécontent aura le mécontentement».

Le baume des calamités et le traitement des crises est que nous disons: nous sommes à Allah et nous retournerons à Lui.

Sa signification: nous sommes tous à Allah, nous sommes Ses créatures, dans Son royaume et nous retournerons à Lui, le commencement est de Lui, le retour est à Lui, toutes les choses sont entre Ses Mains et nous ne possédons rien.

Mon âme qui possède les choses partira
Comment pleurer une chose lorsqu'elle s'en va ?

❨Toute chose périra sauf Son visage ❩ *(Coran 28:88)*, ❨Tout ce qui est sur terre disparaîtra ❩? *(Coran 55:26)* ❨Tu mourras et ils mourront ❩. *(Coran 39:30)*

Si tu es surpris par une mauvaise nouvelle telle que l'incendie de ta maison, la mort de ton fils ou la perte de tes biens: que ferais-tu ? Dès maintenant, prépare-toi à cela, car essayer de s'enfuir ne sert absolument à rien. On ne peut s'échapper au Destin et la Fatalité. Il faut se rendre à l'évidence, se résigner, reconnaître la réalité et œuvrer pour obtenir le salaire parce qu'en fin de compte, il n'y a pas d'autre issue. Il y a un autre choix, j'en conviens, mais je t'avertis: il est mauvais. En effet, tu peux exprimer ton mécontentement de ce qui est arrivé, ton irritation de ce qui s'est produit, ton énervement, ton courroux, ton excitation mais après, qu'obtiendrais-tu de tout cela ? Sache que tu n'obtiendras que la colère du Seigneur, l'aversion des gens, la perte du salaire, un lourd fardeau sur le dos et ce que tu auras perdu ne te reviendra jamais, ta calamité persistera, puis le destin obligatoire ne risque pas de te rater: ❨Qu'il accroche donc une corde bien haut et qu'il se pende avec et qu'il voie si son stratagème dissipe l'objet de sa rancœur ❩. *(Coran 22:15)*

Ne sois pas triste, car l'objet de ton chagrin a une fin

La mort atteindra tout le monde, le puissant et le faible, le riche et le pauvre, le tyran et l'opprimé, ce n'est pas une nouveauté que tu meurs, avant toi, des nations entières sont mortes et après toi aussi, il y aura d'autres qui mourront.

Ibn Batouta a révélé qu'à l'Ouest, il y a un cimetière où sont enterrés mille rois, et que, sur la pancarte, on pouvait lire:

Et la boue a coulé sur leurs rois
Et les grandes têtes ne sont plus que des os.

Ce qui est déroutant dans tout cela: L'insouciance de l'être humain de cette évanescence qui l'assaillit matin et soir, en croyant qu'il est éternel dans ses agréments, en ne faisant pas attention à son sort inévitable et en étant négligeant sur la fin réelle de tout vivant:

❨Ô humains ! Craignez votre Seigneur ! La secousse de l'Heure est une chose bien grande❩ *(Coran 22:1)*, ❨L'heure de la reddition approche des humains, et ils se détournent, insouciants❩.

(Coran 21:1)

Quand Allah a anéanti les nations, exterminé les peuples et détruit les cités injustes et leurs habitants, il a dit: ❨Perçois-tu quiconque d'entre eux, ou leur entends-tu le moindre chuchotement?❩ *(Coran 19:98)*. Rien n'en est resté, hormis les nouvelles et les récits.

Avez-vous des nouvelles des habitants d'Andalousie
Des gens racontent que des cavaliers sont passés.

Une pause

La supplication contre l'affliction: elle contient l'Unicité de la Divinité et de la Seigneurie, la qualification du Seigneur par la grandeur et la clémence. Ce qui montre la perfection de la puissance et de la miséricorde, la bienfaisance et l'indulgence, ainsi que Sa parfaite seigneurie du monde supérieur et inférieur, du trône qui est le toit de toutes les créatures par rapport auxquelles Il est le plus grand et le plus merveilleux. Et cela nécessite reconnaissance de Son Unicité et que la soumission, la dévotion, la vénération, l'amour, la peur, la crainte, l'espoir, l'éminence, l'obéissance ne doivent être qu'à Lui, et Sa grandeur infinie nécessite qu'on Lui affirme toute la perfection et qu'on éloigne de Lui toute idée de défaut d'imperfection de Lui. Tout comme Sa clémence nécessite Ses parfaites miséricorde et indulgence envers Ses créatures.

Lorsque le cœur connaît cela, il est amené à L'aimer, à Le glorifier et à avoir foi en Lui comme étant le Seul, l'Unique et par conséquent, il sera plein de bonheur, d'allégresse et de plaisir. Cela dissipera aussi ses soucis, ses chagrins et ses inquiétudes. En effet, le malade, quand quelque chose le réjouit, le ravit et renforce son âme, tu vois de manière presque immédiate l'effet que la nature aura sur le refoulement de la maladie: l'obtention de cette guérison du cœur est plus logique et plus convenable.

Ne sois pas déprimé: c'est un chemin qui mène à la détresse

Le journal *Al Mouslimoun* dans son numéro 240 du mois de *Safar* 1410 H. a rapporté qu'il y a deux cents millions de déprimés sur terre!

La déprime envahit le monde!

Elle ne fait pas de distinction entre un pays de l'Est et un autre de l'Ouest, entre riches et pauvres! C'est une maladie qui atteint tous. Et sa fin, dans la plupart des cas, c'est... le suicide!

Le suicide ne respecte ni les noms, ni les postes ni les pays. Mais il a peur des croyants. Quelques recensements affirment que le nombre de ses victimes arrive à deux cents millions dans tous les coins du monde. Seulement, les dernières informations assurent que sur dix personnes, il y en a au moins une qui est atteinte de cette maladie dangereuse.

Et le danger de ce fléau est tel qu'il n'atteint pas seulement les personnes âgées, mais aussi, pourrait-on dire, les bébés dans les ventres de leurs mères !

La dépression mène au suicide

« Et ne vous entretuez pas » *(Coran 4:29)*, « Et ne vous jetez pas dans la ruine ».
(Coran 2:195)

Dans les informations rapportées par les agences de presse, il est dit que l'ancien président des Etats-unis d'Amérique, Ronald Reagan, a été atteint de ce mal alors qu'il a dépassé les soixante-dix ans et qu'à l'heure présente, il fait l'objet d'une grande dépression nerveuse en plus des interventions chirurgicales successives qu'il a subies — « Même si vous étiez dans des forteresses imprenables ».
(Coran 4:78)

D'ailleurs, beaucoup de célébrités, et plus spécialement les artistes, sont envahis par ce mal. Et ce fut la raison essentielle, si ce n'est pas la seule, de la mort du poète Salah Djahine. On dit aussi que Napoléon Bonaparte est mort, dans son exil, de ce mal.

« Et faire mourir leurs âmes alors qu'ils sont incroyants ».
(Coran 9:55)

Nous nous souvenons encore de la nouvelle que les agences de presse internationales ont rapportée et qui occupa la «Une» de presque tous les journaux un peu partout dans le monde, au sujet du crime atroce qu'a commis une mère allemande en tuant trois de ses enfants. Il s'est avéré après que la raison de cette épouvante était la déprime qui la hantait. Elle les aimait pourtant énormément et, de peur qu'elle ne leur fasse hériter du supplice et de l'inquiétude qu'elle ressentait, elle a décidé de les en «reposer» en les supprimant, avant de se donner la mort !

Les chiffres de l'Organisation Mondiale de la Santé signalent la gravité de l'affaire. En 1973, 3% de la population mondiale en étaient touchés. Ce pourcentage s'est élevé pour atteindre 5% en 1978. D'autre part, quelques études ont affirmé qu'un Américain sur quatre en était atteint ! Le président du congrès des troubles psychologiques qui s'est tenu à Chicago en 1981, a déclaré que cent millions de personnes dans le monde souffraient de ce mal et que la majorité parmi eux étaient originaires de pays développés. D'autres sources d'informations ont affirmé qu'ils étaient deux cents millions ! ❨Ne voient-ils donc pas qu'ils sont soumis à la tentation chaque année une fois ou deux ?❩ *(Coran 9:126)*

Un sage a dit: prépare avec du citron, une boisson sucrée. Un autre a dit: l'intelligent doué n'est pas celui qui fait augmenter ses bénéfices, mais c'est celui qui transforme les déficits en gains. Et un dicton dit: ne te hasarde pas à te cogner contre le mur !

Et le sens en est: ne t'entête pas à t'opposer à celui qui n'est pas source d'avantage pour toi.

Lorsque tu ne peux pas faire une chose, abandonne-la
Et passe à une autre dont tu es capable.

On a dit aussi : Ne mouds pas la farine, ❨Allah vous dispensa chagrin sur chagrin, afin que vous ne vous attristiez pas pour ce qui vous a manqué❩. *(Coran 3:153)*

Ce qui veut dure: il est inutile de refaire et de répéter les choses passées et terminées, car cela provoque l'inquiétude, le trouble et que ce ne sera qu'une perte de temps.

Ne répète pas trop l'histoire de la séparation,
Divertis-toi d'elle, cela réjouira ton cœur.

Il y a différents domaines qui pourraient combler le vide des oisifs, tels que les bonnes œuvres, être utile aux gens, les visites des malades et des cimetières, l'entretien des mosquées, prendre part aux associations bienfaisantes, la compagnies des amis, mettre de l'ordre dans les maisons et les bibliothèques, le sport profitable, aider les pauvres, les orphelins et les veuves, ❨Ô être humain ! Tes efforts te conduiront vers ton Seigneur et tu Le rencontreras❩. *(Coran 84:6)*

Je n'ai rien vu de semblable à la bienfaisance, quant à son
*   goût,*
Il est sucré, pour ce qui est de son visage, il est beau.

Lis l'histoire et tu trouveras les sinistrés, les opprimés et les gens calamiteux.

Après des chapitres de cette étude, je te montrerai un tableau du chagrin des sinistrés qui a pour titre: *console-toi par les sinistrés.*

Etudie l'histoire car elle contient des leçons,

Des peuples ne connaissant pas la nouvelle, se sont égarés.

◉Tout ce que Nous te narrons sur les nouvelles des Messagers contient de quoi affermir ton cœur◉ *(Coran 11:120)*, ◉Ce fut effectivement dans leur histoire une leçon◉ *(Coran 12:111)*, ◉Raconte-leur les récits, peut-être méditeront-ils◉.

(Coran 7:176)

Omar a dit: j'en suis arrivé à ne vouloir que la réjouissance des Décisions contenues dans la Fatalité.

Que la mort me jette où elle veut

C'est dans le courage que j'ai été élevé.

Et ceci veut dire: qu'il est satisfait du jugement d'Allah et de Son destin — furent-ils doux ou amers.

Quelqu'un a dit: je ne tiens pas compte de la monture que je monte: si c'est la pauvreté, je patiente et si c'est la richesse, je remercie.

Huit des fils d'Abi Dhouaïb Al Hudheili sont mort de la peste, en une seule année: que pourrait-il dire ? Il a cru, s'est soumis et s'est résigné à la Sentence de son Seigneur, avant de dire:

Je montrerai à ceux qui se réjouissent de ma peine, mon

endurance

Et que face à l'incrédulité du temps, je ne faiblirai pas

Et si la mort a inséré ses ongles

Tu constateras que toute amulette ne te servira pas.

◉Une calamité ne frappe qu'avec la permission d'Allah◉.

(Coran 64:11)

Ibn Abbas a perdu la vue, et pour se consoler, il a dit:

Si Allah a pris la lumière de mes yeux,

Mon cœur et mon âme sont là pour m'illuminer,

Mon cœur est sensé, mon esprit n'est pas tordu et dans ma
   bouche,
Une langue éminente, tranchante telle une épée.

C'est sa distraction donc par les nombreuses grâces dont il jouit quand il en a perdu une infime partie.

La jambe d'Aroua Ibn Zoubir fut coupée et son fils mourut le même jour, il a alors dit: louange à Toi, ô Allah ! Si Tu as pris, Tu as donné et si Tu as éprouvé, Tu as protégé, Tu m'as offert quatre membres et Tu n'en as pris qu'un seul, comme Tu m'as donné quatre fils et Tu n'en as pris qu'un seul. ❨En récompense de ce qu'ils ont patienté, Il leur donna le Paradis et la soie❩ *(Coran 76:12),* ❨Paix sur vous pour ce que vous aviez patienté❩. *(Coran 13:24)*

Abdallah Ibn Al Samma, le frère de Douraïd, fut tué, ce dernier s'en consola après avoir rappelé qu'il a défendu son frère tant qu'il a pu, mais qu'avec Fatalité, il n'y avait pas de ruse. Il a dit pour la circonstance:

J'ai combattu pour lui jusqu'à ce que les cavaliers se
   dispersent
Et que leurs ombres noires se soient éloignées
Le combat d'un homme qui se sacrifie pour son frère
Et qui sait que l'être ne peut s'éterniser
Mon chagrin a diminué car je ne lui ai pas dit: tu as menti
Et que j'ai fait tout ce que je pouvais.

Al Chafi'e a dit, consolant et prêchant les gens affligés:
Laisse les jours suivre leur cours et,
Sois satisfait de ce qui a été destiné,
Si la Fatalité a été décidée pour une nation,
Ni la terre ni le ciel ne peuvent l'arrêter.

Et Abou Al Atahiya a dit:
Combien de fois les malheurs t'ont-ils entouré ?
Allah a choisi pour toi sans que tu le veuilles.

Combien de fois avons-nous eu peur de la mort et qu'elle n'est pas venue ?

Combien de fois avons-nous pensé que c'était la fin et qu'au contraire, ce fut un nouveau retour et la continuité avec plus de force ?

Combien de fois les chemins se sont-ils fermés à nous ? Que les cordes se sont brisées à nos dépens ? Que les horizons se sont assombris à notre égard ? Et qu'après, ce fut le soulagement, le succès, le bien et la réjouissance ? ❨ Dis: Allah vous en sauve ainsi que de toute affliction ❩.   *(Coran 6:64)*

Combien de fois nos vies se sont-elles assombries devant nous, que nos âmes devinrent étroites pour nous à l'instar de la terre, malgré toute son immensité et voilà que le bonheur total arriva avec le soutien ? ❨ Si Allah te touche d'un mal, nul ne peut le dissiper à part Lui ❩.   *(Coran 6:17)*

Celui qui a su qu'Allah domine toute chose, comment peut-il craindre les autres ? Si tu as su que toute chose est au-dessous d'Allah, comment te feraient-ils peur ceux qui Lui sont inférieurs ? Celui qui craint Allah, ne peut craindre autre chose, d'autant plus qu'Il le dit: ❨ Ne les craignez pas et craignez-Moi ❩.

(Coran 3:175)

Chez Lui, le Très-Haut, il y a la puissance ; la puissance est à Allah, ainsi qu'à Son Prophète et aux musulmans.

❨ Et ce sont certainement, nos armées qui vaincront ❩ *(Coran 37:173)*, ❨ Assurément, nous secourons Nos Messagers et ceux qui ont cru dans ce monde et le Jour où se dresseront les témoins ❩.

(Coran 40:51)

Ibn Kathir, dans son exégèse du Coran, a rapporté un Hadith *Qodoussi [Parole divine hors Coran]*:

«Par Ma Puissance et Ma Majesté, si un serviteur cherche protection auprès de Moi, même si les cieux et la terre conspiraient contre lui, Je le pourvoirai d'un soulagement et d'une issue. Par Ma Puissance et Ma Majesté, si Mon serviteur cherche protection auprès d'autre que Moi, Je ferai entrouvrir la terre sous ses pieds».

L'imam Ibn Taymiya a dit: avec «*Il n'y a d'issue ni de force que d'Allah*», les fardeaux se soulèvent, les frayeurs se supportent et les honneurs des situations s'obtiennent.

Ne t'en sépare pas, ô serviteur! C'est un des trésors du Paradis, une des clauses du bonheur, une des trajectoires du repos et une réjouissance de la poitrine.

L'imploration du pardon ouvre les serrures

Ibn Taymiya dit: quand un problème me devient insoluble, j'implore le pardon d'Allah mille fois, et plus ou moins, Allah m'en donne la solution — ❨J'ai dit: implorez le pardon de votre Seigneur, Il aime bien pardonner❩, ❨Il dépêchera le ciel sur vous en abondance❩ *(Coran 71:10-11)*. La sérénité de l'esprit s'obtient par l'imploration du pardon du Seigneur Majestueux. Un mal peut être bénéfique et tout Destin est une bienfaisance, même le péché sous condition.

Il a été rapporté que: «Toute décision qu'Allah décide à l'égard de Son serviteur est dans son bien». On a dit alors à Ibn Taymiya: même le péché? Il a répondu: oui, s'il est accompagné de repentir, de regret, d'imploration du pardon et de servilité. ❨Et si, lorsqu'ils ont été injustes envers eux-mêmes, ils étaient venus vers toi, avaient imploré le pardon d'Allah et que le Messager l'eût imploré pour eux, ils auraient trouvé l'absolution et la miséricorde d'Allah❩.

(Coran 4:64)

Abou Tammam a dit au sujet des jours de bien-être et ceux de malheur:

Des années de bien-être et de béatitude passèrent,
Comme si c'était de très courtes journées,
Puis des jours d'abandon les suivirent,
Qui paraissaient être de très longues années,
Puis ces ans et tous ce qui y vivaient,
Tels des rêves, se sont volatilisés.

❰Et ces jours que Nous faisons alterner entre les gens❱ *(Coran 3:140)*, ❰Ce sera, le Jour où ils la verront, comme s'ils avaient séjourné une après-midi ou sa matinée❱.   *(Coran 79:46)*

Je suis pris d'admiration pour de grands personnages historiques qui accueillaient les calamités comme si c'était des pluies bienfaisantes ou une brise agréable et, par-dessus tout le monde, le maître des créatures, Mohammed (ﷺ) qui, lorsqu'il était dans la grotte, disait à son compagnon: ❰Ne te chagrine pas, Allah est avec nous❱ *(Coran 9:40)*. Et pendant son émigration, alors qu'il était traqué, expulsé, il annonçait à Souraqa que les bracelets de Chosroês seraient à lui !

Une annonce de l'Inconnu dans la grotte,
Lança une révélation et a dévoilé à la vie, des secrets.

Et à Badr, cuirassé pour le combat, il fait un bond en avant et dit (ﷺ): ❰Leur coalition sera vaincue et ils battront en retraite❱.

(Coran 54:45)

Tu es le courageux, si tu rencontre un bataillon,
Tu en châtiera, dans la frayeur du trépas, ses héros.

Et à Ouhoud, après la tuerie et les blessures, il (ﷺ) dit à ses compagnons: «Mettez-vous en rang, derrière moi, afin que je loue mon Seigneur». Ce sont des ardeurs prophétiques illuminées et une détermination qui ébranle les montagnes. Qaïs Ibn Assim Al Mounqari, un sage arabe, emmitouflé jusque la tête, racontait à sa tribu une histoire selon laquelle un homme est venu et lui a dit: ton fils a été tué maintenant, par le fils d'unetelle. Il ne s'est pas découvert le visage et n'a pas cessé de parler jusqu'à ce qu'il termine son récit, puis il a dit: faites les ablutions mortuaires de mon fils, enveloppez-le dans un linceul, puis annoncez-moi la prière sur sa dépouille ! ❰Et ceux qui patientent dans la souffrance, dans la détresse et au moment de la douleur atroce❱.   *(Coran 2:177)*

Et Ikrima, fils d'Abou Djahl, alors qu'on lui donna de l'eau pendant qu'il agonisait, dit: donnez-en à untel, à Hareth Ibn Hichem.

Elle passe dans les mains de tous sans qu'aucun d'entre eux en boive jusqu'à ce qu'ils meurent tous.

Quand ils furent tués, leur sang cria à la gloire,
Et cette mort leur était, depuis longtemps, leurs souhaits.

Le poète a dit :
Le véritable homme et, le seul dans la vie,
Est celui qui ne s'en remet ici-bas, à aucun d'autre.

Les gens sont contre toi, non avec toi

Le sage judicieux considère que les gens sont contre lui, et non avec lui. Il ne doit donc pas bâtir d'opinion ou prendre de décision en comptant sur les autres. Parce que ces derniers ont des limites dans la solidarité avec autrui, comme leurs efforts de sacrifice ne peuvent pas dépasser un certain champ.

Regarde Al Hossein Ibn Ali, que la satisfaction d'Allah soit sur lui: pourtant fils de la fille du Messager d'Allah (ﷺ), la nation ne prononça pas un seul mot lorsqu'il fut tué. Qui plus est, ceux qui l'ont tué répétaient tout haut les «*Allah Akbar*» et les «*Lâ Ilaha Illa Allah*» (Il n'y a de divinité qu'Allah) pour cette énorme «victoire»: son égorgement — qu'Allah soit satisfait de lui ! Le poète dit:

Ils ont pris ta tête, ô fils de la fille de Mohammed,
Complètement couverte de son sang
Ils disaient: Allah est le plus grand mais par toi,
Ils ont tué «Allah est unique, Allah est le plus grand».

Ahmed Ibn Hanbel fut conduit à la prison, fouetté atrocement et a frôlé la mort sans que personne souffle mot et qu'aucun bouge: ❨N'invoque avec Allah aucune autre divinité❩. *(Coran 26:213)*

Ibn Taymiya est capturé, monté sur une mule et conduit en Egypte: pourtant les vagues humaines qui ont, par la suite, assisté à ses funérailles, n'avaient pas bronché. Tout simplement, ils ne pouvaient pas dépasser une certaine limite, ❨Et n'ont pas le pouvoir de se faire du bien, ni du mal, et n'ont pas le pouvoir de mort, ni de vie ni de résurrection 》 *(Coran 25:3)*, 《Ô Prophète ! Remets-toi en à Allah, ainsi que ceux des croyants qui t'ont suivi 》 *(Coran 8:64)*, 《Remets-toi en au Vivant qui ne meurt jamais 》 *(Coran 25:58)*, 《Ils ne pourront te préserver d'aucune chose d'Allah 》.   *(Coran 45:19)*

> *Cramponne-toi de tes mains à la corde d'Allah,*
> *C'est Lui le Soutien, quand les autres te trahissent.*

Prends soin de l'argent

«Ne s'est pas appauvri celui qui économise.»
Quelqu'un a dit:
Rassemble ton argent, la puissance est dans la richesse,
Et passe-toi, si tu veux, de tes oncles, paternel et maternel.

La philosophie qui incite à la prodigalité, au gaspillage et aux dépenses inutiles de l'argent est fausse, mais elle a été rapportée par les adorateurs hindous et des ignorants mystiques. L'Islam appelle à l'acquisition vertueuse, au ramassage honnête de l'argent et la dépense convenable pour que le serviteur soit digne par ses biens. Le Prophète (ﷺ) a dit: «C'est merveilleux, l'argent honnête dans la main d'un homme dévoué». C'est un Hadith *apprécié.*

Et parmi ce qui attire les soucis et les chagrins, il faudra citer le surendettement ou la pauvreté pénible et destructrice: «N'attendez-vous donc qu'une richesse qui tyrannise ou une pauvreté qui fait oublier ?»

C'est pour cela que le Prophète (ﷺ) a imploré la protection d'Allah en disant:

«Ô Allah ! J'implore Ta protection contre l'incroyance et la misère.» «La misère a failli être une incroyance.»

Cela n'est pas en contradiction avec le Hadith, rapporté par Ibn Maja, même en contenant un signe de faiblesse dans sa transmission: «Sois ascète vis-à-vis de la vie, Allah t'aimera et renonce à ce que possèdent les gens, ils t'aimeront».

Cependant, la signification en est qu'il est préférable que tu aies ce qui te suffit, ce qui t'évite la mendicité, que tu sois noble et intègre et que tu te passes des gens — «Celui qui se passe des autres, Allah l'enrichit».

Je n'ai allongé ma main qu'à son Créateur,
Et je n'ai jamais demandé à un homme généreux, un dinar.

Dans un Hadith authentique, il y a: «Que l'un de vous laisse sa famille riche est préférable à ce qu'il la laisse pauvre, tendant la main aux gens».

J'en réglerai les droits qu'ont perdus et négligés,
Des gens qui n'ont pas pu s'en acquitter.

Quelqu'un d'autre a dit au sujet de la dignité:
Les meilleures paroles sont lorsque je te dis: prends!
Et les plus mauvaises sont: que non et peut-être!

Et dans l'authentique Hadith, il y a: «La main haute est meilleure que la main basse».

La main haute est celle qui donne et la basse, celle qui prend ou qui mendie, ❨L'ignorant les prend pour des riches à cause de leur dignité❩.   *(Coran 2:273)*

Autrement dit: ne te cajole pas aux serviteurs pour obtenir d'eux la subsistance ou un gain: Allah a assuré la subsistance, l'étendue de la vie et la création, car la dignité de la foi est ferme, les croyants sont nobles, l'honneur leur appartient, leurs têtes sont toujours hautes et leurs nez toujours rehaussés. ❨Est-ce donc chez eux qu'ils pensent trouver puissance et considération, alors que la puissance et la considération appartiennent entièrement à Allah❩.   *(Coran 4:139)*

Ibn Al Ouardi a dit:
Je ne veux pas embrasser une main
Qui mériterait plutôt d'être coupée,
Si elle me récompensait, j'en deviendrais l'esclave
Sinon, il me suffirait d'être embarrassé.

Ne t'attache pas à quelqu'un d'autre qu'Allah

Si celui qui crée, fait mourir, subvient à la subsistance est Allah, pourquoi alors avoir peur des gens et s'inquiéter d'eux ?!

Et j'ai constaté que ce qui attire les soucis et les chagrins est bel et bien l'attachement aux gens, la demande de leur satisfaction, le rapprochement d'eux, l'insistance à louer: et tout cela est une insuffisance dans le monothéisme de la personne.

*Que j'aimerais que tu t'adoucisses alors que la vie est
    amère*
Et que tu sois satisfait même si les créatures sont en colère
Si tu m'accordes Ton amour, tout est insignifiant
Et tout ce qui est sur terre n'est que poussière!

Les causes de la réjouissance de la poitrine

Ibn Al Qayim a cité des moyens de la réjouissance de la poitrine. En voici les principaux:

Le monothéisme: selon sa pureté et sa netteté, il aère la poitrine jusqu'à ce qu'elle devienne plus large que toute la vie et ce qu'elle contient.

Il n'y a pas de vie pour un athée et un idolâtre, Allah dit: ❨Et celui qui aura tourné le dos à Mon Rappel, aura une malvie et Nous l'aveuglerons le Jour de la Résurrection❩.
                                                        (Coran 20:124)

Et Il a dit aussi, Lui le Glorieux: ❨Celui qu'Allah veut guider vers la rectitude; Il ouvre sa poitrine à l'Islam❩ *(Coran 6:125)*, ainsi que ❨Est-ce celui qu'Allah a ouvert son cœur à l'Islam et qui est sur une lumière de son Seigneur❩.
                                                        (Coran 39:22)

Allah a également promis à Ses ennemis l'étroitesse du cœur, la frayeur, la peur, l'inquiétude et la confusion — ❨Nous lancerons dans le cœur de ceux qui ont mécru la terreur du fait qu'ils ont associé à Allah ce en quoi Il n'a descendu aucune preuve probante❩ *(Coran 3:151)*, ❨Malheur à ceux dont les cœurs se durcissent à l'évocation d'Allah❩ *(Coran 39:22)*, ❨Et celui qu'Il veut égarer, Il rend sa poitrine étroite et en détresse comme s'il montait graduellement dans le ciel ⟩.   *(Coran 6:125)*

Le savoir utile: les érudits sont les plus épanouis, les plus heureux, les plus allègres par ce qu'ils ont hérité de Mohammed, le Prophète (ﷺ): ⟨Il t'a appris ce que tu ne connaissais pas⟩ *(Coran 4:113)*, ⟨Sache qu'il n'y a de divinité qu'Allah⟩.
(Coran 47:19)

Les bonnes œuvres: le bienfait est une lumière dans le cœur, une clarté au visage, une ampleur dans la subsistance et une estime des créatures — ⟨Nous les aurions irrigués d'une eau abondante⟩.
(Coran 72:16)

Le courage: le courageux a un cœur large, un dessein ferme, des bases solides, parce qu'il est proche du Miséricordieux.

Les incidents ne l'intéressent pas, la désinformation ne l'ébranle pas, les appréhensions ne l'agitent pas.

Il porta les habits rouges de la mort qui devinrent
En soie verte avant même que la nuit ne soit arrivée
Et il ne mourut que lorsque la lame de son épée s'émoussa
Par les coups, et que sur lui s'abattirent les flèches lancées.

Eviter les péchés: ils constituent de l'impureté dans ce monde, une morosité concrète, une obscurité sombre.

J'ai vu les péchés tuer les cœurs
Et s'en habituer hérite l'humiliation.

Ne pas abuser de ce qui est permis.

A propos par exemple des paroles, de la nourriture, du sommeil: ⟨Ceux qui évitent tout verbiage⟩ *(Coran 23:3)*, ⟨Il ne prononce pas une parole sans qu'il y ait à ses côtés un observateur prédisposé⟩ *(Coran 50:18)*, ⟨Mangez et buvez, mais sans dépasser les limites⟩.
(Coran 7:31)

Ô compagnon du lit, tu as trop dormi
Après la vie, il y aura un long sommeil!

Le Destin est parachevé

Un malade a questionné un psychologue sur l'obsession et le trouble, le médecin musulman a répondu: sache que la création du monde est achevée ainsi que sa gestion. Tout mouvement et tout murmure ne se font que par la permission d'Allah, pourquoi alors les soucis et les chagrins? «Allah a écrit les destinées des créatures cinquante mille années avant la création».

Al Moutanabi a dit à ce propos:
Les petites choses grandissent aux yeux du petit,
Et les grandes sont petites aux yeux du grand.

Le goût délicieux de la liberté

Al Rached dit dans son livre *Al Massar:* celui qui possède trois cent soixante galettes, une jarre d'huile et mille six cents dattes ne sera asservi par aucun être humain.

Un de nos prédécesseurs a dit: celui qui se contente du pain sec et de l'eau, est sauvé de l'esclavage hormis celui vis-à-vis d'Allah le Très-Haut, ❨Et l'un d'eux n'a de faveur qui soit donnée en rétribution sauf la recherche du Visage de son Dieu le Très-Haut❩.

(Coran 92:19)

Quelqu'un a dit:
J'ai obéi à mes cupidités, elles m'ont asservi
Si j'ai dit: 'ça me suffit', j'aurais été libre.

Un autre a dit:
Les plus malheureux ne s'ennuient pas de la vie
Alors qu'ils y sont nus et affamés
Je la vois, même si elle réjouit, qu'elle n'est
Qu'un nuage d'été qui s'est bien vite dissipé.

Ceux qui œuvrent pour le bonheur en assemblant de l'argent, à travers leur poste ou la fonction, sauront qu'ils sont les véritables perdants et qu'ils ne se sont attirés que les soucis et les chagrins,

❨Vous voici venus à Nous un par un tels que Nous vous avons créés la première fois et vous avez laissé ce que Nous vous avons octroyé derrière votre dos ❩ *(Coran 6:94)*, ❨Mais vous préférez ce bas monde ❩, ❨Alors que l'Au-delà est meilleur et durable ❩.   *(Coran 87:16-17)*

La terre fut l'oreiller de Soufiane Al Thaouri

Soufiane Al Thaouri s'est servi d'un tas de terre comme oreiller à Mouzdalifa alors qu'il était pèlerin. Les gens lui ont alors dit: est-ce ici dans cet endroit, que tu utilises ce genre d'oreiller alors que tu es un rapporteur de Hadiths célèbre ? Il a dit: mon oreiller que voici est meilleur que celui d'Abi Djaâfar Al Mansour, le calife.

Que la paume qui t'a été allongée avec indignité
Soit coupée d'une épée avant d'être arrivée !

❨Dis: nous ne serons touchés que par ce qu'Allah nous a destiné ❩.   *(Coran 9:51)*

Ne te préoccupe pas des désinformateurs

Les promesses mensongères et les fausses indications que craint la plupart des gens, ne sont que des illusions, ❨Satan vous promet la pauvreté et vous enjoint la cupidité et Allah vous promet un pardon et une générosité de Sa part, et Allah est Immense, sachant ❩.

(Coran 2:268)

L'inquiétude, l'insomnie et l'ulcère d'estomac sont les fruits de la désespérance, du sentiment de déception et de l'échec.

Ne nous punis pas, nous l'avons déjà été
Par l'inquiétude qui nous a fait veiller une partie de la nuit.

Les insultes ne te feront pas de mal

Le président Américain Abraham Lincoln disait: je ne lisais pas les lettres injurieuses qui m'étaient destinées et je n'en ouvrais d'ailleurs même pas les enveloppes, car si je m'y intéressais, je ne réaliserais rien à mon peuple. ❪Détourne-toi d'eux ❫ *(Coran 4:63)*, ❪Pardonne donc d'un beau pardon ❫ *(Coran 15:85)*, ❪Pardonne-leur et dis: salam ❫.

(Coran 43:89)

Le poète Hassêne a dit:

Je ne me soucie pas qu'un bouc bêle d'une hauteur,
Ou qu'un ignoble m'injurie dans mon dos.

C'est-à-dire que: les dires des gens peu intelligents, serviles, méprisables, injurieux et vaniteux qui blessent la dignité des autres, ne causent aucun préjudice et ne sont d'aucun intérêt. Il n'est donc pas possible que le musulman leur accorde beaucoup d'importance et qu'ils fassent bouger l'homme courageux.

Le commandant de la marine américaine lors de la deuxième guerre mondiale était un homme brillant qui tenait à la célébrité.

Il a su se comporter avec ses subalternes qui l'ont injurié, insulté, humilié jusqu'à ce qu'il dise: aujourd'hui, je suis immunisé contre les critiques, mon corps s'est déformé, mon âge a avancé et j'ai su que les paroles ne détruisent pas une gloire et ne rasent pas un rempart inaccessible.

Et qu'attendent donc de moi les poètes
Alors que j'ai dépassé les bornes de la quarantaine ?

On a rapporté sur le prophète 'Issa (Jésus), que la paix soit sur lui, qu'il a dit: aimez vos ennemis.

La signification en est: accordez à vos ennemis une amnistie totale pour que vous soyez sauvés de la rancune, de la vengeance pendant toute votre vie: ❪Et qui pardonnent aux gens, et Allah aime les bienfaiteurs ❫ *(Coran 3:134)*. «Partez, vous êtes libres». ❪On ne vous fait aucun reproche, aujourd'hui ❫ *(Coran 12:92)*, ❪Allah a pardonné ce qui est passé ❫.

(Coran 5:95)

Lis la beauté dans l'univers

Parmi ce qui fait aussi réjouir la poitrine, on peut citer la lecture de la beauté dans la création d'Allah Qui est ceint de Majestueux et de Grandeur.

La réjouissance vient en regardant l'univers, ce livre ouvert. Allah dit à propos de Sa création: ❨ Avec laquelle Nous fîmes pousser des jardins merveilleux ❩ *(Coran 27:60)*, ❨ Dis: regardez ce qu'il y a dans les cieux et sur terre ❩. *(Coran 10:101)*

Et je te rapporterai, après quelques pages, des nouvelles de l'univers, ce qui te démontrera la sagesse et la grandeur de ❨ Celui qui donna à toute chose sa propre substance, puis Il a guidé à la rectitude ❩. *(Coran 20:50)*

Le poète a dit:
Et dans le livre de l'univers je lis
Des images que je n'ai pas lues dans le mien.

Une lecture du soleil brillant, des étoiles étincelantes, du fleuve, du ruisselet, de la plaine, de l'arbre, du fruit, de la clarté, de l'air, de l'eau... ❨ Béni soit Allah, le Meilleur des créateurs ❩. *(Coran 23:14)*
Et dans chaque chose, Il a un signe
Qui prouve qu'Il est l'Unique.

Ilia Abou Madhi dit:
Ô toi qui te plains sans aucun mal,
Que deviendrais-tu si tu étais malade ?
Tu vois les épines dans les fleurs et tu n'y aperçois pas,
La rosée qui y forme une belle guirlande
Et celui dont l'âme est dépourvue de beauté
Ne discerne dans l'univers aucune chose splendide.

❨ Ne voient-ils donc pas les chameaux comment ils ont été créés? ❩ *(Coran 88:17)*

Einstein dit: «Celui qui regarde l'univers constatera que le Créateur est sage et ne joue pas avec un dé.» ❨Celui qui a créé toute chose à la perfection ❩ *(Coran 32:7)*, ❨Et Nous ne les avons créés qu'en toute vérité ❩ *(Coran 44:39)*, ❨Avez-vous donc pensé que Nous vous avons créés vainement ? ❩
(Coran 23:115)

Et cela veut dire que: toute chose a été créée avec mesure et sagesse, ordre et organisation. Celui qui observe cet univers sait qu'il y a un Dieu capable, puissant qui ne réalise pas les choses au hasard, qu'Il soit glorifié dans Sa Grandeur.

Puis Il dit, le Majestueux: ❨Le soleil et la lune avec un calcul minutieux ❩ *(Coran 55:5)*, ❨Il ne convient pas au soleil de rejoindre la lune, et la nuit ne devance point le jour, et chacun vogue dans une orbite ❩.
(Coran 36:40)

L'insistance n'est pas efficace

Le Messager d'Allah (ﷺ) a dit: «Aucune personne ne mourra avant d'avoir achever sa subsistance et son terme». Pourquoi alors, l'irritabilité ? Et pourquoi la persistance aussi, si on en a fini avec cela ? ❨Et chaque chose chez Lui est par mesure ❩ *(Coran 13:8)*, ❨Et le décret d'Allah était un destin sur mesure ❩.
(Coran 33:38)

Les crises expient pour toi les péchés

On a rapporté sur le poète Ibn Al Mou'taz qu'il a dit: comme elle est accessible, la monture de celui qui s'en remet à Allah et qu'il est rapide, le retour de celui qui a confiance en Lui ! Et il a été authentifié que le Prophète (ﷺ) a dit: «Pour tout ce qui atteint le croyant de souci, de chagrin, d'épuisement, de peine, de maladie, même une épine qui le pique, Allah l'absoudra de ses fautes». Pour bien sûr celui qui a patienté, a espéré avoir l'absolution, s'est repenti et a su qu'il est en relation avec l'Unique, le Pourvoyeur.

Al Moutanabi a dit des vers sages qui susciteront pour l'être humain de la force et du plaisir.

N'accorde aucune attention à ce qui t'arrive
Tant que dans ton corps, ton âme est toujours en vie
Le bonheur qui ne t'a pas atteint est éphémère
Et le chagrin ne te rendra pas celui qui est parti.

❨Afin que vous ne vous affligiez pas pour ce que vous avez manqué et que vous ne vous réjouissiez pas de ce qu'Il vous a donné❩. *(Coran 57:23)*

«Nous avons Allah, et quel bon défenseur».

«Nous avons Allah, et quel bon défenseur»: le prophète Ibrahim l'a prononcée lorsqu'on le jeta au feu et il est devenu pour lui redoux et paix. Mohammed (ﷺ) aussi l'a déclamée à Ouhoud et Allah l'a soutenu.

Quand Ibrahim fut placé dans la catapulte, l'Archange Jibril lui a dit: veux-tu que je fasse quelque chose pour toi? Ibrahim lui a répondu: de toi rien, mais d'Allah, oui! La mer noie et le feu brûle, mais celle-ci s'est asséchée et celui-là s'est éteint pour la simple raison: «Nous avons Allah, et quel bon défenseur».

Le prophète Moussa a vu devant lui la mer et derrière lui l'ennemi. Il a alors dit: ❨Que non, mon Seigneur est avec moi, Il me guidera parfaitement❩ *(Coran 26:62)*. Il a été sauvé par la permission d'Allah.

Il a été dit dans la biographie du Messager (ﷺ) que, lorsqu'il entra dans la grotte, Allah a utilisé pour le protéger, la colombe qui a fait son nid et l'araignée qui a tissé sa toile. Les idolâtres, ayant vu cela, furent persuadés que Mohammed (ﷺ) n'a pu y entrer.

Ils pensèrent que la colombe ne voltigerait pas et que l'araignée
Ne tisserait pas pour protéger le meilleur de toute la création
L'attention divine qui a dispensé d'user
Des boucliers et les plus grandes fortifications.

C'est l'attention divine à laquelle la créature devrait jeter un coup d'œil et voir à travers elle qu'il y a un Dieu Tout-Puissant,

Défenseur, Soutenant et Miséricordieux: à ce moment-là elle croira en Lui.

Chawky dit:

Si l'attention divine t'a remarqué de ses yeux
Dors, tous les incidents ne seront que sécurité.

❨Tu es sous Nos yeux❩ *(Coran 52:48)*, ❨Allah est le meilleur Préservateur et Il est le plus Miséricordieux de tous les miséricordieux❩.   *(Coran 12:64)*

Les composants du bonheur

Chez Al Tirmidhi, le Messager (ﷺ) a dit: «Celui qui s'est endormi en sécurité chez lui, son corps sain, possédant la subsistance de son jour, est comme si toute la vie lui appartenait».

Et la signification de cela c'est: s'il s'est procuré de la nourriture, possède un abri et est en sécurité, il a obtenu un bonheur préférable, une Grâce sublime et les meilleurs biens. Beaucoup de gens sont pourvus de cela, mais ils ne se le rappellent pas, ne le regardent pas et ne s'en rendent pas compte.

Allah dit à Son Messager: ❨Je vous ai achevé Ma grâce❩ *(Coran 5:3)*. Quelle est cette grâce qui s'est achevée pour le Messager (ﷺ)?

Est-ce l'argent? Peut-être, la nourriture? Les châteaux et les vergers, l'or et l'argent? Il ne possédait rien de tout cela!

Ce Messager noble (ﷺ) dormait dans une chambre construite en terre et dont le toit est couvert de pétioles de palmiers, attachait deux pierres sur son ventre, une touffe de feuilles de palmiers lui servait d'oreiller et lui traçait le flanc, a laissé en gage auprès d'un juif son bouclier pour trente pesées d'orge et pendant trois jours, il a cherché des dattes de piètre qualité afin d'assouvir sa faim.

Tu es mort, ton bouclier gagé pour un peu d'orge
Et il l'est resté après que ton terme s'est achevé
Parce qu'en toi, il y a l'incarnation de l'orphelin,
Ô héros, père des orphelins, ainsi on te surnommait.

Et j'ai dit dans un autre poème:
Tu t'es contenté à la place d'un château d'une chambre
En argile ou d'une grotte en région montagneuse
Tu édifies des vertus telles des forteresses imprenables
Et des tentes qui sont des plus merveilleuses.

《Et l'Au-delà te sera meilleur que ce monde》, 《Et ton Seigneur te donnera certainement ce qui te satisfera》 *(Coran 93:4-5)*, 《Nous t'avons donné Al Kaouthar》. *(Coran 108:1)*

La peine du poste de responsabilité

Le poste de responsabilité est un cause des difficultés de la vie. Ibn Al Ouardi a dit:
La peine du poste a affaibli ma force
Et que je suis fatigué des flatteries de l'infâme!

Ce qui veut dire que l'impôt du poste est cher: il ravit l'honnêteté, la santé, le repos et peu nombreux sont ceux qui échappent à ces taxes qu'ils versent quotidiennement au détriment de leur sueur, de leur sang, de leur réputation, de leur repos, de leur dignité, de leur honneur — «Ne demande pas la responsabilité», «Heureuse est celle qui allaite et malheureuse est celle qui sèvre». 《Mon autorité s'est évanouie loin de moi》. *(Coran 69:29)*

Le poète a dit:
Délaisse la vie, elle te viendra spontanément,
N'est-ce pas que tout cela devrait disparaître?

Considère que la vie est pourvue de toute chose, où doit-elle aller en fin de compte? A l'anéantissement! 《Et il restera le Visage de ton Seigneur tout Majesté et Grandeur》. *(Coran 55:27)*

Un vertueux a dit à son fils: ne sois pas, ô mon fils, une tête car elle fait l'objet de beaucoup de douleurs.

Et le sens en est: ne cherche pas à être toujours chef et responsable, car les critiques, les injures, les objections et les frais se dirigent en premier lieu à ceux qui sont en tête.

La moitié des gens sont les ennemis de
Celui qui est au pouvoir et cela, s'il est équitable.

Allons à la prière

❰Ô vous qui avez cru! Aidez-vous de la patience et de la prière❱.

(Coran 2:45)

Le Prophète (ﷺ) recourait toujours à la prière dans les moments difficiles.

Il disait: «Procure-nous du repos par la prière, ô Bilal!».

Et il dit: «La prune de mes yeux est dans la prière»

Si ta poitrine s'est rétrécie, que la difficulté a augmenté, que la fourberie s'est accrue, hâte-toi vers le lieu de prière et prie.

Lorsque les jours se sont assombris pour toi, que les nuits se contrastent et que les amis se sont altérés, aide-toi de la prière.

Le Prophète (ﷺ) détendait sa poitrine par la prière dans les missions importantes telles que les jours de Badr, des Coalisés, etc. On a rapporté qu'Al Hafe Ibn Hadjar, celui qui a écrit *Al Fat'h...*, est allé à la Citadelle, en Egypte. Il fut encerclé par des brigands, il a alors recouru à la prière et Allah l'a sauvé d'eux.

Ibn Assaker et Ibn Al Qayim ont rapporté qu'un homme vertueux a été braqué par un bandit qui a voulu le tuer, sur la route de Syrie. Il lui a demandé de lui accorder le temps de faire une prière, il s'est levé, a entamé sa prière et s'est rappelé la parole d'Allah le Très-Haut: ❰Et qui d'autre répond au désespéré quand il L'invoque?❱ *(Coran 27:62)*. Il l'a répétée trois fois, un Ange armé d'une lance est descendu du ciel et a tué le malfaiteur, puis il a dit: je suis le messager de celui qui répond au désespéré quand il L'invoque. ❰Ordonne aux tiens la prière et sois-en patient❱ *(Coran 20:132)*, ❰Car la prière détourne des actes immoraux et désavouables❱ *(Coran 29:45)*, ❰Car la prière est une obligation minutée pour les croyants❱. *(Coran 4:103)*

La prière sur le Messager (ﷺ) fait aussi dissiper les soucis et les chagrins, ❰Ô vous qui avez cru, priez sur lui et formulez sur lui un salut plénier❱.

(Coran 33:56)

Cela a été authentifié chez Al Tirmidhi: Oubaï Ibn Kaâb a dit au Prophète (ﷺ): ô Messager d'Allah, combien dois-je te consacrer de ma prière ? Il a dit: «Ce que tu veux». Il a dit: le quart ? Il a dit: «Ce que tu veux, et si tu ajoutes, ce sera mieux». Il a dit: les deux tiers ? Il a dit: «Ce que tu veux, et si tu ajoutes, ce sera mieux». Il a dit: te consacrerai-je toute ma prière ? Il a dit: «Alors ton péché sera absous et tu seras épargné du souci».

Et cela est la preuve que le chagrin se dissipe par la prière et le salut sur le maître de toutes les créatures: «Celui qui prie une seule prière sur moi, Allah en priera dix sur lui», «Multipliez la prière sur moi la veille et le jour du vendredi, parce que votre prière me sera exposée». Ils ont dit: comment notre prière te sera-t-elle exposée alors que tu seras anéanti ? Il a dit: «Allah a interdit à la terre de 'phagocyter' les corps des Prophètes». Pour ceux qui l'imitent et qui suivent la Lumière descendue avec lui, il y aura une part de la détente de sa poitrine, de son haut prestige et la sublimité de son évocation.

Ibn Taymiya dit que la prière la plus complète sur le Prophète (ﷺ) est celle d'Ibrahim: ô Allah ! Prie sur Mohammed et sur la famille de Mohammed comme Tu as prié sur Ibrahim et sur la famille d'Ibrahim et bénis Mohammed et la famille de Mohammed comme tu as béni Ibrahim et la famille d'Ibrahim, dans les mondes, Tu es Louable et Glorieux.

Nous avons oublié par ton affection tout ce qui est précieux
Tu es aujourd'hui le plus cher de ce que nous possédons
Nous sommes blâmés pour votre amour
Et c'est un grand honneur que nous le soyons.

L'aumône procure une ampleur dans la poitrine

D'une façon générale, ce qui attire le bonheur et dissipe les peines et les soucis, c'est le fait d'accomplir des bienfaits tels que l'aumône, procurer du bien aux gens. Cela est le meilleur moyen d'épanouissement de la poitrine — ﴾Dépensez de ce que Nous vous avons octroyé ❩ *(Coran 2:254),* ❨Ceux et celles qui font l'aumône❩.

Le Messager (ﷺ) a décrit l'avare et l'homme généreux comme deux hommes vêtus de deux sortes de gandoura, celle du second et l'armure qu'il porte s'élargissent à chaque fois qu'il donne et qu'il fait de son mieux dans l'offre jusqu'à ce qu'il ne les sentent plus sur son corps. Alors que l'avare se tient de donner et prive les autres si bien que sa gandoura se rétrécit sur lui à le faire suffoquer! ❨L'exemple de ceux qui dépensent leur argent désirant la satisfaction d'Allah et par leur propre conviction est comme celui d'un jardin sur une colline qui a été atteint d'une averse et qui donna sa récolte en double et s'il n'est pas atteint par cette averse, c'est par une rosée ❩ *(Coran 2:265).* Et qu'Il soit glorifié et élevé, a dit aussi: ❨Et ne tiens pas ta main liée à ton cou ❩ *(Coran 17:29).* L'âme pleine de rancœur est le fruit de l'avarice de la main: la poitrine de l'avare et sa moralité sont d'une étroitesse inégalable parce qu'il a privé les autres de la générosité d'Allah et s'il avait su que ce qu'il donnait aux gens lui attirerait le bonheur, il se serait pressé d'accomplir cette œuvre de bienfaisance, ❨Si vous faites à Allah un prêt de bon aloi, Il vous le rendra en le multipliant et vous pardonnera❩.   *(Coran 64:17)*

Il a dit aussi, qu'Il soit béni: ❨Et celui qui se prémunit de sa propre avarice, ceux-là sont ceux qui sont couronnés de succès❩ *(Coran 59:9),* ❨Et, de ce que Nous les avons pourvus, dépensent❩.

Allah t'a donné, dépense donc de Ses dons
L'argent est un emprunt et l'âge est itinérant
La richesse est comme l'eau, si tu arrêtes son écoulement
Elle s'infecte mais elle devient délicieuse, en coulant.

Hatem a dit:

Par Celui qui est le Seul à connaître l'Inconnu,
Et qui ressuscite les os devenus cendre
Que je me privais bien qu'affamé, désirant la nourriture
De peur qu'on dise un jour, qu'il est ladre.

Cet homme généreux demande à sa femme de convier un invité et qu'elle attende qu'il vienne pour manger ensemble et lui tenir compagnie pour être à l'aise. Il dit alors:

Si tu as préparé de la nourriture, cherche-lui
Un convive car je ne mangerai pas seul.

Puis, il lui dit en déclarant sa philosophie claire qui est une égalité arithmétique stupide:

Montre-moi un homme généreux mourir avant son terme
Ou un avare s'éterniser, pour que mon cœur soit satisfait.

La richesse ferait-elle prolonger la vie? Et les dépenses, font-elles écourter l'âge? Ce n'est pas vrai!

Ne te fâche pas

❰S'il t'arrive d'être aiguillonné par le démon, demande protection à Allah, c'est Lui l'Audient, l'Omniscient❱.

(Coran 7:200)

Et le Messager (ﷺ) a conseillé un de ses compagnons en lui disant: «Ne te fâche pas, ne te fâche pas, ne te fâche pas».

Un homme s'est fâché devant lui (ﷺ), il lui a alors ordonné de demander la protection d'Allah contre le diable maudit.

Le Très-Haut a dit: ❰Et je me réfugie auprès de Toi, mon Seigneur afin qu'ils ne soient jamais présents en moi❱ *(Coran 23:98)*, ❰Ceux qui ont craint pieusement Allah, dès qu'ils sont touchés par un spectre de Satan, se rappellent et les voilà de nouveau clairvoyants❱.

(Coran 7:201)

Et parmi tout ce qui provoque l'impureté, le souci, le chagrin, la colère et la fureur et qui a son médicament chez le Prophète (ﷺ), on peut citer:

- Le combat du tempérament coléreux. ❰Et qui refoulent leur colère❱ *(Coran 3:134)*, ❰Et s'il leur arrive d'être en colère, ils pardonnent❱ *(Coran 42:37)*, ❰Et lorsque la colère de Moussa s'est apaisée, il a repris les tablettes❱.

(Coran 7:154)

- Les ablutions. En effet, la colère est une braise de feu qui n'est éteinte que par l'eau, «La pureté est une partie de la foi», «L'ablution est l'arme du croyant».

- Celui qui est debout devrait s'asseoir.

- Celui qui est assis devrait s'allonger.

- Que la personne qui est en colère, se retienne de parler.

- Qu'elle se rappelle aussi la récompense de ceux qui retiennent leur colère et qui pardonnent aux gens.

Des évocations matinales

Et je vais te citer des évocations que tu devrais dire chaque matin, qui t'attireront le bonheur, te protègeront du mal des démons humains et des djinns et qui seront pour toi des gardiens durant toute la journée.

Parmi ces glorifications qui ont étaient authentifiées, il y a ce qui suit:

1- «Nous sommes dans la nuit, la Royauté et la louange y sont à Allah, et il n'y a de divinité qu'Allah, Seul sans aucun associé, Il possède le règne et la louange, et Il est capable de tout faire. Seigneur, je Te demande le bien de cette nuit et le bien de ce qui la suit, et je me réfugie auprès de Toi contre le mal de cette nuit et le mal de ce qui la suit. Seigneur, je Te demande la protection contre la paresse et contre le mal de l'orgueil. Seigneur, je me réfugie auprès de Toi contre le châtiment du Feu et celui de la tombe.»

2- Un Hadith: «Ô Allah ! Toi qui connais l'Invisible et le visible, le Créateur des cieux et de la terre, le Seigneur de toute chose et Son Possesseur, j'atteste qu'il n'y a aucune divinité que Toi, Je Te demande la protection contre le mal de mon âme, de celui du démon et de ses pièges, et de ne commettre de malfaisance ou d'en faire hériter un musulman».

3- Un Hadith: «Au Nom d'Allah avec le Nom Duquel aucune chose ne peut nuire sur terre ou dans le ciel, et c'est Lui l'Audient, l'Omniscient». (Trois fois)

4- «Ô Allah ! Je me suis réveillé, attestant et prenant comme témoins les Porteurs de Ton Trône, Tes Anges et toutes Tes créatures, que Tu es Allah, aucune autre divinité à part Toi, que Tu es le Seul, sans aucun associé et que Mohammed est Ton serviteur et Ton Messager (ﷺ)». (Quatre fois)

5- «Ô Allah ! Je me réfugie auprès de Toi contre le fait de T'associer une chose en le sachant, et je Te demande de me pardonner pour ce que je ne sais pas». (Trois fois)

6- «Nous nous sommes réveillés sur l'innéité de l'Islam, la parole de la sincérité, la religion de notre Prophète Mohammed (ﷺ) et la Foi de notre père Ibrahim qui était sur la rectitude, qui était musulman et qui n'a jamais été un polythéiste». (Trois fois)

7- «Qu'Allah soit loué et béni en équivalence au, nombre de Ses créatures, à Sa satisfaction, au poids de Son Trône et à l'encre de Ses paroles». (Trois fois)

8- «Je consens qu'Allah est mon Seigneur, que l'Islam est ma religion et que Mohammed (ﷺ) est mon Prophète». (Trois fois)

9- «Je me protège par les paroles parfaites d'Allah de ce qu'Il a créé». (Trois fois)

10- «Ô Allah ! Par Toi, nous nous sommes réveillés, par Toi nous sommes arrivés à la nuit, Par Toi nous vivons et par Toi nous mourrons et c'est à Toi qu'appartient la Résurrection».

11- «Il n'y a de divinité qu'Allah seul, sans aucun associé, C'est à Lui qu'appartiennent la Royauté et la louange, et Il est capable de toute chose». (Cent fois)

Une pause

Les véritables connaisseurs d'Allah ont affirmé que l'abandon réel est lorsque Allah te confie à toi-même et que la réussite est lorsque c'est le contraire.

Les créatures alternent entre la réussite qu'Il leur accorde et l'abandon qu'Il leur inflige. Qui plus est, dans la même heure, la personne peut être touchée de l'un et de l'autre ; elle Lui obéit et Le satisfait, L'évoque et Le loue, puis Lui désobéit et Le contrarie, Le mécontente et L'oublie. Elle tourne autour des deux situations.

Quand l'être humain constate cela et le considère comme il se doit, il connaîtra la nécessité et le besoin qu'il a de la réussite, à chaque instant de sa vie, et que sa foi et le fait d'être monothéiste sont du plein ressort d'Allah et que s'Il le délaisse, ne serait-ce que le temps d'un clin d'œil, le trône de sa foi monothéiste s'écroulera, le ciel de sa croyance tombera sur terre et que celui qui le retient est Celui qui empêche le ciel de tomber sur la terre avec Sa seule permission.

Le Coran, le Livre bénit

Le bonheur et la détente de la poitrine sont provoqués par la lecture approfondie du Coran, avec méditation et réflexion, puisque Allah a qualifié Son Livre de guide, de lumière et de guérison de ce qu'il y a dans les poitrines des gens. Et Il l'a décrit aussi comme étant une grâce, ❨Voilà que vous est venue une exhortation de votre Seigneur, ainsi qu'une guérison de ce qui a dans les poitrines❩ *(Coran 10:57)*, ❨Ne méditent-ils pas le Coran, ou certains cœurs sont-ils verrouillés ?❩ *(Coran 47:24)*, ❨Ne méditent-ils pas le Coran ? Et s'il provenait d'autre qu'Allah, ils y trouveraient certainement des contradictions abondantes❩ *(Coran 4:82)*, ❨Un Livre béni que Nous t'avons fait descendre afin qu'ils méditent sur ses versets❩.

(Coran 38:29)

Certains illuminés ont dit qu'il était béni dans sa lecture, son application, son règlement et les conclusions qui en sont tirées.

Un homme pieux a dit: j'ai ressenti un chagrin connu uniquement d'Allah et d'un souci, persistant. J'ai alors pris le Livre sacré et je me suis mis à lire, tout le mal qui me hantait s'est dissipé subitement, je le jure par Allah, et Allah le remplaça par du bonheur et de l'allégresse, ❨Allah en guide sur les voies du salut ceux qui ont poursuivi Sa satisfaction❩ *(Coran 17:9)*, ❨C'est ainsi que Nous t'avons inspiré une âme, par Notre permission❩.   *(Coran 42:52)*

Ne tiens pas trop à la célébrité, elle est à l'origine de l'impureté et du souci

Ce qui dissémine le cœur et souille sa pureté, sa stabilité et sa sérénité, c'est le fait de vouloir la célébrité et la satisfaction des gens, — ❨Qui ne cherchent, ni à s'élever sur terre, ni à y semer la corruption❩.   *(Coran 28:83)*

A poet said:

C'est pour cela que quelqu'un a dit:

Quiconque déçoit son âme, la fait vivre et la détend
Et ne passe pas de nuits pleines de tourments
Les vents des grands orages
Ne font tomber que les arbres éminents.

«Celui qui fait voir son œuvre par ostentation, Allah l'exposera aux yeux des gens, et celui qui en fera parler par ostentation, Allah le démasquera aux créatures.»

❨Ils cherchent à se faire voir des gens❩ *(Coran 4:142)*, ❨Et ils veulent qu'on les loue pour ce qu'ils n'ont pas fait❩ *(Coran 3:188)*, ❨Et ne soyez pas comme ceux qui sont sortis de leurs maisons par forfanterie et ostentation aux yeux des gens❩.   *(Coran 8:47)*

L'habit de l'ostentation est transparent,
Lorsque tu t'en couvres, tu te retrouves tout nu.

La belle vie

La principale et la plus importante raison est sans aucun doute la foi en Allah, le Seigneur des univers. Quant aux autres causes, renseignements et avantages que pourrait posséder la personne, ils ne lui seront d'aucune utilité, ni d'aucun avantage, sans la foi, ce trésor inestimable. Et il lui est superflu de chercher à disposer de ce bonheur.

L'origine noble et authentique du bonheur est la croyance en Allah comme Seigneur, de Mohammed (ﷺ) comme Prophète et de l'Islam comme religion.

Iqbal, le poète dit:

Le mécréant est perturbé, ses horizons sont anodins,
Et je vois dans le croyant un univers où s'égarent les
   horizons.

Et avec plus d'éloquence, d'importance et de vérité, lisons donc les Paroles de notre Seigneur, digne de tous les éloges: ❨Quiconque effectue une bonne œuvre, fût-il mâle ou de *[sexe]* féminin, Nous lui ferons vivre une vie agréable et Nous le rétribuerons d'un salaire selon le meilleur de ce qu'ils faisaient. ❩   *(Coran 16:97)*

Cependant, il y a deux conditions:

La foi en Allah et la bonne œuvre, ❨Ceux qui auront cru et accompli de bonnes œuvres, le Très-Miséricordieux suscitera pour eux de l'amitié❩.   *(Coran 19:96)*

Et il y a aussi deux avantages:

La vie agréable dans ce monde et dans l'Au-delà, en plus de la grande récompense de la part du Seigneur, ❨Ils ont la bonne nouvelle dans ce monde et dans l'Au-delà❩.   *(Coran 10:64)*

L'épreuve est dans ton intérêt

Ne t'irrite pas des calamités et ne te préoccupe pas des catastrophes. Dans le Hadith, il y a: «Quand Allah aime une communauté, il l'éprouve: celui qui s'est résigné aura la satisfaction et celui qui se révolte aura le mécontentement».

L'adoration par résignation et soumission

Il est nécessaire pour le croyant d'accepter la sentence, fût-elle bonne ou mauvaise, ❨Cependant Nous vous éprouverons par un peu de peur, de faim et de diminution de biens, de personnes et de récoltes. Et annonce la bonne nouvelle à ceux qui patientent❩.

      (Coran 2:155)

Les destins ne sont pas toujours à notre goût, mais du fait de notre faiblesse, nous ne savons faire le choix dans le Destin et la

Fatalité: nous ne sommes pas habilités à suggérer, mais dans une conjoncture d'adoration et de soumission.

La personne est éprouvée selon sa foi — «Je m'enfièvre tout comme deux hommes d'entre vous», «Les plus éprouvés sont les Prophètes, puis les gens pieux», ❨Patiente comme patientèrent les êtres de rigueur parmi les Messagers ❩ *(Coran 46:35)*, «Allah éprouve celui à qui Il veut du bien», ❨Certainement, Nous vous éprouverons afin de connaître les combattants parmi vous et ceux qui patientent et Nous éprouverons vos nouvelles ❩ *(Coran 47:31)*, ❨Et Nous avons éprouvé ceux qui étaient avant eux ❩.   *(Coran 29:3)*

De l'émirat à la menuiserie:

Ali Ibn Al Mamoum, émir abbasside et fils d'un calife, habitait un château magnifique, avait une existence déployée et facile. Un jour, du balcon de sa chambre, il observa un ouvrier travailler tout le long de la journée, mais l'après-midi arrivée, il fit ses ablutions et accomplit une prière au bord du fleuve le Tigre et à l'approche du crépuscule, il rentra chez lui. Un bon matin, il le convoqua et le questionna, il lui répondit qu'il avait une épouse, deux sœurs et une mère pour lesquelles il travaillait, qu'il n'avait aucun autre revenu, ni ressource en dehors de ce qu'il obtenait du marché, qu'il faisait le jeûne tous les jours et le rompait au coucher du soleil par ce qu'il avait en sa possession. Il lui dit: aurais-tu besoin de quelque chose ? Il lui répondit: non, et que le Seigneur des univers soit loué ! Il a abandonné le château et l'émirat et a parcouru la terre. Plusieurs années après, on le découvrit mort. Il s'est avéré par la suite qu'il travaillait dans la menuiserie dans les parages de Khurassène, parce qu'il y avait trouvé le bonheur qu'il n'avait pas eu au château. ❨Ceux qui ont suivi la rectitude, Il les y guida encore plus et leur apporta leur piété ❩.   *(Coran 47:17)*

Cela me rappelle l'histoire des Gens de la Caverne qui étaient dans les châteaux avec le roi où ils ont ressenti de l'étroitesse, de la disparité et de la confusion dans leur existence, puisque l'incroyance habitait le château. Ils sont alors partis et l'un d'eux a dit: ❨Réfugiez-vous dans la caverne et Allah étendra sur vous Sa miséricorde et vous apprêtera pour votre problème, un appui ⦈. *(Coran 18:16)*

Une maison où souffleraient les vents,
M'est préférable à un château dominant.

Le chas d'une aiguille avec des amis, devient un terrain...

Ce qui veut dire que la demeure étroite, où il y a l'amour, la foi et la cordialité, devient spacieuse et peut contenir beaucoup de monde. «Nos paupières sont pour les invités de la maison, des écuelles.»

La fréquentation des gens agaçants est une des raisons de l'impureté et du malheur

Ahmed a dit: les personnes agaçantes sont des innovateurs. D'autres les ont assimilés à des gens peu intelligents.

Et on a dit aussi que la personne agaçante est celle qui a un tempérament dru, un goût dissident et un comportement froid, ⦇Comme s'ils étaient des planches entassées ⦈ *(Coran 63:4)*, ⦇Ils ne comprennent presque aucun langage⦈. *(Coran 4:78)*

Al Chafi'e a dit à leur sujet: quand je suis en compagnie d'un être agaçant, j'ai l'impression que le côté de la terre qu'il occupe, s'incline.

Et Al A'mache disait lorsqu'il apercevait une personne agaçante: ⦇Seigneur ! Fais cesser pour nous le châtiment, nous sommes des croyants ⦈. *(Coran 44:12)*

La grande ou la petite taille est dérisoire pour ces gens-là,
Aux corps de mulets et aux esprits d'oiseaux.

Ibn Taymiya, lorsqu'il était en compagnie de gens agaçants, disait: leur compagnie est une fièvre qui apparaît tous les quatre jours, ⦇Quand tu vois ceux qui bafouillent dans nos versets, éloigne-toi d'eux⦈ *(Coran 6:68)*, ⦇Ne vous asseyez pas avec eux⦈ *(Coran 4:140)*, «Le mauvais compagnon ressemble à celui qui gonfle un soufflet». Le plus antipathique des gens est celui qui est dénudé de qualités, petit de caractère, épris de ses passions, soumis à ses désirs, ❨Ne vous asseyez pas avec eux jusqu'à ce qu'ils passent à un sujet différent, sinon vous leur serez semblables ❩.   *(Coran 4:140)*

Le poète a dit:

Ô toi! Tu es agaçant, agaçant et agaçant,
Tu as le physique d'un humain et le poids d'un éléphant.

Ibn Al Qayim a dit: si tu es affecté par un antipathique, soumets-lui alors ton corps, éloigne-le de ton esprit, éloigne-toi de lui, fais-lui la sourde oreille et l'œil aveugle jusqu'à ce qu'Allah te libère de lui. ❨Et n'obéis pas à celui dont Nous avons rendu le cœur distrait de Notre évocation et qui a suivi ses passions et dont le comportement ne fut qu'outrance ❩.   *(Coran 18:28)*

Aux gens calamiteux

Dans le Hadith authentique, il y a: «Celui à qui J'ai pris l'être le plus cher des gens de ce monde et qui l'a crédité auprès de Moi, Je le lui compenserai par le Paradis». Rapporté par Boukhari.

J'ai retenu de ton vivant des prédications,
Tes prêches, maintenant que tu es mort, sont plus éloquents.

Dans le Hadith authentique, il y a à propos du non-voyant: «Celui que J'ai affecté dans ses deux bien-aimés, aura en compensation, le Paradis», ❨Car ce ne sont pas les yeux qui deviennent aveugles, mais les cœurs qui sont dans les poitrines ❩.   *(Coran 22:46)*

Et dans un autre Hadith authentique, il y a aussi: «Allah, le Majestueux, le Glorieux, quand Il saisit l'âme du fils d'un croyant, Il, dit, aux Anges: vous avez saisi l'âme du fils de Mon serviteur croyant? Ils disent: oui. Vous avez saisi le fruit de son cœur ? Ils disent: oui. Il dit: qu'a dit Mon serviteur ? Ils disent: il T'a loué et a dit: nous sommes à Allah et c'est à Lui que nous devons retourner. Il dit: bâtissez à Mon serviteur une maison dans le Paradis et nommez-la, maison de la louange.» Rapporté par Al Tirmidhi.

Et dans les écrits préservés, l'on trouve: des personnes souhaiteraient le Jour de la Résurrection qu'ils fussent cisaillés par des pinces dans le bas monde, par comparaison à ce qu'ils voient comme merveilleuses récompenses pour les gens calamiteux. ❰Mais ce n'est qu'à ceux qui patientent que sera soldé leur salaire sans aucun compte❱ *(Coran 39:10)*, ❰*Salam* à vous pour ce que vous aviez patienté❱ *(Coran 13:24)*, ❰Seigneur, déverse sur nous de la patience❱ *(Coran 2:250)*, ❰Patiente et ta patience ne peut se faire que par Allah❱ *(Coran 16:127)*, ❰Patiente, la promesse d'Allah est bien vraie❱.

(Coran 30:60)

Dans un Hadith, il y a: «L'importance de la récompense s'obtient selon celle de l'affection, et quand Allah aime une communauté, il l'éprouve: celui qui s'est résigné aura la satisfaction et celui qui se révolte aura le mécontentement». Rapporté par Al Tirmidhi.

Dans les calamités, il y a certaines questions: la patience, la sentence et le salaire, et que le serviteur sache que Celui qui a pris est Celui qui a donné, que Celui qui a enlevé est Celui qui a offert, ❰Allah vous ordonne de remettre les dépôts à leurs ayants droit❱.

(Coran 4:58)

L'argent et la famille ne sont que des dépôts,
Qui devraient inéluctablement être rendus, un jour.

Des scènes de monothéisme

Dans les réactions des gens face aux préjudices, il y a des points:

La première scène: la clémence. C'est une scène de l'intégrité du cœur, de sa pureté, de sa clarté à l'égard de celui qui t'a offensé, ajoutée à l'amour du bien: ceci un rang en surplus. L'attribution du bien et l'utilité qu'il apporte constituent un rang supérieur et plus important qui commence par le refoulement de ta colère par le fait de ne pas causer de préjudice à celui qui t'a frustré, à être clément envers lui, à lui pardonner sa faute. Ainsi que la bienfaisance que tu accomplis en lui rendant le bien à la place de son mal, ❰Et ceux qui refoulent leur colère et qui pardonnent aux gens❱ *(Coran 3:134)*,

❮Celui qui pardonne et se réconcilie, son salaire incombe à Allah❯ *(Coran 42:40)*, ❮Qu'ils pardonnent et qu'ils passent outre❯.

(Coran 24:22)

Dans les écrits préservés: «Allah m'a ordonné de lier la relation avec celui qui l'a coupée, d'être clément envers celui qui m'a causé du tort et de donner à celui qui m'a privé».

La scène de la Fatalité: c'est que tu sais que ce qui t'a affecté n'est que la sentence et le destin d'Allah, que la créature n'est qu'une raison parmi d'autres, qu'Allah prédestine et décide le jugement, que tu te soumettes donc et que tu obéisses à ton Seigneur.

La scène de la pénitence: c'est que cette affliction sera pour toi une pénitence de tes péchés, une diminution de tes fautes, un effacement de tes méfaits et une élévation de ton rang, ❮Ceux qui se sont exilés, et qui ont été expulsés de leurs maisons, et qui ont été affligés pour Moi, et qui ont combattu et qui ont été tués, J'effacerai pour eux leurs méfaits❯. *(Coran 3:195)*

L'extirpation de la mèche de l'antagonisme est une des sagesses que possèdent beaucoup de musulmans, ❮Repousse de la plus belle manière et voilà que celui avec qui tu avais une animosité, devient tel un ami chaleureux❯ *(Coran 41:34)*, «Le véritable musulman ne touche, ni de ses mains, ni de sa langue, les autres musulmans.»

C'est-à-dire que tu accueilles celui qui t'a offensé avec joie, par une parole douce et d'un visage radieux, afin de lui faire extirper la braise de la rivalité, la flamme de l'hostilité, ❮Dis à Mes serviteurs de parler de la plus belle sorte, car le diable crée entre eux la discorde❯.

(Coran 17:53)

Sois d'une joie facile, car le caractère du pur,
Est un journal qui a pour titre, l'allégresse.

Et parmi ces scènes, il y a aussi:

La connaissance de la négligence de l'âme: ce qui t'est arrivé n'est que le fruit de tes propres péchés, ❮Ayant été atteints par un malheur après que vous eûtes infligé le double, vous dites: comment cela est-il arrivé? Dis: cela provient de vous-mêmes❯ *(Coran 3:165)*,

❲Tout ce qui vous atteint comme malheur, n'est que l'acquis de vos mains et Il pardonne bien des choses❳. *(Coran 42:30)*

Et ceci est une scène magnifique pour laquelle tu devrais louer et remercier Allah qui a fait de toi un opprimé et non un oppresseur.

Et un de nos prédécesseurs disait: ô Allah! Fais que je sois opprimé, non oppresseur, tout comme les fils d'Adam, le meilleur des deux frères ayant dit: ❲Si tu tends vers moi ta main pour me tuer, moi, je ne tendrai pas la mienne pour te tuer, je crains Allah, Seigneur des univers❳. *(Coran 5:28)*

Et il y a aussi une autre scène gracieuse *qui a un rapport avec la clémence:* il te faut pardonner à celui qui t'a outragé parce qu'il mérite la grâce par le fait qu'il ait commis ce délit lui-même en contradiction avec les directives de l'islam et qui demande de toi ce comportement envers lui pour le sauver de cet égarement, «Soutiens ton frère, oppresseur ou opprimé.»

Lorsque Mistah a offensé Abou Bakr, au sujet de sa fille Aïcha, il a juré de ne plus subvenir à ses besoins vitaux, alors qu'il était très pauvre et était dans le besoin. Allah a fait descendre: ❲Que ceux qui jouissent de générosité et d'aisance ne fassent pas serment de ne plus secourir les proches, les nécessiteux et les Emigrés dans le chemin d'Allah, qu'ils pardonnent et qu'ils passent outre. N'aimeriez-vous pas qu'Allah vous pardonne?❳ *(Coran 24:22)*. Abou Bakr a dit: ô que si, j'aimerai certes qu'Allah me pardonne. Il a continué à dépenser pour Mistah et lui a pardonné.

Et Ouyaïna Ibn H. a dit à Omar: alors c'est ainsi, ô Omar? Par Allah, tu ne nous donnes pas ce qui nous suffit et tu n'es pas juste envers nous. Omar voulant le punir, Al Hourr Ibn Qaïs lui dit alors: ô Emir des croyants! Allah dit: ❲Sois indulgent, ordonne selon les convenances et détourne-toi des ignorants❳ *(Coran 7:199)*, il a dit: par Allah, Omar ne dépassera pas cela! Il s'arrêtait vraiment aux limites du Livre d'Allah.

Et le prophète Youssouf a dit à ses frères: ❲Point de blâme pour vous, en ce jour, Allah vous absoudra et Il est le plus Miséricordieux de tous les miséricordieux❳. *(Coran 12:92)*

Et le Prophète (ﷺ) l'a annoncé en plein public: à ceux qui l'ont offensé, expulsé, combattu, c'est-à-dire les mécréants de Qoraïch: «Partez, vous êtes libres». Il l'a dit le jour de la victoire, et dans le Hadith, il y a: «Le fort n'est pas celui qui bat *[son adversaire]*, mais celui qui se retient au moment de la colère».

Ibn Al Moubarak a dit:

Si tu fréquentes des gens de bienveillance,
Sois affectueux pour eux, tel un proche parent
Et ne tiens pas compte de toute faute commise par eux
Autrement tu resteras à jamais sans compagnon.

Quelqu'un a dit que dans l'Evangile, il est dit: pardonne sept fois à celui qui t'a fait du tort une seule fois. ❨Celui qui pardonne et se réconcilie, son salaire incombe à Allah❩.   *(Coran 42:40)*

Autrement dit: celui qui t'a causé du tort une seule fois, renouvelle-lui le pardon sept fois afin que ta religion et ton honneur soient sauvés. En effet, la vengeance sera au détriment de tes nerfs, de ton sang, de ton sommeil et de ton repos, et nullement du côté des autres.

Les Indiens ont dit, dans un adage bien à eux: celui qui se vainc soi-même est plus courageux que celui qui conquiert une ville. ❨L'âme est instigatrice de mal, sauf ce qu'Allah a touché de Sa grâce❩.   *(Coran 12:53)*

Une pause

Et la supplication de l'Homme à la Baleine, le prophète Younous, contient la plénitude du monothéisme et de la glorification du Seigneur le Très-Haut, ainsi que la reconnaissance de la créature de son injustice et de son péché. C'est le remède le plus efficace contre le souci, le chagrin et le malheur. C'est aussi la meilleure façon de demander à Allah Sa grâce et Son soutien. Le Monothéisme et la Glorification contiennent la preuve de la perfection d'Allah, l'abolition de toute imperfection, de tout défaut et de toute ressemblance. L'aveu de l'injustice comprend la croyance du serviteur en la Religion, la Récompense et le Châtiment, ce qui nécessite son humiliation à l'égard Allah et son retour à Lui, son éloignement de sa faute commise, la reconnaissance de Son adoration et le besoin qu'il a de son Seigneur. Il y a donc quatre moyens utilisés par le serviteur: le Monothéisme, la Glorification, l'Adoration et l'Aveu. ❨Et annonce la bonne nouvelle à ceux qui patientent. Ceux qui, lorsqu'une calamité les touche disent: «Nous appartenons à Allah et c'est à Lui que nous retournerons». Ceux-là ont sur eux des bénédictions de leur Seigneur ainsi qu'une miséricorde et ce sont ceux-là les bien guidés ❩.   *(Coran 2:155-157)*

Prends soin de ce qui est vu et caché

La pureté de l'âme est en rapport avec la propreté de l'habit: ceci est une question plaisante et une chose honorable. Un sage dit: celui dont les habits sont sales, son âme est malsaine. Ceci est tout à fait visible.

Beaucoup de gens sont atteints d'impureté par la saleté de leurs habits, la modification de leurs tenues, le désordre dans leurs bibliothèques, la confusion dans leurs feuilles ou la désorganisation dans leurs rendez-vous et leurs programmes quotidiens. L'univers a pourtant été bâti dans une organisation parfaite. Celui qui connaît la vérité de cette religion, sait que le but de cette dernière est l'agencement de la vie de la créature au sens le plus large du mot et toute chose chez Lui, Le Très-Grand, est comptée, ❨Nous n'avons rien omis dans le Livre ❩ *(Coran 6:38)*. Et dans le Hadith rapporté par At Tirmidhi: «Allah est propre, Il aime la propreté». Dans un autre Hadith rapporté par Mouslim: «Allah est beau, Il aime la beauté». Et dans un Hadith *apprécié:* «Embellissez-vous jusqu'à ce que vous soyez comme un grain de beauté aux yeux des gens».

Ils marchaient dans des robes au tissage doublé telle la
      marche
Des chameaux vers les chameaux en pleine maturité.

Et les prémices de la beauté sont dans l'attention qu'on accorde à la propreté. Chez Boukhari: «Il est du devoir du musulman de se laver une fois tous les sept jours: il se lave la tête et le corps».

Et cela est le minimum de ce qu'on doit faire. En effet, certains musulmans vertueux se lavaient complètement chaque jour, tel Othman Ibn Affene d'après ce qui a été rapporté à son sujet — ❨ Voici une eau fraîche pour te laver et un breuvage ❩.

(Coran 38:42)

Il y a aussi les habitudes naturelles comme:

Laisser pousser la barbe, tailler la moustache, couper les ongles, raser les poils superflus du corps, la propreté par le brossage des dents, le parfum, l'entretien des vêtements, la bonne tenue. Tout cela fait partie des choses qui détendent la poitrine et élargissent l'esprit. Le port d'habits blancs est aussi recommandé, «Habillez-vous de blanc et utilisez un linceul blanc pour envelopper vos morts».

Les gens prospères répandent une belle odeur
Ils seront salués par du basilic le jour du succès.

Boukhari a consacré un chapitre, au port de l'habit blanc: «Les Anges descendent dans des tenues blanches, portant des turbans blancs».

L'inscription des rendez-vous dans un calepin, l'organisation du temps en réservant ce qui en est nécessaire à chaque tâche, comme la lecture, la révision, l'adoration et le repos, ❨ A chaque échéance, un livre ❩ *(Coran 13:38)*, ❨ Il n'est rien dont Nous ne détenons pas les trésors et Nous ne le faisons descendre que selon une mesure déterminée ❩. *(Coran 15:21)*

Dans la bibliothèque du Congrès, il y a un panneau où est écrit: l'univers a été bâti par agencement. Et ceci est la pure vérité. En effet, dans les religions descendues du ciel, il est demandé l'organisation, la coordination et le classement. D'ailleurs Allah, le Majestueux, nous a informés que l'univers n'est ni de l'amusement, ni du badinage, mais classement et mesure et qu'il a été créé par Destin et Fatalité: ❨ Le soleil et la lune, avec un calcul minutieux ❩

(Coran 55:5), ❨Il ne convient pas au soleil de rejoindre la lune, la nuit ne devance point le jour et chacun vogue dans une orbite❩ *(Coran 36:40)*, ❨La lune, Nous en réglâmes les phases jusqu'à ce qu'elle devienne aussi fine que la tige d'un vieux régime de dattes❩ *(Coran 36:39)*, ❨Nous avons fait de la nuit et du jour deux signes, Nous effaçâmes le signe de la nuit et fîmes de celui du jour une source de lumière afin que vous cherchiez quelques générosités de votre Seigneur et que vous sachiez le nombre des années ainsi que le calcul, et chaque chose, Nous l'avons exposée dans ses moindres détails❩ *(Coran 17:12)*, ❨Notre Seigneur, Tu n'as point créé cela en vain❩ *(Coran 3:191)*, ❨Nous n'avons pas créé le ciel, la terre et ce qui y a entre eux, pour Nous amuser❩, ❨Si Nous avions voulu quelque divertissement, Nous l'aurions pris de Nous-mêmes au cas où Nous aurions décidé de le faire❩.

(Coran 21:16-17)

❨ *Et dis: agissez* ❩ *(Coran 9:105)*

Les sages de la Grèce, pour le soin des obsessions et des maladies de nature psychologique ou nerveuse, obligeaient les personnes qui en sont atteintes à travailler dans l'agriculture et dans les vergers. En effet, elles guérissaient peu de temps après, ❨Marchez sur ses hauteurs❩ *(Coran 67:151)*, ❨Et dis: agissez❩.   *(Coran 9:105)*

Ceux qui ont des travaux manuels sont plus heureux, plus sereins et plus à l'aise que les autres travailleurs. Ils sont aussi de meilleure constitution physique, en raison de leurs efforts, leurs mouvements et leurs activités, «Et je Te demande la protection contre le manque de volonté et la paresse».

Le recours à Allah

Allah: c'est le Nom sublime, le Grand: c'est le plus Connu de tous les noms. Il contient une signification agréable: on a dit qu'il il provient de déifier. C'est en effet Celui que les cœurs déifient, aiment, se soulagent par Lui, sont satisfaits de Lui, s'abandonnent à Lui. Et il est impossible qu'on soit serein, tranquille, reposé et rassuré sans Lui, le Glorieux. Et c'est pour cela que le Prophète (ﷺ) a fait apprendre à Fatima, sa fille, l'invocation de l'affliction: «Allah, Allah mon Seigneur, je ne Lui associe aucune chose», et c'est d'ailleurs un Hadith authentique. ❰Dis: Allah, puis laisse-les jouer dans leurs divagations❱ *(Coran 6:91)*, ❰C'est Lui le Dompteur au-dessus de Ses serviteurs❱ *(Coran 6:18)*, ❰Allah est clément envers Ses serviteurs❱ *(Coran 42:19)*, ❰Ils n'ont pas apprécié Allah à Sa juste valeur, alors que la terre toute entière sera dans Sa poignée, le Jour de la Résurrection, et que les cieux seront enroulés en Sa [Main] Droite, gloire et pureté à Lui de ce qu'ils Lui associent❱ *(Coran 39:67)*, ❰Le jour où Nous enroulerons le ciel à la façon dont on enroule les registres sur les écrits❱ *(Coran 21:104)*, ❰Allah retient les cieux et la terre pour les empêcher de disparaître❱.   *(Coran 35:41)*

Je m'en remets à Lui

Ce qui offre le plus de bonheur au serviteur, c'est le fait de s'abandonner à son Seigneur, de s'en remettre à Lui, de se contenter de Son règne, de Son attention et de Sa surveillance, ❰Lui connais-tu un homonyme?❱ *(Coran 19:65)*, ❰Mon protecteur est Allah qui a fait descendre le Livre et protège les gens vertueux❱ *(Coran 7:196)*, ❰Assurément, les bien-aimés d'Allah, aucune crainte à leur sujet et nul chagrin ne les afflige❱.   *(Coran 10:62)*

Ils se sont mis d'accord sur trois

J'ai lu les livres qui traitent la question de l'inquiétude et du trouble, qu'ils soient de nos auteurs prédécesseurs à l'instar des pédagogues, d'historiens ou d'autres, en plus des publications, des livres orientaux et occidentaux traduits, des périodiques et des revues. J'ai constaté que tous étaient d'accord sur trois bases, à propos de ceux qui désiraient la guérison, la sérénité et la détente de la poitrine:

Premièrement: la relation avec Allah, le Sublime, le Glorieux, Son adoration, Son obéissance et s'en remettre à Lui et ceci est le

grande question de la foi, « Adore-Le et fais preuve de patience dans son adoration ».
(Coran 19:65)

Deuxièmement: mettre un terme au dossier du passé avec ses malheurs et ses larmes, ses chagrins et ses calamités, ses souffrances et ses afflictions, puis commencer une nouvelle vie avec un jour nouveau.

Troisièmement: l'abandon du futur qui n'est pas encore là, ne pas s'en occuper et s'y engager, renoncer aux suppositions, aux probabilités et aux appréhensions, et ne vivre qu'au jour le jour.

Ali a dit: faites attention à l'espoir à long terme, car il fait oublier *[le Droit]*, « Et ils crurent qu'ils ne Nous seront jamais rendus ».
(Coran 28:39)

Ne crois pas la désinformation et les rumeurs: en effet, Allah a dit à propos de Ses ennemis: « Ils croient que tout cri les vise ».
(Coran 63:4)

J'ai connu des gens qui attendent des années durant des événements, des calamités, des accidents et des catastrophes qui ne se sont jamais produits. Ils en sont jusqu'à présent appréhendés et continuent à s'en faire peur et à en effrayer les autres — qu'Allah soit glorifié ! Qu'elle n'est pas réelle leur malvie !

Ces gens-là sont comparables aux prisonniers chinois torturés qui sont placés sous une gouttière minutée qui coule sur leurs têtes: à force de surveiller ces gouttes qui tombent chaque minute, ils finissent par perdre la raison. D'autre part, Allah décrit ceux qui sont en Enfer en disant: « On ne les y achève pas pour qu'ils meurent, et on ne leur allège rien de ses tourments » *(Coran 35:36)*, « Il n'y mourra pas et il n'y vivra pas » *(Coran 87:13)*, « Chaque fois que leurs peaux se consument, Nous les leur remplaçons par d'autres afin qu'ils goûtent le châtiment ».
(Coran 4:56)

Défère ton oppresseur sur Allah

Nous irons chez le Juge, le Jour de la Résurrection,
Et chez Allah, se rassembleront les antagonistes.

Le fait d'attendre le Jour où Allah réunira les premiers et les derniers devrait suffire, comme équité et justice, au serviteur.

Car ce jour-là, il n'y aura pas d'injustice, le Juge sera Allah, le Majestueux, et les témoins seront les Anges, ❲Et Nous dresserons les justes balances pour le Jour de la Résurrection, nulle âme ne sera lésée en rien, Nous restituerons jusqu'au poids d'un grain de moutarde, et Nous sommes suffisants pour bien demander des comptes❳.
(Coran 21:47)

Chosroês et la vieille femme

Bouzar Djamhar, le sage de la Perse, a rapporté qu'une vieille Perse avait des poules dans un taudis voisin du château de Chosroês, le gouverneur. Elle est partie dans un autre village et elle a dit: ô Allah ! Je te laisse mes poules. Remarquant son absence, Chosroês a ordonné qu'on démolisse le taudis pour l'extension de son château et de son verger. Ce qui fut d'ailleurs fait et les poules furent égorgées par ses soldats. En rentrant chez elle, la vieille a constaté le dégât: elle a levé les yeux au ciel et a dit: ô Seigneur ! Moi, je me suis absentée, mais Toi, où es-Tu ? Allah lui a rendu justice et s'est vengé à sa place. En effet, le fils de Chosroês s'est soulevé contre son père et l'a tué alors qu'il dormait. ❲Allah ne suffirait-Il pas à Son serviteur ? Et ils te font peur par d'autres que Lui❳ *(Coran 39:36)*. Comme il serait magnifique que nous soyons tous comme le meilleur des deux fils d'Adam qui a dit: ❲Si tu tends ta main à moi pour me tuer, je ne tendrais pas la mienne pour te tuer❳ *(Coran 5:28)*. «Sois le serviteur d'Allah tué, et ne sois pas Son serviteur qui tue». Chez le musulman, il y a un principe, un message et une affaire plus importante que le fait de se venger, d'avoir une hostilité et de l'animosité.

Le complexe d'infériorité pourrait se transformer en son contraire

❲N'y voyez pas un mal pour vous, mais cela vous est plutôt d'un grand bien❳ *(Coran 24:11)*. Certaines personnes géniales ont fait leur chemin avec ténacité parce qu'ils avaient pressenti un complexe: ainsi, beaucoup d'érudits étaient des domestiques, tels que Ata, Saïd Ibn Joubeir, Qutada, Boukhari, Al Tirmidhi et Abou Hanifa. Et de nombreux intelligents du monde et les sommités de la *Chari'a* ont été atteints de cécité, tels qu'Ibn Abbas, encore Qutada, Ibn Oum Maktoum, Al A'mache et Yazid Ibn Haroun.

Et parmi les érudits contemporains: cheikh Mohammed Ibn Ibrahim Al Cheikh, Cheikh Abdallah Ibn Hamid et Cheikh Abdelaziz Ibn Bez. Comme j'ai lu sur beaucoup d'autres intelligents, des inventeurs, et génies arabes dont la plupart avaient des handicaps et infirmités: l'un est aveugle, l'autre sourd, celui-ci est boiteux, celui-là est paralysé. Mais malgré cela, ils ont influé sur l'histoire, ont enrichi la vie humaine par leurs sciences, leurs inventions et leurs découvertes, « Et Il vous dotera d'une lumière grâce à laquelle vous marcherez ».   *(Coran 57:28)*

Le diplôme scientifique n'est pas la panacée. Ne t'en préoccupe pas trop. Ne te chagrine pas et ne ressens pas de complexe parce que tu n'as pas obtenu un diplôme universitaire, le magistère ou le doctorat. Tu peux influer, comme tu peux briller, et tu peux aussi apporter beaucoup de bien à ta nation, même si tu n'as pas en ta possession un diplôme scientifique. Combien d'hommes célèbres, importants et utiles n'ont pas eu de diplômes, mais ils ont traversé leurs chemins en autodidactes, armés de leurs ambitions, leur dignité et leur persévérance. J'ai regardé dans notre époque contemporaine et j'ai constaté que beaucoup de ceux qui ont de l'influence dans les sciences religieuses, les prêches, l'éducation, la pensée et la littérature n'ont pas de certificats scientifiques, tels que le cheikh Ibn Bez, Malek Bennabi, Al Aqad, Al Tantaoui, Abou Zahra, Al Mawdoudi, Al Nadoui et bien d'autres encore.

Sans oublier bien sûr les érudits parmi nos prédécesseurs et les génies qui ont traversé les siècles préférés.

L'âme de 'Issam l'a transformé en maître,
Elle lui a appris l'offensive et l'audace.

Et, à l'inverse de cela, vous avez des milliers de docteurs en long et en large, à travers le monde musulman, «As-tu la moindre sensation de l'existence de l'un d'eux, ou leur entends-tu le plus faible chuchotement?». *(Coran 19:98)*

La satisfaction est un trésor énorme. Dans le Hadith authentique, il y a: «Sois satisfait de ce qu'Allah t'a destiné, tu seras le plus riche des gens».

Sois satisfait des tiens, de ton revenu, de ta monture, de tes enfants, de ta fonction, tu trouveras le bonheur et la sérénité.

Et dans le Hadith authentique, il y a aussi: «Le riche est celui dont l'âme est riche».

Et nullement par la fortune colossale et le poste de travail. Mais par la sérénité de l'esprit et sa satisfaction de ce qu'Allah lui a assigné.

Dans un Hadith authentique, on peut lire: «Allah aime le serviteur riche, pieux et discret». Et dans un autre: «Ô Allah! Fais que sa richesse soit dans son cœur».

Quelqu'un a dit: j'ai pris un taxi de l'aéroport, me dirigeant à une ville du pays. J'ai remarqué le bonheur et l'allégresse du chauffeur, louant et remerciant Allah, évoquant son Seigneur. Je lui ai demandé des nouvelles sur sa famille, il m'a répondu qu'il avait deux femmes et plus de dix enfants, que son revenu était de huit cents rials seulement, qu'il avait une vieille maison où il habitait avec tous les siens. Il était très heureux, très à l'aise parce qu'il était satisfait et se contentait de ce qu'Allah lui avait offert.

Il a dit: je fus étonné quand je l'ai comparé à ceux qui possédaient des milliards, des châteaux et des vergers, alors qu'ils vivaient dans l'amertume et la gêne. J'ai su alors que le bonheur n'était pas dans la fortune.

J'ai entendu parler d'un grand commerçant célèbre et très riche. Il avait des milliers de millions, des châteaux et des maisons, mais il était étroit d'esprit, d'un comportement agressif, de caractère irritable, de mentalité maussade. Il est mort à l'étranger, loin des siens parce qu'il n'était pas satisfait des bienfaits dont Allah l'a comblé,

❴Puis il a envie que Je lui rajoute❵, ❴Jamais, car il contestait Nos signes avec force❵.   *(Coran 74:15-16)*

Parmi les caractéristiques de la sérénité de l'esprit chez l'Arabe d'antan, il y a le fait de s'isoler dans le désert, se retirant des vivants. Quelqu'un parmi eux a dit:

Le loup a hurlé, je me suis amadoué à son hurlement,
Et j'ai failli voler en entendant le cri d'un être humain.

Ainsi, Abou Dherr est parti vivre à Al Rabadha, en dehors de Médine. Soufiane Al Thaouri a dit: j'aimerais être dans une des vallées où personne ne me reconnaîtrait ! Dans le Hadith, il y a: «Il se peut que la meilleure possession du musulman soit des moutons avec lesquels il cherche les endroits pluvieux et *(...)* les montagnes, fuyant avec sa religion les tentations».

Si les polémiques arrivaient, il serait préférable au serviteur de les fuir, tout comme ont agi Ibn Omar, Oussama Ibn Zeyd et Mohammed Ibn Muslema quand Othman a été assassiné.

J'ai connu des personnes qui n'ont été atteintes de la misère que par leur éloignement d'Allah. En effet, l'un d'eux était riche, ses biens nombreux, il se complaisait dans l'aisance de son Seigneur et dans les bienfaits de son Maître. Il s'est toutefois détourné de l'obéissance d'Allah, a négligé la prière, a commis de grands péchés: il passait alors d'un malheur à un autre, d'une épreuve à une autre, ❴Et celui qui aura tourné le dos à Mon Rappel, aura une malvie❵ *(Coran 20:124)*, ❴Cela parce que jamais Allah transforme un bienfait qu'Il a accordé à un peuple sans que ce dernier transforme lui-même❵ *(Coran 8:53)*, et Sa parole le Très-Haut: ❴Tout ce qui vous atteint comme malheur n'est que le fruit de vos acquis et Il pardonne bien des choses❵ *(Coran 42:30)*, ❴S'ils étaient allés en rectitude sur la voie, Nous les aurions irrigués d'une eau abondante❵.   *(Coran 72:16)*

J'aurais bien aimé posséder une prescription magique que je jetterai sur tes malheurs, tes chagrins et tes soucis afin qu'elle les absorbe, mais d'où aurais-je cela ? Cependant, je vais te présenter une ordonnance médicale de la clinique des érudits de la nation et des pionniers de la *Chari'a* et qui est: adore le Créateur, contente-toi de ce que tu as, soumets-toi à la Fatalité, élève-toi au-dessus de la vie et écourte ton espérance.

Je fus étonné par un célèbre psychologue américain: William James. Père de la psychologie en Occident, il dit: nous, les humains, nous pensons à ce que nous ne possédons pas et nous ne remercions pas notre Dieu pour ce que nous avons déjà. Nous regardons le côté malheureux et sombre de notre vie et nous n'en voyons pas le côté étincelant, nous nous lamentons pour ce qui nous manque et nous ne sommes pas heureux de ce que nous avons, ◖Si vous êtes reconnaissants, Je vous rajouterai encore plus ◗ *(Coran 14:7)*, «Et je demande la protection d'Allah contre une âme qui ne se rassasie pas».

Dans le Hadith, il y a: «Celui qui se réveille ayant pour souci l'Au-delà, Allah lui rassemblera son tout, fera que sa richesse soit dans son cœur et la vie lui viendra malgré elle. Et celui qui se réveille ayant le bas monde pour souci, Allah lui dispersera son tout, lui placera sa pauvreté entre ses yeux et il n'aura de la vie que ce qui lui aura été écrit». ◖Si tu leur demandais qui a créé les cieux et la terre et a soumis à votre service le soleil et la lune, ils diraient sans aucun doute: «Allah». Comment dès lors se font-ils mystifier? ◗

(Coran 29:61)

Quelques instants avec des gens peu intelligents

Al Zayate a écrit dans la revue *Al Rissala* des paroles étonnantes et un article extraordinaire sur la description du communisme: lorsqu'ils ont envoyé le vaisseau spatial à la lune et qu'il est revenu, un des astronautes a publié un écrit dans le journal soviétique *La Pravda*, dans lequel il dit: nous sommes montés au ciel, nous n'avons trouvé ni divinité, ni paradis, ni enfer, ni anges.

Alors Al Zayate a écrit un article dans lequel il dit: que vous êtes étonnants, ô vous les rouges stupides! Penseriez-vous que vous verriez votre Seigneur éminent sur Son Trône, que vous verriez les

Houris dans les jardins, marchant dans de la soie, que vous entendriez le suintement de l'eau du fleuve Al Kaouthar, que vous sentiriez l'odeur des gens châtiés en enfer, si vous croyez cela, vous perdrez la perte dans laquelle vous vivez, mais je n'explique cet égarement, cette errance, cette dérive et cette stupidité, que par le communisme et l'athéisme qui hantent vos têtes. Le communisme est un jour sans lendemain, une terre sans ciel, un travail sans fin et une tentative sans résultat (...). ❲Ou bien penses-tu que la plupart d'entre eux entendent ou comprennent ? Ils ne sont en vérité que comme les bestiaux, ou ils sont plus égarés encore❳ *(Coran 25:44)*, ❲Ils ont des cœurs avec lesquels ils ne comprennent pas, et ils ont des yeux avec lesquels ne voient pas, et ils ont des oreilles avec lesquelles ils n'entendent pas❳ *(Coran 7:179)*, ❲Celui qu'Allah avilit, n'a personne qui l'honore❳ *(Coran 22:18)*, ❲Leurs œuvres sont comme un mirage dans un désert❳ *(Coran 24:39)*, ❲Leurs œuvres sont comme de la cendre violemment frappée par le vent dans un jour de tempête❳.   *(Coran 14:18)*

Dans son livre *La doctrine des handicapés*, Al Aqad, pris de colère contre ce communisme et cet athéisme ridicule qui existent dans le monde, a dit ce qui peut être résumé en ces termes: la nature saine accepte cette religion véridique — l'Islam —, par contre les handicapés mentaux, les arriérés et ceux qui ont des pensées pourries et courtes peuvent opter pour l'incroyance, ❲Leurs cœurs ont été scellés, ils ne comprennent donc pas❳.   *(Coran 9:87)*

L'athéisme est un coup fatal à la pensée, il ressemble à ce que font les enfants dans leur monde à eux. C'est une faute sans pareille dans cet univers et c'est pour cela qu'Allah, le Sublime, a dit: ❲Y aurait-il un doute au sujet d'Allah?❳.   *(Coran 14:10)*

C'est-à-dire qu'il n'y a aucun doute à ce sujet et c'est tout à fait visible. Ibn Taymiya a dit: le Créateur, Allah, le Glorieux, le Très-Haut, aucun être humain ne L'a nié manifestement, hormis Pharaon bien que, en son for intérieur, il ait dû reconnaître, d'où le propos du prophète Moussa: ❲Il dit: tu as bien su pourtant que seul le Maître des cieux et de la terre a descendu tout ceci pour ouvrir les yeux, et vraiment, ô Pharaon, je te crois perdu ❫ *(Coran 17:102)*. Mais Pharaon, en fin de compte, l'a acclamé ce qu'il avait dans son cœur: ❰ Je crois qu'il n'y a d'autre divinité que celle en qui ont cru les fils d'Israël et je fais partie des musulmans ❫.   *(Coran 10:90)*

La foi, le chemin du salut

Dans l'ouvrage *Allah se manifeste à l'époque de la science* et le livre *La médecine, mihrâb de la foi*, il y a une vérité qui est: j'ai trouvé que ce qui aide le plus la personne à se débarrasser de ses soucis et de ses chagrins, c'était bien la foi en Allah et le fait de s'en remettre à Lui à tout point de vue, ❰ Et je m'en remets à Allah ❫ *(Coran 40:44)*, ❰ Une calamité ne frappe qu'avec la permission d'Allah, et celui qui croit en Allah, Allah lui guide son cœur ❫.

(Coran 64:11)

Quiconque sait que ceci est dû au Destin et la Fatalité, Il lui guide son cœur vers la satisfaction et vers la soumission ou à ce qui y ressemble - ❰ Et Il les décharge du lourd fardeau et des chaînes qui étaient sur eux ❫.   *(Coran 7:157)*

Et sache que si une calamité d'Allah m'a touché,
Elle a certainement affecté un jeune homme avant moi.

Les brillants écrivains occidentaux tels K. Marisson, Alexis Carrel et Dale Carnegie reconnaissent que le seul sauveur du matérialisme décliné de la vie de l'Occident ne peut être que la foi en Dieu, le Majestueux. Ils ont dit que la cause principale et le grand secret de ce phénomène qu'est devenu le suicide, c'était l'athéisme et l'égarement du chemin de Dieu, le Seigneur des univers, ❰ Ils ont un supplice sévère pour avoir oublié le Jour des comptes ❫ *(Coran 38:26)*, ❰ Celui qui associe à Allah, c'est comme s'il tombait du ciel pour être happé au passage par les oiseaux ou jeté par le vent dans un abîme sans fond ❫.   *(Coran 22:31)*

Dans son numéro daté du 24-4-1415 H., le journal *Al Charq Al Awssat* a cité un article pris des mémoires de l'épouse de l'ancien président des Etats-Unis d'Amérique, Georges Bush père, et dans lequel il est dit qu'elle a essayé plusieurs fois de se suicider, qu'elle s'est propulsée avec sa voiture dans un ravin cherchant la mort et qu'une fois elle a tenté de s'étrangler.

Kazman a combattu farouchement avec les musulmans, dans la bataille d'Ouhoud. Les gens ont dit: a sa bonne aise, le Paradis. Le Prophète (ﷺ) a dit: «Il fait partie des gens de l'Enfer» ! En effet, n'ayant pas pu supporter les douleurs atroces de ses blessures, il perdit patience et s'est donné la mort à l'aide de son épée, ❰Ceux dont les efforts dans ce monde se perdirent dans l'errance, alors qu'ils croyaient agir dans le bien❱.   *(Coran 18:104)*

Et c'est la signification de Sa parole, le Très-Haut: ❰Et celui qui aura tourné le dos à Mon Rappel, aura une malvie❱.

(Coran 20:124)

Le musulman ne peut se permettre de faire de même, quoiqu'il arrive. Une prière après des ablutions, avec méditation et soumission, seront suffisantes pour dissiper ce malheur, ce chagrin, ce souci et cette déception, ❰Patiente pour ce qu'ils disent et récite la louange de ton Seigneur avant le lever du soleil et avant son coucher et à certains moments de la nuit. Récite Sa louange ainsi que dans les extrémités du jour afin que tu sois satisfait❱.   *(Coran 20:130)*

Le Coran s'enquiert sur ce monde, sur son aberration et son égarement. Il dit: ❰Qu'ont-ils donc à ne pas croire ?❱ *(Coran 84:20)*, qu'est ce qui les détourne de la foi alors que le but est clair, que la preuve est éloquente, que la démonstration a été faite, que la vérité est apparue et que l'argument a brillé ? ❰Nous leur montrerons Nos signes dans les horizons et en eux-mêmes, jusqu'à ce qu'il leur soit prouvé que c'est la vérité❱ *(Coran 41:53)*, ils sauront que Mohammed (ﷺ) est sincère, qu'Allah est une divinité digne d'adoration et l'Islam est une religion complète qui mérite d'être suivie par le monde entier, ❰Celui qui soumet son visage à Allah tout en étant bienfaisant, il s'est agrippé à l'anse la plus ferme❱.   *(Coran 31:22)*

Même les mécréants sont sériés

Dans les mémoires du président Georges Bush père, *Une marche en avant*, il a écrit qu'il avait assisté aux funérailles du président soviétique Brejnev à Moscou et qu'il a constaté que ses obsèques étaient sombres et lugubres, qu'elles étaient dépourvues de foi et d'existence. En effet, Bush est chrétien et eux, les ex-soviétiques, étaient des athées, ⁕Et tu trouveras que ceux qui ont une amitié envers ceux qui ont cru, sont ceux qui ont dit: nous sommes chrétiens⁕ *(Coran 5:82)*. Regarde comment il a réagi à cela malgré son égarement, car le problème est devenu relatif. Qu'en serait-il donc, s'il connaissait l'Islam, la religion d'Allah le Véridique ? ⁕Celui qui aspire à une religion autre que l'Islam, cela ne sera pas accepté de lui et il sera, dans l'Au-delà, parmi les perdants⁕.   *(Coran 3:85)*

Ceci me rappelle un article de *cheikh Al Islam* Ibn Taymiya dans lequel il parlait d'un membre des gens ésotériques. Ce dernier disait à Ibn Taymiya: comment se fait-il, ô Ibn Taymiya que lorsque nous venons à vous, notre prodige périsse et devienne nul, alors que chez les Tartares, les Mongols mécréants, il est éloquent ? Le cheikh a répondu: tu sais comment nous sommes comparés, vous, les Tartares et nous ? Quant à nous, nous sommes des chevaux blancs, vous, des chevaux noirs tachetés de blanc, et les tartares, des chevaux noirs. Celui qui est tacheté quand il se mélange avec les noirs, il devient blanc et s'il se mélange avec les blancs, il devient noir. Vous, vous avez des restes de lumière qui se manifestent lorsque vous entrez chez les incroyants, mais si vous venez à nous, qui possédons la grande lumière et la Sunna, votre obscurité et votre noirceur paraissent: voilà ce que nous sommes, vous, les tartares et nous. ⁕Quant à ceux dont les visages auront blanchi, ils seront dans la miséricorde d'Allah et ils seront éternels⁕.   *(Coran 3:107)*

Une volonté de fer

Un étudiant musulman est allé en Occident pour des études. A Londres, exactement. Il habitait chez une famille anglaise mécréante afin d'apprendre facilement la langue. Il était croyant et pratiquant si bien qu'il se levait de bonne heure, à l'aube, allait aux toilettes, faisait ses ablutions avec de l'eau très froide, puis se dirigeait vers l'endroit où il accomplissait sa prière. Il se prosterne pour son Seigneur, se courbe, glorifie et loue Allah. Une vieille femme dans la maison a remarqué cette scène. Quelques jours après, elle lui a demandé: que fais-tu ? Il a répondu: ma religion m'ordonne d'agir ainsi. Elle a dit: pourquoi ne retarderais-tu pas cela pour que tu puisses te reposer un peu plus ? Il a dit: mais mon Seigneur n'acceptera pas de moi que je retarde la prière de son horaire prescrit. Elle a levé sa tête et a dit: une volonté qui brise le fer ! ❰ Des hommes que ni commerce, ni vente ne distraient de l'évocation d'Allah et de l'accomplissement de la prière ❱.

(Coran 24:37)

C'est la volonté de la foi, la force de la conviction et la prépondérance du monothéisme. C'est cette volonté qui a inspiré aux magiciens de Pharaon de croire au moment propice du conflit mondial entre Moïse et Pharaon. Ils lui dirent: ❰ Jamais nous ne nous te préfèrerons à ce qui nous est venu comme preuve et à Celui qui nous a créés. Accomplis ce que tu veux accomplir ❱ *(Coran 20:72)*. Et ce fut le défi sans égal, dont on n'a jamais entendu parler. Ils durent accomplir cette mission en cette circonstance, et communiquer cette parole sincère à cet athée tyrannique.

Habib Ibn Zeyd est entré chez Moussaïlema le menteur, pour l'exhorter au monothéisme. Ce dernier l'a découpé en morceaux avec son épée: il n'a pas poussé un seul cri, ni tremblé jusqu'à ce qu'il retourna en martyr à son Seigneur, ❰ Et les martyrs, chez leur Seigneur, ont leur récompense et leur lumière ❱.   *(Coran 57:19)*

Khoubaïb a été présenté à la potence de la mort, il récita ce vers:

Je ne me soucie guère, étant assassiné musulman,
De quel côté, au nom d'Allah, sera mon trépas.

L'innéité (fitra)

Lorsque l'obscurité s'intensifie, que le tonnerre se met à gronder et que les vents se déchaînent, la nature se réveille. ❴Un vent déchaîné arrive sur lui, les vagues les assaillent de toutes parts et ils se sentent entièrement cernés par le danger, alors ils invoquent Allah, Lui consacrant complètement la religion❵ *(Coran 10:22)*. Cependant, le musulman invoque son Seigneur dans la détresse et dans la prospérité, dans le malheur et dans le bonheur: ❴S'il n'avait pas fait partie des gens élogieux❵, ❴Il serait resté dans son ventre jusqu'au jour où ils seront ressuscités❵ *(Coran 37:143-144)*. Pas mal de gens invoquent Allah au moment du besoin, L'implorant et Le suppliant. Mais quand leurs veux sont exaucés, ils s'écartent et s'éloignent, mais on ne peut pas être malin avec Allah comme on se moque des enfants, de même qu'on ne peut pas le tromper comme on trompe un gamin, ❴Ils cherchent à tromper Allah, alors que c'est Lui qui les trompe❵ *(Coran 4:142)*. Ceux qui n'ont recours à Allah qu'au moment du fait accompli, sont en fait des élèves de l'être égaré, du pervers — Pharaon à qui On a dit, après que tout fut perdu: ❴C'est maintenant donc, alors que tu désobéissais auparavant et que tu étais des corrupteurs?❵   *(Coran 10:91)*

J'ai entendu, le jour de l'invasion du Koweït par l'Irak, une déclaration du comité de la radio britannique, dans laquelle il était dit que Margaret Thatcher, l'ancien premier ministre anglais était dans l'Etat du Colorado, aux Etats-Unis d'Amérique: quand elle a entendu la nouvelle, elle a accouru à l'église et s'est prosternée!

Je ne peux expliquer ce phénomène que par le fait que la nature, chez ces gens-là, s'éveille et retourne à son humble origine, malgré leur incroyance et leur égarement. En effet, les âmes sont de nature croyante en Allah: «Tout nouveau-né naît sur l'innéité *(fitra):* ses parents font de lui un juif, un chrétien ou un zoroastre».

Ne sois pas triste pour le retard de la subsistance, car elle a une échéance définie

Celui qui veut avancer le terme de ses ressources, devancer le temps, et s'irrite pour le retard d'accomplissement de ses vœux est comme celui qui devance l'imam dans la prière alors qu'il sait qu'il ne peut en prononcer le salut de la fin qu'après lui ! Les choses et les subsistances sont prédestinées, cela a été réglé cinquante mille années avant la création, ❰La décision d'Allah est arrivée, ne la précipitez point ❱ *(Coran 16:1)*, ❰Et s'Il te veut quelque bien, rien ne peut détourner Sa générosité ❱. *(Coran 10:107)*

Omar dit: "Ô Allah ! Je demande Ta protection contre l'obstination de l'être dévergondé et l'incapacité de l'homme de confiance". C'est une parole noble et sincère. J'ai fait dans mon esprit un tour d'horizon de l'histoire et j'ai trouvé que les ennemis d'Allah étaient dotés de persévérance, de persistance, d'assiduité et d'ambition. Par contre — et quel étonnement ! —, beaucoup de musulmans sont hantés de paresse, de langueur, de dépendance et de faiblesse, comme seul Allah en connaît l'amplitude. J'ai alors compris le véritable sens de la parole d'Omar, qu'Allah soit satisfait de lui.

Plonge-toi dans le travail utile

Al Walid Ibn Al Moughira, Oumeya Ibn Khalef et Al 'As Ibn Wâïl ont déboursé leurs fortunes pour combattre le Message et affronter la Vérité, ❰Ils les dépenseront donc, puis elles seront pour eux de profonds remords et ils seront battus ❱. *(Coran 8:36)*

Cependant, de nombreux musulmans lésinent sur la dépense de leur argent pour la réalisation du phare de la vertu et l'édification de la citadelle de la foi, ❰Et celui qui est avare, ne l'est qu'à son seul préjudice ❱. *(Coran 47:38)*

Et ceci est la persistance de l'être dévergondé et l'incapacité de l'homme de confiance !

Dans ses mémoires, *La rancune*, Golda Meir, une juive, il est cité qu'à une certaine époque de sa vie, elle travaillait seize heures sans arrêt au service de ses principes erronés et de ses pensées perverses, jusqu'à ce qu'elle obtienne, avec Ben Gourion, un Etat.

Et que celui qui veut s'en assurer, lise son livre.

J'ai vu des milliers de musulmans qui ne travaillaient pas, ne serait-ce qu'une seule heure, et qui sont pris par les distractions, la nourriture et la boisson, dans une perte totale, ❰ Qu'avez-vous, quand on vous a dit de vous mobiliser dans le chemin d'Allah, à traîner par terre ? ❱ *(Coran 9:38)*

Omar était assidu dans son travail, de jour comme de nuit et dormait peu. Les siens lui ont dit: ne dors-tu donc pas ? Il a répondu: si je dors la nuit, je serai perdu et si je dors le jour, mon peuple sera perdu.

Dans les mémoires de Moshé Dayan, *L'épée et le jugement,* il est écrit qu'il s'envolait de pays en pays, de ville en ville, de nuit comme de jour, secrètement et ouvertement, qu'il assistait aux réunions, faisait des congrès, coordonnait les transactions et les relations et écrivait ses mémoires. J'ai dit: quelle consternation ! Ceci est la persévérance des frères des singes et des porcs, et cela est l'impuissance de beaucoup de musulmans, mais c'est l'obstination des gens dévergondés et l'incapacité des hommes de confiance !

Si j'étais de Mazen, mes chameaux ne seraient pas piétinés
Par les fils de la bâtarde des Béni Chaïbana.

Omar a combattu le chômage, l'inactivité et l'oisiveté. Il a fait sortir de la mosquée des jeunes qui y ont habité, il les a même frappés en leur disant: sortez et demandez la subsistance, car il ne pleuvra du ciel ni or, ni argent.

Avec l'oisiveté et l'inactivité, il y a: le stress, l'impureté, la maladie psychologique, l'effondrement nerveux, le souci et le chagrin. Et avec le travail et l'activité, il y a: l'allégresse, le plaisir et le bonheur. Le souci, le chagrin, l'inquiétude, les maladies mentales, nerveuses et psychologiques disparaîtront.

Si chacun de nous accomplissait son rôle dans l'existence, les usines fonctionneraient, les fabriques travailleraient, les associations bienfaisantes, religieuses et les coopératives s'ouvriraient, ainsi que les camps, les centres, les rencontres littéraires, les séminaires scientifiques et tas d'autres choses utiles... ❰Et dis: agissez❱ *(Coran 9:105)*, ❰Répandez-vous sur terre❱ *(Coran 62:10)*, ❰Devancez❱ *(Coran 57:21)*, ❰Empressez-vous❱ *(Coran 3:133)*, «Et le Prophète d'Allah Daoud mangeait du travail de ses mains».

Rached a un livre qui a pour titre *Le façonnement de la vie*. Il y a parlé avec prolixité sur ce sujet en soulignant que beaucoup de gens n'accomplissent pas leurs tâches et ne jouent pas leurs rôles dans la vie.

Et beaucoup de personnes sont vivantes, mais elles sont comme des morts, elles ne connaissent pas le secret de leur existence, n'occasionnent du bien ni à leur avenir, ni à leurs pays, ni à eux-mêmes, ❰Ils ont consenti à être avec ceux qui sont restés à l'arrière❱ *(Coran 9:87)*, ❰Ne s'égalent pas ceux des croyants qui restent démobilisés — sans raison de handicap — et ceux qui combattent dans le chemin d'Allah❱. *(Coran 4:95)*

La femme noire qui balayait la mosquée du Messager (ﷺ) a joué son rôle dans la vie et grâce à cela, elle est entrée au Paradis, ❰Une esclave croyante est bien meilleure qu'une qui associe, même si elle vous a plu❱. *(Coran 2:221)*

Le garçon qui a fabriqué la chaire au Messager a, lui aussi, accompli ce qu'il devait faire et il a obtenu un salaire pour ce qu'il a fait, son talent étant dans la menuiserie, ❰Et ceux qui ne donnent que selon leurs faibles moyens❱. *(Coran 9:79)*

Les Etats-Unis d'Amérique ont autorisé les prédicateurs musulmans en 1985 à entrer dans les prisons, parce que les criminels, les assassins et les dealers.

S'ils étaient toutefois guidés vers la voie de l'Islam, seraient alors des membres bienfaisants dans leur société, ❰Est-ce que celui qui était mort et que Nous ramenâmes à la vie et à qui Nous fîmes une lumière avec laquelle il marche parmi les gens❱. *(Coran 6:122)*

Deux invocations sublimes, très utiles pour celui qui veut la pertinence dans les choses et la maîtrise de l'âme face aux événements et accidents.

La première: un, Hadith rapporté par Ali: le Messager lui a dit: «Dis: ô Allah ! Guide-moi et fais que je sois pertinent». Rapporté par Mouslim.

La deuxième: un Hadith, rapporté par Hôçayne Ibn Abid, selon Abou Daoud: le Messager (ﷺ) lui a dit: «Dis: ô Allah! Inspire-moi mon bon sens, et protège-moi du mal de mon âme».

L'attachement à la vie, la passion de la pérennité, l'amour de l'existence et l'aversion de la mort procure au serviteur: l'impureté, l'étroitesse de la poitrine, l'adulation, l'inquiétude, l'insomnie, le surmenage, d'ailleurs Allah a blâmé les juifs pour leur attachement à ce bas monde. Il a dit: ﴿Tu trouveras certainement que ceux sont les gens les plus attachés à la vie, plus que ceux qui ont associé, l'un d'eux souhaiterait vivre mille ans, mais la longévité ne lui éviterait pas le châtiment, Allah est clairvoyant de ce qu'ils font﴾.

(Coran 2:96)

Et là, il y a vraiment des questions à soulever:

- Le reniement de la vie: parce qu'ils l'aiment et ne tiennent aucun compte de sa qualité, pourvu qu'ils vivent, même si c'est une vie de bêtes et d'animaux ou celle d'une vile personnalité.

- Le choix de l'expression: mille ans — parce que le juif, lorsqu'il rencontrait un autre, lui disait: bonjour, mille ans. C'est-à-dire: vis mille ans. Allah a alors rappelé qu'ils voulaient vivre ce long âge, mais s'ils le vivaient, quelle serait la fin ? Leur sort, ce ne sera que le feu flamboyant, ﴿Et le châtiment de l'Au-delà est plus humiliant et ils ne seront nullement secourus﴾. *(Coran 41:16)*

Et parmi les belles paroles des masses: il n'y a aucun chagrin, si Allah est invoqué.

C'est-à-dire qu'il y a, dans le ciel, un Dieu qui est invoqué, à qui on demande du bien: pourquoi alors te chagriner, toi sur terre, si tu t'en remettais à ton Seigneur, à propos de tes soucis. Il te les dissiperait, ﴿Et qui répond au désespéré lorsqu'il L'invoque et dissipe le mal ? ▶ *(Coran 27:62)*, ◀ Et si Mes serviteurs t'interrogent sur Moi, Je suis proche, Je réponds à l'invocation de celui qui invoque, quand il M'invoque ▶.

(Coran 2:186)

Le vœu de celui qui patiente sera certainement exaucé,
Et celui qui frappe, avec insistance aux portes, entrera.

Dans ta vie, il y a des minutes précieuses

J'ai vu deux attitudes émouvantes et éloquentes dans les mémoires du cheikh Ali Al Tantaoui:

La première attitude: il a parlé d'un incident qui lui est arrivé sur une plage de Beyrouth où il a risqué la noyade quand il pratiquait la natation et a alors frôlé la mort. Il fut transporté alors qu'il était évanoui. Durant ces instants, il était dans une totale soumission à son Seigneur et souhaiterait revenir à la vie ne serait-ce qu'une heure pour renouveler sa foi et ses œuvres pieuses. Ainsi sa croyance arrivait-elle au summum.

La deuxième attitude: il a rapporté qu'il était dans une caravane qui allait de Syrie vers la Maison d'Allah, à la Mecque. Arrivés au désert de Tabouk, ils se sont égarés et y sont restés trois jours.

Leurs provisions en nourriture et en eau s'étant épuisées, ils n'attendaient plus que la mort quand il s'est levé et a prononcé un discours d'adieu aux présents: ce fut une exhortation monothéiste, ardente qui l'a fait pleurer ainsi que tous les autres.

Il a senti que sa foi avait augmenté et qu'il n'y avait plus d'autre soutien et de sauveur qu'Allah, le Sublime dans Sa Grandeur, ◀ Il est sollicité de tous ceux qui sont dans les cieux et sur terre, et chaque jour, Il est à une occupation ▶.

(Coran 55:29)

Le Très-Haut dit: ◀ Et combien de prophètes ont vu combattre à leurs côtés de savants disciples. Ils ne se sont pas découragés pour ce qui les a touchés dans le chemin d'Allah, n'ont pas faibli, n'ont pas abandonné la lutte et Allah aime ceux qui patientent ▶.

(Coran 3:146)

Allah aime les croyants puissants qui défient leurs ennemis par leur patience et de toute leur puissance, qui ne s'humilient pas, qui ne sont pas atteints de déception et de désespoir, dont les forces ne s'effondrent pas, qui ne se soumettent pas à l'avanie, à la faiblesse et à la défaillance, mais qui résistent, persistent et sont vigilants.

C'est le prix de leur foi en leur Seigneur, en leur Messager et en leur religion, «Le croyant fort est meilleur et préférable à Allah que le croyant faible, et dans tous les deux il y a du bien».

Les doigts du Messager (ﷺ) ont été blessés au nom d'Allah. Et il a dit:

Es-tu autre chose qu'un doigt ensanglanté?
Et ceci est insignifiant pour l'amour d'Allah.

Abou Bakr a mis ses doigts dans le trou pour protéger le Messager (ﷺ) du scorpion et il fut dardé. Le Prophète (ﷺ) a lu des versets de Coran sur la piqûre: par la permission d'Allah, il fut guéri.

Un homme a dit à Antar: quel est le secret de ton courage et de ta prédominance sur les hommes?

Il lui a alors dit: mets ton doigt dans ma bouche et mets le mien dans la tienne. Il a mis son doigt dans la bouche d'Antar qui plaça le sien dans celle de l'homme.

Chacun d'eux mordit le doigt de l'autre, l'homme cria, n'ayant pu supporter la douleur. Antar lui lâcha son doigt et lui dit: c'est par cela que j'ai battu les héros.

C'est-à-dire par la patience et l'endurance.

Parmi les choses qui réjouissent le croyant, il y a la proximité de la clémence, de la miséricorde et l'indulgence d'Allah.

Il discerne Son attention et Son règne selon sa foi.

Toutes les créatures, les vivants, les bêtes, les oiseaux et les reptiles pressentent qu'ils ont un Seigneur créateur et pourvoyeur, ❮Il n'y a aucune chose qui ne Le glorifie pas par la louange, mais vous ne comprenez pas leurs glorifications❯. *(Coran 17:44)*

Louange à toi ô Seigneur, rien d'autre que Toi ne peut être
* loué,*
Ô Celui a qui toutes les créatures ont recours!

Chez nous, les masses, au moment des labours, lancent les grains de leurs mains dans les fissures de la terre et s'exclament: grains secs, dans un pays sec entre Tes mains, ô Créateur des cieux et de la terre, ❬Que pensez-vous de ce que vous labourez?❭, ❬Est-ce vous qui le semez, ou est-ce Nous les semeurs?❭   *(Coran 56:63-64)*

C'est le penchant du monothéisme envers Allah et l'orientation des âmes vers Lui, le Sublime, le Très-Haut.

Le prédicateur éloquent Abdelhamid Kachk qui était aveugle, monta un jour sur la chaire de la mosquée et quand il fut à son faîte, il sortit de sa poche une feuille de peuplier sur laquelle était écrit «ALLAH» — d'une belle écriture du genre *Koufi*, puis il s'écria à l'intention de l'auditoire:

Observez cet arbre,
Aux branches prospères
Qui l'a fait pousser
Et l'a embelli par le vert
C'est Allah, Lui qui a
Le pouvoir de tout faire.

Et les gens se mirent alors à sangloter.

C'est le Créateur des cieux et de la terre, Ses signes sont dessinés sur les créatures, prononçant le monothéisme, la seigneurie et la divinité, ❬Seigneur! Tu n'as pas créé tout cela en vain❭.

(Coran 3:191)

Parmi les piliers du bonheur et de la satisfaction, il y a le fait de ressentir qu'il y a un Seigneur miséricordieux qui pardonne et absout celui qui se repent. Réjouis-toi donc de la clémence de ton Seigneur qui est plus vaste que les cieux et la terre. L'Elogieux a dit: ❬Et Ma miséricorde s'étend à toute chose❭.

(Coran 7:156)

Quelle est éminente Sa grâce!

Dans un Hadith authentique, il y a: un bédouin a accompli la prière avec le Messager d'Allah (ﷺ). Quand il arriva à la formule exprimant le monothéisme, il dit: ô Allah! Accorde-moi et à Mohammed — à nous seuls — Ta miséricorde. Le Prophète a dit: «Tu as rétréci une vastitude».

En effet, la miséricorde d'Allah englobe toute chose, ❨Et Il était miséricordieux pour les croyants❩ *(Coran 33:43)*, «Allah est, miséricordieux envers Ses serviteurs plus que ne l'est celle-ci pour son enfant».

Un homme s'est incinéré par le feu de peur d'Allah. Le Glorieux, le Très-Haut a réalisé son assemblage et lui a dit: «Ô Mon serviteur! Qu'est-ce qui t'a poussé à agir ainsi? Il a dit: ô mon Seigneur! J'ai eu peur de Toi et j'ai appréhendé mes péchés. Allah l'a fait entrer au Paradis». C'est un Hadith authentique.

❨Mais, quiconque a craint le statut de son Seigneur et a interdit les passions à l'âme❩, ❨le Paradis sera son refuge❩.

(Coran 79:40-41)

Allah a fait les comptes d'un homme monothéiste qui, avec extravagance a surchargé, son âme de péchés, Il n'a trouvé chez lui aucun bienfait, mais il était commerçant dans ce bas monde et pardonnait aux débiteurs insolvables. Allah a dit: nous sommes plus aptes à être généreux que toi, pardonnez-lui. Il l'a fait entrer au Paradis. ❨Et celui dont je convoite la rémission de ma faute, le Jour de la Rétribution❩ *(Coran 26:82)*, ❨Ne désespérez pas de la clémence d'Allah❩.

(Coran 39:53)

Selon Mouslim, le Prophète (ﷺ) ayant dirigé la prière, un homme s'est levé et a dit: j'ai outrepassé une limite, punis-moi! Il a dit: «As-tu prié avec nous?» Il a répondu: oui. Il a dit: «Pars, On t'a pardonné».

❨Celui qui commet un méfait ou se rend coupable d'une injustice vis-à-vis de lui-même et ensuite implore le Pardon d'Allah, trouvera Allah Pardonneur et miséricordieux.❩

(Coran 4:110)

Il a une mansuétude cachée qui cerne le serviteur par-devant, par-derrière, à sa droite, à sa gauche, au-dessus de sa tête et au-dessous de ses pieds. Son propriétaire est Allah, le Seigneur des univers qui a sauvé Mohammed (ﷺ) dans la Grotte, a englobé de Sa Grâce les Gens de la Caverne, a délivré les trois qui ont été bloqués par un rocher dans la fameuse grotte, a sauvegardé Ibrahim du feu, a sauvé Moussa de la noyade, Nouh du déluge, Youssouf du puits et Ayyoub de la maladie.

Une pause

Il a été rapporté qu'Oum Salama a dit: j'ai entendu le Messager d'Allah dire: «Quiconque des musulmans est atteint d'une calamité et qui dit ce que lui a ordonné Allah: ❬ Nous sommes à Allah et c'est à Lui que nous retournerons ❭ *(Coran 2:156)* ; ô Allah, accorde-moi un salaire pour mon affliction et substitue-la par une meilleure qu'elle, Allah lui substitue certainement meilleure qu'elle».

Un poète a dit:

Mon ami, par Allah, aucune affliction
Ne dure pour un vivant même si elle est démesurée,
Si tu en es atteint, ne t'y soumets pas,
Et ne te plains pas trop si tu as glissé,
Combien de nobles ont été affectés,
Et ont patienté jusqu'à ce que cela passe et se soit dissipé,
Mon âme a été toujours fière
Ayant vu ma patience face à l'humiliation, elle s'est
*   abaissée.*

Un autre a dit:

Ma poitrine se serre face à un malheur,
Alors que, peut-être, cela m'est bénéfique,
Et que cela arrivera au début du jour,
Et qu'à sa fin, ce sera une détente et du basilic,
Je n'ai jamais été affecté d'une calamité,
Sans qu'un soulagement approche ou réplique.

Les belles œuvres mènent au bonheur

J'ai lu dans le premier recueil de poèmes de Hatem Al Tâii une belle parole qui est: si l'abandon du mal te suffit, abandonne-le.

C'est-à-dire que si le silence peut dénoncer le mal et l'éviter, ❰Eloigne-toi d'eux❱ *(Coran 4:63)*, ❰Repousse leurs intrigues❱.

(Coran 33:48)

Le fait de vouloir du bien aux gens est un don divin et un octroi béni de la part de l'Omniscient.

En parlant de la grâce d'Allah, Ibn Abbas dit: je possède trois qualités: lorsqu'une pluie bienfaisante tombe, je loue Allah et je deviens heureux, alors que je n'ai ni mouton, ni chameau. Quand on me parle d'un juge équitable, j'invoque pour lui Allah, alors que je n'ai devant lui aucune affaire. Et lorsque j'apprends un verset du Livre d'Allah, je souhaite que tous les gens sachent ce que j'ai su.

C'est l'amour du bien à autrui, la propagation de la vertu entre les gens, l'intégrité de leurs poitrines et la sincérité, toute la sincérité à l'égard des créatures.

Le poète dit:

Que les pluies ne tombent, ni sur moi, ni sur ma terre
Si elles ne couvrent pas tout le pays.

C'est-à-dire que si les nuages ne sont pas généraux et que les pluies ne sont pas générales, je ne les voudrai pas uniquement pour moi. Je ne suis pas égoïste, ❰Ceux qui sont avares, ordonnent aux gens l'avarice et dissimulent ce qu'Allah leur a donné de Sa générosité❱.

(Coran 4:37)

Ces paroles, que Hatem a prononcées, parlant de son âme généreuse et de son caractère noble, ne t'émeuvent-elles pas?

Par Celui qui est le seul à connaître l'Inconnu
Et qui ressuscite les os blancs devenus cendres.
Que je me privais alors que j'étais affamé et désirant la
nourriture
De peur qu'on dise un jour qu'il était ladre.

La science utile et la science nuisible

La science ne t'humiliera pas si elle te conduit à Allah, ❨Ceux qui ont reçu le savoir et la foi dirent: vous êtes restés dans le Livre d'Allah jusqu'au Jour de la Résurrection❩ *(Coran 30:56)*. Il existe une science de foi et une autre incroyante. Allah dit à propos de Ses ennemis: ❨Ils ne savent qu'une apparence de ce monde, alors qu'ils n'accordent aucune attention à l'Au-delà❩ *(Coran 30:7)*, Il dit aussi: ❨Et leurs sciences se sont rejointes au sujet de l'Au-delà, mais ils en doutent, pis encore: ils en sont aveugles❩.   *(Coran 27:66)*

Il dit également: ❨C'est là la totalité de leur savoir...❩ *(Coran 53:30)*. Comme Il dit aussi: ❨Récite-leur la nouvelle de celui à qui Nous avons apporté Nos versets et qui s'en détacha, le diable l'a alors suivi et il devint de ceux qui sont dévoyés❩. ❨Si Nous avions voulu, Nous l'aurions élevé par eux, mais il tint à la terre et a suivi sa passion, son exemple est celui du chien, si tu le charges, il halète et si tu le laisses, il halète aussi. Tel est l'exemple de ceux qui ont démenti Nos signes, raconte-leur les récits, peut-être réfléchiront-ils❩ *(Coran 7:175-176)*. Qu'Il soit glorifié Celui a dit aussi au sujet des juifs et de leurs œuvres: ❨Tel l'exemple de l'âne qui porte des livres❩ *(Coran 62:5)*: c'est une science d'accord, mais elle ne guide pas. Une démonstration qui ne guérit pas, une preuve qui n'est ni formelle, ni claire. Une transcription qui n'est pas sincère, des paroles fausses, des conseils mais à la débauche, une orientation mais à l'erreur. Comment ceux qui sont pourvus de cette science trouveraient-ils le bonheur, alors que ce sont eux les premiers qui l'écrasent de leurs pieds: ❨Mais ils préférèrent l'aveuglement à la rectitude❩ *(Coran 41:17)*, ❨Et leurs déclarations: nos cœurs sont impénétrables, mais en fait, c'est Allah qui les leur a scellés pour leur incroyance❩.   *(Coran 4:155)*

J'ai vu dans la bibliothèque du Congrès à Washington des centaines de milliers de livres de tous les arts, de toutes les spécialités, sur toutes les générations, tous les peuples, toutes les nations, toutes les civilisations, toutes les cultures. Mais la nation qui détient cette bibliothèque grandiose, renie son Seigneur, ne connaît que le monde visible et perçu. Pour ce qui est en deçà, il n'y a ni ouie, ni vue, ni cœur, ni conscience, ◀Nous les dotâmes d'une ouie, d'yeux et de cœur, mais ni leur ouie, ni leurs yeux, ni leurs cœurs ne leur furent d'aucune utilité▶.   *(Coran 46:26)*

Les jardins sont verts mais les chèvres sont malades. Les dattes sont de telle qualité mais l'avarice est de tout autre nature. L'eau est douce et limpide, mais dans la bouche, il y a une aigreur. ◀Combien Nous leur apportâmes de signes évidents▶ *(Coran 2:211)*, ◀Il n'y a pas un seul signe parmi les signes de leur Seigneur dont ils ne se soient détournés▶.   *(Coran 6:4)*

Informe-toi beaucoup et médite assez

Parmi les choses qui détendent la poitrine, il y a: l'abondance du savoir, la profusion de la matière scientifique, la grande culture, la pensée profonde, la perspective lointaine, l'originalité de la compréhension, la recherche de la preuve, la connaissance du secret du problème, l'atteinte des buts des questions, la découverte des vérités des choses, ◀Ceux qui craignent Allah, de tous Ses serviteurs, ce sont bien les savants▶ *(Coran 35:28)*, ◀Mais ils ont démenti ce qu'ils n'ont pas embrassé de leur science▶.   *(Coran 10:39)*

Le savant a la poitrine détendue, l'esprit large, l'âme sereine et le caractère enjoué.

Les dépenses à bon escient font augmenter les biens,
Par contre, la cupidité et l'avarice les font diminuer.

Un penseur occidental dit: j'ai dans le tiroir de mon bureau un grand dossier sur lequel est écrit *Les stupidités que je commets.* J'y écris toutes les erreurs, toutes les futilités et tous les faux pas accomplis quotidiennement afin de m'en débarrasser.

J'ai alors dit: les érudits parmi nos prédécesseurs t'ont devancé, quant au rendement de compte minutieux et à la prospection affligeante qu'ils s'imposaient à eux-mêmes, ◀Et Je ne jurerai pas par l'âme aux reproches incessants▶.   *(Coran 75:2)*

Hassan Al Basri a dit: le musulman fait ses propres comptes plus que ne le fait l'homme avec son associé.

Al Rabi'e Ibn Khouthaïm écrivait ses paroles du vendredi à l'autre: s'il y trouve une bienfaisance, il loue Allah et si c'est une malfaisance, il demande le pardon d'Allah.

Un de nos prédécesseurs a dit: j'ai commis un péché, il y a de cela quarante ans et jusqu'à présent j'en demande l'absolution à Allah, et je continue à implorer avec insistance le pardon. ❨ Ceux qui donnent ce qu'ils peuvent donner alors que leurs cœurs sont pleins de crainte ❩.

(Coran 23:60)

Fais tes propres comptes

Conserve un mémorandum pour toi afin de pouvoir faire tes propres comptes, inscris-y les œuvres négatives persistantes, en commençant par citer ta progression dans leur traitement.

Omar a dit: faites vos propres comptes avant qu'on vous les fasse, pesez-les avant qu'on vous pèse et parez-vous pour la grande exposition.

Trois fautes se répètent dans notre existence quotidienne

La première: la perte de temps.

La deuxième: la conversation sur ce qui ne nous intéresse pas: «Parmi les signes révélateurs de la bonne qualité de l'Islam de la personne, il y a son renoncement à ce qui ne l'intéresse pas».

La troisième: l'intérêt accordé aux futilités telles que les intimidations des désinformateurs, les prévisions des gens qui ne savent que démoraliser et les accusations des gens envahis par les suggestions du diable. Il s'agit d'un malheur imminent et d'un souci précipité: voilà deux obstacles au bonheur et à la sérénité.

Que ta journée soit belle, ô vestige ancien

Vivrait-il encore celui de l'époque passée

Ne peut vivre que celui qui est bienheureux
Qui a peu de soucis et qui ne passe pas sa nuit, tourmenté.

Le Prophète (ﷺ) a enseigné à son oncle une imploration qui contient le bonheur de ce monde et de l'Au-delà: «Ô Allah! Je Te demande la clémence et la sûreté».

Ceci est général, dissuasif, curatif et suffisant: il contient le bien imminent et futur. ❨Allah leur apporta alors la récompense de ce monde et la bonne récompense de l'Au-delà❩ *(Coran 3:148)*, ❨Il ne s'égarera pas et ne sera point misérable❩.   *(Coran 20:123)*

Soyez prudents

Le bonheur s'acquiert aussi par la précaution et l'utilisation des causes, avec l'assujettissement à Allah. En effet, le Messager (ﷺ) s'est battu en duel dans des campagnes militaires en utilisant son armure, alors qu'il est le maître de ceux qui s'en remettent à Allah dans tout genre de choses. Quelqu'un lui a dit: ô Messager d'Allah, dois-je attacher ma chamelle ou m'en remettre à Allah? Il a dit: «Attache-la et remets-toi en à Allah».

L'emploi des causes et l'assujettissement à Allah sont les fondements du monothéisme. L'abandon de la cause avec l'assujettissement à Allah est une diffamation à la religion, tout comme l'usage de la cause sans l'assujettissement à Allah est une diffamation au monothéisme.

A ce sujet, Ibn Al Jawzi a dit: un homme s'est coupé un ongle, des complications en découlèrent et il en mourut, n'ayant pas pris ses précautions.

Et un homme est entré dans une écurie où un âne lui brisa l'abdomen et il mourut, également.

Et on a rapporté que Taha Hocine, l'écrivain Egyptien, a dit à son chauffeur: ne roule pas vite de sorte que nous arrivons tôt.

Et c'est la signification de: une précipitation pourrait occasionner un retard.

Un poète a dit:

Le circonspect pourrait réaliser quelque tâche,
Alors que l'homme précipité risquerait des gaffes.

La prévention n'est pas en contradiction avec le Destin, mais elle en fait partie et de sa quintessence, ❲ Qu'il se montre accommodant ❳ *(Coran 18:19)*, ❲ Pour vous défendre de la chaleur et des vêtements qui vous défendent de votre propre violence ❳.   *(Coran 16:81)*

Apprivoise les gens

Le pouvoir d'apprivoisement des gens, l'attirance de leur estime et de leur compassion, procure aussi du bonheur. Ibrahim, que le salut soit sur lui, a demandé à Allah: ❲ Confère-moi une langue de vérité, chez les derniers hommes ❳ *(Coran 26:84)*. Les exégètes du Coran ont dit: il s'agit du bon éloge. Le Glorieux, le Très-Haut a dit à propos de Moussa: ❲ J'ai envoyé sur toi une affection de ma part ❳ *(Coran 20:39)*. Quelqu'un en a dit: quiconque te voit, t'aime.

Et dans un Hadith authentique, il y a: «Vous êtes les témoins d'Allah sur terre». Et les langues des gens sont les plumes de la Vérité.

De ce qui authentique aussi, peut-on lire: «Jibril s'écrie à l'intention de ceux du ciel: Allah aime untel, aimez-le, et l'assentiment lui est établi sur terre».

De ce qui procure la cordialité, on peut citer: la jovialité du visage, la douceur de la parole et l'ampleur du caractère. L'indulgence est un des puissants facteurs, qui attire les âmes des gens vers toi: c'est pour cela d'ailleurs que le Prophète (ﷺ) dit: «L'indulgence embellit la chose qui la contient et enlaidit celle qui en est dépourvue».

Et il a dit aussi: «Celui qui est privé de l'indulgence, est privé du bien dans sa totalité».

Un sage a dit: l'indulgence fait sortir la vipère de son trou.

Et les Occidentaux ont dit: récolte le miel et ne brise pas la ruche.

Dans un autre Hadith authentique, il y a: «Le croyant est comme l'abeille, elle mange ce qui est bon et produit ce qui est bon, et si elle se pose sur une tige, elle ne la brise pas».

Déplace-toi dans les régions et lis les signes de la Toute-Puissance

Ce qui procure le bonheur et la joie, il y a aussi: les voyages et les déplacements dans les régions et l'observation des pays. On a parlé de cela au début de ce livre. Allah, le Glorieux a dit: ❰Dis: regardez ce qu'il y a dans les cieux et sur terre❱ *(Coran 10:101)*, ❰Dis: parcourez la terre et regardez❱ *(Coran 27:69)*, ❰N'ont-ils pas parcouru la terre pour regarder❱.   *(Coran 12:109)*

Un poète a dit:

Ne reste pas dans un lieu où il y a de l'injustice,
Qui fait dissiper le bonheur, à moins que tu ne sois ligoté,
Va à l'Ouest car dans l'émigration, il y a un avantage,
Et dirige-toi à l'Est, si ta salive t'a étouffé.

Celui qui lit sur les voyages d'Ibn Batouta, malgré ce qu'ils contiennent comme exagération, il trouvera ce qui l'étonnera merveilleusement à propos de la création d'Allah, le Glorieux et Son agencement de l'univers. Il constatera aussi que ce sont là des leçons formidables pour le croyant, que le fait de voyager, de changer d'ambiance, d'endroit et de demeure lui procurera du repos. Et ainsi, il pourra lire dans ce grand livre ouvert qu'est l'univers.

Abou Tammam, en parlant du déplacement, dit:

Ma famille est en Syrie, Baghdad est mon penchant
Moi je suis à Al Rakmataïn et à Fostate, sont mes voisins.

❰Dis: parcourez la terre❱ *(Coran 6:11)*, ❰Circulez donc, sur terre❱ *(Coran 9:2)* ❰Jusqu'à ce qu'il eût atteint le lieu du coucher du soleil❱ *(Coran 18:86)*, ❰Je n'aurai pas de cesse avant d'avoir atteint la jonction des deux mers — sans quoi, je marcherai longtemps❱.

(Coran 18:60)

Accomplis la prière surérogatoire nocturne avec ceux qui la pratiquent

La prière surérogatoire nocturne procure du bonheur à l'âme et de la détente à la poitrine.

Le Prophète (ﷺ) a mentionné dans un Hadith authentique que la personne, lorsqu'elle se réveille durant la nuit en se rappelant Allah, et qu'elle fait ses ablutions et prie, elle sera le lendemain bien active et son âme sera bien saine. ❨Ils ne s'assoupissaient qu'une petite partie de la nuit ❩ *(Coran 51:17)*, ❨Et de la nuit, lis-en dans une oraison surérogatoire spécifique à toi❩. *(Coran 17:79)*

La prière nocturne surérogatoire chasse la maladie du corps. C'est un Hadith authentique rapporté par Abou Daoud: «Ô serviteur d'Allah! Ne sois pas comme untel — il accomplissait la prière nocturne surérogatoire puis l'a abandonnée»; «Abdallah serait un homme formidable, s'il accomplissait la prière nocturne surérogatoire».

Ne regrette pas les choses précaires, tout ce qui existe dans cette vie doit périr, hormis Son Visage, le glorieux, le Très-Haut ❨Toute chose est appelée à périr, hormis Son Visage ❩ *(Coran 28:88)*, ❨Tout ce qui est sur elle doit périr ❩, ❨Et restera le Visage de ton Seigneur digne de tout Respect et de tout Honneur ❩. *(Coran 55:26-27)*

L'être humain qui regrette sa vie dans ce bas monde est semblable au gosse qui pleure pour avoir perdu son jouet.

Une pause

«Les deux sont liés l'un à l'autre, ils sont des facteurs de souffrance et de châtiment de l'âme, la différence entre eux est que le souci est la prévision du mal dans l'avenir, quant au chagrin, c'est la souffrance due au mal arrivé dans le passé ou l'écoulement de ce qui est aimé, et tous les deux sont un supplice. L'attachement au passé est appelé chagrin et l'attachement à l'avenir est appelé souci».

«Ô Allah ! Je Te demande la sûreté dans ce monde et dans l'Au-delà. Ô Allah, je Te demande la clémence et la sûreté dans ma religion, ma vie, ma famille et mes biens. Ô Allah, dissimule mes défauts et sécurise ma frayeur. Ô Allah, protège-moi par-devant, par-derrière, à ma droite, à ma gauche et au-dessus de moi, et je me réfugie sous Ta Majesté contre le fait d'être assassiné en dessous de moi».

Un poète a dit:

Ne vois-tu pas que les soutiens de ton Seigneur
Récents et anciens, sont abondants
Divertis-toi, oublie les soucis utopiques
Et qui jamais ne se produiront
Peut-être, qu'après cela, Allah t'observera
D'un Regard de Sa part, bien clément.

Ton prix, c'est le Paradis

Un poète dit:

Mon âme qui possède les choses doit partir,
Comment alors pleurer une chose quand elle disparaît.

La vie avec son or, son argent, ses postes, ses maisons et ses châteaux ne mérite pas une seule larme.

En effet, selon Al Tirmidhi, il est rapporté que le Prophète (ﷺ) a dit: «La vie est maudite et tout ce qu'elle contient est maudit, hormis: l'évocation d'Allah et ce qui s'y assimile, et celui qui est savant ou élève».

Ce ne sont que des dépôts, pas plus, comme dit Labid:

L'argent et la famille ne sont que des dépôts,
Qui devraient être inéluctablement rendus, un jour.

Les milliards, les biens immobiliers et les voitures ne retarderont pas d'une minute le terme du serviteur. Hatem Al Tâii a dit:

Par ta vie, la richesse ne sera d'aucune utilité au jeune
    homme

Si le râle de l'agonie survint et la poitrine prise de
suffocation.

C'est pour cela que les sages ont dit: consacre à la chose un prix
raisonnable. La vie avec tout ce qu'elle contient ne vaut pas l'âme du
croyant ❴Et ce bas monde n'est qu'amusement et jeu❵.

(Coran 29:64)

Al Hassan Al Basri dit: ne demande pas à ton âme un prix autre
que le Paradis: en effet, l'âme du croyant est chère alors que les uns la
vendent à vil prix.

Ceux qui pleurent la perte de leurs biens, la destruction de leurs
maisons, le sinistre de leurs voitures alors qu'ils ne regrettent pas, ne
se chagrinent pas pour l'insuffisance de leur foi, pour leurs fautes et
péchés, pour leur négligence dans l'obéissance à leur Seigneur,
sauront bien qu'ils auront été peu intelligents pour avoir pleuré ceci et
n'avoir pas regretté cela.

La question se rapporte à des principes, à des exemples, à des
réactions et à un message.

❴Ces gens-là aiment la vie éphémère et laissent derrière eux un
Jour bien lourd❵.

(Coran 76:27)

Le vrai amour

Sois parmi les gens d'Allah et de Ses bien-aimés afin d'être
heureux. En effet, le plus heureux des gens est celui qui s'est tracé,
comme but noble et comme finalité suprême, l'amour d'Allah, le
Glorieux, le Sublime. Et que Sa parole est vraiment douce: ❴Qu'Il
aime et qui L'aiment❵.

(Coran 5:54)

Quelqu'un a dit: l'étonnement ne vient pas du fait qu'Il ait dit:
«Qui L'aiment», mais d'avoir dit: «Qu'Il aime», Lui qui les a créés,
qui subvient à leurs besoins, qui les soutient et qui leur donne, puis Il
les aime, ❴Dis: si vous aimez réellement Allah, suivez-moi, et Allah
vous aimera❵.

(Coran 3:31)

Et regarde la révérence d'Ali Ibn Abi Taleb, cette couronne qu'il porte sur sa tête: c'est un homme qui aime Allah et Son Messager et. Qu'Allah et Son Messager aiment.

Un des Compagnons a aimé ❰Dis: c'est Lui Allah, seul et unique ❱ *(Coran 112:1)*, si bien qu'il la répétait dans chaque cambrage de la prière, s'émouvait du fait de son évocation, la récitait continuellement, en attristait son cœur, en faisait branler ses sentiments. Le Messager (ﷺ) lui a alors dit: «Ton amour pour elle t'a fait entrer au Paradis».

Qu'ils sont plaisants, ces deux vers de l'un des savants, que je lisais il y a bien longtemps:

Si l'amour des créatures passionnées
De Leila et Selma volent le cœur et le discernement,
Que devrait faire le fervent dont
Le cœur s'est épris et est nostalgique du monde éminent.

❰Les juifs et les chrétiens ont dit: nous sommes les fils d'Allah et Ses bien-aimés. Dis: pourquoi alors vous châtie-t-Il à cause de vos péchés? ❱.   *(Coran 5:18)*

Le fou de Leila a été tué pour l'amour d'une femme, Coré pour l'amour de l'argent, Pharaon pour l'amour du poste. Par contre, Hamza, Djaâfer et Handhala ont été tués pour l'amour d'Allah et de Son Messager: que les deux équipes sont loin l'une de l'autre !

Une pause

«300 officiers de police se suicident chaque année, aux Etats-Unis d'Amérique, dix d'entre eux sont de New York... Et depuis 1987, le nombre des officiers suicidés augmente... C'est un phénomène qui a inquiété les autorités. L'union nationale des officiers de police a fait une enquête sur la question.

Il en a résulté *que la principale raison* de cela était la tension nerveuse continue qu'ils vivaient, puisqu'il leur était demandé de la fermeté face aux crises et de l'endurance sous les pressions croissantes face à l'augmentation du taux de la criminalité, aux souffrances dues aux relations avec les criminels et à la vue des cadavres des victimes parmi les enfants, les femmes et les vieillards.

La deuxième raison en est le fait d'avoir en leur possession, d'une façon permanente, des armes, ce qui leur facilite la tâche ou, du moins, les aide à recourir à cet acte.

En effet, 80% de ces suicides ont été commis à l'aide de leurs propres armes. En trois jours consécutifs, trois officiers se sont suicidés utilisant leurs propres pistolets.»

Ne sois pas triste, car la Religion est facile et simple

Parmi les choses qui réjouissent le musulman, il est la simplicité et la magnanimité qui existent dans sa religion, ❨Ta-ha. Nous n'avons pas fait descendre sur toi le Coran pour que tu sois malheureux ❩ *(Coran 20:1-2)*, ❨Nous ferons en sorte que tu prennes la voie facile ❩ *(Coran 87:8)*, ❨Allah ne charge une âme que selon sa capacité ❩ *(Coran 2:286)*, ❨Allah ne charge une âme que selon ce qu'Il lui a donné ❩ *(Coran 65:7)*, ❨Et Il ne vous a imposé, dans la religion, aucun embarras ❩ *(Coran 22:78)*, ❨Et les déchargeant du lourd fardeau et des chaînes qui étaient sur eux ❩ *(Coran 7:157)*, ❨Et certes, l'aisance accompagne la difficulté. L'aisance accompagne certes la difficulté ❩ *(Coran 94:5-6)*, ❨Notre Seigneur ! Ne nous prends pas rigueur si nous avons oublié ou fauté. Notre Seigneur! Ne nous fait pas supporter une lourde charge comme Tu l'as fait supporter à ceux qui nous ont devancés. Notre Seigneur ! Ne nous impose pas ce qui est au-dessus de nos forces. Accorde-nous Ton pardon, Ton absolution et Ta miséricorde. Tu es notre Maître, secours-nous contre la gent mécréante ❩.   *(Coran 2:286)*

«L'erreur, l'oubli et tout acte fait sous la contrainte, ne seront pas pris en considération pour ma nation», «La religion est facile, celui qui veut la compliquer, elle finira par avoir le dessus sur lui», «J'ai été envoyé avec la religion juste et magnanime», «Le meilleur dans votre religion est ce qui en est facile».

Un poste de ministre a été proposé à un poète contemporain, dans un des pays de ce monde, en échange de son éloignement de ses aspirations, de ses messages et de ses justes opinions. Il a dit:

Prenez tout votre bas monde et laissez
Mon cœur libre, autonome, de vous bien éloigné,
Ma richesse est plus importante que la vôtre
Au cas où vous vous imagineriez que je suis seul et
*   dépossédé.*

Des principes pour le repos

Dans le magazine *Bienvenue,* Daté du 03.4.1415 H., il y avait un article intitulé «Vingt prescriptions pour éviter l'inquiétude», écrit par le docteur Hassan Chamsi Pacha.

Quelques significations de cet article:

Le terme prescrit a été arrêté, toute chose se produit sous l'effet de la Finalité et du Destin, la créature ne doit pas déplorer et se chagriner pour ce qui arrive. La subsistance du mortel est chez le Créateur dans le ciel, personne n'en a la possession, comme personne n'en est responsable et aucun être humain ne peut l'interdire. Le passé est parti avec ses peines et ses chagrins, il ne reviendra plus jamais, même si le monde entier le voulait. L'avenir fait partie du domaine de l'Inconnu. Jusqu'à présent, il n'est pas venu, il ne demandera pas ton avis: ne le convoque donc pas, jusqu'à ce qu'il arrive. La bienfaisance envers les gens procure de la joie au cœur, de la détente à la poitrine et elle apporte à celui qui l'accomplit plus de bénédiction, de récompense, de salaire et de repos que pour celui qui la reçoit. Le croyant doit se caractériser par le fait de ne pas se préoccuper des dénigrements et critiques injustes, puisque même le Seigneur des univers n'est pas à l'abri des insultes et des injures, Lui, le Parfait, le Sublime, le Beau, que tous Ses Noms soient glorifiés.

J'ai dit dans des vers que j'ai composés:

Pourquoi brûler tes yeux pour ce que tu as déjà pleuré
Et que les frayeurs persistent dans ton cœur et l'inquiètent

Remets-toi en au Seigneur, le Sublime, car
Lorsque l'être esseulé s'endort, bien des portes s'ouvrent.

Méfie-toi de l'amour trop passionné

Méfie-toi surtout de la passion par les images: c'est un chagrin présent et un malheur constant. Le bonheur du croyant se concrétise par l'éloignement des gémissements des poètes, de leurs envoûtements, de leurs passions, de leurs plaintes pour l'abandon, le lien et la séparation. Ceci fait partie de la vacuité du cœur, « Ne vois-tu pas celui qui érige sa passion en divinité et qu'Allah égare en connaissance de cause en lui scellant son ouïe et son cœur, et lui plaçant un voile obscur sur les yeux ? »

(Coran 45:23)

C'est moi qui par le regard, me suis attiré la mort
Qui sera le responsable, si le tueur est lui-même le tué ?

Ce qui signifie: je mérite bien les douleurs et la peine, puisque je suis le principal auteur de ce qui est arrivé.

Un autre poète d'Andalousie, se vantant de son errance, de son amour et de son envoûtement, dit:

Des gens avant moi, se sont plaints des douleurs de la
*   séparation*
Et par l'amour passionné, des morts et des vivants ont été
*   troublés*
Mais une chose pareille à ce que renferme mes entrailles
Je n'en ai jamais vu, ni entendu parler.

Si son cœur renfermait la piété, l'évocation, la spiritualité et un esprit céleste, il serait arrivé à la vérité, il aurait su la preuve, il aurait vu la maturité, « S'il t'arrive d'être aiguillonné par le diable, demande protection à Allah », « Ceux qui ont craint pieusement Allah, quand un spectre du diable les touche, se rappellent et les voilà de nouveau clairvoyants ».

(Coran 7:200-201)

Ibn Al Qayim a traité ce problème et y a remédié d'une façon convaincante et suffisante dans son livre *Le mal et le remède* ou *La réponse suffisante à celui qui interroge sur le remède guérisseur.* Qu'il en prenne donc connaissance, celui que cela intéresse.

Et à la passion, il y a des causes dont:

1- La vacuité du cœur, quant à l'amour d'Allah, de Son évocation, de Son remerciement et de Son adoration.

2- Le regard, c'est un pionnier qui attire au cœur des chagrins et des soucis, ❨Dis aux croyants de retenir de leurs regards❩ *(Coran 24:30)*, «Le regard est une des flèches de Satan».

Et toi, quand tu diriges ton regard sur toute chose
Les spectacles que tu apercevras te fatigueront
Tu vois ce dont tu es incapable d'obtenir le tout
Et dont tu ne veux accepter une portion.

3- La négligence dans la soumission, dans l'évocation, dans l'imploration et dans les œuvres surérogatoires, ❨Certes, la prière détourne des actes immoraux et désavouables❩.   *(Coran 29:45)*

Quant aux remèdes de la passion, en voilà quelques-uns

❨Ainsi, afin que Nous éloignions de lui le mal et l'immoralité: certes, il est l'un de Nos serviteurs loyaux❩.   *(Coran 12:24)*

1- La soumission complète et la demande de la sûreté de la part du Maître.

2- L'abaissement du regard et la préservation du sexe, ❨Et préservent leurs sexes❩ *(Coran 24:30)*, ❨Qui préservent leurs sexes❩.

(Coran 23:5)

3- L'abandon de la contrée de celui ou de celle dont le cœur a été vraiment épris de sa demeure, de son lieu de résidence et de son rappel.

4- S'occuper par des œuvres de bienfaisance, ❨Ils étaient empressés dans l'accomplissement des œuvres de bienfaisance et Nous invoquaient par besoin et par crainte❩.   *(Coran 21:90)*

5- Le mariage légitime, ❨Alors épousez ce qui vous plaira comme femmes❩ *(Coran 4:3)*, ❨Et parmi Ses signes est qu'Il ait créé pour vous, à partir de vous-mêmes, des épouses afin, qu'auprès d'elles, vous trouviez l'apaisement❩ *(Coran 30:21)*, «Ô vous les jeunes! Celui, parmi vous qui en possède les moyens, qu'il se marie».

Les droits de la fraternité

Parmi ce qui fait plaisir à ton frère musulman, c'est que tu l'appelles par ses plus beaux noms.

Je l'appelle par un pseudonyme qui l'honore
Et je ne le surnomme pas par de mauvais noms.

Que tu l'accueilles en souriant et avec affabilité, «Ne serait-ce qu'en accueillant ton frère d'un visage jovial», «Ton sourire au visage de ton frère est une aumône». Que tu l'encourages aussi à te parler, c'est-à-dire, tu lui donnes l'occasion de te parler de lui-même et des ses nouvelles, tu t'enquiers sur des problèmes communs et particuliers qui ne doivent faire l'objet d'aucun embarras et que tu t'occupes de ses affaires, «Celui qui ne s'occupe pas des affaires des musulmans, ne fait pas partie d'eux», ❨Les croyants et les croyantes sont liés d'alliance les uns aux autres❩ *(Coran 9:71)*. Que tu ne le blâmes pas, que tu ne lui fait pas des reproches sur des choses passées et terminées et que tes plaisanteries ne lui causent pas d'embarras, «Ne te dispute pas avec ton frère, ne l'embarrasse pas en plaisantant et ne manque pas le rendez-vous que tu lui as donné».

«*Quelques secrets dans les péchés...* ...*mais n'en commets pas !*»

Quelques érudits ont mentionné que le péché est tel un cachet sur la créature.

Parmi ses secrets, après le repentir, il y a: l'amoindrissement de l'orgueil, l'abondance de l'imploration du pardon, du repentir, du retour à Allah, de l'humiliation et des remords. C'est aussi la mise en pratique du Destin et la Fatalité, par conséquent, la soumission et l'assentiment.

Comme c'est aussi la réalisation des concepts des Beaux Noms d'Allah et de Ses Hauts Attributs tels que: le Miséricordieux, le Clément, l'Absoluteur.

Demande la subsistance, mais n'insiste pas trop

Qu'Il soit Loué, le Créateur, le Pourvoyeur: Il a donné au ver de terre sa subsistance dans l'argile, au poisson dans l'eau, à l'oiseau dans l'air, à la fourmi dans l'obscurité, au serpent d'entre les rochers solides.

Ibn Al Jawzi, a mentionné une merveille parmi tant d'autres: une vipère aveugle se trouvait au sommet d'un palmier, un oiseau venait à elle avec un morceau de viande au bec. Quand il s'approche d'elle, il se met à gazouiller, elle ouvre sa gueule, il y met la viande. Qu'Il soit Loué, Celui qui a mis l'un à la disposition de l'autre ! ﴾Il n'est de bête sur terre, ni d'oiseau qui vole de ses ailes qui ne soient des nations semblables à vous﴿.

(*Coran 6:38*)

Si tu vois le serpent lancer son venin
Demande-lui qui l'en a rembourré
Et dis-lui: comment vis-tu, ô serpent
Ton gosier de tout ce poison, bondé ?

Maryam, que le Salut soit sur elle, recevait sa subsistance dans le Temple, matin et soir. On lui a demandé: ô Marie ! D'où te vient tout cela ? Elle a répondu: cela provient d'Allah, Allah pourvoit qui Il veut sans aucun compte.

Ne te chagrine pas, ta subsistance est assurée, « Ne tuez point vos enfants pour raison de misère, Nous subvenons en même temps à vos besoins et aux leurs » *(Coran 6:151)*. Que l'humanité sache que le Pourvoyeur du père et de l'enfant, c'est Celui qui n'a point été enfanté et qui n'a point enfanté.

« Ne tuez point vos enfants par crainte de misère, Nous subvenons à leurs besoins en même temps qu'aux vôtres » *(Coran 17:31)*: en effet, Celui qui possède les grands coffres, le Sublime, le Glorieux S'est chargé de la subsistance, pourquoi alors s'inquiéter ?

« Recherchez auprès d'Allah la subsistance, adorez-Le et remerciez-Le ».
(Coran 29:17)

« Et c'est Lui qui me donne à manger et à boire ».
(Coran 26:79)

Une pause

«Quant à la prière, son rôle dans la vacuité du cœur et sa consolidation, son épanouissement, son allégresse et son plaisir, elle est d'une grande importance. Elle permet aussi au cœur et à l'âme de se joindre à Allah, de se rapprocher de Lui, de jouir de Son évocation, de se réjouir en se confiant à Lui et de se tenir debout entre Ses Mains. Tout comme l'utilisation de tout le corps et de toute sa force dans Son adoration, donner à chaque membre une part de cette chance, son éloignement des serviteurs, de leurs problèmes et de leurs discussions, l'attraction de la force de son cœur et de ses organes vers son Seigneur et Son créateur. C'est également, une occasion de répit vis-à-vis de son ennemi, puisqu'elle est parmi les plus grands médicaments réconfortants et des subsistances qui ne conviennent qu'aux cœurs sains. Alors que les cœurs malades sont comme les corps: il n'y a que les aliments succulents qui leur correspondent.»

«La prière est un des plus grands soutiens pour l'acquisition des avantages et le refoulement des fléaux de ce monde et de l'Au-delà. Elle empêche l'accomplissement des péchés tout comme c'est un stimulant des soins des cœurs: elle repousse également les maladies des corps, illumine le cœur, blanchit le visage, pourvoit d'activité les organes et l'âme, attire la subsistance, repousse l'injustice, soutient l'opprimé, réprime l'amalgame des désirs, protège la grâce, renvoie la rancune, fait descendre la miséricorde et dissipe le chagrin.»

Une Chari'a indulgente

Parmi ce qui réjouit le serviteur musulman, il y a la récompense abondante et l'octroi immense que contient la *Chari'a* islamique. Cela se concrétise dans les dix œuvres bienfaisantes qui effacent les péchés: le monothéisme, par exemple, et tout ce qu'il absout comme péchés. Les bonnes actions aussi, entre autres, comme la prière quotidienne et celle du vendredi, le pèlerinage à la Mecque, le jeûne. Il faut ajouter à cela la multiplication du salaire pour les bienfaits. En effet, chaque bienfait accompli est multiplié par dix jusqu'à sept cents, jusqu'à un nombre beaucoup plus grand. Sans oublier également que le repentir annule tous les péchés et l'ensemble des fautes commis auparavant. Les calamités aussi sont des «effaceurs de péchés». En effet, par toute affliction qui atteint le croyant, Allah l'absout de fautes. Il y a également les implorations des croyants, en sa faveur et en son absence. Les atrocités qu'il ressentira à l'agonie lui seront bénéfiques aussi. L'intercession des musulmans pendant la prière funèbre lui allègera, également, ses fautes. Et l'Intercession du meilleur de toutes les créatures, le Messager (ﷺ). Et, Enfin, la mansuétude du Tout-Miséricordieux, le Sublime, le Glorieux, ❨Si vous dénombriez les bienfaits d'Allah, vous n'en feriez pas le compte ❩ *(Coran 16:18)*, ❨Et vous a comblés de Ses bienfaits visibles et invisibles ❩.   *(Coran 31:20)*

❨*N'aie pas peur, c'est toi le plus haut*❩

(Coran 20:68)

Moussa a pressenti une peur, en son for intérieur, à trois reprises:

La première: lorsqu'il entra au cabinet de Pharaon, le tyran, il a dit: ❨Nous avons peur qu'il nous devance ou ne s'obstine dans l'outrance❩ *(Coran 20:45)*, Allah a dit: ❨N'ayez pas peur, je suis avec vous, J'entends et Je vois❩. *(Coran 20:46)*

Et il convient chez le croyant que ces paroles soient dans son esprit et dans sa pensée: «N'aie pas peur, J'entends et Je vois».

La deuxième: quand les magiciens ont jeté leurs bâtons, ❨N'aie pas peur, c'est toi le plus haut❩. *(Coran 20:68)*

La troisième: lorsque Pharaon l'a suivi avec ses soldats, Allah lui a dit: ❨Frappe avec ton bâton le rocher❩ *(Coran 26:63)*, Moussa a dit: ❨Que non, mon Seigneur est avec moi, Il me guidera❩. *(Coran 26:62)*

Méfie-toi de quatre

Quatre choses qui font hériter la gêne et l'embarras dans la subsistance, l'impureté de l'esprit et l'étroitesse de la poitrine:

La première: la colère avec désapprobation face au Destin et la Fatalité d'Allah.

La deuxième: perpétrer des péchés sans s'en repentir, ❨Cela provient de vous❩ *(Coran 3:165)*, ❨Vous ne le devez qu'aux acquis de vos mains❩. *(Coran 42:30)*

La troisième: la rancune envers les gens, le désir de vengeance et la jalousie vis-à-vis d'eux pour ce qu'Allah leur a donné de Sa générosité, ❨Ou bien sont-ils jaloux des gens pour ce qu'Allah leur a donné de Sa générosité?❩ *(Coran 4:54)*, «Il n'y a pas de repos pour un envieux».

La quatrième: l'éloignement de l'évocation d'Allah, ❨Il aura une malvie❩. *(Coran 20:124)*

Réfugie-toi auprès de ton Seigneur

Le serviteur devient serein lorsqu'il a confiance en Son seigneur, le Sublime.

En effet, Allah a mentionné la sérénité dans plusieurs endroits de Son Livre. Il a dit: ❨Allah a fait descendre Sa sérénité sur Son Messager et sur les croyants❩ *(Coran 48:26)*, ❨Et Il a fait descendre la sérénité sur eux❩ *(Coran 48:18)*, ❨Puis, Allah a fait descendre Sa sérénité sur Son Messager❩ *(Coran 9:26)*, ❨Et Allah a fait descendre Sa sérénité sur lui❩.   *(Coran 9:40)*

La sérénité est la fermeté du cœur à l'égard du Seigneur, l'assurance de l'âme, du fait de la confiance qu'elle a dans le Miséricordieux, ou la conviction de l'esprit qui s'en remet au Tout-Puissant. Elle est aussi l'accalmie de l'agitation de l'âme, sa tranquillité, son apprivoisement, sa stabilité et son attention. Ce qui est une situation sécurisante que les croyants ont le moyen d'avoir et qui les sauve des glissades de l'émotion et de la confusion, du gouffre du doute et de l'irritation. Et cela est atteint selon la soumission du serviteur à son Seigneur, son évocation et son remerciement de son Maître, la rectitude dans la religion, l'imitation de Son Messager (ﷺ), son attachement à son précepte, son amour de son Créateur, sa confiance dans le Détenteur de ses affaires, l'éloignement des autres à part Lui, l'abandon de Ses ennemis, n'implorer qu'Allah et n'adorer que Lui, ❨Allah affermit ceux qui ont cru, par la parole ferme dans ce monde bas et dans l'Au-delà❩.   *(Coran 14:27)*

Deux paroles merveilleuses

L'imam Ahmed a dit: deux paroles m'ont été bénéfiques dans l'épreuve:

La première: un homme qui a été incarcéré pour boisson d'alcool, m'a dit: ô Ahmed ! Sois ferme, tu es cravaché pour la sunna, alors que moi j'ai été cravaché pour de l'alcool maintes fois, et malgré cela j'ai patienté. ❨Si vous souffrez, ils souffrent autant que vous, et vous espérez d'Allah ce qu'ils n'espèrent point❩

(Coran 4:104), ❨Sois patient, la promesse d'Allah est vraie, et ne sois pas troublé par ceux qui ne sont pas convaincus❩.   *(Coran 30:60)*

La deuxième: un bédouin a dit à l'imam Ahmed alors qu'on le conduisait en prison, les mains enchaînées: ô Ahmed ! Patiente, si tu es tué par-ci, tu entres au Paradis par-là. ❨Leur Seigneur leur annonce la bonne nouvelle d'une miséricorde de Sa part et d'une satisfaction et de jardins où ils auront des délices permanents❩.   *(Coran 9:21)*

Parmi les avantages des calamités

Il y a la découverte du fond de l'adoration par l'imploration. Quelqu'un a dit: qu'Il soit glorifié, Celui qui a fait découvrir la supplication par les épreuves. On a mentionné aussi dans les écrits préservés: Allah a éprouvé un serviteur pieux et a dit aux Anges: pour entendre sa voix. C'est-à-dire la supplication et l'insistance.

Il y a aussi l'élimination de la fantaisie de l'âme et de sa séduction. En effet, Allah a dit: ❨Que non ! L'être humain est vraiment outrageant❩, ❨Dès qu'il se voit en état de se suffire❩.

(Coran 96:6-7)

Cela attire également la compassion des gens et leurs implorations en sa faveur: en effet, les gens sont solidaires et compatissent avec l'être éprouvé.

C'est aussi le rejet de ce qui est plus éprouvant, puisque ce qui lui est arrivé ne peut être que peu, par rapport à d'autres afflictions plus graves. Ensuite, cela lui sert à essayer de faire diminuer ses péchés et fautes, sans oublier la récompense et le salaire d'Allah. Quand le serviteur saura que ce sont là les fruits de ce malheur, elle s'en apprivoise, se tranquillise, ne s'embarrasse pas et ne désespère pas, ❨Mais, seuls ceux qui patientent recevront leurs salaires sans aucun compte❩.   *(Coran 39:10)*

La science est une rectitude et une guérison

Ibn Hazm a mentionné dans son livre *Moudawate Al Noufous* (La médication des âmes) que parmi les avantages de la science, il y a l'exclusion de l'âme de toute suggestion diabolique et le bannissement des soucis, des chagrins et des malheurs.

Ceci est vrai, et spécialement pour celui qui aime le savoir, qui s'en passionne, le pratique et dont les avantages et les traces se concrétisent en lui.

Celui qui demande le savoir doit partager son temps: une partie à l'acquisition et aux répétitions, une autre à la lecture générale, une troisième aux conclusions, une quatrième à l'assemblage et au classement et une dernière à la méditation et à la réflexion.

Sois un homme dont les pieds sont au sol,
Et le sommet de la détermination au ciel.

Cela pourrait être du bien

Al Suyouti a un livre qui a pour titre *Al Aradj Fi Al Faradj* (Le parfum dans le soulagement), dans lequel il a rapporté de certains érudits que dans les malheurs il y a beaucoup de bien et que les calamités dévoilent des merveilles et des désirs que la personne ne connaîtra qu'une fois étalés en face de ses yeux.

Par ta vie, le jeune ne sait pas comment éviter
Les catastrophes de cette époque ou s'en méfier
Il voit la chose visible et il l'appréhende
Et ce qu'il ne voit pas et qu'Allah cache est plus grand.

Le bonheur est un don divin

Il n'est pas étrange qu'un groupe de gens s'assoient sur les trottoirs: ce sont des ouvriers qui ne possèdent que ce qui leur suffit pour une journée et une nuit. Mais malgré cela, ils sourient à la vie, leurs poitrines sont détendues, leurs corps robustes et leurs cœurs sereins. Cela n'a eu lieu que parce qu'ils surent que l'existence ne dure qu'un jour, qu'ils ne se préoccupent ni des souvenirs du passé ni de l'avenir, mais ils dépensent leurs vies dans leurs tâches.

Je ne m'occupe pas, si mon âme consent à mon salut,
De celui qui a vécu ou qui est décédé.

Coré *(Qâroun)* était parmi ces gens qui habitaient les châteaux et les maisons merveilleuses, mais qui sont restés dans le vide: le pressentiment et l'obsession, le chagrin les a dispersés dans toutes les directions.

Allah a facilité au demandeur de ce monde un moyen de
    promotion,
Toute personne aux lointains soucis est tourmentée.

La bonne réputation est une vie longue

Parmi le bonheur du musulman, il y a le fait d'avoir une deuxième existence qui se concrétise par la bonne réputation. Et il est étrange qu'on considère que cela est sans valeur et qu'on ne l'achète pas de ses biens, de son honneur, de ses efforts et de son travail.

Nous avons mentionné qu'Ibrahim, que le Salut soit sur lui, a demandé à son Seigneur, une langue sincère chez les derniers — et qui est le bon éloge et les invocations en sa faveur.

Et je suis émerveillé que des gens aient éternisé un bon éloge pour le bien qu'ils auront accompli, par leur générosité et leurs efforts, si bien qu'Omar a demandé aux fils de Harim Ibn Sinane: que vous a donné Zouheir et que lui avez-vous donné ? Ils ont répondu: il nous a loués et nous lui avons donné de l'argent. Omar a dit alors: par Allah, ce que vous lui avez donné est parti alors que ce qu'il vous a donné, est resté !

Autrement dit, la louange et l'éloge restent tant que le monde existe.

De toutes les créatures, celle qui mérite que tu l'honores
Dans le bonheur, est celui qui t'a consolé dans l'affliction

En effet, les nobles quand ils prospèrent
Evoquent ceux qui les assistaient dans les pénibles
situations.

Les mères des élégies

Il y a trois poèmes qui ont éternisé ceux dont ils font objet:

Ibn Baqiya, le célèbre ministre, a été tué par Adhoud Al Dawla. Abou Al Hassan Al Anbari a alors composé en son honneur, une élégie magnifique dont voici quelques vers:

Une éminence dans la vie comme dans la mort,
En vérité, tu fais partie d'un miracle immense,
Comme si les gens qui se sont levés autour de toi
Etaient des délégations dans tes accointances,
Que tu t'étais dressé à eux, leur faisant un discours
Et qu'ils se tenaient debout pour les instances,
Tu as allongé tes bras pour les accueillir
Tout comme tu les tendais pour leur offrir des clémences,
Et comme les entrailles de la terre furent trop étroites
Pour ensevelir toutes ces munificences,
L'atmosphère est devenue ta tombe et ils ont substitué
Pour toi, ce jour-ci, les voix des pleureuses de la
circonstance,
Et ce que tu as est une terre qui est irriguée, je le dis
Parce que tu es l'origine de pluies en abondance,
Que se succèdent sur toi les saluts du Miséricordieux
Et les meilleurs vœux parfumés en toute âme et conscience,
Pour ta grandeur dans les esprits, tu resteras
Protégé par des gardiens et conservateurs de confiance,
Et la nuit, des feux seront allumés autour de toi
Tout comme tu étais au temps de ton existence.

Quelles belles expressions, quels beaux vers, qu'elles sont nobles ces qualités et qu'elles sont grandes ces significations. Allah !

Qu'elles sont jolies ces médailles et que ces couronnes sont merveilleuses !

Quand l'émir — qui l'avait tué — a entendu cela, il pleura et a dit: j'aurais bien aimé que je fusse tué et crucifié et qu'on dise des vers pareils sur moi.

Et Mohammed Ibn Hamid Al Toussi fut tué pour l'amour d'Allah, le poète Abou Tammam a dit dans une élégie composée en son honneur:

> *Ainsi, quels que soient la gravité du drame et son*
> *accablement,*
> *N'a pas de justification tout œil qui n'a pas pleuré*
> *Les espoirs sont morts après Mohammed*
> *Et, au lieu du voyage, ce sont les rides qui l'ont occupé*
> *Il a porté l'habit rouge de la mort qui*
> *Devint soie verte, avant que la nuit ne soit arrivée.*

Ce ne sont là que quelques vers du merveilleux poème. Quand Al Mou'tassim l'a entendu, il a dit: celui sur qui ont été dits ces vers n'a pas été tué.

J'ai vu un autre généreux de la descendance de Qoteïba Ibn Mouslim, le chef célèbre, qui a dépensé son argent et son honneur, a consolé les sinistrés, a soutenu les gens calamiteux, a offert aux pauvres, a donné à manger aux affamés, était un refuge aux personnes apeurés. Quand il mourut, un poète a dit:

> *Ibn Saïd est parti, et partout où tu vas, à l'Est*
> *Comme à l'Ouest, tu trouves quelqu'un qui fait son éloge,*
> *Et je n'ai connu les générosités de ses paumes*
> *Envers les gens, qu'après son ultime et fatal voyage,*
> *Et qu'il se trouva sous terre, dans une tombe étroite*
> *Or, de son vivant, à lui se rétrécissaient les vastes alpages,*
> *Je te pleurerai tant que mes larmes couleront*
> *Et je sortirai pour toi ce que couvrent les côtes de ma cage*
> *Et je ne serai plus irrité par le malheur, fût-il énorme*
> *Ni réjoui, après toi, d'un bonheur ou d'un avantage,*

Comme si personne n'est mort avant toi
Et que pour toi seul, les lamentations ont fait rage,
Si les élégies en ton honneur abondent
Avant cela, sur toi ont été dites tant de louanges.

Et voilà Abou Nouas qui écrit l'histoire d'Al Khassib, émir d'Egypte, en inscrivant son nom dans le registre du temps. Il dit:

Si nos voyageurs ne visitent pas la terre d'Al Khassib,
Alors, quels pays après elle, voudraient-ils visiter?
Aucune munificence ne l'a dépassé ou ne lui est inconnue,
Mais les générosités vont toujours là où il doit aller,
Un jeune qui achète les louanges de son argent,
Et qui sait que les roues sont en train de tourner.

Ensuite, les gens ne se rappelleront la vie et l'existence d'Al Khassib que par ces vers.

Une pause

«Ô Allah! Dispense-nous de Ta crainte ce qui sépare entre nous et les insoumissions envers Toi, de notre soumission à Toi ce qui nous fait parvenir à Ton Paradis, de la ferme conviction ce qui nous, facilite les, calamités de ce bas monde, fais-nous jouir de nos ouies, de nos vues et de nos forces tant que Tu nous feras vivre, fais que ce soit hérité de nous, fais que nous nous vengions de celui qui nous a opprimés, soutiens-nous contre notre ennemi, fais en sorte que la calamité ne soit pas dans notre religion, ne fais pas de ce monde notre grand souci ni la fin de notre science, et fais que nous ne soyons pas, à cause de nos péchés, gouvernés par celui qui n'est pas indulgent envers nous».

Ali Ibn Moukla a dit:

Si les cœurs contiennent du désespoir
Et que la poitrine vaste s'est décontractée,
Que les malheurs y résident et s'apaisent
Que les afflictions à leurs places, se sont ancrées

Que tu ne vois à la disparition du mal, aucun visage,
Que l'astuce du connaisseur ne s'avère d'aucune utilité
A ta désespérance, une assistance de Sa part te parvient,
Que le Proche, le Répondant t'a allouée
Et tous les incidents, même après s'être achevés,
Sont d'un soulagement proche, accompagnés.

Un Seigneur qui n'opprime ni ne frustre

N'est-il pas de ton devoir d'être heureux, d'être serein et de t'apaiser par la promesse d'Allah, quand tu sais qu'au ciel, il y a un Seigneur juste, un Juge équitable qui a fait entrer une femme au Paradis à cause d'un chien et a fait entrer une autre en Enfer à cause d'un chat ?

C'était une prostituée juive qui a fait boire un chien assoiffé: Allah l'a absoute de ses péchés et l'a fait entrer au Paradis pour son acte sincère accompli pour l'amour d'Allah.

Et l'autre a enfermé un chat dans une chambre, sans lui donner à manger et à boire ou le laisser libre manger les insectes de la terre: Il la fit entrer en enfer.

Cela devrait être bénéfique pour toi et te réjouir, puisque tu sais que le Glorieux récompense pour bien peu, rétribue pour l'acte le plus petit et gratifie son serviteur même pour ce qui est insignifiant.

Selon Boukhari, dans un Hadith authentique, il y a: «Quarante usages dont le plus élevé est le don d'une chèvre laitière ; quiconque accomplira l'un d'eux, espérant la récompense et convaincu de la promesse faite à son sujet, Allah le fera entrer au Paradis», ❴Celui qui fait du bien, le poids d'un grain de poussière, le verra❵, ❴Celui qui fait du mal, fût-il du poids d'un atome, le verra❵ *(Coran 99:7-8)*, ❴Les bienfaits effacent les méfaits❵.
                                                                (Coran 11:114)

Soulage un sinistré, donne à un indigent, soutiens un opprimé, fais manger un affamé, fais boire un assoiffé, visite un malade, assiste à l'enterrement d'un mort, console celui qui est affligé, guide un aveugle, conseille une personne errante, sois généreux à l'égard de ton invité, sois poli envers ton voisin, respecte quelqu'un de plus âgé que toi, sois indulgent envers plus petit que toi, donne de ta nourriture, fais l'aumône de ton argent, exprime-toi convenablement, ne commets pas de tort: tout cela est une aumône en ta faveur.

Toutes ces belles significations et ces qualités éminentes sont parmi les raisons principales de l'attirance du bonheur, de la détente de la poitrine, de l'exclusion du chagrin, du souci, de l'inquiétude et de la tristesse.

Tous mes respects au bon caractère ! Si c'était un homme, il aurait été réconfortant, aurait eu une odeur agréable, une belle réminiscence et le visage jovial.

Ecris toi-même ton histoire

J'étais assis dans la Grande Mosquée à la Mecque, par une chaleur torride, une heure avant la prière du *Dhohr*. Un vieil homme s'est levé, prit deux verres de ses mains et commença à distribuer de l'eau *Zemzem,* fraîche, aux gens assis et qui attendaient leur tour pour boire de la main de ce vieillard. Chaque fois que les deux verres sont distribués, il retourne pour en ramener d'autres et ainsi de suite, jusqu'à ce qu'il ait fait boire un nombre considérable de personnes et que la sueur se mette à couler sur son visage. Je fus étonné par son endurance, sa patience et son amour du bien pour avoir donné cette eau aux gens tout en souriant. J'ai su alors que le bien et la faveur étaient faciles à accomplir pour celui à qui Allah veut les faciliter et que, chez Allah, il y avait des réserves de bienfaisance qu'Il offre à qui Il veut de Ses créatures. Qu'Allah fasse couler les vertus, même les plus petites, par l'intermédiaire de Ses créatures bienfaisantes qui aiment le bien des gens et détestent le mal.

Abou Bakr s'expose au danger pour sauver le Messager (ﷺ).

Hatem dort affamé pour que son invité soit rassasié.

Abou Oubaïda veille, faisant le guet pour le repos des musulmans.

Omar fait le tour de la ville, alors que les gens dorment.

Il se tortille de faim, l'année de la famine, pour donner à manger aux autres.

Abou Talha s'expose aux flèches pour protéger le Messager d'Allah (ﷺ).

Ibn Al Moubarek prend en charge la nourriture des gens alors qu'il jeûne.

Ils sont comparables aux étoiles, mais ils en sont plus
élevés,
Et des significations telle l'aube à son lever.

❴Ils donnent à manger en nourriture, malgré le besoin qu'ils en ont, à un misérable, un orphelin et un prisonnier❵.   *(Coran 76:8)*

Ecoute la parole d'Allah

Calme tes nerfs par l'audition du Livre de ton Seigneur, par l'intermédiaire d'une bonne lecture plaisante, émouvante, psalmodiée par un bon lecteur à la voix agréable: elle te fera arriver à la satisfaction d'Allah, le Sublime, procura à ton âme de la sérénité et à ton cœur de la forte conviction, du redoux et de la paix.

Le Prophète (ﷺ) aimait entendre le Coran quand il est lu par un autre et il s'en émouvait. Il lui arrivait même de demander à ses compagnons de le lire pour lui, alors que c'est sur lui qu'est descendu ce Coran. Mais en l'entendant d'autrui, il s'en apprivoise, médite et se réconforte.

Tu suivrais le modèle du Messager d'Allah (ﷺ), si tu prenais, à un moment du jour ou de la nuit, un poste radio ou un lecteur de cassettes et que tu écoutais la parole du Glorieux, par l'intermédiaire de celui qui te plaît parmi ceux qui psalmodient le Coran.

En effet, le vacarme de la vie, l'agitation des gens, la perturbation des autres sont des raisons pour te tourmenter, affaiblir tes forces et disperser ton esprit. Et tu ne trouveras la sérénité et le réconfort que dans le Livre de ton Seigneur et l'évocation de ton Maître: ❴Ceux qui ont cru et dont les cœurs se rassurent à l'évocation d'Allah, n'est-ce pas à l'évocation d'Allah que les cœurs se rassurent ? ⟩.   *(Coran 13:28)*

Le Messager d'Allah (ﷺ) ordonne à Ibn Messaoud de lire pour lui le Coran. Il en lut la sourate *Les femmes*. Le Prophète (ﷺ) en pleura jusqu'à ce que les larmes lui coulèrent sur les joues et il lui dit: «Arrête-toi maintenant».

Au passage, il entendit Abou Moussa Al Ach'ari lire le Coran dans la mosquée. Il s'est arrêté et l'a écouté. Le lendemain matin, il lui a dit: «Si tu m'avais vu hier alors que je t'écoutais lire». Abou Moussa a dit: si j'avais su, ô Messager d'Allah, que tu m'écoutais, je te l'aurais orné, et de quel ornement !

Chez Ibn Abi Hatem, le Prophète (ﷺ) passe près d'une vieille femme. Il l'écouta de sa porte alors qu'elle lisait ⟨ T'est-il parvenu le récit de celle qui s'abat comme un voile? ⟩ *(Coran 88:1)*. Elle lisait et relisait ce verset et il (ﷺ) disait: «Oui, il m'est parvenu, oui, il m'est parvenu».

En effet, l'audition a une certaine douceur et l'attention a une beauté.

Un illustre écrivain musulman est allé en Europe. Dans le bateau où il voyageait, il rencontra une femme de Yougoslavie, une communiste qui a fui la tyrannie de Tito. A l'heure de la prière du vendredi, ils se rassemblèrent, lui et ses camarades. Il se leva, fit le prêche et il dirigea ensuite la prière dans laquelle il lut, les sourates *Al A'la* et *Al Ghâchia*. La femme communiste, évidemment, ne comprenait pas l'arabe, mais elle écoutait attentivement les paroles, la phonétique et la note. Après la prière, elle a questionné l'écrivain à propos de ces versets, qui lui a fait savoir que c'était la Parole d'Allah, le Glorieux. Elle est restée stupéfaite, et perplexe. Il a dit: et je n'ai pas pu, vu l'obstacle de la langue, l'inviter à se convertir à l'Islam: ⟨ Dis: si les humains et les djinns s'unissaient pour apporter un pendant de ce Coran, ils ne l'apporteraient, même s'ils s'entraidaient ⟩.   *(Coran 17:88)*

Effectivement, le Coran a une domination sur les cœurs, un ascendant sur les âmes et une force émouvante et efficace sur les esprits.

Je suis passionné par les prédécesseurs nobles et pieux qui se sont restés pleins d'émotion face au Coran, à sa résonance agréable, sincère et pénétrante.

❰ Si Nous descendions ce Coran sur une montagne, tu la verrais humblement recueillie, fissurée par la crainte d'Allah ❱.

(Coran 59:21)

Voici Ali Ibn Al Foudheil Ibn Iyadh est tombé raide mort quand il a entendu son père lire: ❰ Arrêtez-les, ils sont responsables ❱, ❰ Qu'avez-vous à ne pas vous assister ? ❱.   *(Coran 37:24-25)*

Et, selon Ibn Al Athir, Omar, que la satisfaction d'Allah soit sur lui, s'est affaissé en entendant un verset: il en est resté malade durant tout un mois. On lui rendait même visite comme on le fait avec un patient. ❰ Si c'était un Coran avec lequel on ferait marcher les montagnes, ou fendre la terre, ou parler les morts ❱.

(Coran 13:31)

Abdallah Ibn Wahb est passé un jour de vendredi près d'un adolescent qui lisait: ❰ Et tandis qu'ils s'échangeaient les arguments en Enfer... ❱ *(Coran 40:47)* Il s'est évanoui en l'entendant, on le transporta chez lui et il est resté malade pendant trois jours avant de décéder le quatrième jour. Cela a été mentionné par Al Dhahabi.

Un érudit m'a fait savoir qu'il avait assisté à une prière dans la Mosquée de Médine. L'imam a lu la sourate *Al Wâqi'a* et qu'après l'avoir entendue, il fut pris d'une crainte et d'une stupeur telles qu'il se mit à trembler et à branler dans sa place malgré lui. Les larmes lui mouillèrent le visage. ❰ A quel discours donc, après celui-ci, croiraient-ils ? ❱

(Coran 7:185)

Cependant, quelle est la relation entre ce discours et notre sujet sur le bonheur?

La perturbation que vit l'être humain pendant les 24 heures est capable de lui faire perdre son bon sens, de l'inquiéter et de le décourager. Alors, lorsqu'il écoute avec méditation et attention les

Paroles du Seigneur lues d'une voix agréable, par un liseur pieux, sa raison lui revient, son âme se rétablit, son agitation disparaît et ses peines s'apaisent.

Par ces paroles, je te mets en garde des gens qui se servent de la musique pour leur distraction, leur bonheur et leur repos, qui ont même écrit des livres sur cela. Parmi eux, beaucoup se vantent que pour eux les meilleurs moments et les meilleures heures de leur vie sont ceux qu'ils passent à écouter de la musique. Qui plus est, les écrivains occidentaux, qui ont traité des sujets sur l'attirance du bonheur et l'exclusion de l'inquiétude, affirment que la musique est un des facteurs de la prospérité. ❨Leurs prières autour de la Maison se limitaient à des sifflements et des battements de mains❩ *(Coran 5:83)*, ❨Vous divaguiez dans vos veillées❩. *(Coran 23:67)*

Ceci est une substitution vicieuse, un plaisir interdit, d'autant plus que nous avons le bien qui est descendu sur Mohammed (ﷺ), la vérité, la sincérité, l'orientation raisonnable et sage — qu'est le Livre d'Allah, le Glorieux, le Sublime: ❨Le faux ne peut lui venir ni par-devant, ni par-derrière. C'est descendu de la part d'un Sage, d'un Glorifié❩. *(Coran 41:42)*

Notre audition du Coran est une audition de foi, elle est légitime, mohammédienne, sunnite, ❨Tu vois leurs yeux déborder de larmes, tant ils y reconnaissent la vérité❩ *(Coran 5:83)*, alors que la leur est un divertissement puéril que seuls les gens ignorants, peu intelligents et indécents aiment, ❨Parmi les gens, il en est qui achètent la distraction des verbiages afin d'égarer de la voie d'Allah❩. *(Coran 31:16)*

Tout le monde cherche le bonheur, mais...

Al Iskafi, l'érudit, a un livre intitulé *Loutf Al Tadbir* (La douceur de l'agencement), qui est très bénéfique, attrayant, captivant et fascinant dans lequel il est question de la recherche de la suprématie, du bonheur et de la prépondérance. Et voilà que pour y arriver, beaucoup de rois, de présidents, d'écrivains, de poètes et quelques savants, ont eu recours à l'escroquerie, à la fourberie, à la malice, à une sorte de politique, à toutes sortes de tournants: tout cela, pour avoir le calme, le repos et arriver à leurs objectifs. Effectivement, le livre a pour sous-titres:

L'évincement d'une émeute, la réconciliation entre antagonistes, que doit faire le vaincu, les conspirations des ennemis, le complot d'un petit vis-à-vis d'un grand, l'éviction d'un malheur par une parole, l'éloignement d'une infortune par une autre, l'exclusion d'une peine par délicatesse, la douceur de l'organisation dans le renvoi d'une affliction, l'amadouement d'un chef politique, la vengeance sur le spoliateur d'un règne, la sauvegarde d'une rancune, l'assassinat et la vigilance pour ne pas en être l'objet, la découverte d'une affaire de kidnapping, et d'autres différents thèmes.

J'ai constaté que tous cherchaient le bonheur et le réconfort, mais peu étaient ceux qui y sont arrivés. Après la lecture du livre, j'en suis sorti avec trois avantages:

Le premier: que celui qui ne met pas Allah entre ses yeux, ses bénéfices se transforment en pertes, ses réjouissances en tristesses et ses choix en catastrophes,

❨Nous les mènerons progressivement par où ils ne savent pas❩.

(Coran 7:182)

Le deuxième: que le bonheur que beaucoup de personnes veulent acquérir en utilisant des moyens tortueux et difficiles en dehors de la religion, elles l'obtiendront par des voies beaucoup plus faciles et plus proches, dans le chemin de la Législation de Mohammed (ﷺ), ❨Mais s'ils avaient mis en pratique l'exhortation qui leur a été prêchée, cela aurait été meilleur pour eux et d'un plus grand affermissement❩ *(Coran 4:66)*, et ce serait le bien de ce monde et de l'Au-delà.

Le troisième: que des gens ont perdu ce monde et leur Au-delà, alors qu'ils pensaient œuvrer pour le bien, obtenir le bonheur, mais ils ne réalisèrent ni ceci ni cela parce qu'ils se sont éloignés du Chemin véritable qu'Allah a tracé par l'intermédiaire de Ses Livres et de Ses Messagers et qui se concrétise par la sollicitation de la Justice et l'affirmation de la Vérité, ❨Et la parole de ton Seigneur s'est accomplie en toute vérité et justice, rien ne peut changer Ses paroles ❩.

(Coran 6:115)

Un ministre, parmi d'autres, se divertissait et s'amusait. Il fut cependant pris d'un chagrin pénible et d'un souci profond. Il s'est alors écrié:

Y aurait-il une mort à vendre que j'achèterai
Cette existence ne contient aucun bienfait,
Lorsque de loin je vois un tombeau,
Je me dis que j'aimerais bien occuper celui d'à côté,
Que la miséricorde du Dominant soit sur l'âme d'un noble
Qui offrirait à un de ses frères, un décès.

Une pause

Que les supplications se multiplient pendant la prospérité: c'est-à-dire dans le confort, la sécurité et la bonne santé — car le croyant, reconnaissant et judicieux, devrait aiguiser la flèche avant de la lancer, de recourir à Allah avant d'y être contraint et ce, contrairement au mécréant malheureux et au croyant peu averti, ❨Quand un mal touche l'être humain, il invoque son Seigneur, revenant à Lui. Puis quand Il lui accorde quelque bienfait de Sa part, il oublie ce qu'il invoquait et il donne à Allah des égaux ❩.

(Coran 39:8)

Il a été constaté que celui qui veut être sauvé des embarras de la détresse et des peines, ne doit pas lésiner de recourir, avec son cœur et sa langue, à Sa Majesté le Juste, le Glorifié, par la louange, l'imploration et l'éloge. En effet, le but des invocations en temps prospère, comme l'a dit l'imam Al Halimi, est une louange, une reconnaissance des agréments, tout comme c'est aussi la demande du succès, de l'aide et du soutien et la demande du pardon pour les négligences. En effet, quoique le serviteur fasse comme œuvres bienfaisantes, il ne pourra jamais accomplir toutes les obligations dont il est redevable vis-à-vis d'Allah. Et celui qui oublie et ne constate pas cela tant qu'il est bien portant, pendant son temps libre et sa sécurité, se verra s'appliquer à son égard les Paroles du Très-Haut: ❨ Quand ils montent sur un bateau, ils invoquent Allah, Lui vouant la religion, puis lorsqu'Il les ramène saufs au rivage, voilà qu'ils Lui donnent des associés ❩.   *(Coran 29:65)*

Paradis et Enfer

La presse internationale a publié la nouvelle du suicide du premier ministre français du temps du président Mitterrand. La cause en est que la presse française l'a pris d'assaut par des critiques, des injures et des diffamations. Ce malheureux, dépourvu de foi, de sérénité et de stabilité, n'ayant pas trouvé à qui recourir, sa seule initiative était donc de se donner la mort.

Ce malheureux n'était pas guidé par la rectitude divine conforme à la Parole du Très-Haut: ❨ Ne sois pas à l'étroit par leurs intrigues ❩ *(Coran 16:127)* et Son autre Parole: ❨ Ils ne vous nuiront que par des vexations ❩ *(Coran 3:111)* et encore: ❨ Patiente pour ce qu'ils disent et éloigne-toi d'eux d'une belle manière ❩ *(Coran 73:10)*. Effectivement, l'homme a perdu la clé de la rectitude, le chemin de la pertinence et la voie du bon sens, ❨ Et celui qu'Allah égare, n'a pas d'autre guide ❩.
(Coran 7:186)

Le conseil, chez les autres, à celui qui est alourdi par les soucis et les chagrins, est qu'il s'asseye au bord du fleuve, qu'il jouisse de la musique, qu'il joue au trictrac ou qu'il fasse du ski.

Mais les conseils des gens de l'Islam, ceux à l'adoration véritable, sont: s'asseoir, le temps qui s'écoule entre l'appel à la prière et la prière proprement dite, dans la mosquée du Prophète (ﷺ), entre son Minbar et son Tombeau — ce qui est, d'après un Hadith authentique, un jardin parmi ceux du Paradis —, faire des évocations du Seul et Unique, la résignation au Destin et la Fatalité, la satisfaction de ce qui a été réparti par Allah, la confiance en Allah et la dépendance de Lui, le Très-Haut.

« *Ne t'avons-Nous pas détendu [la] poitrine ?* »

(Coran 94:1)

Cette parole est descendue spécialement pour le Prophète (ﷺ). Effectivement, elle s'est concrétisée en lui, puisqu'il était d'un esprit simple, qu'il avait une poitrine détendue, qu'il était optimiste, qu'il avait un cœur animé, des sentiments vivants, qu'il était commode dans toutes ses affaires, proche des cœurs, modeste malgré son importance, proche des gens avec respect, souriant avec dignité, adulant par éminence, naturel avec tout le monde, il avait beaucoup de caractère, une très bonne mine, une apparence radieuse, une décence abondante, il souriait à la plaisanterie, il était affable au venant, réjoui par les faveurs d'Allah, content des dons divins, il n'est jamais pris de désespoir, ne connaît pas la déception, n'admet pas le découragement, il admire le bon augure, déteste, la déclamation, la vantardise et l'affectation, tout cela parce qu'il est le Messager, le porteur d'un principe, le modèle à suivre d'une nation, un exemple pour une génération, l'enseignant des peuples, un éleveur de famille, un homme d'une Société, une accumulation de qualités, un emmagasinement de vertus, un océan de dons et une lumière éclatante.

Il est, brièvement, l'incarnation de la simplicité, il est: « Et il les déchargera du lourd fardeau et des chaînes qui étaient sur eux » *(Coran 7:157)*, ou, autrement dit: « une miséricorde pour les univers » *(Coran 21:107)*, et c'est tout ! « Un témoin, un annonciateur de bonnes nouvelles et un avertisseur », « Appelant à Allah avec Sa permission et une lumière éclairante ».

(Coran 33:45-46)

Parmi ce qui est en opposition avec le Message simplifié et facile, il y a ce qui suit: la rhétorique des dissidents, l'athéisme des logiciens, le peu d'intelligence du sophisme, le pédantisme des gens hautins, l'envoûtement des poètes, l'errance des chanteurs, l'orgueil des esclaves de la vie, l'aberration des mercenaires de pensées, « Allah guida, avec Sa permission, ceux qui ont cru, à ce qui, de la vérité, faisait l'objet de leur désaccord. Allah guide qui Il veut à une voie rectiligne ».

(Coran 2:213)

La conception de la vie agréable

Quelqu'un parmi les clairvoyants anglais dit: il t'est possible, tout en étant prisonnier derrière les barreaux de fer, que tu regardes à l'horizon, que tu sortes de ta poche une fleur que tu humeras en souriant, et dans la situation où tu es. Comme il est probable aussi, alors que tu es dans un château, sur du brocard et de la soie, que tu t'irrites, que tu te fâches, que tu deviennes furieux contre ta famille, ta demeure et tes biens.

Donc, le bonheur n'est pas dans l'endroit ni dans le temps, mais dans la foi, dans la soumission au Seigneur et dans le cœur qui est le lieu de la contemplation du Maître. Si la conviction s'y affermit, le bonheur se dégage et procure à l'âme et à l'esprit un épanouissement et une sérénité. Ensuite, cela se répand sur les autres, jusqu'aux collines, aux fonds des ravins et aux origines des arbres.

Ahmed Ibn Hanbel a vécu heureux, il portait un habit blanc rapiécé qu'il raccommodait tout seul de ses mains, habitait dans un trois-pièces en argile, ne trouvait que de la galette et de l'huile pour se nourrir, ses chaussures restèrent dix-sept ans, cousues et rapiécées - comme l'ont rapporté ses interprètes —, ne mangeait de la viande qu'une fois par moi et jeûnait la majorité des jours. Il parcourait le monde en long et en large en quête de Hadiths: mais malgré cela, il a trouvé le repos, le calme, la sérénité et le réconfort parce qu'il avait les pieds fermes, la tête haute. Il était informé de son sort, sollicitait une récompense, cherchait un salaire, œuvrait pour l'Au-delà, désirait le Paradis.

Et dans cette même période, les califes qui ont gouverné le monde, tels que Al Ma'moun, Al Wathik, Al Mou'tassim, Al Moutawakil, possédaient des châteaux, des maisons, de l'or, de l'argent, des soldats et des étendards, les médailles, les insignes, les immeubles et tout ce qu'ils désiraient, mais malgré tout cela, ils vécurent dans l'impureté et passèrent leurs existences dans les chagrins et les soucis, les agitations, les guerres, les soulèvements, les émeutes et les vacarmes. Et parmi eux, il y en avait qui, à l'agonie, geignait, regrettant les négligences et ce qu'il a commis à l'égard d'Allah.

Cheikh Al Islam Ibn Taymiya n'avait ni épouse, ni famille, ni maison, ni fortune, ni poste. Il habitait une chambre à côté de la mosquée omeyyade, il mangeait une seule galette par jour, ne possédait que deux habits qu'il changeait l'un à la place de l'autre, il dormait des fois à la mosquée, mais, selon sa propre description: son paradis était dans sa poitrine, son assassinat ferait de lui un martyr, son incarcération serait une intimité, son expulsion de son pays serait une sorte de tourisme, parce que l'arbre de la foi dans son cœur s'est élevé d'aplomb sur sa tige: il donne ses fruits à tout moment avec la permission de son Seigneur, l'huile de l'attention divine l'approvisionne, ❨Son huile éclairerait sans même que le feu la touche, lumière sur lumière, Allah guide à Sa lumière qui Il veut❩ *(Coran 24:35)*, ❨Il leur a effacé leurs péchés et leur a amélioré l'esprit❩ *(Coran 47:2)*, ❨Et ceux qui se sont bien guidés, Il a rajouté à leur rectitude et leur a apporté leur piété❩ *(Coran 47:17)*, ❨Tu reconnais sur leurs visages l'allégresse du délice❩. *(Coran 83:24)*

Abou Dherr, que la satisfaction d'Allah soit sur lui, est parti au désert et y a installé sa tente avec sa femme et ses filles. Il jeûnait la majorité des jours, évoquait son Seigneur, louait son Créateur, se vouant au culte d'Allah, lisant, récitant le Coran et méditant. Il ne possédait dans cette vie qu'une cape, une tente, quelques moutons, ainsi qu'une assiette, une écuelle et un bâton. Un jour, ses compagnons lui rendirent visite, ils lui ont dit: où est la vie ? Il a répondu: dans ma tente. J'ai ce qu'il me faut pour l'existence ; en effet, le Messager (ﷺ) m'a informé que devant nous, il y a un obstacle insurmontable qui ne sera accessible qu'à celui qui aura été léger.

Il avait une poitrine détendue, l'esprit très posé parce qu'il avait ce dont il avait besoin pour la vie ! En dehors de cela, pour lui, il n'y a que les occupations, les dépendances, les soucis et les chagrins.

En faisant converser Abou Dherr, j'ai dit dans un poème intitulé: *Abou Dherr fi al qarn al khamess achar* (Abou Dherr au quinzième siècle), où il a «parlé» de son isolement, de son bonheur, de sa solitude et de son exil, ainsi que de son émigration avec son âme et ses principes:

Ils m'ont flatté, je les ai menacés, ils m'ont menacé
De mort, je m'y suis amadoué pour que je la sente,
Ils me font monter, je descends pour que ma détermination
   monte
Ils me font descendre, mais pour la justice je monte,
Je poursuis la mort, soumis, elle se détourne
Et je la subjugue alors qu'elle est somnolente,
Les dunes ont pleuré ma solitude et ont dit
Ô Abou Dherr, n'aie pas peur et ne sois pas triste,
J'ai dit: il n'y a aucune peur, ma conviction
Est encore vive et je vis encore, à moins qu'on m'abatte,
Moi, j'ai promis à mon Compagnon, mon Ami
Et j'ai recueilli de ses élocutions, des préceptes.

Donc, c'est quoi le bonheur ?

«Sois dans la vie tel un étranger ou un passager», «Quelle félicité, pour les étrangers !».

Le bonheur n'est pas le château d'Abdelmalik Ibn Marouan, ni les armées de Haroun Al Rachid, ni les maisons d'Ibn Al Djassas, ni les trésors de Coré *(Qâroun),* ni dans le livre de la guérison d'Ibn Sina, ni dans les écrits d'Al Moutanabi, ni dans les jardins de Cordoue ou les vergers d'Al Zahra.

Le bonheur était chez les Compagnons, malgré leur pauvreté, la difficulté de l'existence, le peu de revenus et les difficultés dans les dépenses.

Le bonheur est chez Ibn Al Moussayib en parlant de la Divinité, chez Boukhari dans son *Sahih* (L'authentique), chez Hassan Al Basri dans sa sincérité, chez Al Chafi'i dans ses déductions, chez Malek dans sa conviction du contrôle d'Allah, chez Ahmed dans sa piété et chez Thabet Al Banani dans sa vénération, «Cela parce que nulle soif, nulle fatigue, nulle faim les atteignant dans le chemin d'Allah, et ils ne feront nul pas qui irrite les mécréants, et nulle prise sur l'ennemi, sans que leur soit inscrite comme œuvre bienfaisante ❭.

(Coran 9:120)

Le bonheur n'est pas un chèque à dépenser, ni une monture à acheter, ni une fleur à humer, ni du blé à mesurer, ni du tissu à étendre.

Le bonheur est l'aisance d'un esprit à un droit qu'il porte, la détente d'une poitrine à un principe qu'elle vit et la sérénité d'un cœur à un bien qu'il cerne.

Nous pensions que par l'agrandissement des maisons, l'abondance des choses, le rassemblement des purifiants, des commodités et des choses enviables, nous serions heureux, contents, réjouis, béats. Malheureusement, c'est tout le contraire qui se passe: soucis, malheurs et dépits, car toute chose est cause de souci, de chagrin, de tribut, de labeur et d'assiduité, ❨N'étends pas tes yeux vers la jouissance que Nous avons accordée à certains de leurs couples: simple fleur de ce bas monde afin de les en éprouver❩.

(Coran 20:131)

Le plus grand réformateur du monde est bel et bien Mohammed (ﷺ). Il a vécu pauvre, se tortillait de faim, ne trouvait même pas une datte pour entraver son envie. Mais malgré cela, il vécut dans une félicité que seul Allah connaît, dans l'épanouissement et le contentement, dans l'aisance et le plaisir, dans le calme et la sérénité, ❨Nous t'avons déchargé de ton fardeau❩, ❨Qui ployait ton dos❩ *(Coran 94:2-3)*, ❨La générosité d'Allah à ton égard est immense❩, *(Coran 4:113)* ❨Allah sait parfaitement où placer Son Message❩.

(Coran 6:124)

Dans le Hadith authentique, il y a: «Le péché est ce qui s'ourdit dans la poitrine et que tu n'aimes pas que les gens sachent et la bienfaisance est ce qui est emporte la quiétude du cœur et qui emporte la quiétude de l'âme».

La bienfaisance est un repos pour la conscience, une tranquillité pour l'âme. D'ailleurs, on a dit:

La bienfaisance dure plus longtemps malgré le temps
Et le péché est la pire des provisions

Dans le Hadith, il y a: «La bienfaisance est une quiétude et le péché un soupçon». Le bienfaiteur reste sincèrement dans la quiétude et la sérénité, alors que le sceptique se méfie des événements, des pensées, des mouvements et même de ce qui ne bouge point. ❨Ils croient que tout cri les vise ❩ *(Coran 63:4)*. La raison simple en est qu'il a mal agi, c'est tout. En effet, le pécheur doit inéluctablement paniquer et être troublé et prendre peur:

Quand l'acte de l'être est mauvais, ses soupçons se détériorent,
Et il croit à toutes illusions accoutumées.

La solution pour celui qui cherche le bonheur, c'est qu'il œuvre toujours pour le bien et qu'il évite la malfaisance afin d'être en sécurité, ❨Ceux qui ont cru et n'ont pas assombri leur foi par quelque injustice, ceux-là ont la sécurité et sont bien guidés ❩. *(Coran 6:82)*

Un chevalier avance à toute vitesse, soulevant de la poussière sur sa tête: il cherche Saad Ibn Abi Ouaqas qui a installé sa tente en plein désert, loin du tumulte et de l'attention de la foule, s'isolant en compagnie de sa famille dans sa modeste demeure, avec son troupeau de moutons. Le passager s'approcha, c'est son fils Omar qui lui dit:

Ô père, les gens se disputent le pouvoir alors que toi, tu es là en train de faire paître tes moutons ! Il lui dit: qu'Allah me protège de ton mal ! Je mérite le califat plus que l'habit que je porte, mais j'ai entendu le Messager d'Allah (ﷺ) dire: «Allah aime le serviteur riche, pieux et discret».

L'intégrité de la religion du musulman lui est meilleure que les royaumes de Chosroês et de César parce que c'est ce qui reste avec lui jusqu'à ce qu'il s'installe dans les jardins des délices. Quant à la royauté et au poste, ils sont éphémères et disparaîtront tôt ou tard — ❨C'est Nous qui hériterons de la terre et de tous ceux qu'elle porte et c'est à Nous qu'ils reviendront ❩.   *(Coran 19:40)*

A Lui monte la belle parole

Les Compagnons connaissaient des trésors de paroles bénies et vertueuses que le meilleur des serviteurs (ﷺ) leur a apprises.

Et chaque parole était, pour chacun d'eux, meilleure que la vie et ce qu'elle contient. Et c'est ce qui a fait leur grandeur, leur connaissance de la valeur des choses et de leurs mesures.

Abou Bakr demande au Messager (ﷺ) de lui apprendre une invocation. Il lui dit:

«Dis: Seigneur, j'ai été très injuste envers mon âme, et personne d'autre que Toi n'absout les péchés, pardonne-moi d'un pardon de Ta part et sois clément envers moi, Tu es l'Indulgent, le Miséricordieux».

Et il dit (ﷺ) à Abbas: «Demande à Allah la clémence et la sûreté».

Comme il dit (ﷺ) à Ali: «Dis: ô Allah ! Guide-moi et donne-moi la pertinence».

Il dit aussi à Obeid Ibn Hacîne: «Dis: ô Allah ! Inspire-moi mon bon sens, et protège-moi du mal de mon âme».

Et il dit à Chaddad Ibn Aous: «Dis: ô Allah ! Je te demande l'affermissement dans la cause, la détermination dans le bon sens, la reconnaissance envers Ta grâce, Ta bonne adoration, je Te demande un cœur sain, une langue sincère, je Te demande le bien que Tu sais et Ta protection contre le mal que Tu sais, et je Te demande l'absolution de ce que Tu sais, Tu es le Connaisseur des Inconnus».

A Mouaadh, il a dit: «Dis: ô Allah ! Aide-moi à T' évoquer, à Te remercier et à Te bien adorer».

Et à Aïcha, il a dit: «Dis: ô Allah ! Tu es clément et Tu aimes la clémence, sois clément envers moi».

En définitive, le contenu de toutes ces invocations est: la demande de la satisfaction d'Allah, le Glorieux, le Sublime, dans l'Au-delà, la préservation de Sa colère et l'aide pour Sa bonne adoration et Son remerciement.

Et le lien entre elles: la sollicitation de ce qu'il y a auprès d'Allah, et l'abandon de ce qu'il y a dans la vie. En effet, il est inutile de demander des biens de cette vie éphémère, de son étalage transitoire et de ses ornements sans valeur.

❨ Telle est la punition de ton Seigneur quand Il prend les cités injustes ❩.

(Coran 11:102)

L'injustice du serviteur envers les êtres humains, l'écrasement du faible d'entre eux et la spoliation de leurs droits sont les causes de son malheur, de l'effondrement de son rang, comme c'est aussi un malencontreux faux pas. Un sage a dit à propos de cela: crains celui qui, hormis Allah, n' a pas d'autre soutien contre toi.

D'ailleurs, dans l'histoire des nations, nous avons des exemples vivants du sort des personnes injustes.

Voilà Amer Ibn Attoufeil qui conspire contre le Messager (ﷺ), en essayant de l'assassiner. Le Prophète (ﷺ) invoque contre lui des malédictions: Allah l'éprouva d'une tumeur à la gorge, il meurt peu de temps après, hurlant de douleur.

Arbad Ibn Qays aussi a nui au Prophète (ﷺ) et il a même participé à un complot visant à le tuer. Le Messager (ﷺ) a proféré contre lui aussi des malédictions: Allah le frappa, ainsi que son chameau, d'un tonnerre qui les foudroya.

Et peu de temps avant qu'Al Hajaj n'assassine Saïd Ibn Joubeir, ce dernier l'a maudit en disant: ô Allah ! Ne le lui laisse les mains libres contre aucun autre après moi. Al Hajaj fut atteint d'un furoncle à la main, qui s'est répandu sur tout son corps: il commença à s'affaiblir tel un taureau et mourut dans une situation lamentable.

Soufiane Al Thaouri s'est caché, de peur d'Abou Djaâfer Al Mansour. Ce dernier est sorti en direction de la Grande Mosquée de la Mecque à sa recherche. Soufiane qui était à l'intérieur de la Maison d'Allah s'est levé, a pris les voiles de la Ka'ba et a supplié Allah de ne pas permettre à Al Mansour de pénétrer dans Sa Maison. Effectivement, Abou Djaâfar est mort à Bir Meimoun, avant d'arriver à la Mecque.

Ahmed Ibn Abou Douad, le juge mou'tazilite, participe dans l'atteinte outrageuse de l'imam Ahmed Ibn Hanbel. Il le maudit par l'invocation d'imprécations: il fut atteint d'hémiplégie si bien qu'il disait: quant à la moitié de mon corps, quand une mouche s'y pose, j'ai l'impression que c'est la fin du monde, alors que pour l'autre moitié, si on la coupait avec des ciseaux, je ne sentirais rien.

Ahmed Ibn Hanbel a maudit aussi Ibn Al Zayate, le ministre: il fut pris par quelqu'un qui l'a jeté dans une fournaise de feu et lui a enfoncé des clous dans la tête.

Et Hamza Al Bassiouni torturait les musulmans dans la prison de Djamel Abdelnasser et disait une parole maléfique: «Où est votre Dieu, que je le mette dans les fers?» Qu'Il soit glorifié et purifié de ce que disent les oppresseurs! En allant du Caire à Alexandrie, sa voiture heurta un camion transportant du fer qui s'enfonça dans son corps, du haut de sa tête jusqu'au fond de ses entrailles. Les secouristes l'ont fait sortir par morceaux, ❰Il s'enorgueillit, lui et ses soldats sur terre, sans aucun droit, et ils crurent qu'ils ne Nous reviendraient pas❱ *(Coran 28:39)*, ❰Et ils dirent: qui donc est plus fort que nous? Ne voient-ils pas qu'Allah qui les a créés, est, Lui, plus fort qu'eux❱.   *(Coran 41:15)*

De même pour Salâh Nasr, un des lieutenants d'Abdelnasser, qui a tyrannisé et opprimé sur terre. Il fut atteint de plus de dix maladies douloureuses et chroniques et il a vécu plusieurs années de sa vie dans la souffrance: la médecine n'a rien pu faire pour lui jusqu'à ce qu'il meure en prison dans les cachots de ses maîtres pour qui il travaillait.

❰Ceux qui étaient des tyrans dans le pays❱, ❰Ils y ont accru les dégâts❱, ❰Alors, ton Seigneur déversa sur eux le fouet du supplice❱, *(Coran 89:11-13)* «Allah laisse faire l'oppresseur jusqu'à ce qu'Il le tienne pour ne plus le lâcher», «Et méfie-toi de la l'imploration *[venant]* de l'opprimé car, entre elle et Allah, il n'y a pas de paravent».

L'imploration venant de l'opprimé

Et elle avance sur terre sans vouloir s'arrêter
Là où nulle grille, dans le désert, ne bloque sa traversée,
Là où les passagers n'ont pas de frontière et ne campent
*   point*
Pour boire, et personne ne peut l'empêcher de continuer,
Elle passe dans la nuit et la nuit est frappante
Dans son spectre: les uns dorment, d'autres sont éveillés.

Ibrahim Al Teimi a dit: quand l'homme m'opprime, je suis indulgent envers lui.

On a volé quelques dinars à un homme pieux de Khurassene ; il s'est alors mis à pleurer. Al Foudheil lui a dit: pourquoi pleures-tu ? Il a dit: je me suis rappelé qu'Allah nous réunira, ce voleur et moi, le Jour de la Résurrection, alors j'ai pleuré, pris de pitié pour lui.

Un homme a calomnié un érudit parmi nos prédécesseurs, il lui a alors offert des dattes en disant: parce qu'il a accompli une bienfaisance pour moi.

J'ai dit: c'est moi à la porte

Sur l'immeuble de l'Organisation des Nations Unies, il y a une pancarte où sont écrits quelques vers du poète mondial, Al Saadi Al Chirazi, qui ont été traduits en Anglais: c'est une invitation à la fraternité, l'amitié et l'union:

Le bien-aimé m'a dit lorsque je lui ai rendu visite,
Qui est à la porte, j'ai dit: c'est moi, à la porte,
Tu t'es trompé dans la définition de l'amour,
Quand, entre nous, tu y as fait une différence,
Une année est passée et lorsque je suis venu à lui,
Je frappe à sa porte, puis je me dissimule,
Il m'a dit: qui es-tu ? J'ai dit: regarde,

Ce n'est que toi, ici devant la porte,
Il m'a dit: tu as bien déterminé l'amour
Maintenant, tu l'as vraiment connu ô Moi, allez entre!

Chacun devrait avoir un frère utile apprivoisé, en qui il trouve du réconfort, qui partage avec lui ses peines et ses joies, s'échangeant la cordialité, « Et donne-moi un assistant de ma famille », « Aaron, mon frère », « Fais de lui un soutien pour moi », « Associe-le à ma mission », « Afin que nous Te glorifions en abondance », « Et que nous t'évoquions beaucoup ».   *(Coran 20:29-34)*

La plainte à un proche est nécessaire,
Il te console, te distrait ou souffre avec toi.

« Ils se soutiennent les uns les autres » *(Coran 5:51)*, « Comme s'ils étaient des constructions compactes » *(Coran 61:4)*, « Et a apprivoisé leurs cœurs » *(Coran 8:63)*, « Mais les croyants sont des frères ». *(Coran 49:10)*

Un ami est nécessaire

Le serviteur est bien heureux lorsqu'il trouve quelqu'un dont l'amitié est utile, la compagnie agréable et réconfortante. «Où sont ceux qui se sont aimés pour Ma Majesté? Aujourd'hui, Je les, recouvrirai de Mon Ombre, dans ce Jour où il n'y a aucune autre ombre que la Mienne».

«Et deux hommes qui se sont aimés pour Allah, ils s'unissaient pour Lui et se sont séparés pour Lui».

La sécurité est une revendication religieuse et intellectuelle

« Ceux-là ont la sécurité et sont bien guidés » *(Coran 6:82)*, « Qui les a nourris quand ils avaient faim et qui les a rassurés quand ils avaient peur » *(Coran 106:4)*, « Ne les avons-Nous pas installés dans une Enceinte sacrée sûre ? » *(Coran 28:57)*, « Et celui qui y entre est en sécurité ❭ *(Coran 3:97)*, ❨Puis fais-le regagner son lieu de sécurité ❭.

(Coran 9:6)

«Celui qui passe la nuit en sécurité dans sa demeure, son corps intègre, possédant la subsistance de son jour, est comme si tout ce bas monde lui appartenait».

La sécurité du cœur: sa foi, sa fermeté dans la connaissance de la vérité et sa pleine conviction.

La sécurité de la famille: sa préservation de la dérive, son éloignement de la dépravation, sa sérénité abondante et sa rectitude selon l'argument divin.

La sécurité de la nation: son union par l'amour, sa justice dans toute chose et son attention à la religion.

Et la peur est l'ennemi de la sécurité, ❨Il en sortit, apeuré et vigilant ❭ *(Coran 28:21)*, ❨N'ayez pas peur d'eux et ayez peur de Moi ❭.

(Coran 3:175)

Il n'y a pas de repos pour l'être apeuré, pas de sécurité pour l'athée et pas d'existence pour le malade.

La vie, c'est la bonne santé et l'autosuffisance
Si elles se détournaient d'elle, elle cesserait.

Par Allah, que la vie est malheureuse ! Si elle est bonne d'un côté, de l'autre elle est mauvaise. Si l'argent arrive, le corps se déprave. Si le corps est en bonne santé, les calamités arrivent. Si la situation s'est arrangée et les choses sont stables, voilà la mort qui surgit.

Le poète Al Aacha est sorti de Nadjd en direction du Messager (ﷺ) pour lui faire entendre un poème élogieux et se convertir à l'Islam. Abou Soufiane lui a alors proposé cent chameaux contre son renoncement à ce voyage: il a accepté. Il est monté sur l'un d'eux et s'en est retourné chez lui, mais le chameau l'a fait tomber sur sa tête, en cours de route. Son cou se brisa et il en mourut sans foi, ni fortune.

Quant au poème qu'il avait préparé pour le lire au Prophète (ﷺ), il est merveilleux. Il y dit notamment:

Jeunesse, vieillesse, pauvreté et richesse
Allah seul sait comment ce temps peut changer,
Si toi, tu ne voyages pas pourvu de piété,
Et que tu trouves, après la mort qui s'en est approvisionné,
Tu regretteras alors, de ne pas être comme lui,
Et que tu n'aies pas réservé ce que lui, il a épargné.

Des gloires éphémères

Parmi les nécessités du véritable bonheur, il y a le fait qu'elle doit être permanente et complète. Sa permanence oblige qu'elle soit dans ce monde et dans l'Au-delà, dans le visible et l'invisible, aujourd'hui et demain. Sa plénitude exige qu'elle ne soit pas dépitée par une impureté et que la beauté de son visage ne soit pas égratigné par un courroux.

Al Nou'mane Ibn Al Moundhir, roi d'Irak, s'est assis pour se divertir sous un arbre en buvant du vin. Udi Ibn Zeyd, qui était un sage, a voulu lui adresser une exhortation en lui disant: ô, roi ! Sais-tu ce que dit cet arbre ? Le roi dit: et que dit-il ? Le sage répond: il dit:

Peut-être qu'autour de nous, des gens se sont installés
Mélangeant la boisson alcoolique à de l'eau douce et claire
Puis ils peuvent devenir la raillerie du temps
En effet, tel est le temps, d'une situation à une autre.

Al Nou'mane fut dépité, a abandonné l'alcool et il en est resté vexé jusqu'à sa mort.

Et le chah d'Iran qui célébrait le 2500e anniversaire de l'Etat persan, alors qu'il projetait de se donner plus d'influence par l'extension de son royaume: du jour au lendemain, il se retrouva dépourvu de toute autorité et de toute puissance, ❨ Tu donnes le règne à qui Tu veux et Tu ôtes le règne à qui Tu veux ❩. *(Coran 3:26)*

Et il est expulsé de façon la plus dégradante de ses châteaux, de sa cour et de son existence. Pis encore: il meurt expatrié, loin de son pays, en pleine faillite et personne ne l'a pleuré, ❨ Combien de vergers et de sources ont-ils laissés ⟩, ⟨Et de champs et de situations opulentes ⟩, ⟨Et de grâces dont ils jouissaient ⟩.   *(Coran 44:25-27)*

Et le président de Roumanie, Ceausescu, qui a tenu le pays pendant 22 ans et dont la garde spéciale comptait 70 000 hommes, fut cerné, ainsi que ses soldats, dans son château par le peuple déchaîné, puis fusillé au su et au vu du monde entier, ⟨Aucun clan en dehors d'Allah, ne fut là pour le secourir et il ne fut guère secouru ⟩ *(Coran 28:81).* Il est parti sans emporter avec lui ni ce bas monde, ni l'Au-delà.

Il y a aussi Marcos, l'ancien président des Philippines. Il a réuni la présidence et la fortune. Mais il a fait goûter à sa nation toutes les amertumes de l'humiliation et de la honte et Allah lui a fait boire les peines de la misère et de la souffrance. N'a-t-il pas été expulsé de son pays, de sa famille et de son pouvoir, sans abri ni honneur ? Il meurt malheureux. Qui plus est: son peuple a même refusé qu'il soit enterré dans son pays: ⟨N'a-t-Il pas rendu leur intrigue, complètement vaine? ⟩ *(Coran 105:2),* ⟨Aussi Allah le saisit-il d'un châtiment dans l'Au-delà et dans ce monde ⟩ *(Coran 79:25),* ⟨Nous avons pris chacun selon son péché ⟩.   *(Coran 29:40)*

L'acquisition des vertus est une couronne sur la tête de la vie heureuse

Il est demandé au serviteur qui veut acquérir le bonheur et la sécurité, de se doter de vertus, de se dépêcher de posséder les qualités louables et d'accomplir des œuvres bienfaisantes. «Insiste sur ce qui t'est avantageux et remets-toi en à Allah»

Un des Compagnons demande d'accompagner le Prophète (ﷺ) au Paradis. Il lui dit: «Aide-moi pour cela, par beaucoup de prosternations. En effet, à chaque fois que tu te prosternes à Allah, Il te fait élever d'un rang». Un autre lui demande ce qu'il doit faire pour acquérir des bienfaisances, il lui dit: «Que ta langue soit humide par l'évocation d'Allah». A un troisième, il dit: «N'injurie personne et ne frappe personne de ta main, et si quelqu'un t'a insulté par ce qu'il sait être en toi, ne l'insulte pas par ce que tu sais être en lui, et ne sous-estime rien du bienfait, même en déversant de ton récipient dans le récipient de celui qui fait de l'eau».

Cela demande donc l'initiative et la promptitude: «Prenez l'initiative dans les œuvres dès votre plus jeune âge», «Profite de cinq avant cinq», ❨Et hâtez-vous à une absolution de votre Seigneur et un Paradis❩ *(Coran 3:133)*, ❨Ils se hâtaient dans les bienfaits❩ *(Coran 21:90)*, ❨Et les précurseurs, les précurseurs❩.   *(Coran 56:10)*

Ne néglige pas l'accomplissement du bien, ne lésine pas dans la réalisation des faveurs et ne t'attarde pas dans la demande des vertus:

Les battements du cœur de l'être humain lui disent,

Que la vie n'est qu'une question de minutes et de secondes.

❨Et c'est dans cela que les challengers doivent rivaliser❩.

(Coran 83:26)

Omar Ibn Al Khatab, après qu'il fût poignardé et que son sang ait coulé, a vu un jeune dont la cape traînait par terre. Il lui a dit: «Ô fils de mon frère! Relève ton pagne, c'est plus pieux envers ton Seigneur et plus propre pour ton habit». Même en agonisant, il a trouvé le moyen d'inviter à la pratique du bien — ❨Pour celui d'entre vous qui veut avancer ou reculer❩. *(Coran 74:37)*

Effectivement, le bonheur ne s'obtient pas par le long sommeil, l'abandon des noblesses et le rejet des vertus. ❨Mais Allah ne voulait pas qu'ils s'élancent, Il les paralysa, et on leur dit alors: restez avec les défaillants❩. *(Coran 9:46)*

La logique de ceux dont les intentions sont méprisables et les âmes basses disent: ❨Ne sortez pas au combat par cette chaleur❩ *(Coran 9:81)*, ❨S'ils étaient chez nous, ils ne seraient pas morts et ils n'auraient pas été tués❩. *(Coran 3:156)*

D'ailleurs, la révélation divine a interdit au serviteur de retarder les œuvres charitables: ❨Qu'avez-vous donc, quand on vous dit de vous mobiliser dans le chemin d'Allah, à traîner par terre?❩ *(Coran 9:38)*, ❨Et parmi vous, il y a ceux qui traînent❩ *(Coran 4:72)*, ❨Mais il s'est attaché à la terre❩ *(Coran 7:176)*, ❨Comment ai-je été incapable d'être comme ce corbeau ? » *(Coran 5:31)*, «Cela, parce qu'ils préférèrent ce bas monde à l'Au-delà» *(Coran 16:107)*, «Ne vous querellez pas, cela vos découragera » *(Coran 8:46)*, «Et quand ils se lèvent à la prière, ils se lèvent avec apathie » *(Coran 4:142)*. «Ô Allah ! Je demande Ta protection contre la paresse», «Le perspicace est celui qui condamne son âme et œuvre pour ce qui est après la mort, et l'incapable est celui qui se soumet aux passions de son âme tout en exprimant à Allah *[de simples]* vœux».

L'éternité et les félicités
sont là-bas, et non pas ici

Veux-tu rester jeune, en bonne santé, riche et éternel ? Si c'est ce que tu veux, sache que tu ne le trouveras pas dans ce bas monde, mais là-bas, dans l'Au-delà. Et ce, tout simplement, parce qu'Allah a écrit à propos de cette vie-là la souffrance et l'évanescence. D'ailleurs, Il l'a appelée divertissement, jeu et effets de duperie.

Un poète a vécu pauvre, sans ressources alors qu'il était en possession de toute l'énergie de sa jeunesse. Il lui arrivait de ne pas trouver le moindre sou. Même lorsqu'il voulait une épouse, il n'a pu l'avoir. Quand il a vieilli, que sa tête a blanchi et que ses os se sont amincis, la fortune lui est venue de tous côtés, son mariage et sa demeure furent d'une facilité remarquable. Il a geint de ces contradictions et a dit:

Ce que je souhaitais alors que j'avais vingt ans
Après avoir dépassé les soixante-dix, je l'ai acquis
Telles des antilopes adossées aux dunes de Yabrina,
Elles m'entourent, ces merveilleuses filles de Turquie
Elles dirent: tes plaintes nous font veiller, de quoi te plains-
         tu ?
Je me plains des quatre-vingts ans, voilà ce que j'ai dit.

«Mais ne vous avons-Nous pas fait vivre le temps qu'il faut pour que se rappelle celui qui s'est rappelé, d'autant plus qu'un avertisseur est venu à vous » *(Coran 35:37)*, «Et ils crurent qu'ils ne reviendront guère ◗ *(Coran 28:39)*, ◖Et ce bas monde n'est qu'un divertissement et un jeu ◗ *(Coran 29:64)*. Effectivement, la vie en ce bas monde est comparable à un passager qui s'est assis sous l'ombrage d'un arbre, puis est reparti en le laissant.

Les ennemis de la Voie divine

J'ai lu des livres d'écrivains athées, poètes et prosateurs, qui rejettent la Voie d'Allah. Oui, j'ai lu les paroles de ces gens ayant dévié de la Voie d'Allah sur cette terre. J'ai parcouru leurs sottises et j'ai constaté la violente agression contre les principes authentiques, les Enseignements divins. J'ai aussi trouvé ce bas amas que ces gens-là ont sorti de leurs bouches, tout comme j'ai vu leur impolitesse et leur indécence: personne ne peut d'ailleurs, par pudeur, rapporter aux gens quelque chose de ce qu'ils ont dit, écrit et chanté.

J'ai su par cette voie que l'être humain, qui n'a pas de principe et qui n'est pas conscient d'un certain message, se transforme en un animal sous la peau d'un humain et une bête sous la constitution d'un homme: ◖Ou bien penses-tu que la plupart d'entre eux entendent ou comprennent, Ils ne sont en vérité que comme les bêtes et ils sont même plus égarés ◗.

(Coran 25:44)

Je me suis dit, en lisant le livre: comment ces gens-là peuvent-ils être heureux alors qu'ils se sont détournés d'Allah qui possède le bonheur et qui le donne à qui Il veut?

D'où leur viendra le bonheur, alors qu'ils ont coupé les cordes entre Lui et eux, qu'ils ont fermé les portes entre leurs piètres âmes malades et l'immense miséricorde d'Allah?!

D'où leur viendra le bonheur, alors qu'ils ont courroucé Allah?

Et comment peuvent-ils être contents, alors qu'ils L'ont combattu?

Mais, j'ai découvert que le châtiment de la détresse, l'étroitesse, la décadence et la déception a commencé à les atteindre dans ce bas monde, et s'ils ne se repentent pas, ce ne sont que des préludes de celui de l'Au-delà, dans le feu de l'Enfer: ❲Et celui qui aura tourné le dos à Mon Rappel, aura une malvie❳.   *(Coran 20:124)*

Il y a même parmi eux, ceux qui voudraient que le monde s'anéantisse, que la création cesse, que la vie soit soufflée et qu'ils en finissent avec cette existence. Le facteur commun entre les premiers et derniers athées est: l'impolitesse à l'égard d'Allah, l'insouciance vis-à-vis des principes et des valeurs, l'inconséquence dans la prise et l'octroi, la nonchalance à propos des conséquences, l'irréflexion dans ce qu'ils disent, écrivent et font — ❲Est-ce que celui qui a fondé sa construction sur la piété envers Allah et sur Sa satisfaction est mieux, ou celui qui a fondé sa construction sur le bord croulant d'un gouffre qui s'écroula, l'emportant dans le feu de l'Enfer? Et Allah ne guide pas à la rectitude la gent injuste❳.   *(Coran 9:109)*

La seule solution qui reste à ces athées, pour se débarrasser de leurs soucis et de leurs chagrins, s'ils ne se repentent pas, c'est de se suicider et en finir avec cette existence amère et cette vie insignifiante et sans valeur: ❲Dis: mourez de votre rancœur❳ *(Coran 3:119)*, ❲Alors, donnez-vous la mort, ce serait mieux pour vous❳.   *(Coran 2:54)*

La réalité de la vie

La balance du bonheur est dans le Livre d'Allah et l'évaluation des choses reste donc dans Son Saint Coran. C'est Lui qui décide la chose, sa valeur et son rendement pour le serviteur dans cette vie et dans l'Au-delà. ❲Ne fût-ce par crainte que les gens forment une seule communauté, Nous mettrions, pour ceux qui auront mécru au Miséricordieux, à leurs maisons des toits en argent avec des escaliers pour y monter❳, ❲Et à leurs maisons des portes et des lits sur lesquels ils s'allongent❳, ❲Et des enjolivures, bien que tout cela ne soit que jouissance de ce bas monde, et l'Au-delà, auprès de ton Seigneur, est pour les gens pieux❳.   *(Coran 43:33-35)*

C'est la vérité sur cette vie, de ses châteaux et maisons ; de son or, de son argent et de ses postes.

En raison de son insignifiance, elle est octroyée dans toute sa totalité au mécréant alors que le croyant peut en privé. Pour montrer aux gens sa valeur...

Outba Ibn Ghazouan, le Compagnon célèbre, s'étonne, dans le prêche de la prière du vendredi: comment a-t-il pu accepter d'être l'émir d'une province et gouverneur d'une région après la mort du Prophète (ﷺ), le meilleur de toutes les créatures, avec qui il a mangé des feuilles d'arbres alors qu'ils combattaient, dans sa plus tendre jeunesse, dans le chemin d'Allah? La raison en est que l'existence, après le décès du Messager d'Allah (ﷺ), est vraiment sans valeur.

Je vois les misérables, ne pas s'ennuyer de la vie
Bien qu'ils y soient dévêtus et affamés,
Je la considère, quoiqu'elle réjouisse, que ce n'est
Qu'un nuage d'été qui peu après, s'est dissipé.

Saad Ibn Abi Waqas, l'émir de la province de Koufa, est également abasourdi pour le fait d'être dans cette situation après la mort du Prophète (ﷺ) avec qui, lui aussi, il a mangé des feuilles d'arbres et des peaux d'animaux morts qu'il grillait, les pelait et les absorbait avec de l'eau. Or, cette vie avec ses châteaux et ses maisons n'a aucun goût après le départ du Messager d'Allah (ﷺ), ❨Et l'Au-delà sera certainement meilleur pour toi que ce bas monde❩.

(Coran 93:4)

Donc, dans la question, il y a quelque chose et dans le problème, il y a un secret: l'insignifiance de cette vie, pas plus: ❨Croient-ils donc, que ce que Nous leur dispensons comme enfants et richesses❩, ❨Ne sont de Notre part qu'une façon de leur hâter l'arrivée de bonnes choses?❩ *(Coran 23:55-56)*, «Je jure par Allah que ce n'est pas la misère que j'appréhende pour vous».

Omar entra chez le Messager d'Allah (ﷺ). Quand il l'a vu allongé sur une sorte de paillasson qui lui a marqué le flanc, que dans toute sa demeure, il n'y avait que de l'orge suspendue, ses larmes tombèrent.

Effectivement, la situation est bien émouvante: le Messager d'Allah (ﷺ), le modèle à suivre et l'Imam de toute l'humanité, se trouvait dans ces conditions — ❨Et ils dirent: qu'est-ce donc que ce Messager qui mange de la nourriture et circule dans les marchés?❩

(Coran 25:7)

Puis Omar lui a dit: Chosroês et César sont comme tu le sais, ô Messager d'Allah!

Le Prophète (ﷺ) lui dit: «As-tu des doutes toi, ô Ibn Al Khatab? Ne serais-tu pas satisfait que nous ayons l'Au-delà et qu'ils aient ce bas monde?»

C'est une équation très claire et un partage équitable, que soit satisfait celui qui veut, que s'irrite celui qui veut. Et que celui qui souhaite le bonheur le demande par l'intermédiaire de l'argent, des châteaux, des voitures et qu'il fasse tout pour obtenir uniquement cela: il ne le trouvera pas, un tel bonheur, par Allah, le Seul Dieu.

❨Celui qui veut ce bas monde et ses parures, Nous leur y rendrons leurs œuvres et ils ne seront nullement lésés❩, ❨Ceux-là qui n'auront dans l'Au-delà rien d'autre que le Feu, toutes leurs œuvres dans cette vie seront nulles et tout ce qu'ils y faisaient sera sans valeur❩.

(Coran 11:15-16)

Pardon à la vie que j'ai abandonnée pour autre chose,
En effet, elle ne possède pas d'escalier pour les gens pieux.

La clé du bonheur

Si tu as connu Allah, tu L'as glorifié, adoré et reconnu Sa divinité, alors que tu es dans une caverne, tu trouveras le bien, le bonheur, le repos et la tranquillité.

Mais, en état d'égarement, même si tu habite dans les châteaux les plus impressionnants, les demeures les plus vastes, que tu possèdes tout ce dont tu as besoin, sache que ce sera ta fin amère et ton malheur certain parce que, jusqu'à cette limite, tu n'aura pas encore acquis la clé du bonheur.

❨Et Nous lui avons donné des trésors tels que leurs clefs auraient fait ployer sous leur poids un grand nombre d'hommes forts et unis ❩.

(Coran 28:76)

Une pause

❨Allah prend la défense de ceux qui ont cru. ❩   *(Coran 22:38)*

C'est-à-dire: Il les protège contre les maux de cette vie et de l'Au-delà.

«Ceci est une annonce, une bonne nouvelle et une promesse de la part d'Allah à ceux qui ont cru. Allah, au regard de leur foi, les protège contre les manigances des mécréants, contre celles du démon et ses suggestions, contre celles de leurs propres âmes, contre leurs mauvaises œuvres. Il les soutient pendant les afflictions et contre ce qu'ils ne peuvent pas supporter en leur allégeant considérablement leurs fardeaux. Chaque croyant a sa part de cette protection et de cette complaisance, selon l'importance de sa foi».

«Parmi les fruits de la croyance, il y a la consolation qu'elle apporte au serviteur au moment des peines, comme elle lui facilite, aussi, les difficultés et les tourments, ❨Celui qui croit en Allah, Allah lui guide son cœur❩ *(Coran 64:11)*: c'est le serviteur atteint de la calamité qui sait que c'est de la part d'Allah, que ce qui l'a touché ne pouvait le rater et que ce qui l'a manqué ne pouvait pas lui arriver. Il accepte alors ce destin pénible et les afflictions désagréables lui deviennent supportables en sachant leur origine divine et l'acquisition de récompense dont elles sont la cause».

Comment ils vivaient ?

Vivons ensemble un jour de la vie de l'un des meilleurs Compagnons et des plus pieux, Ali Ibn Abi Taleb avec la fille, que dis-je ? le bout du foie du Messager d'Allah (ﷺ): il se lève de bonne heure, cherche de quoi manger avec Fatima et il ne trouve rien. Au regard du froid glacial, il se couvre le corps d'une fourrure et sort de chez lui. Il va aux abords de Médine à la quête d'un travail, il se rappelle un juif propriétaire d'une ferme. Il s'y rend, s'y introduit par la petite et étroite porte quand le juif lui dit: ô bédouin, viens et aide le chameau à puiser un grand seau d'eau pour l'obtention d'une datte... Ali, que la satisfaction d'Allah soit sur lui, accepta la besogne et travailla avec lui jusqu'à ce que ses mains se soient écorchées et que son corps se soit épuisé. Le fermier lui donna quelques dattes qu'il prit et s'en alla. En cours de route, il rencontra le Messager d'Allah (ﷺ) à qui il en donna une partie — et ce fut leur seule nourriture de toute la journée.

C'est ainsi qu'était leur existence, mais ils sentaient que leurs foyers étaient remplis de bonheur, de plaisir, de lumière et d'allégresse.

Leurs cœurs vivaient les principes véridiques et les idéaux éminents avec lesquels fut envoyé le Messager (ﷺ). Ils font donc des œuvres en rapport avec le cœur, et ils sont dans une spiritualité sublime avec laquelle ils voient la justice et l'injustice. Ainsi œuvrent-ils pour l'une et évitent l'autre, discernent la valeur de la chose, la vérité de la question et le secret du problème.

Où est le bonheur de Coré *(Qâroun)* et la joie, le plaisir et la sérénité de Haman, lieutenant de Pharaon? Le premier est enseveli sous terre et le deuxième maudit — ❨Elle est pareille à une pluie bienfaisante dont la végétation a plu aux mécréants, puis elle se fane et tu la vois donc jaunie; ensuite elle devient des débris❩.

(Coran 57:20)

Le bonheur est chez Bilal, Selmane et Ammar, parce que Bilal a appelé à la prière qui est une vérité, Selmane a fraternisé pour la sincérité et Ammar a rempli le contrat, ❨Ce sont ceux-là dont Nous acceptons le meilleur de ce qu'ils ont fait, à qui Nous pardonnons les méfaits-ils font partie des gens du Paradis selon la sincère promesse qui leur a été faite❩.

(Coran 46:16)

Aphorismes des sages au sujet de la patience

Il a été rapporté aussi que: tous les malheurs de la vie peuvent être classés en deux genres — la première comprend la ruse et son médicament est la confusion. La deuxième est dépourvue de toute astuce et la grande patience est sa guérison.

Un sage disait: l'astuce dans ce qui ne contient pas de ruse, c'est la patience.

Il disait aussi: celui qu suit la patience, la victoire lui suivra.

Et dans les aphorismes courants: la patience est la clé du soulagement. Celui qui patiente, peut. Le triomphe est le fruit de la patience. Après les intensifications des affections, vient l'aisance.

Et on disait: crains les méfaits à travers les bienfaits, espère l'avantage de l'endroit même de l'interdiction, tiens à la vie par la demande de la mort, combien d'existences ont eu pour cause la sollicitation de l'anéantissement et que de disparitions ont eu pour cause d'insistance sur l'existence et, la plupart du temps, la sécurité vient de la frayeur.

Les Arabes disent: dans le mal, il y a du bien.

C'est ce qu'Al Asmaï a expliqué par: certains maux sont plus commodes que d'autres.

Et Abou Oubaïda a dit que sa signification est: si tu es atteint d'une affliction, sache qu'il y a plus pénible qu'elle, considère-la donc comme étant banale.

Un sage a dit: les conséquences des choses se ressemblent dans les Inconnus. Il se pourrait qu'un mal contienne un bien et qu'un bien contienne un mal, combien de gens enviés pour une grâce qui n'est en fait qu'une maladie pour eux, et combien de personnes privées à cause d'un mal qui leur est en fait une guérison.

Et on disait aussi: il se pourrait qu'un bien vienne d'un mal et qu'un avantage vienne d'un détriment.

Ouadaa Al Sahmi a dit dans un de ses propos: patiente pour le mal qui te diffame car il pourrait être mieux que ce qui te réjouit. Sous l'écume, il y a le lait véritable.

Allah apporte le soulagement quand on perd tout espoir: «Jusqu'à ce que les Messagers perdent espoir et se crurent démentis, alors leur vint Notre assistance» *(Coran 12:110)*, «Allah est avec ceux qui patientent» *(Coran 2:153)*, «Ceux qui patientent recevront leur salaire au-delà de tout compte».
                                            (Coran 39:10)

Un écrivain a dit: Allah apporte le bienfait du côté qu'Il a destiné à procurer le méfait, Il fait aussi survenir le soulagement lorsque l'espoir est perdu et face à l'ambiguïté des astuces et ce, pour inciter toutes Ses créatures à accomplir ce qu'Il veut, pour qu'elles orientent leurs espoirs et désirs vers Lui et qu'elles soient sincères quant à leur pleine dépendance de Lui, qu'elles ne désespèrent à aucun moment de Sa délivrance.

Il les réjouit aussi dans ce qui les a affectées, puisqu' Il les a touchées par ce qui est insignifiant et élémentaire par rapport à ce qui existe comme afflictions.

Ton affliction pourrait avoir des conséquences louables
Et les corps pourraient guérir par des maladies.

Isaac Al Abed a dit: Allah pourrait éprouver le serviteur d'une peine qui le sauverait de l'anéantissement. Cette épreuve serait ainsi une bénédiction inouïe.

On, dit, que, celui qui supporte, l'épreuve et accepte la Décision d'Allah dans ce qui lui est arrivé et patiente face à la peine, recevra cet avantage: cette épreuve se dévoile à lui jusqu'à ce qu'il connaisse tout le bien qui en était caché.

Il a été rapporté par un chrétien qu'un des prophètes, que le salut soit sur eux, a dit: les peines sont des punitions de la part d'Allah, et ces sanctions ne durent pas. Que se réjouisse donc celui qui a eu de la patience et qui est resté ferme face à cela: il aura mérité l'habit de la victoire et la couronne du succès qu'Allah a promis à Ses bien-aimés et à ceux qui Lui sont soumis.

Isaac a dit: méfie-toi de l'irritation si tu es atteint des flèches des afflictions et, des imprévus des séductions, car le chemin qui mène à la sauvegarde est difficile à prendre.

Un autre a dit: l'attente du soulagement par la patience fait hériter de la félicité.

La confiance en Allah ne sera pas désillusion

«Je suis auprès de ce que pense Mon serviteur de Moi: qu'il pense de Moi ce qu'il veut».

Quelques écrivains ont dit que l'espérance est la substance de la patience et de ses soubassements. A l'instar de la matière et la cause de l'espoir, la confiance en Allah ne doit pas être contrariée. En effet, en frappant à la porte des gens généreux, on pourrait même trouver de leur part ce qui va au-delà de nos espérances: comment en serait-il alors avec Allah, qui est le plus Généreux de tous, sinon plus et mieux ? Et la meilleure preuve de l'amour su serviteur pour Allah, c'est le fait de s'attacher à Lui, d'attendre le soulagement sous Son Ombre tout en ayant recours à Lui. La délivrance et la sauvegarde ne parviennent à l'être humain qu'après l'échec de l'espoir qu'il avait en ce qui lui paraissait être la solution, qu'après la formulation de toutes ses demandes et l'incapacité de toutes ses astuces et que son mal et son affliction arrivent à leurs termes. Pourquoi ? Pour que cela lui soit un stimulant qui lui fait diriger à jamais ses vœux vers Allah, le Sublime et que cela soit aussi une punition pour ne pas avoir eu pleine confiance en Allah, ❨Ceux que vous invoquez en dehors d'Allah, sont des esclaves comme vous, invoquez-les donc, et qu'ils vous répondent si vous dites vrai❩. *(Coran 7:194)*

Celui qui patiente obtient les choses les plus louables

Il a été rapporté sur Abdallah Ibn Messaoud: le soulagement et la délivrance sont dans la conviction et la satisfaction, le souci et le chagrin sont dans le doute et l'indignation.

Et il disait: l'être patient obtient les choses les plus louables.

Aban Ibn Taghleb a dit: j'ai entendu un bédouin dire que parmi les meilleures moralités de l'homme, il y a la patience face à l'épreuve avec l'espoir qu'elle se dissipe, comme si, par sa patience, il cherchait à se préserver de cette épreuve et du tourment en comptant sur Allah et en ayant pleine confiance en Lui. Et tant qu'il tient à cette caractéristique, l'assistance d'Allah ne tardera pas à arriver: Il lui exaucera son vœu, dissipera son malheur et sa demande sera suivie de succès, tout en conservant sa religion, son honneur et sa qualité d'homme.

Al Asmaï a rapporté d'un autre bédouin: crains le mal dans le bien et espère le bien dans le mal. Une vie aurait peut-être pour cause la demande de la mort et une mort pourrait survenir en demandant la vie. Et puis, la sécurité vient le plus souvent du côté de la peur.

Si l'Attention t'a remarqué de ses yeux,
Dors, tu seras en sécurité contre tous les accidents.

Ibn Al Fujaa a dit:
Que personne ne s'abandonne à l'aversion,
Le jour du combat, apeuré par la mort
Je me vois une cible aux flèches lancées
A ma droite et devant moi, par les archers
Jusqu'à ce que le harnais de ma selle
Ou les rênes de ma bride, de mon sang soient teintés
Puis je suis parti, ayant atteint, sans l'avoir été
Bien clairvoyant mais offensé dans ma témérité.

Un sage a dit: l'homme raisonnable se console de ce qui lui est arrivé par deux choses:

L'une: la réjouissance de ce qui lui est resté.

L'autre: l'espoir d'un soulagement de ce qui lui est arrivé.

Et l'ignorant s'indigne de son affliction par deux choses:

L'une: l'amplification de ce qui lui est arrivé.

L'autre: l'appréhension de ce qui en est plus grave.

On disait aussi que les épreuves étaient une éducation de la part d'Allah, le Glorieux, pour Ses créatures et une punition qui ouvre le cœur, l'ouie et la vue.

Al Hassan Ibn Sahl a décrit les peines de la sorte: elles comprennent une diminution des péchés, un avertissement contre la négligence, une exposition à la récompense par la patience, un rappel des bénédictions, et dans tout cela, l'estimation et la sentence sont du ressort d'Allah, le Sublime.

Ceci est pour celui qui aime la mort, demandant une vie d'évocation.

❲Ceux qui dirent à leurs frères tout en restant: «S'ils nous avaient obéi, ils n'auraient pas été tués». Dis: «Repoussez donc loin de vous la mort, si vous dites vrai»❳.   *(Coran 3:168)*

Des propos dans
la banalisation des calamités

Un commerçant sage a dit: qu'elle est sommaire la catastrophe dans les bénéfices si elle s'est produite et que les vies ont été épargnées !

Et des aphorismes des Arabes, on peut citer: si la brebis est saine et sauve que l'agneau périsse.

Ils ont dit aussi: aucune terre ne doit désespérer de peuplement, même si le temps l'a dédaignée.

Les masses disaient: l'eau coulera de nouveau tôt ou tard, dans le fleuve desséché.

Il a été dit aussi: les gens raisonnables et les religieux ne se surpassent que dans l'utilisation des bienveillances du temps de la capacité et l'aisance, et durant la banalisation de la patience face aux difficultés et aux afflictions.

Une pause

❨ Si vous souffrez, ils souffrent autant que vous souffrez et vous espérez d'Allah ce qu'ils n'espèrent point ❩.   *(Coran 4:104)*

C'est pour cela que pendant les afflictions, les agitations et les épreuves, on trouve chez les véritables croyants de la patience, de la fermeté, de la sérénité, du réconfort, de l'exécution des droits d'Allah. Alors que de tout cela, on ne trouve même pas le centième chez ceux qui ne le sont pas. Cela est dû à la force de la foi et à la conviction.

Maaqal Ibn Yasser a rapporté: le Messager d'Allah (ﷺ) a dit: «Votre Seigneur le Très-Haut dit: ô fils d'Adam ! Dévoue-toi à Mon adoration, Je remplirai ton cœur de richesse et ta main de subsistance. Ô fils d'Adam ! Ne t'éloigne pas de Moi, car Je remplirai ton cœur de pauvreté et ta main d'occupation».

«Se réfugier auprès d'Allah le Très-Haut, le retour à Lui par le repentir, se satisfaire de Lui et par Lui, la plénitude du cœur par Son amour, la persévérance dans Son évocation, le plaisir et l'allégresse de Le connaître, sont une récompense prompte, un paradis et une vie qui n'a pas de pareille chez les rois».

Ne sois pas triste si tes biens sont réduits, car ta valeur est tout autre chose

Ali, qu'Allah soit satisfait de lui, a dit: la valeur de la personne est selon ce qu'elle sait faire.

La valeur du savant est son savoir, peu ou prou, celle du poète est sa poésie, bonne ou mauvaise. Et pour celui qui possède un talent ou un métier, la valeur correspond, chez les créatures, à ce que vaut son talent ou son métier, pas plus. Que l'être insiste donc à élever sa valeur et à augmenter son prix par son travail vertueux, son savoir et sa sagesse, sa générosité et sa préservation, son génie et son information, son assiduité et ses recherches, son questionnement et son insistance sur l'avantage, l'instruction de son esprit et le lustrage de son intelligence, l'allumage de l'ambition dans son esprit et la noblesse dans son âme pour que son prix soit cher et élevé.

Ne sois pas triste et sache qu'à partir des livres, tu peux développer tes talents et tes aptitudes

La lecture des livres ouvre l'esprit, alloue des exemples et des leçons, pourvoit le lecteur d'un approvisionnement d'aphorismes, rend l'expression facile, développe la faculté de réflexion, enracine les vérités, exclut les soupçons. Elle est aussi une consolation pour la personne esseulée, un monologue à l'esprit, une conversation au veilleur, une jouissance pour le penseur, une lampe pour le marcheur nocturne. Effectivement, lorsque les renseignements sont revus, vérifiés et perfectionnés, leurs fruits mûrissent et sont prêts à être cueillis comme ils se dressent solidement sur leurs tiges, apportant leurs dons à tout instant par la permission de leur Seigneur. Ainsi, par cela, le livre aura atteint son terme et l'information sa constance.

Quant à l'abandon de la lecture, l'omission du regard sur les livres et du fait de s'isoler avec un livre, est une aphasie de la langue, une restriction du caractère, une stagnation de l'esprit, une léthargie à la raison, un décès pour la nature, une flétrissure dans le solde du savoir et une sécheresse de la pensée. D'autant plus qu'il n'y a pas un livre où on ne trouve un bénéfice ou un exemple, une anecdote ou une histoire, une idée ou une historiette.

Voilà: les avantages de la lecture sont au-dessus de toute énumération et nous demandons la protection d'Allah contre la mort des ferveurs, de la bassesse des résolutions et de la froideur de l'âme — ce sont des catastrophes parmi les plus grandes.

Ne sois pas triste et lis les merveilles de la création d'Allah dans l'univers

Lis les mystères de la création d'Allah dans le globe terrestre, tu découvriras des surprises extraordinaires, comme tu mettras fin à tes soucis et chagrins, car l'âme est séduite par les choses insolites.

Boukhari et Mousslim ont cité un Hadith rapporté par Djaber Ibn Abdallah, qu'Allah soit satisfait de lui, dans lequel il a dit: le Messager d'Allah (ﷺ) nous a envoyés, sous le commandement d'Abou Oubaïda, à la rencontre d'une caravane de Qoraïch. Il nous a ravitaillés d'un sac de dattes, la seule provision dont il disposait: Abou Oubaïda nous en donnait une à chacun.

Celui qui a rapporté de Djaber lui a demandé: que faisiez-vous avec? Il a répondu: nous la tétions comme un bébé, puis nous buvions de l'eau, cela nous permettait de passer la journée jusqu'à la nuit. Nous écrasions aussi de nos bâtons les feuilles des arbres que nous mangions après les avoir mouillées.

Il a continué en disant: nous prîmes la côte de la mer et continuâmes notre marche. Tout à coup, une chose à l'apparence d'une dune immense nous fit face: cela avait la forme d'une grande colline de sable, rectangulaire et convexe. Nous nous y dirigeâmes et quand nous arrivâmes, voilà que c'est une bête appelée cachalot. Abou Oubaïda a dit: une charogne. Puis il a dit: non, mais nous sommes les messagers du Prophète (ﷺ) et dans le chemin d'Allah, vous y êtes contraints, mangez donc!

Il a dit: nous étions trois cents à en manger pendant un mois, jusqu'à ce que nous nous engraissions! Nous prenions la graisse du creux de ses yeux à l'aide d'une louche et nous en distribuions par cruche. Les morceaux que nous en coupions étaient semblables à un taureau ou en avaient la même mesure. Abou Oubaïda a pris treize hommes parmi nous et les a fait s'asseoir dans le creux de l'œil de ce gigantesque animal, puis il a pris une de ses côtes, l'a dressée en l'air, a sellé le chameau le plus grand, a cherché parmi les hommes le plus haut, l'a fait monter dessus, puis ils passèrent sous cet arc que formait l'os.

Nous fîmes nos provisions de sa viande que nous avons salée. Quand nous sommes retournés à Médine, nous sommes allés chez le Messager d'Allah (ﷺ) et lui avons raconté l'aventure. Il a dit: «C'est une subsistance qu'Allah a fait sortir pour vous, vous en reste-t-il un peu, que vous nous en donniez ?» Il a dit: nous en avons envoyé une quantité au Messager d'Allah (ﷺ) et il en a mangé.

❨Celui qui donna à toute chose sa propre substance, puis Il a guidé à la rectitude❩.   *(Coran 20:50)*

Le pépin, quand il est mis en terre, ne germe que lorsque la terre est agitée d'une légère secousse mesurée sur l'échelle Richter, là alors l'embryon éclôt et pousse: ❨Quand Nous faisons descendre sur elle l'eau, elle se soulève et elle augmente de volume❩.

(Coran 22:5)

❨Celui qui donna à toute chose sa propre substance, puis Il a guidé à la rectitude❩   *(Coran 20:50)*:

Abou Daoud a dit dans son *Al Sunan*, dans le chapitre consacré à l'aumône des cultures: un concombre a mesuré en Egypte treize empans, et j'ai vu sur un chameau, un citron coupé en deux parties sous forme de deux sacs.

❨Celui qui donna à toute chose sa propre substance, puis Il a guidé à la rectitude❩   *(Coran 20:50)*:

Le docteur Zaghloul Al Nadjar, celui qui fait des recherches sur les signes de l'univers, a mentionné dans une de ses conférences que des étoiles ont démarré, à la vitesse de la lumière, depuis des milliers d'années et que jusqu'à présent, elles ne sont pas encore arrivées à la terre et qu'il n'en reste que leurs positions. ❨Je ne jurerais pas par la position des étoiles❩.   *(Coran 56:75)*

❨Celui qui donna à toute chose sa propre substance, puis Il a guidé à la rectitude❩.   *(Coran 20:50)*

Il a été cité dans le journal *Al Akhbar Al Djadida*, dans le numéro 396, daté du 27-9-1953, à la page 2, ce qui suit: «Ce matin, 'Ouna' est entré à Paris comme un conquérant. Il est surveillé par des dizaines de policiers, motorisés et piétons. Quant à cet Ouna, c'est un gigantesque poisson de Norvège, embaumé, qui pèse 80 000 kg. Il est transporté dans une dizaine de remorques tirées par un camion énorme, il sera exposé au public pendant tout un mois, comme il sera permis aux gens de pénétrer à l'intérieur de son ventre éclairé par des lampes à énergie électrique. Il est à savoir que dix personnes à la fois peuvent y entrer.

Mais les organisateurs de l'exposition d'Ouna et les agents de police de la ville ne se sont pas mis d'accord sur l'endroit où serait placé le poisson, de crainte que le quartier ne s'écroule au cas où ils le mettraient dans la gare du métropolitain.

Bien qu'il ne soit âgé que de dix-huit mois, sa longueur est de 20 mètres et il fut pêché au mois de septembre de l'année passée dans les eaux de Norvège. On lui a construit un compartiment spécial dans un train pour le transporter durant un voyage à travers l'Europe. Mais ce compartiment s'est écroulé sous son poids et il lui fut alors fabriqué une remorque qui mesure trente mètres».

❨Celui qui donna à toute chose sa propre substance, puis Il a guidé à la rectitude❩   *(Coran 20:50)*:

La fourmi épargne sa subsistance en été pour l'hiver, puisqu'en cette dernière saison, elle ne sort pas. Par crainte que le grain ne germe, elle le partage en deux. La vipère, lorsqu'elle ne trouve rien à manger dans le désert, se dresse comme un bâton, la gueule ouverte, en sorte de «Y», et dès qu'un oiseau s'y pose, elle l'avale.

❨Celui qui donna à toute chose sa propre substance, puis Il a guidé à la rectitude❩   *(Coran 20:50)*:

Abderrezaq Al Sanaâni a dit: j'ai entendu Maâmar Ibn Rached Al Basri dire: j'ai vu, au Yémen, une grappe de raisin qui ferait exactement la charge d'un mulet. ❨Et les palmiers élancés aux fruits ordonnés❩ *(Coran 50:10)*. Tous les arbres et toutes les plantes sont irrigués d'une seule et même eau, mais ❨Nous privilégions les uns aux autres, quant aux fruits❩.   *(Coran 13:4)*

Les plantes ont une immunité particulière. Il y en a qui sont fortes de nature, il y en a d'autres, épineuses, se défendant de leurs épis et il y en celles qui sont acides.

《Celui qui donna à toute chose sa propre substance, puis Il a guidé à la rectitude》 *(Coran 20:50):*

L'Egyptien Kamel Al Dine Al Udfuwi, a dit dans son livre *Al Tala' Al Sa'd Al Djama'e Noudjaba Anbaa Al Saï'd:* j'ai vu une grappe de raisin qui pesait huit livres à Al Laïthi, et j'ai pesé un grain de raisin dont la pesée fut évaluée à dix dirhams, et cela à Oudfou, notre ville.

《Celui qui donna à chaque chose sa propre substance, puis Il a guidé à la rectitude》 *(Coran 20:50):*

Les astronomes ont mentionné que l'univers est en état d'extension petit à petit, tel un aéronef: 《Et le ciel, Nous l'avons bâti avec puissance et Nous en faisons l'extension》 *(Coran 51:47).* Ils ont affirmé aussi que la terre sèche se rétrécit et que les océans s'élargissent, 《Ne voient-ils donc pas que Nous venons à la terre et que Nous la réduisons de ses contours ?》 *(Coran 13:41)*

《Celui qui donna à toute chose sa propre substance, puis Il a guidé à la rectitude》 *(Coran 20:50):*

Il a été rapporté dans la revue *Al Fayçal*, numéro 62 de l'année 1402 H., à la page 112, la photographie d'un chou qui a pesé 22 kg et dont le diamètre a mesuré un (1) mètre ainsi que celle d'un oignon qui a pesé 2,3 kg et dont le diamètre a atteint 30 centimètres.

La revue a mentionné aussi que le périmètre d'une tomate a atteint plus de 60 centimètres et que ces choses extraordinaires poussent dans la terre du Mexicain José Carman qui a une longue expérience dans l'agriculture et dans l'entretien de la terre, ce qui a fait de lui d'ailleurs le premier agriculteur du Mexique.

《Celui qui donna à toute chose sa propre substance, puis Il a guidé à la rectitude》 *(Coran 20:50):*

Et dans chaque tête, il y a quatre liquides: agréable dans la bouche pour avaler la nourriture et la boisson, gluant dans le nez pour arrêter la poussière, salé dans les yeux pour éviter le séchage et amer dans les oreilles pour les protéger contre les insectes, 《Et en vous-mêmes, ne voyez-vous donc pas ?》 *(Coran 51:21)*

L'historien Abou Al Fadhl Abderrezaq Ibn Fouti a dit dans son livre *Al Haouadeth Al Djamiaâ Oua Al Tadjarib Al Nafiâ Fi Al Miati Al Sabiaâ*:

Les accidents de l'année 637 H.: un tailleur étranger travaillant pour l'émir Djamel Al Dine Kachtamar a blessé avec ses ciseaux un voisin qui en mourut peu de temps après. Ledit tailleur a excellé dans la couture et a accompli des choses extraordinaires. Il s'est enfermé dans un coffre qu'on a suspendu en face de la porte de l'émir au début de la nuit. Il avait pris avec lui un tissu non taillé. Le lendemain, on fit descendre le coffre et on l'a ouvert, et quelle surprise! Ils ont trouvé qu'il avait taillé, cousu et plié l'habit. Un groupe de tailleurs ont voulu l'imiter, mais ils n'y arrivèrent point. Ce tailleur était un vieil homme très petit, boiteux et bossu, unique dans son genre en matière de couture, dont la méthode n'était pas louable. ❨Et t'a enseigné ce que tu ne savais point❩ *(Coran 4:113)*, ❨Il a enseigné à l'être humain ce qu'il ne savait pas❩ *(Coran 96:5)*, ❨Allah vous a fait sortir des ventres de vos mères ignorant toute chose, Il vous dota de l'ouïe, des yeux et des cœurs❩ *(Coran 16:78)*, ❨Et Nous lui enseignâmes la fabrication des cuirasses pour vous❩ *(Coran 21:80)*, ❨Mais ils démentirent ce qu'ils n'avaient pas embrassé de leur science et ce dont ils n'ont pas encore reçu l'interprétation❩.   *(Coran 10:39)*

Dis à celui qui prétend avoir des connaissances
Qu'il a su une chose et qu'il ignore beaucoup d'autres.

❨Nous ne leur montrons pas un signe sans qu'il soit plus grand que l'autre❩.   *(Coran 43:48)*

Le cheikh égyptien Chihab Al Dine Ahmed Ibn Idriss Al Qarafi a dit: on m'a fait savoir qu'on a fabriqué, pour le roi Al Kamel, un énorme bougeoir. Chaque fois qu'une heure de la nuit s'écoulait, une des montres qui l'ornaient, s'ouvrait et il en sortait une personne toute prête à servir le roi. Lorsque s'écoulent dix heures, cette personne montait en haut du bougeoir et disait: qu'Allah emplisse le jour du roi, de bien et de bonheur ! Il comprenait alors que c'était l'aube.

Al Qarafi a poursuivi en parlant de sa personne: j'ai vu ce même bougeoir en y ajoutant que les bougies changeaient chaque heure de couleur, un lion dont les yeux se métamorphosaient du noir foncé au blanc neige, au rouge sang et cela alternativement chaque heure. Deux oiseaux faisant tomber deux galets, une personne y entrait et il en sortait une autre. Une porte se fermait et une autre s'ouvrait. Quand l'aube se levait, la personne montait tout en haut, ses doigts contre ses oreilles, indiquant ainsi l'appel à la prière, mais je fus incapable de le doter de parole, puis j'ai fabriqué l'effigie d'un animal qui marchait en se retournant à droite et à gauche, qui sifflait aussi, mais ne parlait pas.

❨Celui qui donna à toute chose sa propre substance, puis Il a guidé à la rectitude❩   *(Coran 20:50)*:

L'efficacité de l'esprit prophétise que Son créateur,
Le Glorieux, fournit des leçons dans Sa création.

En contrariant son Seigneur, le cœur devient mélancolique. Al Hassan Al Basri dit: ô fils d'Adam ! Moussa a contrarié Al Khadhir trois fois, ce dernier lui a dit: ce sera la cause de la séparation entre moi et toi. Qu'en serait-il pour toi qui contraries ton Seigneur plusieurs fois par jour ? Ne crains-tu pas qu'Il te dise: ceci est la cause de la séparation entre Moi et toi ?

Ô Allah, ô Allah

❨Dis: Allah vous en sauve ainsi que de toute affliction❩.

(Coran 6:64)

❨Allah, ne suffit-Il pas à Son serviteur ?❩   *(Coran 39:36)*

❨Dis: qui vous sauve des ténèbres de la terre et de la mer ?❩

(Coran 6:63)

❨Nous voulons combler de Nos faveurs ceux qui ont été affaiblis sur terre❩.   *(Coran 28:5)*

Il a dit au sujet d'Adam: ❨Puis son Seigneur le rapprocha de Lui, lui agréa Son repentir et le remit sur la rectitude❩.   *(Coran 20:122)*

Et de Nouh: ❨Et Nous l'avons sauvé, lui et sa famille, du grand malheur ❩.   *(Coran 21:76)*

Et Ibrahim: ❨Nous avons dis: ô feu, sois fraîcheur et *salamen* pour Ibrahim ❩.   *(Coran 21:69)*

Et Yaqoub: ❨Peut-être qu'Allah me les ramènera-t-Il tous ❩.

(Coran 12:83)

Et Youssouf: ❨Il m'a effectivement comblé en me faisant sortir de prison et en vous faisant venir de la campagne ❩.

(Coran 12:100)

Et Daoud: ❨Nous lui pardonnâmes cela, et il a auprès de Nous une bonne place et un bon retour ❩.   *(Coran 38:25)*

Et Ayoub: ❨Nous lui dissipâmes le mal dont il souffrait ❩.

(Coran 21:84)

Et Younous: ❨Et Nous le sauvâmes de la détresse ❩.

(Coran 21:88)

Et Moussa: ❨Nous le sauvâmes alors de la détresse ❩.

(Coran 20:40)

Et Mohammed (ﷺ): ❨Si vous ne le soutenez pas, Allah l'a bel et bien soutenu ❩ *(Coran 9:40)*, ❨Ne t'a-t-il pas trouvé orphelin, et Il t'a abrité ? ❩, ❨Et Il t'a trouvé égaré, Il t'a guidé à la rectitude ❩, ❨Et Il t'a trouvé pauvre, Il t'a enrichi ❩.   *(Coran 93:6-8)*

❨Chaque jour, Il est à une occupation ❩.   *(Coran 55:29)*

Quelqu'un a dit, comme commentaire: Il absout un péché, dissipe une affliction, élève les uns et abaisse les autres.

Aggrave-toi, crise pour te dissiper
En effet, ta nuit a autorisé à la lueur de venir.

Un simple nuage qui se dissipe: ❨Rien d'autre qu'Allah, ne peut la dissiper ❩.   *(Coran 53:58)*

Ne sois pas triste,
les jours connaissent l'alternance

Ibn Al Zoubir Mohammed Ibn Al Hanafia fut emprisonné dans la prison Aâram à la Mecque. Kouthaïr Izza a alors dit:

La splendeur de la vie ne peut trop durer
Comme la détresse n'est pas une fatalité obligatoire,
A chacune des deux situations, une durée et un terme
Et ce qui t'est arrivé ne sera plus qu'un cauchemar.

Et j'ai médité cela après des siècles: effectivement, Ibn Al Zoubir et Ibn Al Hanafia ne sont plus que des rêves — ❴Perçois-tu quiconque d'entre eux, ou leur entends-tu le moindre chuchotement?❵ *(Coran 19:98)* L'oppresseur et l'opprimé sont morts ainsi que le prisonnier et celui qui l'a emprisonné: «Chaque oppresseur parmi les gens sera un jour opprimé».

❴Voici deux adversaires qui se disputent à propos de leur Seigneur❵.   *(Coran 22:19)*

Et dans le Hadith, il y a: «Vous rendrez sans faute aux gens leurs droits, même le mouton sans cornes se vengera du mouton cornu».

Imagine-toi, ô toi qui es pris d'illusions, au Jour
De la Résurrection, alors que le ciel sera ondulant.
Lui qui n'a pas commis de péchés, sera effrayé,
Qu'en sera-t-il donc pour celui qui a vu défiler des temps?

Ne sois pas triste, cela réjouirait ton ennemi

En effet, ton chagrin réjouit ton adversaire. C'est pour cela que parmi les Principes de la Foi, il y a le fait de contraindre ses ennemis: ❴Pour en intimider l'ennemi d'Allah et le vôtre❵.   *(Coran 8:60)*

Et ce qu'a dit le Messager (ﷺ) à Abi Doudjana alors qu'il se pavanait dans les rangs à Ouhoud: «C'est une marche qu'Allah déteste, sauf dans cet endroit». Comme il a ordonné à ses compagnons de trottiner autour de la Maison d'Allah, pour montrer leur force aux mécréants.

Abou Dahbal dit:

Peut-être que d'une affliction nous ayant atteints
Nous serons sauvegardés et réconfortés,
Alors les ennemis seront déprimés et les amis réjouis,
Ceux-là qui ont pour la Maison un amour exalté.

❨ Ce jour-là, les croyants se réjouiront ❩.   *(Coran 30:4)*

Les cœurs des ennemis de la vérité et des adversaires de la vertu se déchireront de consternation quand ils connaîtront notre bonheur, notre réjouissance et notre allégresse, ❨ Dis: mourez de votre rancœur ❩ *(Coran 3:119)*, ❨ Lorsque tu es touché d'un bienfait, cela les indigne ❩ *(Coran 9:50)*, ❨ Ils ont bien aimé ce dont vous avez souffert ❩.

(Coran 3:118)

Celui dont le cœur mûrit pour moi une rancœur
M'a souhaité un ennui qui ne m'a pas atteint.

Un autre poète a dit:

Et mon endurance envers mes rivaux leur prouvera
Que l'inconstance du temps ne peut m'affaiblir.

Et dans le Hadith, il y a: «Ô Allah ! Ne réjouis de mon malheur ni ennemi, ni envieux».

Ou encore: «Je demande Ta protection contre la réjouissance des ennemis».

Le jeune homme supportera, hormis la joie des rivaux,
Toutes les afflictions qui, alors, lui paraîtront futiles.

Ils souriaient dans les accidents, patientaient face aux calamités, enduraient les malheurs, pour contrarier les ennemis et indigner les jaloux: ❨ Et ils n'eurent pas de déprime par ce qui les a atteints dans le chemin d'Allah, ne faiblirent nullement et ne cédèrent point ❩.

(Coran 3:146)

Yazid détourne de moi son regard, comme
S'il y avait un obstacle entre ses yeux et moi,
Tu ne verras pas de tes yeux ce qui s'est caché
Mais tu devras me rencontrer malgré toi.

Optimisme et pessimisme

❨ Quant à ceux qui ont cru, il leur a fait augmenter leur foi et ils se réjouissent à l'avance ❩, ❨ Quant à ceux qui ont un mal dans leurs cœurs, il leur a ajouté de la souillure sur leur souillure et ils sont morts mécréants ❩.   *(Coran 9:124-125)*

Beaucoup, parmi les meilleurs, ont été optimistes face aux peines difficiles et ont vu en cela du bien, selon la voie véridique: ❨ Et peut-être que vous détestiez une chose alors que c'est un bienfait pour vous et peut-être que vous aimiez une chose alors que c'est un méfait pour vous ❩.   *(Coran 2:216)*

Et voilà Abou Al Darda qui dit: j'aime trois choses que les gens détestent: la pauvreté parce que c'est une humilité, la maladie car elle absout les péchés et la mort, puisque c'est la rencontre d'Allah, le Sublime, le Très-Haut.

Mais un autre individu méprise la pauvreté et l'invective et il annonce même que les chiens haïssent le pauvre:

Quand ils voient un pauvre sans ressources
Ils se mettent à grogner en montrant leurs canines.

Quelqu'un a souhaité la bienvenue à la fièvre, il a dit:

Celle qui efface les péchés m'a rendu une brève visite,
Je l'ai implorée par Allah, qu'elle ne s'en aille pas.

Mais à propos de la fièvre, Al Moutanabi dit:

J'ai préparé pour elle les draps et les couvertures
Elle les a réprouvés et a passé la nuit dans mes os.

Youssouf, que le salut soit sur lui, a dit à propos de la prison:
❨ La prison m'est préférable à ce à quoi elles m'invitent ❩.

(Coran 12:33)

Ali Ibn Al Djahm dit au sujet de la prison aussi:

Ils dirent: tu es emprisonné. J'ai dit: ma réclusion ne
*   m'affole point*
Et quelle est donc cette épée qui n'est jamais rengainée?

Mais l'écrivain Ali Ibn Mohammed dit:

Ils dirent: tu es emprisonné. J'ai dit: un malheur
*   contrariant,*
Par lequel m'a assailli le temps qui me guette.

Beaucoup de personnes ont aimé la mort et lui ont souhaité la bienvenue. En effet, Mouadh dit: bienvenue à la mort, un ami, dont j'avais un grand besoin, est venu en une période de pauvreté. Celui qui a regretté aura le succès.

A propos de cela, Al Hacîne Ibn Al Hamam dit:

Je me suis attardé derrière la vie, j'ai constaté
Que pour moi, la meilleure existence est que j'avance.

Un autre dit: bienvenue à la mort lorsqu'elle viendra.

Mais d'autres se plaignent de la mort, l'injurient et la fuient.

Les juifs se cramponnent à la vie plus que quiconque et Allah a dit à leur sujet: ❨Dis: la mort que vous fuyez, vous rencontrera sans aucun doute❩.   *(Coran 62:8)*

Quelqu'un a dit:

Je n'aurai plus d'existence après celle-ci,
Comme je n'aurai plus de tête après celle-là.

Et la mort pour l'amour d'Allah est un souhait agréable chez les gens pieux et nobles: ❨Il y en a parmi eux qui sont morts et d'autres qui attendent❩.   *(Coran 33:23)*

Et Ibn Rawaha de dire:

Mais je demande au Miséricordieux, une absolution
Par un coup d'épée effroyable qui me sortira la rognure.

Alors qu'Ibn Al Tarimmah dit:

Ô Allah! Fais que ma mort, lorsqu'elle arrive
Ne soit pas sur un lit de soie couvert
Mais comme martyr parmi un groupe d'hommes
Qui seront tués dans un coin effrayé de la terre.

Cependant, d'autres ont détesté le combat et l'ont fui. Jamil Bouthaïna dit:

Ils dirent: combats, ô Jamil par une expédition
Et quel combat désirerais-je en dehors d'elles ?

Et le bédouin a dit: par Allah, je hais la mort au lit, comment la demanderais-je au combat ? ❨Dis: repoussez donc loin de vous la mort si vous dites vrai❩ *(Coran 3:168)*, ❨Dis: même si vous étiez dans vos maisons, ceux dont la mort était écrite, se seraient précipités aux endroits prédestinés à cela❩ *(Coran 3:154)*. Les événements sont semblables, mais les âmes diffèrent.

Ne sois pas triste, ô être humain

Ô être humain: ô celui qui s'est lassé de la vie, qui s'ennuie de l'existence, qui est impuissant face aux jours, qui a goûté les peines, il y a un succès évident, une victoire proche, une joie après une détresse et une aisance après une difficulté. Il y a une indulgence cachée devant et derrière toi, un espoir brillant, un avenir plein et une promesse sincère, ❨La promesse d'Allah — Allah ne manque jamais Sa promesse❩ *(Coran 30:6)*. Ton étroitesse aura une ouverture et une dissipation, ton affliction disparaîtra et, là-bas, il y a une intimité, un soulagement, une générosité, une bruine et une ombre, ❨Louange à Allah qui a fait disparaître notre chagrin❩.   *(Coran 35:34)*

Ô être humain: il est temps que tu soignes ton doute par la conviction, la détérioration de ta conscience par la rectitude, la déformation de tes pensées par la droiture, la confusion de ta marche par le bon sens.

Il est temps que tu dissipes de toi l'obscurité de la nuit par le visage d'une aube sincère, l'amertume de la désespérance par la douceur de la satisfaction, la noirceur des tentations par une clarté qui absorbera leurs mensonges.

Ô gens! Derrière votre désert aride, il y a une terre rassurante dont la subsistance agréable lui parvient de tous côtés.

Et au sommet de la montagne de la difficulté, de l'exténuation et de l'éreintement, il y a un jardin qui, lorsqu'il est atteint d'une averse, devient florissant — sinon, c'est une bruine portant de bonnes nouvelles, de bons augures et d'espoirs souhaités.

Ô celui qui est pris d'insomnie et qui crie à la face de la nuit: ô toi, nuit longue, disparais ! Réjouis-toi de l'aube, ❨ L'aube n'est-elle pas toute proche ? ❩ *(Coran 11:81)*, une aube qui te remplira de lumière, de plaisir et d'allégresse.

Ô celui dont le souci a fait disparaître la raison ! Ne te presse pas, tu auras, de l'horizon de l'Inconnu, une délivrance et, des lois immuables et sincères, vraiment une ampleur.

Ô toi dont les yeux sont remplis de larmes ! Sèche tes larmes, console-toi et calme-toi, car tu as de la part de Celui qui créa l'existence une tutelle et de Son indulgence une attention. Réconforte-toi, ô serviteur: en effet, la sentence est fixée, le choix est fait, la clémence est acquise, la soif de la difficulté a disparu, les veines de l'effort se sont imprégnées et la récompense est obtenue chez Celui pour Qui la tentative n'est jamais vaine.

Rassure-toi parce que tu as affaire à un Prédominant, Clément envers Ses serviteurs, Miséricordieux pour Sa création et très Compétent dans Sa supervision.

Rassure-toi, car les conséquences sont bonnes, les résultats satisfaisants et la fin généreuse.

La richesse suit la pauvreté, l'assouvissement suit la soif, la réunion suit la séparation, la liaison suit l'abandon, le contact suit la coupure, le sommeil tranquille suit l'insomnie, ❨ Peut-être qu'Allah fera intervenir après cela, un élément nouveau ❩.   *(Coran 65:1)*

La nuit est ténébreuse, leur feu se mit à scintiller

Le chamelier s'est langui et le guide est embarrassé,

Je l'ai méditée, ma pensée est maladive

De la séparation, et mon regard est bien fatigué,

Et mon cœur, ce cœur bouleversé

Et mon amour, cet amour inopiné,

Et nous nous sommes renseignés sur le Défenseur invoqué

Y aurait-il un chemin menant à Lui, pour ceux qui sont
   affligés,
Nous avons remarqué qu'Il était le Possesseur de tout le
   Règne
Lui l'Unique, le Sublime, les gens généreux, Il les a
   honorés.

Ô les tourmentés sur terre par la faim, la gêne, la langueur, la douleur, la pauvreté et les maladies: réjouissez-vous d'avance, car vous assouvirez votre faim, vous serez heureux, vous serez ravis et vous guérirez, ❨ Par la nuit quand elle se retire ❩, ❨ Et par l'aube quand elle se dévoile ❩.   *(Coran 74:33-34)*

La nuit est appelée inéluctablement à se dissiper
Tout comme les chaînes devraient bien un jour se briser,
Et celui qui craint l'ascension des montagnes
Vivra toute son existence entre les fossés.

Il est du devoir du serviteur d'avoir confiance en son Seigneur, qu'il attende de Lui des générosités, qu'il espère de son Maître une clémence, car Son ordre est contenu dans le mot «*sois*»: il suffit qu'Il le dise. Il est vraiment digne qu'on croit à Ses promesses et qu'on s'accroche à Ses engagements.

Il est le Seul à procurer de l'avantage, personne d'autre que Lui ne peut congédier le mal. Sa mansuétude est placée dans chaque âme, dans chacun de Ses mouvements il y a une sagesse, Son soulagement survient à chaque instant, Il a fait l'aube après la nuit, la pluie après la sécheresse.

Il donne pour être remercié, éprouve pour connaître ceux qui patientent, offre des agréments pour entendre des louanges, impose des malheurs pour être invoqué, il convient donc au serviteur de consolider sa relation avec Lui, de Lui tendre les cordes en multipliant les demandes, ❨ Demandez à Allah de Ses générosités ❩ *(Coran 4:32)*, ❨ Invoquez votre Seigneur humblement et en toute discrétion ❩.   *(Coran 7:55)*

*Si Tu ne voulais pas que j'obtienne ce que je demande et
    souhaite,
la générosité de Ta paume, Tu ne m'aurais pas appris
    l'invocation.*

Al Aâla Ibn Al Hadhrami et quelques Compagnons se perdirent
dans le désert. Leur réserve d'eau s'épuisa et furent au bord de la
mort. Al Aâla s'adressa alors à son proche Seigneur, demanda le
soutien d'une divinité qui entend et répond. Il cria en disant: ô Très-
Haut, ô Très-Grand, ô Sage, ô Clément ! La pluie se mit à tomber sur-
le-champ: ils burent, se lavèrent, firent leurs ablutions et abreuvèrent
leurs animaux. ❨ Et c'est Lui qui fait descendre la pluie bienfaisante
après qu'ils aient désespéré et déploie Sa miséricorde, et c'est Lui le
soutien digne de louanges ❩.   *(Coran 42:28)*

Une pause

«L'amour d'Allah le Très-Haut, le fait de Le connaître, de
l'évoquer constamment, d'avoir confiance en Lui, d'être réconforté
par Lui, de Lui vouer à Lui seul l'estime, la crainte et l'espoir, de
compter sur Son soutien, de bien se comporter envers Lui de telle
sorte qu'Il soit le seul qui subjugue les soucis du serviteur, sa volonté
et sa détermination. C'est Lui le Paradis terrestre, la Félicité
incomparable, le Bonheur des gens affectueux et l'Existence des
connaisseurs».

«L'attachement du cœur à Allah seul, la persévérance dans Son
évocation et la satisfaction sont des raisons de la dissipation des
soucis et des chagrins, de la détente de la poitrine et de la vie
agréable. Et le contraire par le contre: il y a plus d'étroitesse pour le
cœur et plus de soucis pour celui qui s'attache à autre chose qu'Allah,
qui a oublié Son évocation, qui n'est pas satisfait de ce qu'Il lui a
donné, et l'expérience en est le témoin le plus éloquent».

Console-toi par le sort des sinistrés

❨Et Nous avons anéanti ce qu'il y avait autour de vous comme cités ❩.   *(Coran 46:27)*

Et parmi ceux qui ont été affligés d'une façon sanglante, écrasante, dévastatrice, il y a les Barkamites: une famille de splendeur, de luxe, de dépenses et de générosités. Leur calamité est devenue une leçon, un avertissement, un exemple. Effectivement, Haroun Al Rachid les assaillit entre une soirée et sa matinée, alors qu'ils étaient insouciants dans le bonheur, réchauffés sous la couverture du confort, réjouis dans les vergers du luxe. L'ordre d'Allah leur est venu en plein jour, alors qu'ils jouaient par l'intermédiaire de leur plus proche être humain. Il dévasta leurs maisons, démolit leurs châteaux, diffama leur intimité, spolia leurs esclaves, fit couler leur sang, leur fit boire de la fontaine des personnes périssables. Par leur affliction, il blessa les cœurs de leurs amis et a ulcéré, par leur malheur, les yeux de leurs enfants. Il n'y a de divinité qu'Allah: combien de grâces leur ont été ôtées et combien de larmes ont coulé pour eux, ❨Tirez-en une leçon, ô ceux qui sont dotés de vue ❩.   *(Coran 59:2)*

Une heure avant ce massacre, ils se pavanaient dans la soie, marchaient sur le brocard, comblés par le verre du désir. Quelle consternation et quel désastre !

Cette catastrophe ou une autre plus importante
C'est ainsi que sont exterminés les jours et les pays.

Ils se sont réconfortés dans une 'somnolence' du temps, une sécurité des événements et une insouciance des jours, ❨Vous avez habité dans les demeures de ceux qui ont été injustes envers eux-mêmes, et il vous est apparu comment Nous les avons traités et Nous vous avons cité des exemples ❩ *(Coran 14:45)*. Les drapeaux flottèrent sur leurs têtes et les soldats se sont rangés à leurs côtés.

Comme s'il n'y avait entre Al Hadjoun et Al Saffa
Aucun compagnon, et à la Mecque aucun veilleur.

Insouciants, ils ont joui du plaisir de l'existence, ils se sont réjouis en sécurité, dans la limpidité du temps. Ils ont pris le mirage pour de l'eau, la tumeur pour de la graisse, la vie pour l'éternité, l'évanescence pour une continuité. Ils ont cru que la chose déposée ne se rendait pas, que l'emprunt ne doit pas être garanti et que le gage ne s'acquitte pas, ❨Ils ont cru qu'ils ne Nous reviendraient pas ❩.

(Coran 28:39)

Les consternations du temps sont de diverses sortes
Et le temps contient des bonheurs et des malheurs,
Puis cette demeure ne durera à personne
Comme toute conjoncture y est éphémère.

Ils se sont réveillés bien réjouis et ils passèrent leur nuit dans les tombes. Dans un instant de colère de Haroun Al Rachid, l'épée des représailles s'est abattue sur eux: Djaâfar Ibn Yahia Al Barmaki fut tué, crucifié puis son corps fut brûlé ; son père, Yahia Ibn Khaled et son frère Al Fadhl Ibn Yahia furent emprisonnés, leurs biens et argent furent confisqués. Les poètes ont composé de nombreuses élégies à leur sujet. D'où les vers d'Al Rakachi — d'autres les ont attribués à Abi Nouas:

Maintenant, nous sommes délassés ainsi que nos montures
Celui qui offrait a tenu, ainsi que celui à qui on offrait,
Dis aux montures qu'elles ont en fini avec les randonnées
Et les montées du désert, une après une, traversées
Et dit à la mort qu'elle a triomphé de Djaâfar
Mais qu'elle ne triomphera plus après lui, d'un homme
*   déterminé,*
Et dis aux dons qu'après Fadhl ils seront interrompus
Et dis aux malheurs de se répéter chaque journée,
Et en dessous de toi, une épée indienne d'un Barmakide
Qui fut, par celle d'un Hachémite, endommagée.

Al Rakachi a dit en regardant le cadavre de Djaâfar:
Par Allah, si ce n'est la crainte d'un rapporteur
Et les yeux du calife qui ne dorment guère,

Nous tournerons autour de ton cadavre et t'embrasserons
Comme font les gens pour la Pierre noire,
Je n'ai jamais vu avant toi, ô fils de Yahia
Une épée brisée par le tranchant d'une autre,
Aux plaisirs, à la vie en général
Et à l'état des Barkamites, un vif au revoir.

Il a dit: il fut convoqué par Al Rachid qui lui a dit: combien te donnait Djaâfer chaque année ? Il a répondu: mille dinars. Al Rachid a ordonné qu'on lui en donnât deux mille.

Zoubir Ibn Bakr a dit à propos de son oncle Moussaâb Al Zoubaïri: lorsque Djaâfer fut assassiné, une femme, fuyant sur un âne, s'est arrêtée et a dit d'une langue éloquente: par Allah, ô Djaâfer, si tu es devenu aujourd'hui un signe, tu étais par tes générosités un dessein, puis elle s'est mise à réciter:

Lorsque j'ai vu l'épée se mélanger à Djaâfar
Et que par un annonceur du Calife Yahia fut requis,
J'ai pleuré l'existence et je fus convaincue que
Le terme du jeune homme arrive quand il quitte la vie,
Et que ce n'est qu'une circonstance après une autre
Qui confère à l'un des aisances et à l'autre des tragédies,
Quand il place celui-ci dans un rang éminent
Du pouvoir, il abaisse celui-là jusqu'à l'infini.

Quand Abou Djaâfar Al Mansour a tué Mohammed Ibn Abdallah Ibn Al Hassan, il a envoyé sa tête avec son chambellan — Al Rabi'e — à son père Abdallah Ibn Al Hassan qui était alors en prison. Ce dernier a pris la tête entre ses mains et a dit: qu'Allah te touche par Sa miséricorde, ô Abou Al Qacem ; tu étais de ceux qui tenaient parole, qui n'enfreignaient pas le pacte, qui avaient des liens avec ceux qu'Allah a ordonné qu'on lie, ceux qui craignaient leur Seigneur et ont peur du mauvais compte, puis il a récité ce vers d'un poète, comme exemple:

Un jeune dont l'épée protégeait de l'humiliation,
Et dont le renoncement aux méfaits lui suffisait.

Il s'adressa à Al Rabi'e, le chambellan d'Al Mansour, et lui dit: dis à ton ami que notre souffrance est révolue depuis un certain temps, tout comme son aisance et notre rendez-vous est auprès Allah, le Très-Haut !

Abbas Ibn Al Ahnaf ou, comme l'on a rapporté, Emara Ibn Aqil, a dit:

Si tu considérais une fois, ma situation et la tienne
Quant aux caprices de la vie, tu serais étonné,
Tu trouverais que lorsqu'un jour de ma misère passe
Pour toi aussi, un jour de ton aisance s'en est allé.

Comme dans «Une parole sur une parole».

Et maintenant, où est Haroun Al Rachid et où est Djaâfar Al Barmaki ? Où sont l'assassin et l'assassiné ? Où sont le commandant et le commandé ? Où est celui qui donnait l'ordre alors qu'il était sur son lit, dans son château ? Et où est celui qui a été tué et crucifié ? Pas une trace d'eux — comme la veille qui est passée. Mais le Juge équitable les réunira un jour, sans nul doute, et il n'y aura ni injustice ni usurpation, ❨ Sa science est chez mon Seigneur dans un livre, mon Seigneur ne se trompe ni n'oublie ❩ *(Coran 20:52)*, ❨ Le jour où les gens se lèveront au Seigneur des univers ❩ *(Coran 83:6)*, ❨ Ce jour-là, vous serez exposés, rien n'échappera de ce que vous cachiez ❩.

(Coran 69:18)

On a dit à Yahia Ibn Khaled Al Barmaki: tu as vu cette catastrophe, sais-tu quelle en a été la cause ? Il a dit: peut-être que c'est la malédiction d'un opprimé qui est montée au ciel dans l'obscurité de la nuit alors que nous en étions insouciants.

Abdallah Ibn Mouaâwiya Ibn Abdallah Ibn Djaâfar fut affligé. Il a alors dit dans sa prison:

Nous sommes sortis de la vie alors que nous en faisons
partie
Nous n'y sommes ni parmi les morts, ni parmi les vivants,
Lorsque le geôlier entre, un jour, pour affaire
Cela nous étonne et nous disons: c'est de la vie qu'il vient,

Le rêve nous réjouit et quand nous nous réveillons le matin
Nous en faisons le sujet de toute notre discussion,
Quand il est de bon augure, sa concrétisation est bien lente
Mais lorsqu'elle est mauvaise, elle arrive sur-le-champ.

Et le dernier vers, contenant le pessimisme et le mauvais présage, me rappelle deux vers d'un poète qui sont cités aussi dans le livre *Al Bighâl*, d'Al Djahidh, dans lesquels il dit:

Lorsque le facteur vient à nous, portant
Des tourments de la vie, il se hâte à nous en aviser
Si ce sont de mauvaises nouvelles, cela dure un jour et une
*   nuit,*
Et si ce sont des bonnes, ça prend quatre jours pour arriver.

Un roi d'Iran a emprisonné un des sages du pays. Ce dernier lui écrivit un billet dans lequel il lui dit: chaque heure que j'y passerai me rapprochera de la délivrance et toi, des représailles: moi j'attends l'ampleur et toi l'étroitesse.

Ibn Abbad, le sultan d'Andalousie s'affaiblit, puisqu'il s'est laissé aller au luxe et son dévoiement du sérieux était devenu flagrant. Les odalisques devinrent très nombreuses chez lui, les tambourins et les mandolines aussi, ainsi que la musique et les chansons. Un jour, il demanda secours à Ibn Tachfine, le sultan du Maghreb, contre ses ennemis — les Romains. Ce dernier traversa la mer et le secoura. Ibn Abbad l'emmena se balader dans les jardins, les châteaux et les maisons, l'accueillit comme il se doit et fut bien généreux envers lui. Mais Ibn Tachfine, tel un lion, observait les entrées et sorties de la ville, car quelque chose en son for intérieur se mijotait.

Trois jours après, il assaillit avec ses soldats le royaume affaibli, fit prisonnier le roi, Ibn Abbad, le ligota et spolia son règne: il a pris ses maisons, détruisit ses châteaux et ravagea ses jardins et l'a expédié à sa ville, Aghmâte, comme prisonnier, ❨Et de telles journées, Nous les faisons alterner entre les gens❩. *(Coran 3:140)*

Ibn Tachfine prit les rênes du pouvoir et prétendit que ce sont les habitants de l'Andalousie qui l'ont réclamé et sollicité.

Et les jours passèrent. Ses filles allèrent lui rendre visite en prison. Elles avaient les pieds nus, pleuraient, étaient malheureuses et affamées. Quand il les a vues devant la porte, il pleura et dit:

Autrefois, au moment des fêtes, tu étais bienheureux
Voilà que la fête t'attriste à Aghmâte où tu es écroué
Tu vois tes filles dans des guenilles et affamées
Filer la laine aux gens, ne possédant pas un dé
Elles se dirigent vers toi pour t'embrasser
Leurs regards craintifs, consternées et désolées
Elles piétinaient la boue de leurs pieds nus, comme si
Sur du musc et du camphre, elles n'avaient jamais marché.

Ensuite, le poète Ibn Al Lubana entra chez Ibn Abbad et lui dit:

Respire le basilic de mon salut par lequel
Je verse sur toi du musc et du camphre
Et dis, même si tu as perdu une vérité,
Que tu étais riche et que tu étais dans la douceur
La pudeur t'a pleuré ainsi que le vent en soufflant
Et le tonnerre en invoquant ton nom, s'égare.

C'est un poème merveilleux qu'Al Dhahabi a rapporté et en a fait l'éloge.

Al Tirmidhi a cité, d'après ce qu'a rapporté Ata selon Aïcha, qu'Allah soit satisfait d'elle et qu'Il la satisfasse, qu'elle est passée près de la tombe de son frère Abdallah qui est enterré à la Mecque. Elle l'a salué et a dit: ô Abdallah, notre exemple, toi et moi, est comme a dit Moutamem:

Et nous étions, comme les commensaux de Djoudhaïma un
*   instant*
De la vie, si bien qu'on a dit qu'ils ne se sépareront jamais,
Nous avons vécu dans l'aisance et avant nous,
Les groupes de Chosroês et de Toubbâa furent exterminés,

Quand nous nous séparâmes, j'ai estimé que Malek et moi,
nous
Ne restâmes ensemble aucune nuit, malgré le temps passé.

Puis elle a pleuré et lui a fait ses adieux.

Omar, qu'Allah soit satisfait de lui, disait à Moutamem Ibn Nouayra: ô Moutamem, par Celui qui détient mon âme en Sa Main, j'aimerais bien être poète afin de composer une élégie pour mon frère Zeyd. Je jure par Allah que chaque fois qu'un vent de Najd souffle, il me fait sentir l'odeur de Zeyd. Ô Moutamem, c'est que Zeyd embrassa l'Islam avant moi, tout comme il a émigré et a été tué avant moi. Puis Omar s'est mis à pleurer.

Moutamem dit:

Par ma religion, le bien-aimé a blâmé les pleurs de
Mon ami dont les larmes abondantes coulent,
Il a dit: pleurerais-tu toute tombe que tu verrais,
Pour celle enfouie entre le sable et la terre ferme ?
Je lui ai dit: le chagrin engendre le chagrin
Laisse-moi donc, tout ceci est la tombe à Malek.

Les Béni Al Ahmar ayant été atteints d'une calamité en Andalousie, le poète Ibn Abdoun est venu les consoler pour cette catastrophe. Il a dit:

Le temps afflige après ce qu'a vu l'œil, par les restes
A quoi servent les pleurs pour des spectres et des images ?
Je te préviens, je te préviens et je te mets en garde
D'un sommeil entre les canines d'un lion et ses griffes,
Comme elle a rançonné Amr par Kharidja, elle aurait
mieux fait
De racheter la vie d'Ali par qui elle veut des humains.

❨ Quand Notre Décret fut venu, Nous fîmes de son haut son bas ❩ *(Coran 11:82)*, ❨ L'exemple de ce bas monde n'est autre qu'une eau que Nous avons descendue du ciel et à laquelle se mélangea la végétation de la terre dont mangent les humains ainsi que les bêtes, jusqu'au moment où la terre revêtit sa parure et s'embellit et que ses habitants pensèrent qu'elle était à leur merci, voilà que Notre Décret lui vint de nuit ou de jour et Nous en fîmes un champ fauché comme si la veille elle n'avait point foisonné ▶.   *(Coran 10:24)*

Les fruits mûrs de la satisfaction

◀ Allah est satisfait d'eux et ils sont satisfaits de Lui ▶.

(Coran 5:119)

La satisfaction est à l'origine de nombreux fruits pour la foi, par lesquels le serviteur satisfait s'élève à de hauts rangs. En effet, sa conviction sera immuable, sa croyance ferme, tout comme ses paroles, ses œuvres et ses situations seront sincères.

Sa pleine Servitude se concrétise par l'application à son encontre des sentences qu'il déteste. S'il ne faisait l'objet que de sentences à son goût, il serait bien loin de sa soumission à son Seigneur. Cette soumission n'est complète que par la patience, la dépendance d'Allah, la satisfaction, la supplication, l'insuffisance, l'humiliation, la soumission et ainsi de suite. Et ceci ne concerne en aucun cas la satisfaction envers les sentences opportunes de la nature, mais envers celles qui sont pénibles et que le tempérament naturel déteste. Le serviteur n'est pas en mesure de choisir le Destin et la Fatalité d'Allah en acceptant ou en rejetant ce qu'il veut. Les êtres humains n'ont jamais eu le choix qui est du ressort d'Allah Seul, du fait qu'Il est le plus Savant, le plus Sage, le plus Sublime et le plus Haut, puisqu'Il est au courant de l'Inconnu, qu'Il connaît les secrets et les conséquences qui en découlent.

Satisfaction pour satisfaction

Et que le serviteur sache que sa satisfaction envers son Seigneur, dans tous les cas de figure, lui procurera celle de son Seigneur envers lui. S'il est satisfait du peu de subsistance qu'Il lui offre, Allah sera satisfait de lui pour le peu de travail qu'il accomplit. Cela veut dire donc que s'il accepte de bon cœur tout ce qui advient d'Allah et que cela se banalise chez lui, il constatera qu'Il sera plus prompt à lui exaucer ses vœux à chaque fois qu'il s'adresse à Lui. Regarde donc les personnes sincères envers Allah: malgré le peu de travail qu'elles fournissaient, elles ont obtenu la satisfaction d'Allah, car elles sont satisfaites de Lui. Contrairement aux hypocrites dont les œuvres furent rejetées par Allah, peu ou très nombreuses fussent-elles, parce qu'ils furent indignés par ce qui a été descendu par Allah et détestèrent Sa satisfaction: Il a annihilé toutes leurs œuvres.

Celui qui s'indigne récoltera l'indignation

L'indignation est une porte d'entrée pour les soucis, les chagrins, la tristesse, la dispersion du cœur, le voile de l'esprit, la mauvaise situation et la présomption de ce qui est loin des mérites d'Allah. Quant à la satisfaction, elle débarrasse l'être humain de tout cela: elle lui ouvre la porte du paradis terrestre avant celui de l'Au-delà. Le contentement de l'âme ne se concrétise pas en contrariant les destinées ni par l'opposition à la Fatalité — mais par la soumission, l'obéissance et l'acceptation, parce que le Superviseur des choses est Sage et ne peut être diffamé dans Son destin et Sa Fatalité. Et je me rappelle encore l'histoire d'Ibn Al Rawendi, l'intelligent philosophe athée qui était pauvre. Il a vu un ignorant qui possédait des châteaux, des maisons et des biens immenses. Il a levé ses yeux vers le ciel et a dit: moi, le philosophe du siècle, je vis dans le dénuement alors que cet idiot ignorant vit dans la richesse — ceci est un 'partage inéquitable' ! Allah ne lui a ajouté que de l'aversion, de l'humiliation et de l'étroitesse, ◖Et le châtiment de l'Au-delà sera plus ignominieux et ils n'auront aucun soutien◗.   *(Coran 41:16)*

Les avantages de la satisfaction

La satisfaction procure la sérénité, le redoux du cœur, sa tranquillité, sa stabilité et sa fermeté face au trouble des soupçons, des équivoques dans les affaires et l'abondance des événements. Et ce cœur s'assurera des promesses d'Allah et de Son Prophète (鬱) et, en de pareilles circonstances, le serviteur dira: ❨C'est ce que nous a promis Allah ainsi que Son Prophète, et Allah et son Prophète ont eu raison, et cela ne fit qu'augmenter leur foi et leur soumission à Allah❩.

(Coran 33:22)

Quant à l'indignation, elle provoque le trouble du cœur, son scepticisme, son malaise, son instabilité, sa maladie, son déchirement et cela entraîne son énervement, sa rancune, son mécontentement et sa rébellion. Dans une telle conjoncture, il dira: ❨Allah et Son Prophète ne nous ont promis qu'une duperie❩ *(Coran 33:12)*. Ceux qui ont ce genre de cœurs, quand le droit est en leur faveur, ils s'élancent vers lui, pleins de soumission, mais si on leur demande ce droit, ils se refusent à le donner. Lorsqu'ils sont atteints d'un bienfait, ils s'en réconfortent et si c'est une épreuve, ils se renversent sur leurs figures, ils ont perdu ce bas monde et l'Au-delà, ❨Et cela est la perte évidente❩.

(Coran 22:11)

La satisfaction lui procure aussi la sérénité qui lui sera d'une énorme utilité. En effet, quand il est serein, il se corrige et sa situation s'améliore, ainsi que son esprit, contrairement à l'indignation qui l'en éloigne selon son ampleur. Et si la sérénité le quitte, elle emporte avec elle la joie, la sécurité, le repos et la bonne existence. Parmi les plus grandes grâces d'Allah envers Son serviteur, il y a le fait de descendre sur lui la sérénité. Et parmi ses plus grandes causes, la satisfaction qu'il a envers son Seigneur dans toutes les situations.

Pour vous, nous avons bu des peines dans la passion,
Nous avalons la séparation sans nous plaindre de nos
*   désastres.*
Votre évocation nous réjouit toujours et nous ravit
Et l'espoir permanent du cœur est que tu nous rencontres.

N'entre pas en conflit avec ton Seigneur

La satisfaction délivre le serviteur de l'antagonisme envers le Seigneur, le Très-Haut, quant à Ses Jugements et Ses Décisions. Le mécontentement envers cela est un antagonisme envers Lui. Et l'origine du conflit d'*Iblis* — Satan — avec son Seigneur est l'insatisfaction envers le Jugement d'Allah et envers Ses Sentences religieuses et existentielles. Mais est devenu athée celui qui a voulu l'être et a nié celui qui a voulu nier — parce qu'il a disputé à son Seigneur le pagne de la grandeur et l'habit de la fierté. Ensuite, il ne s'est pas soumis au Statut de l'Omnipotence, en retardant l'application des Commandements, en bafouant les interdits, en s'indignant des Destinées et ne se résignant pas au Jugement.

Un jugement exécutoire et une sentence juste

Le jugement du Seigneur sur Son serviteur est fixé à l'avance et Sa sentence est juste, comme il a été dit dans le Hadith: «Ton jugement est sur moi exécutoire et Ta sentence est juste envers moi». Et celui qui n'est pas satisfait de l'équité appartient aux êtres injustes et aux despotes. Et Allah est le Parfait des juges: comme Il s'est interdit à Lui-même l'injustice, Il n'est pas oppresseur envers Ses esclaves. Il s'est sacralisé, le Sublime, et dédaigne l'oppression des gens, mais ce sont ces derniers qui se font du tort à eux-mêmes.

Sa parole «Ta sentence est juste envers moi», contient la sentence du péché, celle de son impact et son châtiment, les deux étant de Son jugement, qu'Il soit glorifié, et c'est Lui le plus juste des justes dans la sentence du péché et dans celle de la punition. Et Il pourrait, le Glorieux et le Très-Haut, décider qu'un serviteur accomplisse un péché pour des secrets et des discrétions que Lui seul connaît et qui pourraient contenir des bienfaits immenses qu'Il est le Seul à savoir.

Il n'y a aucun avantage dans l'indignation

Son insatisfaction est soit lorsqu'il n'a pas pu avoir ce qu'il aimerait, soit lorsqu'il est atteint par ce qu'il déteste et qui l'indigne. Il n'y a pas d'avantage dans son indignation après coup, et il perdra ce qui lui est utile et obtiendra ce qui lui est désavantageux. Et dans le Hadith, il y a: «Le calame s'est asséché là où il te convient, ô Aba

Houraïra, la Fatalité, c'est déjà fait et il en est fini avec le Destin, les destinées ont été écrites, les calames ont été pris et les feuilles se sont asséchées».

La sûreté avec la satisfaction

La satisfaction lui ouvre la porte de la sûreté, son cœur devient sain, purifié de la fourberie, de l'altération et de la rancœur, et n'échappera au châtiment d'Allah que celui dont le cœur est sain, et celui qui est indemne des soupçons, du doute, du polythéisme, de l'ambiguïté de Satan et de ses troupes, de sa frustration, de son atermoiement, de sa promesse et de sa menace. Un tel cœur ne contient qu'Allah: ❮Dis: Allah — et laisse-les jouer dans leurs divagations❯ *(Coran 6:91)*. Comme l'indignation et l'insatisfaction rendent impossible la sûreté du cœur: lorsque la satisfaction du serviteur augmente, la sûreté de son cœur augmente aussi. La méchanceté, l'altération et la fourberie sont liées à l'indignation. La sûreté du cœur, son dévouement et sa sincérité sont liés à la satisfaction. Comme la jalousie est le fruit de l'indignation, la sûreté du cœur est le fruit de la satisfaction.

La satisfaction est un bon arbre qui est irrigué par l'eau de la sincérité dans le verger du monothéisme. Son origine est la foi, ses branches sont les œuvres bienfaisantes et son fruit mûr est délicieux. Dans le Hadith, il y a: «A goûté la saveur de la foi, celui qui admet Allah comme Seigneur, l'Islam comme religion et Mohammed comme Prophète». Dans un autre Hadith aussi: «Trois choses: quiconque les a en lui, trouvera la douceur de la foi...»

L'indignation est la porte d'entrée du doute

L'indignation ouvre une porte au doute en Allah, Sa Fatalité, Son Destin, Sa Sagesse et Son Savoir. Il est bien rare qu'un être indigné soit sauvé d'un doute qui pénètre son cœur et s'y enfonce, même s'il ne s'en aperçoit pas. S'il se fouillait minutieusement, il découvrirait que sa conviction est malsaine et anormale. La satisfaction et la conviction sont deux frères qui s'accompagnent. Le doute et l'indignation sont liés et ceci est la signification du Hadith qui est chez Al Tirmidhi: «Si tu peux travailler avec la satisfaction et la conviction, fais-le. Si tu ne peux pas, il y a alors beaucoup de bien dans la patience pour ce que l'âme déteste». Les mécontents sont rancuniers dans leur for intérieur, ils sont fâchés même s'ils ne le disent pas. Ils ont des équivoques et des questions telles que: pourquoi cela? Comment cela? Et pourquoi cela est-il arrivé?

La satisfaction est une richesse et une sécurité

Celui qui remplit son cœur de satisfaction de ce qui lui a été destiné, Allah lui fait remplir sa poitrine de richesse, de sécurité et de conviction. Il lui fait vider aussi son cœur — sauf de Son amour, de son recours à Lui et de la dépendance de Lui. Quant à celui qui n'a pas eu la chance d'être satisfait, son cœur se remplit du contraire de cela et se préoccupera d'autre chose que ce qui contient son bonheur et son salut.

La satisfaction fait vider le cœur pour Allah et le mécontentement le fait vider d'Allah. Il n'y a pas d'existence pour un être irrité et de stabilité pour un rancunier puisqu'il est confus. Il voit que sa subsistance est insuffisante, qu'il est malchanceux, que les dons d'Allah lui sont insignifiants, que ses calamités sont énormes, qu'il mérite plus, mieux et plus haut que cela, mais que son Seigneur, d'après lui, l'a sous-estimé, l'a privé, l'a entravé, l'a éprouvé, l'a épuisé, l'a exténué. Comment pourrait-il alors s'apaiser, se reposer et vivre: ❨Cela parce qu'ils ont suivi ce qui a provoqué la colère d'Allah et ont détesté Sa satisfaction, Il leur a donc annihilé leurs œuvres❩. *(Coran 47:28)*

Le fruit de la satisfaction, c'est le remerciement

La satisfaction fructifie le remerciement qui est l'une des plus hautes positions de la foi. Mieux encore, c'en est l'essence même. Le rang suprême est le remerciement du Maître — et ne remercie pas Allah celui qui n'est pas satisfait de Ses dons, de Ses jugements, de Sa création, de Sa supervision, de Sa prise et de Son octroi. Le serviteur reconnaissant dispose d'un esprit des plus gracieux et d'une situation des plus désirables.

Le fruit de l'indignation, c'est la mécréance

Et l'irritation produit le contraire, c'est-à-dire le reniement des grâces et peut-être même la négation du Pourvoyeur de grâces. Si le serviteur est satisfait de son Seigneur dans toutes les situations, ceci implique qu'il Le remercie et, ainsi, il sera parmi les gens satisfaits, reconnaissants. Si au contraire il est insatisfait, il sera parmi les gens irrités et prendra le chemin des incroyants. L'injustice s'est produite dans les croyances et la défectuosité dans les religions par le fait que beaucoup de serviteurs veulent être des dieux ! Plus encore, ils font des propositions à leur Seigneur et disent ce qu'ils veulent à propos de leur Maître: ❨Ô vous qui avez cru ! N'anticipez pas sur le jugement d'Allah et de Son Prophète ❩.   *(Coran 49:1)*

Le mécontentement est un piège de Satan

Le démon triomphe généralement de l'être humain, pendant le courroux et le désir. Là, il lance son grappin, surtout quand son irritation se consolide: alors il dit, accomplit et projette ce qui mécontente le Seigneur. Et c'est pour cela que le Prophète (ﷺ) a dit quand son fils Ibrahim est mort: «Le cœur se chagrine, l'œil pleure et nous ne disons que ce qui satisfait notre Seigneur». La mort des enfants est une des raisons qui attirent au serviteur le mécontentement envers le Destin. Le Prophète (ﷺ) a informé qu'on ne doit pas dire dans cette situation ce que la plupart des gens expriment, c'est-à-dire des paroles et des gestes qui ne satisfont pas Allah, mais uniquement ce qui Le satisfait, Lui le Sublime, le Glorieux. Si le serviteur regardait dans ce qui lui est arrivé et qu'il le considérait comme étant mauvais à trois choses, les calamités lui seraient dérisoires.

La première: qu'il connaisse la sagesse de Celui qui a décidé cela et qu'il sache aussi qu'Il est, Exalté soit-Il, plus apte à connaître ce qui lui est bienfaisant et profitable.

La deuxième: qu'il considère le grand salaire et la récompense abondante qu'Allah a promis à ceux de Ses serviteurs qui patientent aux épreuves.

La troisième: que le jugement et l'ordre appartiennent au Seigneur, et la soumission et l'obéissance au serviteur: ❨ Seraient-ce donc eux qui distribuent la miséricorde de ton Seigneur ? ❩

(Coran 43:32)

La satisfaction exclut la passion

La satisfaction repousse la passion du cœur, puisque la personne satisfaite est éprise par ce que son Seigneur veut d'elle. Je veux dire ce que son Seigneur aime et qui Le satisfait: en effet, la passion et la satisfaction ne peuvent jamais s'assembler dans un seul cœur. S'il y a une partie pour l'une et une autre pour la seconde, celle qui est plus forte l'emportera.

Si vous êtes satisfaits de ma veillée
Que la paix d'Allah soit sur mon sommeil.

❨ Et je me suis hâté vers toi, Seigneur, afin que Tu sois satisfait ❩.

(Coran 20:84)

Si ce qu'a dit notre envieux vous a réjouis
Si ma plaie vous satisfait, je n'en sens aucune douleur.

Une pause

«Fais la connaissance d'Allah dans l'opulence, Il te reconnaîtra dans la détresse».

«C'est-à-dire vise à Son Amour et rapproche-toi de Lui par ton obéissance. Remercie-Le pour Ses amples grâces, patiente face à l'amertume de Ses sentences et recours sincèrement à Lui avant que ne se dissipe Son épreuve. *(Dans l'opulence),* c'est-à-dire dans la douceur, la sécurité, la grâce, l'envergure de l'âge et la bonne santé du corps. Il faut que tu ne te sépares pas des obéissances, des dépenses et des bienfaits jusqu'à ce que tu sois décrit et connu par cela auprès de Lui. *(Il te reconnaîtra dans la détresse)* en t'en soulageant et de faire en sorte que tu aies de toute étroitesse une sortie, de tout souci une délivrance pour ce qui est passé de ta connaissance».

«Il faut qu'il y ait, entre le cœur du serviteur et son Seigneur, une connaissance particulière de telle sorte qu'Il le trouve tout proche de lui quand il a besoin de Lui. Il lui tient compagnie dans son intimité, il trouve la douceur de Son évocation, Son invocation, Sa supplication et son obéissance à Lui. Le serviteur sera atteint sans doute de malheurs et de difficultés — que ce soit dans ce bas monde, dans *le Barzakh* — intervalle de temps entre la mort et la Résurrection — et au moment de la Résurrection. Alors, dans ces conditions, s'il y avait entre lui et son Seigneur une connaissance particulière, Il serait toujours là pour le soutenir».

Ne tiens pas compte des erreurs des frères

❨Sois indulgent, ordonne selon les convenances et détourne-toi des ignorants❩.

(Coran 7:199)

Il ne faut pas qu'il renonce à un frère pour une ou deux de ses humeurs qu'il n'aime pas, s'il est satisfait du reste de son caractère et s'il loue la plupart de ses qualités. C'est que le peu est pardonnable et la perfection est impossible. Al Kindi a bien dit: comment demanderais-tu de ton ami un seul caractère alors qu'il en possède quatre traits. En plus du fait que l'âme de l'être humain — qui lui est particulière et qui est conçue de son choix et de sa volonté — ne lui donne pas son assentiment dans tout ce qu'il veut et ne répond pas à ses ordres dans tout ce qui est devoir, qu'en serait-il donc pour l'âme d'un autre ? ❨C'est ainsi que vous étiez auparavant, Allah vous a gratifiés 》 *(Coran 4:94)*, 《Ne vous recommandez pas vous-mêmes, c'est Lui qui sait qui a été pieux 》.   *(Coran 53:32)*

Et il te suffira que tu aies de ton frère sa plus grande partie. D'ailleurs, Abou Darda, qu'Allah soit satisfait de lui, a dit: une remontrance d'un frère vaut mieux que de le perdre ; où pourrais-tu trouver un frère parfait ? Les poètes ont saisi cette signification. Abou Al Atahiya a dit:

Ô mon frère, où trouverais-tu, parmi les fils de la vie
Un frère qui serait parfait, où pourrais-tu le trouver ?
Conserve quelque chose de toi, si bien que de toi,
Celui à qui tu ne donneras pas tout ne risquera pas de se
*   lasser.*

Et Abou Tammam Al Tâii:
La dupe ne peut être plus abusé par autre que son esprit
Et jamais il ne t'arrivera de trouver un jour, un frère
*   parfait.*

Et un sage a dit: la demande de l'équité vient du peu d'équité.

Quelqu'un a dit: nous ne sommes pas satisfaits de nous-mêmes, comment pourrons-nous l'être des autres !

Un parmi les personnes éloquentes a dit: ne renonce pas à un homme dont tu as loué le comportement, accepté la manière, connu la faveur, compris l'esprit, pour un défaut caché qui est cerné par l'abondance de ses vertus, ou encore un petit péché dont la force des moyens demanderait l'absolution. En effet, tu ne trouveras pas, tant que tu vivras, quelqu'un de distingué qui soit dépouillé de tout défaut et qui ne commette aucun péché. D'ailleurs, prends-toi comme exemple en ne t'accordant pas un satisfecit et en la jugeant pas sous l'effet de la passion. Ce faisant, tu te consoleras de ce que tu demandes chez les autres et tu feras partie de ceux qui fautent. D'ailleurs, le poète a dit:

Et où est donc celui dont tous les traits de caractère sont
*   agréés ?*
Le fait que ses défauts se comptent suffit comme noblesse à
*   l'homme.*

Et Al Nabighatou Al Dhoubiani a dit:
Et tu ne pourras garder aucun frère si tu n'acceptes pas de
*   lui*
Les défauts, où sont donc ces hommes parfaits ?

Et ces paroles ne contredisent pas ce que nous avons décrit quant
à son examen ainsi que le passage au peigne fin de ses quatre traits de
caractère. En effet, ce qui manque en lui est pardonnable, et il ne faut
pas que tu le tiennes pour mauvais par une langueur que tu
remarqueras en lui. Ne doute pas non plus de lui pour un simple faux
pas tant que tu n'auras pas été certain de son changement et que tu
n'auras pas été convaincu par son déguisement. Et que cela soit
expliqué par le relâchement des âmes et aux repos des esprits, car
l'être humain pourrait changer dans l'observance de son âme qui lui
est toute particulière et ceci ne se fait ni suite à un antagonisme envers
elle, ni par lassitude à son égard. Et dans les proses des sagesses, on a
bien dit: que le doute ne te gâche pas l'amitié de celui qui a gagné ta
confiance. Djâafar Ibn Mohammed a dit à son fils: ô mon fils ! Celui
de tes frères, qui s'est fâché trois fois et qui n'a dit sur toi que la
vérité, prends-le pour ami. Al Hassan Ibn Wahb a dit: parmi les droits
de la cordialité, il y a l'indulgence envers les frères et la complaisance
envers tout manquement, si cela arrive. Et il a été rapporté d'Ali,
qu'Allah soit satisfait de lui, au sujet de Sa parole, le Très-Haut:
《Pardonne donc d'un beau pardon》 *(Coran 15:85)*, qu'il a dit: la
satisfaction sans remontrance.

Ibn Al Roumi a dit:
Ce sont les gens et c'est la vie et il n'y a pas de fuite de la
*   saleté*
Qui cerne les yeux ou souille une boisson

Et c'est de l'injustice que tu veuilles le parfait
Dans la vie alors que tu ne l'es point.

Un autre poète a dit:
Notre continuité dans les jours demeure
Mais notre éloignement est comme la pluie du printemps
Sa courtoisie te satisfait mais tu trouves
Qu'il a pour ses imperfections, un penchant imminent
Qu' Allah te protège de la rencontre d'un être exaspéré
Hormis la minauderie de celui qui obéit à son supérieur.

❨N'eût été la générosité d'Allah sur vous, ainsi que Sa miséricorde, aucun d'entre vous n'aurait été jamais purifié❩.

(Coran 24:21)

Tu veux un émérite sans aucun défaut
Un bâton répandrait-il une odeur sans fumée ?

❨Ne vous recommandez pas vous-mêmes, c'est Lui qui sait celui qui a été pieux❩.

(Coran 53:32)

La santé et le temps libre et leur utilisation dans l'obéissance à Allah

Il ne faut pas que tu gaspilles la santé de ton corps et le temps libre en négligeant l'obéissance à ton Seigneur et en étant confiant dans ton travail précédent. Fais de ta persévérance le butin de ta santé et le travail l'occasion de ton temps libre. En effet, tout le temps n'est pas à ta portée et ce qui en est passé ne peut être rattrapé, d'autant plus que le temps vide occasionne soit des aberrations, soit des regrets. Tout comme l'isolement est soit un penchant, soit une désolation.

Omar Ibn Al Khatab a dit: le repos est une étourderie pour les hommes et une délectation pour les femmes.

On a dit aussi: si l'occupation est épuisante, l'oisiveté est un fléau.

Un sage a dit: méfiez-vous des isolements car ils gâchent les esprits et compliquent les commodités.

Un éloquent a dit: ne laisse pas passer ton jour sans utilité, ne dépense pas ton argent sans nécessité — l'âge est trop court pour être anéanti dans les inutilités et l'argent est insuffisant pour être dépensé dans autre chose que des bienfaits. Le sage est plus élevé que le fait de passer ses jours dans ce qui ne lui est pas avantageux et bénéfique, et de dépenser son argent dans ce qui ne lui assure pas une récompense et un salaire.

Il y a plus éloquent que cela. Ce qu'a dit 'Issa, fils de Maryam, que la paix soit sur lui et sur notre Prophète (ﷺ): il y a trois sortes de bienveillance: la logique, la contemplation et le silence. Celui dont la logique est hors de l'évocation, dit n'importe quoi. Celui dont la contemplation se fait sans qu'il en tire de leçons, s'est étourdi. Et celui dont le silence se fait pour autre chose que la réflexion, s'est distrait.

Allah est l'Allié de ceux qui ont cru

Le serviteur a besoin d'une divinité. Il est dans la nécessité d'un maître et sa Divinité doit détenir le pouvoir, le soutien, le jugement, le bénéfice, la richesse, la force et l'éternité. Et celui qui possède toutes ces qualifications est le Seul, l'Unique, le Roi, le Dominant, le Sublime dans Son éminence.

Il n'existe pas dans tous les êtres ce qui réconforte le serviteur, le soulage, le réjouit par le fait de s'y adresser, hormis Allah, Exalté soit-Il. C'est l'Asile des êtres apeurés, l'Abri des réfugiés, le Soutien des gens accablés et le Protecteur de ceux qui demandent la protection: ❨Lorsque vous imploriez le secours de votre Seigneur et qu'Il vous répondit ❩ *(Coran 8:9)*, ❨Et Il protège et personne d'autre ne peut protéger ceux qu'Il veut atteindre ❩ *(Coran 23:88)*, ❨Sans avoir en dehors de Lui ni protecteur, ni intercesseur ❩ *(Coran 6:51)*, et celui qui adore autre qu'Allah, même s'il l'aime et qu'il lui procure une cordialité dans ce bas monde et un certain plaisir, il lui est plus néfaste que ne l'est le fait de manger d'un plat empoisonné, « S'il y avait dans les cieux et dans la terre, des divinités autres qu'Allah, elles se seraient endommagées: gloire à Allah, Seigneur du Trône de ce qu'ils interprètent » *(Coran 21:22)*. Leur cohérence est qu'ils ont reconnu la divinité véridique: s'il y avait des divinités autres qu'Allah, elles ne seraient pas un dieu véritable, puisque le Nom Sacré d'*Allah* Lui est particulier et qu'il ne Lui existe pas de semblable. Ainsi elles nuiront par l'absence de ce qui leur permet d'être bienfaisantes. Ceci du côté de la divinité.

On s'est aperçu alors de la nécessité qu'a le serviteur à recourir a son Dieu, à son Maître, à Celui qui lui suffit et le soutient: cela est le contact de l'évanescent avec l'Eternel, du faible avec le Puissant, du pauvre avec le Riche. Et tous ceux qui ne prennent pas Allah comme Seigneur, adopteront une divinité autre que Lui, de par les choses, les images, les désirs, les souhaits, alors ils en seront des esclaves et des domestiques, sans aucun doute: « As-tu vu celui qui a fait de ses passions, sa divinité? » *(Coran 25:43)*, « Ils adoptèrent des divinités autres qu'Allah » *(Coran 25:3)*. Et dans le Hadith, il y a: «Ô Hoçayn, combien adores-tu ?» Il a dit: j'adore sept, six sur terre et un dans le ciel. Il a dit: «Quel est celui qui exauce ton désir et apaise ta frayeur ?» Il a dit: celui qui est dans le ciel. Il a dit: «Abandonne ceux qui sont sur terre et adore Celui qui est dans le ciel».

Et sache que le besoin qu'a le serviteur en Allah est qu'il L'adore sans Lui rien associer et que ceci ne peut être comparé à quoi que ce soit. Mais cela ressemble, d'après quelques figures, au besoin qu'a le corps, de nourriture et de boisson. Toutefois, il y a dans cette ressemblance des différences innombrables.

La vérité du serviteur se concrétise par son cœur et son âme qui ne peuvent servir à rien sans leur Seigneur — Allah, il n'y a aucune autre divinité que Lui. Ils ne sont réconfortés dans ce bas monde que par Son évocation. Ils accomplissent pour Lui des actes qu'ils retrouveront. Ils Le rencontreront inévitablement et ils ne sont utiles que pour Sa rencontre.

Et celui qui aimerait la rencontre d'Allah
Allah aimerait beaucoup plus le rencontrer.
Et le contraire pour celui qui la déteste
Et qu'il ne compte pas sur Sa miséricorde et Sa générosité.

Et si le serviteur obtient des plaisirs et des joies sans Allah, cela ne durera pas. Mais cela se déplacera d'un genre à un autre, d'une personne à une autre. Il se réjouit de cela pendant quelque temps et dans quelques situations, il lui arrivera même que ce qui lui procurait ces plaisirs et ces jouissances n'ait plus cet effet. Et le fait même de le contacter et d'être avec lui pourrait aussi lui être nuisible et cela le fera énormément souffrir.

Par contre, il ne pourra pas vivre sans son Dieu, quelle que soit la situation, et où qu'il soit, Il est avec lui.

Pourvu que tu sois satisfait même si tous les humains sont
*   indignés,*
Le fait que tu sois content est mon espoir éminent.

Et dans le Hadith, il y a: «Celui qui satisfait Allah par l'indignation des gens, Allah sera satisfait de lui et fera en sorte que les gens soient satisfaits de lui. Et celui qui courrouce Allah par la satisfaction des gens, Allah se met en colère contre lui et fera en sorte que les gens soient indignés de lui». Et je me rappelle encore l'histoire d'Al Akaouak, le poète qui fit l'éloge de l'émir Abou Dalef. Il a dit en la circonstance:

Tu n'as jamais tendu ta main charitable
Sans que tu prodigues des substances et des échéances.

Allah a fait en sorte qu'Al Ma'moun le tue sur son tapis à cause de ce vers de poésie.

❨Ainsi, Nous donnons le pouvoir à certains êtres injustes sur d'autres à cause de ce qu'ils acquéraient❩.   *(Coran 6:129)*

Des indications sur la route des chercheurs

Pour le bonheur et le succès, des signes surgissent, des indications apparaissent, qui sont des témoins du progrès de celui sur qui elles apparaissent, du succès de celui qui les porte et du salut de celui qui s'en distingue.

Parmi les signes du bonheur et du salut, il y a: la modestie et la compassion de l'être humain augmentent lorsque son savoir se développe. Il est comme la pierre précieuse de valeur qui s'enfonce de plus en plus au fond de la mer selon que son poids et sa valeur croissent. Il sait que le savoir est un don immuable par lequel Allah met à l'épreuve qui Il veut: s'il a été bien reconnaissant et qu'il a su l'accepter, Allah l'en élèvera de plusieurs degrés: ❨ Allah élèvera ceux d'entre vous ceux qui auront cru et ceux qui auront reçu le savoir, de plusieurs degrés ❩ *(Coran 58:11)*. Ainsi, lorsque son savoir se développe encore plus, sa crainte et sa vigilance augmentent aussi. Rien ne le rassure: pas même un faux pas ou une gaffe que sa langue aura commis. Il fait des comptes et des contrôles en permanence. Il est tel l'oiseau prudent qui vole d'arbre en arbre de peur d'être la cible d'un tireur d'élite ou d'être atteint d'une balle perdue. Quand il avance dans l'âge, son attention et sa persévérance diminuent, il sait avec pleine conviction qu'il approche de la fin, qu'il a traversé l'étape et qu'il est au bord de la vallée de la certitude. Et de là, quand sa fortune grossit, sa générosité et ses dépenses bienfaisantes s'amplifient aussi parce que l'argent est un emprunt, que le Pourvoyeur met à l'épreuve, que les occasions de la faculté sont opportunes et que la mort est aux aguets. Aussi, lorsqu'il devient plus important et plus connu, il se rapproche plus des gens, les soutient dans la réalisation de leurs affaires, avec modestie et sincérité, puisque les serviteurs sont les protégés d'Allah et que le plus aimé d'Allah d'entre eux, est celui qui leur est le plus utile.

Quant aux signes du malheur, il y a: lorsque son savoir se développe, son orgueil et son égarement prennent de l'ampleur, son savoir n'est d'aucune utilité, son cœur est vide, son caractère est lourd. Son argile est un marécage difficile et il devient encore plus arrogant, plus méprisant des gens, plus sûr de lui dès que son savoir prend de l'importance. Il pense qu'il est le seul rescapé et que les autres ont tous péri, qu'il s'est assuré le passeport du succès et que les autres sont au bord des perditions. Avec l'âge, sa persévérance et son attachement augmentent, il amasse la fortune et en prive les autres. Les événements n'ont aucun effet sur lui, les calamités ne l'ébranlent point, les catastrophes ne le réveillent pas non plus. Quand sa fortune prospère, sa cupidité et son avarice prennent de l'ampleur, son cœur est alors dénudé de toutes les valeurs, sa paume est pingre à l'octroi, son visage est insolent, dépouillé de toutes vertus. Son honneur et son prestige ayant pris de l'importance, sa fierté et sa divagation deviennent plus éloquentes: il est suffisant et vaniteux, sa volonté est distraite, ses poumons bien gonflés, les ailes déplumées, mais en fin de compte, il n'est rien du tout: «Les gens hautains seront ressuscités sous l'aspect de fourmis que les gens fouleront de leurs pieds». Et ces choses-là ne sont que des épreuves et des tests de la part d'Allah envers Ses serviteurs qui en seront, les uns vraiment heureux et les autres réellement malheureux.

La faveur est une épreuve

Comme le pouvoir, la puissance et la richesse, les miracles sont des épreuves. Allah a dit à propos de Son Prophète Souleimen quand il a vu le trône de la reine Balqis en face de lui: ❨Cela n'est dû qu'à la générosité de mon Seigneur afin de m'éprouver: serai-je reconnaissant ou ingrat ?❩ *(Coran 27:40)* Le Sublime offre la grâce pour voir qui l'acceptera de la meilleure façon en remerciant, en la préservant, en la fructifiant à son profit et celui des autres ; ou celui qui la négligera, en la retardant, la méconnaissant, la déviant dans le but de combattre le Donateur et en s'en appuyant pour défier le Pourvoyeur, qu'Il soit glorifié dans Sa grandeur.

Les grâces sont des épreuves et des tests par lesquels on distingue le remerciement du reconnaissant et le reniement de l'ingrat. Comme les peines aussi, ce sont des épreuves de la part d'Allah. Il éprouve aussi bien par les grâces que par les afflictions.

D'ailleurs, Il a dit: ❨Quant à l'être humain, lorsque son Seigneur l'éprouve en l'honorant et en le comblant de grâces, il dit: mon Seigneur m'a honoré❩, ❨Mais lorsqu'Il l'éprouve en lui diminuant sa subsistance, il dit: mon Seigneur m'a humilié❩, ❨Que non...❩ *(Coran 89:15-17)* C'est-à-dire que celui envers qui J'ai été généreux quant à Mes grâces et Mes honneurs, n'a pas forcément été honoré de Ma part, et que celui qui a fait l'objet d'étroitesse dans sa subsistance et qui a été éprouvé de Ma part, n'a pas inévitablement été humilié.

Les trésors durables

Les dons et les grands talents, ainsi que les octrois importants sont les véritables trésors qui durent et qui partiront avec leurs partenaires à la dernière Demeure: comme l'Islam, la foi, la bienfaisance, la bienveillance, la piété, l'Emigration, le jihad, le repentir et le retour à Allah: ❨La bienveillance ne consiste pas à tourner vos têtes vers l'est ou l'ouest, mais le fait de croire en Allah et le Jour Dernier...❩ jusqu'à Sa Parole: ❨... Ce sont les gens pieux❩.

(Coran 2:77)

Une détermination qui atteint les Pléiades

Lorsque le serviteur est doté d'une éminente détermination, elle le fera voyager sur le chemin des vertus et l'élèvera dans les rangs des grandeurs. Le fait de se pourvoir de la fierté de détermination est une des caractéristiques de l'Islam, tout comme la splendeur de ce qui est recherché, l'éminence de l'objectif et l'importance du dessein. La détermination est le centre des côtés négatif et positif de ta personnalité, le surveillant de tes membres, le carburant sensoriel et l'énergie enflammée qui permettent à la personne de bondir vers les éminences et la compétition dans les bienfaits. Et la fierté de ta détermination te procurera, par la permission d'Allah, un bien complet pour que tu progresses dans les degrés de la perfection. Ainsi, dans tes nerfs coulera le sang de la magnanimité et la course au stade de la science et du travail. Les gens ne te verront debout qu'aux portes des vertus, ne tendant tes mains que dans des missions importantes, en étant en compétition avec les pionniers des vertus et rivalisant avec les grands messieurs dans les mérites. Tu n'accepteras point l'humiliation, tu refuseras toute bassesse, comme tu ne seras jamais parmi les derniers et tu ne seras nullement satisfait par le minimum. Cela t'ôtera aussi les futilités des espérances et des œuvres. D'ailleurs, cette détermination extirpera en toi l'arbre de l'avilissement et de la honte, l'adulation et la flatterie. En effet, celui qui possède cette qualité a un cœur ferme: il n'est pas intimidé par les situations. Quant à celui qui en dépourvu, il est lâche et couard, la bouche fermée par l'aphasie.

Ne te trompe pas en confondant fierté de la détermination et arrogance, car la différence entre elles est comme celle qui existe entre le ciel à intermittences et la terre qui se fissure. La fierté de la détermination est une couronne sur la raie du libre cœur exemplaire, avec lequel il œuvre, toujours et à jamais, pour obtenir la pureté, la sainteté, l'amélioration et la générosité. Il se passe la langue sur ses lèvres pour les bienfaits qu'il a ratés et regrette ce qu'il a perdu comme exploits. Il est tout le temps nostalgique, avide et assidu pour arriver à l'objectif et à la fin.

La fierté de la détermination est un ornement qu'ont hérité les prophètes, tandis que l'arrogance est la maladie qui atteint les tyrans et les misérables.

Cette qualité élève à jamais la personne à la magnificence. Par contre l'arrogance le fait descendre aux bas fonds. Ô toi qui sollicite la science, trace-toi comme objectif, la fierté de la détermination, et ne t'en sépare pas, car la religion l'a citée dans des règles de *fiqh* qui entourent ta vie afin que tu sois toujours vigilant pour en tirer profit. Citons-en: la permission des ablutions sèches, *Tayamoum*, à celui qui est tenu de faire la prière, s'il ne trouve pas d'eau, et le fait de ne pas le contraindre à accepter le don du coût de l'eau qui servira aux ablutions. La raison ? Le dommage que cette faveur apportera à la détermination. Et c'est à toi de faire des cas d'analogie.

Des cas de détermination comme si le soleil exprimait leur
   cordialité,
Et que la pleine lune, de sa lueur, en dessinait les lettres.

Par, Allah, faire attention à l'intérêt de la détermination et à l'extirpation de son épée dans l'adversité de l'existence.

Le sérieux jusqu'à ce que l'œil soit préférable à l'autre
Et que ce jour soit le maître des autres jours.

La lecture des esprits

Parmi les choses qui épanouissent l'esprit et réjouissent l'âme, il y a la lecture et la méditation des esprits des intelligents et des gens perspicaces. C'est effectivement un plaisir pour le lecteur de découvrir les illuminations merveilleuses de ces êtres sagaces. Et le maître des connaisseurs et le meilleur des serviteurs informés est bel et bien notre Prophète (ﷺ) qui est incomparable aux autres gens, puisqu'il est soutenu par la Révélation, qu'on a cru en lui par ses miracles, qu'il a été envoyé avec des versets évidents et ceci est au-dessus de l'intelligence des êtres doués et de la brillance des gens de lettres.

❨ Et quand je tombe malade, c'est Lui qui me guérit ❩ *(Coran 26:80)*

Hippocrate dit: «La diminution de la malfaisance est mieux que l'augmentation de la bienfaisance».

Il a dit aussi: «Préservez votre santé par l'abandon de la paresse, du rassasiement de nourriture et de boisson».

Un sage a dit: «Celui qui veut être en bonne santé, qu'il mange de la bonne nourriture et dans la propreté, qu'il boive quand il a soif et qu'il diminue de la consommation d'eau. Qu'il s'allonge après le repas et marche quelques pas après le dîner. Qu'il ne dorme qu'après s'être rendu aux toilettes et qu'il évite de prendre un bain en étant rassasié, et une fois en été vaut mieux que dix en hiver».

Al Harith a dit: «Celui qui veut que son existence perdure, sans éterniser bien entendu, qu'il prenne tôt son repas et avance son dîner, qu'il allége ses habits et qu'il diminue la copulation des femmes».

Platon a dit: «Cinq choses font fondre le corps, elles peuvent même être mortelles: la restriction de la faculté, la séparation des bien-aimés, l'amertume des exaspérations, le rejet des conseils et les ignorants qui se moquent des gens raisonnables».

Et parmi ce qu'a résumé Hippocrate en peu de mots: «Toute abondance est contraire à la nature».

On a dit à Galilée: comment fais-tu pour ne pas tomber malade ? Il a dit: «Parce que je ne mange jamais deux aliments désagréables à la fois, tout comme je ne mange pas un mets tout juste après un autre. Et puis, je ne conserve en aucun cas, dans mon estomac, une nourriture qui me nuit».

Quatre choses rendent le corps malade: parler trop, trop dormir, manger trop et trop de copulation. Parler trop: cela amoindrit la moelle du cerveau, l'affaiblit et anticipe la vieillesse. Trop dormir: cela jaunit le visage, aveugle le cœur, excite les yeux, rend la personne paresseuse, engraisse la personne, provoque des maladies pénibles. Trop de copulation: cela affaiblit le corps, amoindrit la force, assèche la moiteur du corps, cause un relâchement des nerfs, provoque des obstructions. Son mal se généralise à tout le corps et en particulier au cerveau par la décomposition qui se produit sur le côté psychologique. Et il s'affaiblira plus par l'affaiblissement de tous ses moyens, comme il amoindrira beaucoup les vitalités de l'âme.

Quatre choses détruisent le corps: le souci, le chagrin, la faim et la veillée.

Et quatre réjouissent: la contemplation de la verdure, de l'eau qui coule, du bien-aimé et des fruits.

Nous avons contemplé ces visages, un de ces soirs
Nos âmes furent ravies par la beauté de ce que nous vîmes.

Et quatre sont préjudiciables à la vue: marcher pieds nus, la vue de bon matin ou en fin de journée d'un répugnant, d'un antipathique et d'un ennemi. Ensuite, il y a le fait de trop pleurer et le fait de trop regarder l'écriture fine.

Et quatre fortifient le corps: le port du vêtement doux, l'utilisation d'une salle de bain à la température modérée, le fait de manger des aliments sucrés et gras, le fait de humer jusqu'à des odeurs agréables.

Et quatre dessèchent le visage, font disparaître son honneur, sa gaieté et son amabilité: le mensonge, l'insolence, le fait de poser trop de questions sans aucune connaissance et la débauche.

Et quatre font augmenter l'honneur du visage et son affabilité: le sens de l'honneur, la fidélité, la générosité et la piété.

Et quatre attirent l'aversion et la haine: l'arrogance, la jalousie, le mensonge et la calomnie.

Et quatre attirent la subsistance: la prière nocturne surérogatoire, l'abondance de l'imploration du pardon en fin de nuit, l'accomplissement des aumônes et l'évocation au début et à la fin du jour.

J'ai dit à la nuit: y aurait-il quelque secret dans ta
poitrine ?
Ô toi, qui cache les nouvelles et les secrets,
Elle a dit: je n'ai jamais rencontré de ma vie une confidence
Telle que la discussion en fin de nuit, entre bien-aimés.

Et quatre empêchent la subsistance: le sommeil du matin entre l'aube et le lever du jour, l'insuffisance de prière, la paresse et la trahison.

Et quatre sont nuisibles à la bouche et à l'intelligence: l'accoutumance aux aliments acides et aux fruits, se coucher sur le dos, les peines et les chagrins.

Et quatre développent l'intelligence: la vacuité du cœur, la bonne mesure de la nourriture quant aux sucreries et aux matières grasses et le rejet des surplus qui alourdissent le corps.

Soyez vigilants

Le serviteur résolu ne réagit pas jusqu'à ce qu'il voie et observe. Il, prévoit, médite, considère, anticipe les conséquences, fait l'estimation des pas à faire, vérifie son point de vue, prend ses dispositions et sa vigilance pour ne pas regretter. Si ce qu'il voulait s'est accompli, il loue Allah et remercie son Seigneur, si c'est le contraire, il dit: Allah a estimé et a fait ce qu'Il voulait. Il accepte cela de bon cœur et ne se chagrine pas.

Bien vérifier

Le sage a les pieds bien fermes, son point de vue est pertinent: si les nouvelles l'envahissent et que les problèmes se compliquent, il ne tient pas compte des signes annonciateurs et n'anticipe pas le jugement, mais il examine ce qu'il entend, mijote sa vision des choses, consulte la pensée, demande conseil aux sages, car l'opinion méditée est meilleure que celle qui ne l'est pas. On a d'ailleurs dit: que tu te trompes en pardonnant vaut mieux que tu te trompes en punissant, ❨Et vous vous retrouverez pleins de remords❩.

(Coran 49:6)

Décide-toi et avance

Tout ce que j'ai écrit ici — comme versets, vers, citations, exemples, histoires et adages — t'invite à commencer une nouvelle existence pleine d'espérance d'une conséquence plaisante, d'une belle fin et de meilleurs résultats. Et tu ne pourras bénéficier que par une résolution sincère, par une détermination rapide, une envie certaine de te débarrasser de tes soucis, de tes chagrins, de ta tristesse et de tes peines. On a demandé à un érudit: comment se repentit une personne quelconque? Il a dit: il lui faut une grande part de détermination. C'est pour cela qu'Allah, par la détermination, a distingué les forts de caractère parmi les Messagers, ❨Patiente comme ont patienté ceux des Messagers à la grande force de caractère 》 *(Coran 46:35)*. Et Adam ne fait pas partie de ceux-là parce qu'《 Il oublia et Nous ne lui avons trouvé aucune détermination 》 *(Coran 20:115)*. Il en fut ainsi de ses fils. C'est une coutume que nous connaissons d'Akhzem et celui qui ressemble à son père n'est pas dans ses torts. Toutefois, ne l'imite pas dans le péché et ne diverge pas de lui dans le repentir. Et qu'Allah nous vienne en aide !

Il n'y a pas que ce bas monde

Le bonheur de l'Au-delà est mis en gage par celui de cette vie, et le sage doit savoir que celle-ci est en corrélation avec l'autre. Que ce n'est qu'une seule existence, l'Inconnu et le connu, ce monde et l'Au-delà, aujourd'hui et demain. Certains se sont imaginé que leurs vies se passent ici uniquement. Ils ont alors accumulé et thésaurisé, ont tenu à la continuité, se sont cramponnés à l'existence évanescente, puis ils sont morts en emportant dans leurs poitrines: objectifs, ambitions et préoccupations.

Nous allons et venons pour nos besoins
Et le besoin ne se terminera pas pour celui qui vivra,
Et cette nécessité meurt avec la personne
Et tant qu'elle vivra, son obligation persistera,
Le jeune a vieilli et le vieux est mort
Le matin reviendra et le soir passera,
Si une nuit a rendu son jour décrépit
Après cela, inévitablement un jour jeune arrivera.

Et je suis tout étonné de moi-même et des gens autour de moi pour les longs espoirs, les rêves étendus, les ambitions énormes, les intentions dans la continuité, les désirs incroyables. Puis l'un de nous disparaît pour ne plus revenir, sans qu'on lui demande son avis, sans qu'on l'avise et sans qu'il ait aucun choix, 《 Aucune âme ne sait ce qu'elle acquerra demain et aucune âme ne sait dans quelle terre elle mourra 》.   *(Coran 31:34)*

Je vais t'exposer trois vérités:

La première: quand penses-tu que tu te calmeras, que tu te reposeras et que tu te rassureras, si tu n'es pas satisfait de ton Seigneur, de Ses Jugements, de Ses Actes, de Ses Sentences et de Son Destin, de ta subsistance, de tes dons et de ce que tu as ?

La deuxième: as-tu été reconnaissant pour ce que tu as comme grâces, possessions et biens, pour en demander et en vouloir d'autres ? Parce que celui qui a été incapable pour le peu, ne peut être qu'incapable pour ce qui est considérable.

La troisième: pourquoi ne profitons-nous pas des talents qu'Allah nous a offerts en les fructifiant, les développant, les employant comme il se doit, en les débarrassant des défauts et des failles avant de démarrer avec dans cette existence afin d'en tirer utilité, octroi et influence ?

Les qualités louables et les talents importants sont latents dans nos esprits et dans nos corps. Mais chez beaucoup d'entre nous, ils sont semblables aux métaux précieux qui, sous terre, enterrés, ignorés et ensevelis, n'ont pas trouvé quelqu'un d'adroit qui les tirerait de la boue, les laverait et les épurerait pour qu'ils brillent, rayonnent et que leur rang soit connu.

Se cacher face à l'oppression est une solution provisoire, en attendant une issue

J'ai lu le livre *Al Moutawârine* (Les cachés) de l'écrivain Abelghani Al Azdi, qui est vraiment plaisant et bien attirant. Il y parle de ceux qui se sont cachés, de peur d'Al Hajaj Ibn Youcef. J'ai su alors que, dans la vie, il y a une étendue, que dans le mal, il y a un choix et que pour ce qu'on déteste, il y a quelques fois une alternative.

Et me vinrent à l'esprit deux vers d'Al Abiourdi dans lesquels, parlant de sa dissimulation, il dit:

Je me suis caché de mon époque, sous l'ombre de son aile
C'est-à-dire, tu vois mon époque sans qu'elle ne me voie

Si tu questionnes sur moi les jours, ils ne sauront point
Comme ils ne connaîtront non plus mon endroit.

Et le lecteur, l'auteur illuminé, l'éloquent, le sincère, Abou Amar Ibn Al Ala dit à propos des ses souffrances face à l'épreuve: «J'ai eu peur d'Al Hajaj, je me suis alors sauvé au Yémen. Je suis resté dans une maison à Sanaa et je ne me montrais que la nuit — sur son toit — et, le jour, je m'y embusquais. Il a dit: un jour, avant l'aube, alors que j'étais là, j'ai entendu un homme chanter:

Peut-être que les âmes déplorent le problème
Qui aura une ouverture comme celle des entraves.

Il a dit: j'ai dit que ça doit être un dénouement! Et je m'en suis réjoui. Il a dit: un autre a encore dit: Al Hajaj est mort. Il a poursuivi en disant: par Allah, je ne savais plus par quoi j'étais réjoui: par «ouverture» ou par «Al Hajaj est mort?»

Effectivement, l'unique Arrêté appliqué est chez Celui qui a la Souveraineté des cieux et de la terre,

❨Chaque jour, Il est à une occupation❩.   *(Coran 55:29)*

Al Hassan Al Basri s'est caché des yeux d'Al Hajaj. La nouvelle de sa mort lui est parvenue, il s'est alors prosterné en guise de remerciement à Allah.

Gloire à Allah qui a fait la distinction entre Ses serviteurs. Il arrive que lorsque l'un d'eux meure, d'autres se prosternent de bonheur et de joie — ❨Ils ne furent pleurés ni par le ciel, ni par la terre et ils n'eurent aucun sursis❩.   *(Coran 44:29)*

Pendant que d'autres meurent, les maisons alors s'endeuillent, les paupières s'ulcèrent par les pleurs et, par leur mort, les cœurs se remplissent de mélancolie.

Ibrahim Al Nakha'i aussi s'est caché d'Al Hajaj: la nouvelle de sa mort lui est parvenue, il a pleuré de joie.

L'allégresse m'inonda si bien
Que j'ai pleuré de bonheur.

Il y a des refuges sécurisants sous l'ombre du plus Miséricordieux des miséricordieux. En effet, Il voit, entend et remarque les oppresseurs et les opprimés, les vainqueurs et les vaincus, ❨Nous fîmes de certains parmi vous une tentation pour les autres afin de voir si vous patientez, et ton Seigneur est clairvoyant❩.

(Coran 25:20)

Cela me fit rappeler une femelle de la famille du rouge-queue, voltigeant au-dessus de la tête du Messager d'Allah (ﷺ) qui était assis sous un arbre, entouré de ses compagnons, comme si elle disait en la circonstance qu'un homme lui avait pris ses oisillons de son nid. Le Prophète (ﷺ) dit alors: «Qui a accablé celle-ci en prenant ses oisillons? Rendez-lui ses oisillons».

Et sur cet exemple, quelqu'un dit:

Un pigeon plein de désir est venu à toi
Il se plaint à toi d'un cœur effrayé, très passionné
Qui a prévenu la colombe que votre endroit
Est interdit et que tu es un asile des êtres tourmentés?

Saïd Ibn Joubeir a dit: par Allah, j'ai fui Al Hajaj jusqu'à ce que j'eusse honte d'Allah, le Glorieux, le Sublime. Puis on l'a emmené chez Al Hajaj: quand l'épée fut dégainée sur sa tête, il sourit. Al Hajaj a dit: pourquoi souris-tu? Il a répondu: je suis bien étonné de ton impertinence envers Allah et de Sa mansuétude envers toi. Quelle grande âme, quelle confiance en la promesse d'Allah, quelle sérénité en un bon salut et quel merveilleux recours! Que la foi soit ainsi!

Tu as affaire au plus Miséricordieux des miséricordieux

Si le Hadith suivant, a attiré ton attention, il en est de même pour moi. C'est ce qu'ont rapporté Ahmed, Abou Ya'la, Al Bazzar et Al Tabarani au sujet d'un vieil homme s'appuyant sur une canne, qui s'est présenté au Prophète (ﷺ). Il lui a dit: ô Prophète d'Allah, j'ai eu des perfidies et des débauches, me seront-elles pardonnées? Le Prophète (ﷺ) a dit: «Attestes-tu qu'il n'y a pas d'autre divinité qu'Allah et que Mohammed est le Messager d'Allah ?», Il a dit: oui, ô Messager d'Allah. Il a dit: «Allah t'a pardonné tes perfidies et tes débauches». Il s'est précipité en disant: Allah est le plus Grand, Allah est le plus Grand.

J'apprends de ce Hadith des certitudes: la clémence du Très-Miséricordieux ; l'Islam annihile ce qui s'est passé avant qu'il ne soit adopté ; le repentir annule tout ce qui l'a précédé ; les montagnes de péchés sont insignifiantes pour le Connaisseur des inconnus ; tu dois avoir une bonne pensée de ton Seigneur, et l'espoir dans Sa large générosité et Son immense miséricorde.

Des preuves qui t'invitent à être optimiste

Dans son livre *Housn Al Dhan Bi Allah* (La bonne pensée sur Allah), Ibn Abi Al Dounia, il y a 151 textes — entre versets et Hadiths — qui t'invitent tous à être optimiste, à abandonner le désespoir et la désespérance, à être assidu dans la bonne pensée et les bonnes œuvres. Si bien que tu y trouveras que les textes prometteurs sont plus nombreux que ceux comminatoires, que les signes de la miséricorde sont plus abondants que ceux de la menace — et *Allah a fait une juste mesure à toute chose.*

Toute une vie de labeur

Ne te chagrine pas de la turbidité de l'existence, c'est ainsi qu'elle a été créée.

Les difficultés et les exténuations sont à l'origine de cette existence, la joie y est chose exceptionnelle et le bonheur bien rare. Te plairais-tu dans cette demeure, alors qu'Allah ne l'a pas préférée à Ses bien-aimés ?

Si la vie de ce bas monde n'était pas des épreuves, il n'y aurait pas de maladies et d'impuretés, l'existence n'aurait pas été étroite pour les prophètes et les gens pieux, Adam n'aurait pas enduré les peines jusqu'à ce qu'il en sorte, Nouh n'aurait pas été démenti et ridiculisé par sa nation, Ibrahim n'aurait pas fait face au feu et à l'égorgement de son fils, Yacoub n' aurait pas pleuré jusqu'à ce que sa vue disparaisse, Moussa n'aurait pas enduré l'oppression de Pharaon et rencontré des malheurs de la part de son peuple, 'Issa fils de Maryam n'aurait pas vécu pauvre et sans ressources, et Mohammed (ﷺ) n'aurait pas redoublé de patience face à la pauvreté, à la mort au combat de son oncle Hamza qui était son plus proche bien-aimé et l'aversion de sa tribu envers lui. Ceux-ci parmi tant d'autres de par les prophètes et les gens pieux dont l'énumération serait bien longue. Et si la vie avait été créée pour le plaisir, le croyant n'en aurait aucune part. Le Prophète (ﷺ) a dit: «Le bas monde est la prison du croyant et le paradis du mécréant». Effectivement, dans cette vie, les gens pieux ont été emprisonnés, les érudits actifs ont été éprouvés, les grands humains pieux ont été dépités et les sources des gens sincères ont été souillées.

Une pause

Zeyd Ibn Thabet, qu'Allah soit satisfait de lui, a dit: j'ai entendu le Messager d'Allah (ﷺ) dire: «Celui dont la vie ici-bas est son souci, Allah lui fait disperser ses affaires, lui place la pauvreté entre ses yeux et il n'aura de la vie que ce qui lui a été prédestiné. Et celui que l'Au-delà constitue son souci, Allah lui rassemble ses affaires, lui place sa richesse dans son cœur et la vie ici-bas lui viendra malgré elle».

Abdallah Ibn Messaoud, qu'Allah soit satisfait de lui, a dit: j'ai entendu votre Prophète (ﷺ) dire:

«Quiconque fait de tous ses soucis un seul, le souci de son Au-delà, Allah l'épargnera de celui de sa vie ici-bas, et quiconque, dont les soucis se sont ramifiés dans les situations de ce bas monde sans se soucier d'Allah dans aucun de ses oueds, est perdu».

L'écrivain, connu sous le nom d'Al Babagha, a dit:

Appuie-toi sur la doctrine de la populace

Et protège-toi de patience, tu seras bien content

Car celui dont les jours sont ténébreux

Est condamné sans aucun argument
Tu nous pardonnes sans remerciement
Tu nous protèges sans aucun empêchement
Et la clémence d'Allah se concrétise
Dans l'octroi de la victoire contre des groupements
D'une étroitesse à une abondance
Et d'un chagrin à un soulagement.

Le juste-milieu, une sauvegarde de la perte

La plénitude du bonheur est bâtie sur trois choses:

1- Une colère modérée,

2- Une concupiscence modérée,

3- Une science modérée.

4- Il est nécessaire que cela soit médian, pour que la force de la concupiscence n'augmente pas qu'elle le fasse entrer dans la bassesse et qu'il soit perdu, ou que sa colère soit plus ample, qu'il devienne récalcitrant et qu'il soit perdu aussi. «La meilleure des choses est leur juste-milieu».

Donc, si les deux forces sont médianes sous l'impact de celle de la science, cela est un signe de la voie de la rectitude. Pour la colère, si elle augmente, les coups et le crime deviendront faciles pour l'être. Si, au contraire, elle diminue, la jalousie et la ferveur quant à l'existence et à la religion disparaîtront. Mais si elle est pondérée, la patience, le courage et la sagesse seront présents.

C'est pareil pour la concupiscence: si elle est excitée plus qu'il n'en faut, elle entraînera le dévergondage et l'adultère. Et si elle diminue, ce sera l'incapacité et l'indifférence. Alors, si elle n'est que médiane, il y aura la décence, de la chasteté et de la satisfaction, pour ne citer que cela. Et dans le Hadith, il y a: «Vous êtes tenus de faire une offrande modérée». ❰Et ainsi Nous fîmes de vous une communauté médiane❱.   *(Coran 2:143)*

L'être humain est selon
ses traits de caractère dominants

C'est pour ton bonheur le fait que tes caractéristiques de bienfaisance dominent celles de la malfaisance. Tu es l'objet d'éloges même s'ils n'existent pas en toi, et les gens ne conçoivent pas que tu aies un certain défaut même s'il est véridique, parce que l'eau lorsqu'elle atteint *[la mesure de]* deux cruches, ne porte pas de souillure, tout comme une pierre ne peut augmenter, ni amoindrir la grandeur d'une montagne.

J'ai lu des calomnies sur Qaïs Ibn Assam — le sage des Arabes - sur les généreux Barmakides, sur Qotaïba Ibn Mouslim — le célèbre chef —, mais j'ai constaté que ces injures et ces satires n'ont été ni conservées, ni écrites ni tenues pour véridiques par personne parce que cela est tombé dans la mer des bienfaits et s'y est noyé. Contrairement à cela, j'ai vu des éloges et des louanges sur Al Hajaj, sur Abi Mouslim Al Khurassani, sur Al Hakem Bi Amr Allah Al 'Oubaïdi, mais cela n'a été ni conservé, ni écrit ni cru par personne, car cela est perdu dans le tas de leur faux brillant, de leur injustice et de leur extravagance. Qu'Il soit glorifié Celui qui est équitable entre Ses créatures !

Tu as été créé ainsi

Dans le Hadith, il y a: «Chacun est apprêté pour ce qu'il a été créé». Pourquoi donc les talents sont-ils traités abusivement et que les cous des qualités et des capacités sont formellement tordus ? Allah, lorsqu'Il veut quelque chose, Il lui en prépare les causes. Il n'y a pas d'âme plus malheureuse ni d'esprit plus contrarié que celui qui veut être autre que lui-même. L'intelligent adroit se fait une auto-analyse et comble le vide qui lui a été affecté. Si c'est comme chauffeur, il doit l'être, si c'est dans la surveillance, alors il doit être surveillant. Sibawayh par exemple, le célèbre grammairien a voulu étudier la science du Hadith, mais il n'a pas pu et sa sensibilité vis-à-vis de cela n'a pas pu s'adapter. Il a donc appris la grammaire dans laquelle il a excellé et en a fait des prouesses. Un sage dit: celui qui veut un travail qui ne lui convienne pas est comme celui qui plante des palmiers dans le plateau de Damas et des citronniers au Hedjaz d'Arabie.

Hassêne Ibn Thabet ne sait pas bien faire l'appel à la prière, parce qu'il n'est pas Bilal. Khaled Ibn Al Walid ne peut pas faire le partage des successions, car il n'est pas Zeyd Ibn Thabet. Les pédagogues disaient d'ailleurs: détermine ta place.

Pour les combats, il y a des héros qui y ont été destinés
Et pour les registres, il y a les écrivains et les comptables.

Il faut de la pureté dans l'intelligence

A la radio de Londres, j'ai entendu la nouvelle de la tentative d'assassinat de l'écrivain Nadjib Mahfoudh, prix Nobel de littérature. Cela m'a remis en mémoire quelques-uns de ses livres que j'avais lus auparavant, et je fus bien étonné de cet intelligent qui n'a pas su que la vérité est plus grande que l'imagination, que l'éternité est plus sublime que l'éphémère et que le principe divin descendu du ciel est plus élevé que le principe humain, ❮Celui qui guide à la Vérité, n'est-Il donc pas plus digne d'être suivi, ou est-ce celui qui n'est sur la rectitude que s'il est guidé?❯ *(Coran 10:35)* C'est-à-dire qu'il a écrit des pièces théâtrales de sa pure imagination utilisant ses fortes aptitudes à la description, l'exposition et l'excitation: en fin de compte ce n'était que de fausses nouvelles.

J'ai bénéficié, en lisant sa biographie, d'une chose très importante qui est que le bonheur n'est pas le fait de réjouir les autres aux dépens de son propre bonheur et de son repos. Il n'est pas normal que tu réjouisses les gens alors que tu es malheureux, chagriné, soucieux. Certains écrivains font les éloges d'auteurs qui, d'après eux, se consument pour éclairer les autres, mais le principe juste et ferme est bien celui qui fait que l'auteur doive être un objet d'illumination pour lui-même et pour les gens, qu'il se remplisse de bien, de rectitude et de bon sens afin que les cœurs des autres le soient aussi.

Je n'ai pas trouvé, dans les écrits de Nadjib Mahfoudh, l'Au-delà, le monde de l'Inconnu. Bien sûr, j'y ai découvert de l'imagination, des descriptions, de l'excitation, de l'attraction, du monde de la célébrité. Mais où est la vérité, où est l'objectif, où est le message et où est le pacte ?

Je sais que Nadjib Mahfoudh est arrivé là où il voulait: ❨ Nous dispensons à ceux-ci et à ceux-là, des dons de ton Seigneur, et le don de ton Seigneur n'a jamais été interdit ❩ *(Coran 17:20)*, mais il ne suffit pas à l'être humain d'arriver où il veut, mais bel et bien là où veut Allah — ❨ Allah veut vous éclaircir, vous guider sur la voie de vos prédécesseurs et vous donner Son absolution, et Allah est omniscient et sage ❩, ❨ Allah veut vous accorder Son absolution, et ceux qui suivent les passions veulent vous faire dévier gravement ❩.

(Coran 4:26-27)

Ô Allah, je n'atteste à personne qu'il mérite le Paradis ou l'enfer, sauf si le Législateur l'atteste ou que les preuves de la législation religieuse le concrétisent. Mais je regarde tout de même les œuvres, les propos et les impacts: ❨ Et tu les reconnaîtras alors, à leurs traits particuliers ❩ *(Coran 47:30)*. Ah ! Qu'il serait préférable que tous soient guidés et entrent au Paradis d'Allah dont la largeur égale les cieux et la terre.

Après cela: quel sera l'avantage de l'être humain de posséder le royaume de Chosroês si son cœur est brisé par la fausseté, ou d'obtenir la puissance de César alors que ses espoirs en bien sont réduits ?

Quels seront l'utilité et le fruit du talent s'ils ne sont pas une raison de salut ?

Sois beau et tu verras que l'existence l'est aussi

Le fait que nous profitions des réjouissances de la vie, dans les limites de la voie sacrée de la religion, est une des causes de la plénitude de notre bonheur. Allah a fait pousser des jardins luxuriants, puisqu'Il est Beau et qu'Il aime la beauté. Et tu n'as qu'à lire les signes de ce monothéisme dans cette création agréable, « C'est Lui qui a créé pour vous tout ce qu'il y a sur terre ». *(Coran 2:29)*

La bonne odeur, la nourriture délicieuse et la vue splendide augmentent la détente de la poitrine et l'allégresse de l'âme, « Mangez de ce qu'il y a de licite et de pur sur terre » *(Coran 2:168)*. Et dans le Hadith, il y a: «On m'a fait aimer de votre bas monde le parfum et les femmes — et c'est dans la prière qu'a été placée la joie de chacun *[de mes yeux]*.»

L'ascétisme sombre et la dévotion obscure, qui avancent sur nous comme principes terrestres, ont souillé les splendeurs de l'existence chez beaucoup d'entre nous. Ils ont alors vécu dans les soucis, les chagrins, la faim, la veillée et la privation. Notre Messager (ﷺ) dit: «Mais je fais le jeûne et je n'en fais pas, j'accomplis la prière de nuit de façon *[discontinue]*, j'épouse les femmes, je mange de la viande, et quiconque se détourne de ma Sunna n'est pas des *[miens]*».

Si tu t'étonnes, le plus étonnant est ce que se sont imposé certaines sectes ! Celui-ci ne mange pas les gâteaux, celui-là ne se permet pas de rire, et l'autre ne boit pas d'eau froide — comme s'ils ne savaient pas que ceci est un supplice pour l'âme et une obstruction à son rayonnement, « Dis: qui a donc interdit la parure d'Allah qu'Il a fait sortir à Ses serviteurs ainsi que les choses délicieuses de la subsistance ? »   *(Coran 7:32)*

Notre Messager (ﷺ) a mangé du miel, pourtant il n'y a pas de plus ascète que lui. D'ailleurs, si Allah a créé le miel, c'est bel et bien pour qu'il soit consommé: « Il sort de leurs ventres un liquide de couleurs différentes contenant une guérison pour les gens » *(Coran 16:69)*. Et il a épousé les veuves, les femmes divorcées et les vierges: « Epousez ce qui vous plaît comme femmes: deux, trois ou quatre ». *(Coran 4:3)* Et il a porté les plus beaux habits à l'occasion des fêtes et autres circonstances: « Portez vos parures dans chaque lieu de prière » *(Coran 7:31)*. Il (ﷺ) allie le droit de l'âme et celui du corps, entre le bonheur de cette vie et celui de l'Au-delà parce qu'il a été envoyé avec la religion innée dont Allah a doté les gens.

Réjouis-toi d'une délivrance imminente

Un auteur contemporain dit: les genres de détresse, quelle que soit leur gravité ou leur propagation, ne durent pas et ne s'éternisent pas pour ceux qui en sont atteints.

En effet, lorsqu'elles s'aggravent, se prolongent, s'obscurcissent, elles se rapprochent de leur dissipation, d'un soulagement et d'une clarté par une facilité et une solvabilité, par une délivrance et une béatitude, par une vie prospère rayonnante et pure. Effectivement, l'assistance d'Allah et Sa bienfaisance viennent quand les difficultés et les épreuves atteignent le sommet. Ainsi, toute nuit sombre est toujours suivie d'une aube sincère.

Ce n'est qu'une heure qui s'écoulera
Et celui qui avance louera le résultat de sa marche.

Tu es plus noble que les rancunes

Le plus heureux des gens et dont la poitrine est la plus détendue est celui qui désire l'Au-delà. Il n'envie pas les gens pour ce qu'Allah leur a offert de Sa générosité, car il a un message contenant du bien, des idéaux nobles de piété et de bienfaisance. Il veut aussi faire arriver son utilité aux gens, s'il en est incapable. Il ne leur fait pas de tort. Regarde Ibn Abbas, la 'mer' de la science et l'interprète du Coran, comment il a pu, par son caractère sublime, sa générosité et l'abondance de ses itinéraires légaux, faire de ses ennemis — les Omeyyades, les Béni Marouan et leurs partisans — des amis. Les gens ont bénéficié de sa science et de sa compréhension, il a rempli la société de *fiqh*, d'évocations, d'interprétations et de bien. Ibn Abbas a oublié les jours du Chameau et de Siffine, ceux d'avant et ceux d'après. Il s'est mis à bâtir et à améliorer, à arrêter les séditions, à essuyer les blessures: il fut aimé de tous et il devint, en toute vérité, l'érudit de la nation de Mohammed (ﷺ).

Et Ibn Al Zoubir, qu'Allah l'agrée, lui, qui est d'origine généreuse, avec sa magnanimité, son adoration et l'éminence de son prestige, a préféré l'affrontement, n'a pas voulu renoncer à ses droits personnels en y mettant toute son assiduité. Et cela eut pour résultat: il fut distrait de la tâche consistant à rapporter des Hadiths, tout comme il perdit un bon nombre de musulmans. Ensuite, l'affrontement s'est concrétisé: la Ka'ba fut attaquée, puisqu'il s'y était caché, beaucoup de personnes furent massacrées et, en fin de compte, il fut tué et crucifié, ⟪Et le décret d'Allah fut un destin fatidique⟫ *(Coran 33:38)*. Et cela n'est pas un dénigrement de ces gens, ni une critique sur leurs rangs, mais c'est une étude historique qui réunit les leçons et les exemples. La clémence, la souplesse, le pardon et l'indulgence sont des qualités que peu d'êtres humains réunissent en eux parce qu'elles poussent la personne à se léser elle-même, à refouler ses ambitions, à entraver son enthousiasme et son aspiration.

Une pause

«Sa parole (ﷺ): "Connais Allah dans la prospérité, Il te reconnaîtra dans la détresse" veut dire, que si le serviteur a craint Allah, a préservé Ses Limites, a respecté Ses Commandements quand il est dans la prospérité, il fera alors par cela la connaissance d'Allah, et il se produit entre lui et son Seigneur une relation particulière. Ainsi Il le reconnaîtra dans la détresse et le sauvera des malheurs suite à ce lien et cela implique le rapprochement du serviteur de son Seigneur, Son amour envers lui et Sa réponse à ses invocations».

«Si le serviteur est patient comme il se doit, l'épreuve se transforme pour lui en une gratification, la calamité se change en don et ce qui est détesté devient aimé.

En effet, Allah ne l'a pas éprouvé pour le briser, mais pour tester sa patience et son adoration, puisque le serviteur est tenu d'adorer Allah dans l'adversité et dans le bien-être, dans ce qu'il déteste et dans ce qu'il aime. Cependant, la plupart des serviteurs s'adonnent à l'adoration dans ce qu'ils aiment. Alors que la deuxième situation est meilleure, car c'est à partir d'elle qu'est déterminé le rang de chacun auprès d'Allah, le Très-Haut.»

Le savoir est la clé de l'aisance

Le savoir et l'aisance sont proches. Ce sont deux frères et tu n'as qu'à voir dans les 'mers' de la *Chari'a* — les érudits émérites — comment leurs vies étaient faciles, comment les rapports avec eux étaient si simples ! Eux, ils ont compris le dessein, sont tombés sur ce qui est demandé et ont immergé dans les profondeurs.

Par contre, tu trouves des gens des plus durs, aux rigueurs les plus difficiles et aux méthodes les plus malheureuses, les fameux ascètes dont la part du savoir est très limitée parce qu'ils ont entendu des phrases qu'ils n'ont pas comprises et des questions qu'ils n'ont pas connues.

D'ailleurs, la catastrophe des Kharidjites ne fut que par l'insuffisance de leur savoir et l'insignifiance de leur compréhension.

En effet, ils n'ont pas découvert les vérités, ne se guidèrent pas vers les buts, ils ont protégé les futilités et ont perdu les hautes revendications: ils tombèrent alors dans une affaire désastreuse.

Ce n'est pas ainsi qu'on abreuve les chameaux

J'ai lu deux livres célèbres: j'ai constaté qu'ils contenaient une attaque fulgurante contre le bonheur et l'aisance que le Législateur sage a apportés.

Le livre *Ihya Ouloum Ad Dine* (La relance des sciences de la religion) d'Al Ghazali (IVe siècle H.) est une invitation flagrante à la famine, à la nudité*[et à la déchéance]*, aux fardeaux et aux chaînes que notre Messager (ﷺ) est venu bannir des univers. C'est un assemblage de ce qui y a de plus douteux à propos de Hadiths dont la plupart sont faibles ou apocryphes. Ensuite, il en fait sortir des notions dont il pense qu'elles font partie des plus grands moyens pouvant approcher le serviteur de son Seigneur.

J'ai fait une comparaison entre ce livre et les deux *Sahih* de Boukhari et de Mouslim: la distance est apparue et la différence s'est manifestée. Celui d'Al Ghazali est gêne, difficulté et affectation. Les deux *Sahih* sont facilité, magnanimité et simplicité. J'ai alors discerné alors la parole du Suscitant: ❨Nous lui faciliterons la voie de l'aisance ❩.   *(Coran 87:8)*

Quant au deuxième livre, *Qote Al Qoloub* (La nourriture des cœurs) d'Abou Taleb Al Mekki, c'est une demande insistante à abandonner la vie dans ce monde et à s'en isoler, la paralysie des efforts et des gains, la renonciation aux bonnes choses et l'émulation dans les voies de l'embarras, de la langueur et de la détresse.

Et les auteurs Abou Hamed Al Ghazali et Abou Taleb Al Mekki ont voulu le bien à travers leurs livres, mais leurs bagages, en matière de Sunna et de Hadiths, étaient insignifiants. C'est ici que la défectuosité s'est manifestée, car le guide doit être très habile sur la route, virtuose dans la connaissance des chemins et sentiers, ❨Mais soyez de conduite divine pour avoir enseigné le Livre et par ce que vous avez étudié ❩.   *(Coran 3:79)*

Celui dont la poitrine est la plus détendue

Les qualités proéminentes chez l'Enseignant de la bienfaisance (ﷺ) sont: la détente de sa poitrine, la satisfaction, l'optimisme. C'est un annonciateur de bien, il défend la détresse et la répulsion, il ne connaît point la désespérance et la déception, il a toujours le sourire au visage, il a le contentement au cœur, la facilité dans sa *Chari'a*. Sa Sunna est médiane, sa confession contient le bonheur. La majeure partie de sa mission est de les débarrasser des fardeaux et des chaînes qu'ils avaient sur leurs dos.

Lentement... lentement

Parmi les choses qui projettent le bonheur sur l'auditoire par la parole lucide, on peut citer la graduation dans les sujets — le plus important avant l'important et ainsi de suite. Cela confirme le conseil du Prophète (ﷺ) à Mouâdh, qu'Allah l'agrée, lorsqu'il l'a envoyé au Yémen: «Que la première chose à laquelle tu les invites soit l'attestation qu'il n'y a aucune autre divinité qu'Allah et que je suis le Messager d'Allah *(...)*». Donc, dans le sujet, il y a premièrement,

deuxièmement et troisièmement... Pourquoi donc insérer les sujets les uns dans les autres et pourquoi les posons-nous tous en une seule fois? « Et ceux qui ont mécru ont dit: pourquoi n'a-t-on pas fait descendre sur lui la totalité du Coran, en une seule fois ? Ainsi pour que Nous en raffermissions ton cœur et Nous l'avons récité clairement ».
(Coran 25:32)

Ce qui réjouit les musulmans dans leur Islam il y a le fait de ressentir la sérénité par ses enseignements, par la facilité d'acquisition de ses obligations et de ses interdits, par ce qu'il est venu initialement pour les sauver de la psychopathie, de l'égarement intellectuel et l'anomie sociale. L'imposition d'une charge supérieure à la capacité de la personne est rejetée par la religion, « Allah ne charge une âme que selon sa capacité » *(Coran 2:286)*, parce que tout ce qui est contraire aux préceptes de l'Islam est une gêne qu'il est venu spécialement pour abolir.

Le compagnon demandait au Prophète de l'Islam (ﷺ) une recommandation, et il lui cite un Hadith concis que chacun peut apprendre — qu'il habite à la campagne ou en ville. C'est là le réalisme, la considération des situations, la facilité qui sont les signes prépondérants dans ces chers conseils.

Nous sommes fautifs par le fait de citer à l'auditoire, dans un même contexte, tout ce que nous avons dans notre giberne comme recommandations, conseils, enseignements, Sunna et textes littéraires, « Et un Coran que Nous avons fragmenté pour que tu le lises aux gens sur une longue durée ».
(Coran 17:106)

Saad les a abreuvés et il était bien emmitouflé,
Ce n'est pas ainsi, ô Saad, qu'on abreuve les chameaux.

Comment veux-tu être reconnaissant pour l'abondance alors que tu ne l'as pas été pour le peu

Celui qui ne loue pas Allah pour de l'eau douce fraîche, contenant des protéines, ne le fera pas pour les châteaux magnifiques, pour les très belles voitures et les jardins luxuriants.

Et celui qui ne loue pas Allah pour du pain frais, ne le fera pas non plus pour les tables garnies de plats succulents et les repas délicieux parce que l'ingrat ne fait pas la différence entre le peu et le surplus. Parmi ces gens-là, il y en a beaucoup qui ont fait des pactes stricts avec leur Seigneur, dans lesquels ils ont certifié que si Allah leur octroie de Sa générosité, les comble et les aime, ils seront bien reconnaissants, dépenseront sur Son Chemin et feront des aumônes, ❨Il en est parmi eux qui firent un pacte avec Allah: si nous bénéficions de Sa générosité, nous ferions l'aumône et nous ferons partie des gens vertueux❩, ❨Mais quand Il leur a donné de Sa générosité, ils s'en montrèrent avares, se dérobèrent et se détournèrent❩.   *(Coran 9:75-76)*

Et nous remarquons chaque jour parmi ce genre de personnes beaucoup d'êtres humains à l'allure maussade, à l'esprit contrarié, à la conscience vide, mécontents de leur Seigneur qui, soutiennent-ils, n'a pas été généreux envers eux, ne les a pas comblés d'une large subsistance alors que, en fait, ils se pavanent en bonne santé, en sécurité, possédant ce qui leur suffit pour vivre et ils ne remercient pas pour le temps libre qu'ils ont et pour l'aisance dans laquelle ils se trouvent. Mais qu'en serait-il donc si ces ingrats furent occupés par les trésors, les maisons et les châteaux? Ils seraient plus égarés envers leur Seigneur et plus désobéissants à leur Maître et à leur Patron.

Nostalgiques, et cette demeure-là est dans nos esprits
Qu'en serait-il donc si nous marchions avec nos amis tout
*   un mois?*

Celui parmi nous qui a les pieds nus dira: je serai reconnaissant envers mon Seigneur, s'Il m'offre des chaussures. Et l'homme aux chaussures reportera la reconnaissance jusqu'à ce qu'il obtienne une belle voiture. Décidément, nous prenons les grâces en espèces et nous donnons le remerciement à crédit, nos vœux envers Allah sont pressants et Ses ordres se font attendre à être exécutés.

Trois tableaux

Un intelligent a suspendu dans son bureau trois tableaux bien précieux:

Sur le premier, il est écrit: ton jour, ton jour. C'est-à-dire, vis dans les limites de ce jour.

Sur le deuxième: réfléchis et remercie. Autrement dit, réfléchis aux grâces dont Allah t'a comblé et remercie-Le.

Sur le troisième: ne te fâche pas.

Ce sont trois recommandations qui t'indiquent le bonheur par les plus cours chemins, par les voies les plus faciles et tu devrais les écrire sur ton bloc-notes pour les revoir chaque jour.

Une pause

Parmi les agréables secrets de la liaison entre le malheur et le bonheur, la difficulté et la facilité, il y a le fait que lorsque le malheur s'aggrave, qu'il devient plus important et qu'il arrive à son terme, la personne perd tout espoir de sa dissipation par l'action des créatures, son cœur s'attachera alors à Allah uniquement et cela est la vérité de se fier uniquement à Allah.

Et lorsque le croyant trouve qu'il a attendu longtemps le soulagement, qu'il désespère après avoir beaucoup imploré et supplié Allah et qu'aucun signe de réponse ne lui paraît, il commence soudain à se faire des remontrances en se disant: cela est de ma faute, s'il y avait du bien en moi, j'aurais été exaucé. Ces réprimandes sont plus appréciées d'Allah que beaucoup d'autres obéissances. En effet, il est nécessaire que la créature s'humilie devant son Maître, qu'elle reconnaisse qu'elle mérite bien ce qui lui est arrivé comme épreuve et qu'elle n'est pas digne d'être exaucée: à ce moment-là, la réponse arrivera et le malheur se dissipera.

Ibrahim Ibn Ad'ham, l'ascète, dit: «Notre existence est telle que les rois nous frapperaient de leurs épées s'ils s'en, apercevaient».

Et Ibn Taymiya, *cheikh Al Islam,* dit: «Dans mon cœur, il se passe des heures où je me dis: si les gens du Paradis vivaient comme moi, ils mèneraient vraiment une belle vie».

Rassurez-vous, ô êtres humains

Dans le livre *Al Faraj Baad Al Chida* (Le soulagement après la détresse), on trouve plus de trente livres qui nous informent qu'au sommet des noirceurs, il y a une délivrance, qu' au bout des crises il y a une lueur, et que lorsque tu es on ne peut plus dépité, chagriné et noyé dans la catastrophe, tu es plus près de l'ouverture, de la facilité et de la sortie de cette gêne. Et Al Tanoukhi de nous raconter dans son long livre passionnant plus de deux cents histoires de ceux qui ont été affligés, emprisonnés ou isolés, chassés et expulsés, ou torturés et cravachés, ou se sont appauvris et tombèrent dans la misère. Mais ce ne furent que des jours et voilà que l'avant-garde de l'assistance et les bataillons du bonheur leur viennent alors qu'ils désespéraient et les prennent en charge alors qu'ils ne s'y attendaient pas: le Répondant, l'Audient les a conduits à eux. Al Tanoukhi dit aux gens calamiteux et aux sinistrés: rassurez-vous, des communautés vous ont devancés sur cette route et d'autres vous ont précédés.

Des gens avant nous ont connu ce temps
Et comme nous, ils s'en sont préoccupés
Peut-être que ses nuits font du bien
Mais elles souillent les générosités.

Donc, c'est une coutume ancienne ❨Nous vous éprouverons d'un peu... ❩ *(Coran 2:155),* ❨Nous avons soumis à l'épreuve ceux qui vous ont précédés ❩ *(Coran 29:3).* Le fait qu'Allah teste ses créatures est une chose on ne peut plus juste, qu'ils se soumettent à Lui par la détresse comme ils le font par la prospérité et qu'Il leur change les cycles comme Il permute pour eux le jour et la nuit. Pourquoi alors le mécontentement, la protestation et la plainte ? ❨Si nous leur avions prescrit de se tuer et de sortir de leurs maisons, ils ne l'auraient pas fait, à l'exception d'un petit nombre d'entre eux ⟩.   *(Coran 4:66)*

Si tu me disais de marcher sur les flammes, j'accepterais
Pour tes yeux, les braises des flammes sont de l'or.

Les bienfaits protègent contre le mal

Parmi les belles paroles, il y a celles d'Abou Bakr Al Seddik, qu'Allah l'agrée: les bienfaits protègent contre les mauvaises situations. Et cela est approuvé par le Coran, la Sunna ainsi que par la raison: ⟨ S'il n'avait pas été de ceux qui exaltaient ⟩, ⟨ il serait resté dans son ventre jusqu'au jour où ils seront ressuscités ⟩ *(Coran 37:143-144)*. Et Khadija dit au Messager (ﷺ): «Que non, par Allah ! Allah ne t'humiliera jamais, puisque tu maintiens la relation avec tes liens de sang, tu assumes la responsabilité de celui qui n'a pas de famille, tu donnes au misérable et tu soutiens les gens face aux tourments du temps».

Regarde comment elle s'est basée sur les bienfaits pour déduire les bonnes conséquences, et sur la générosité du début pour la splendeur de la fin.

Dans le livre *Al Wouzarâ* (Les ministres) d'Al Sababi, *Al Mountadhem* (L'ordonné) d'Ibn Al Jawzi et *Al Faraj Baad Al Chida* (Le soulagement après la détresse) d'Al Tanoukhi, il y a une histoire dont le contenu est: Ibn Al Fourate, ministre, cherchait du tort à Aba Djaâfar Ibn Bistam et lui voulait du mal. Effectivement, il a reçu de sa part de grandes misères. La mère d'Abi Djaâfar s'est habituée, depuis le plus jeune âge de son fils, à lui mettre chaque nuit, sous son oreiller, un pain qu'elle donnait le lendemain comme aumône au nom de son petit. Un certain temps après les préjudices que lui a causés le ministre, celui-ci est allé chez lui pour lui demander une chose. Ibn Al Fourate lui a dit: as-tu avec toi un pain de ta mère ? Il a répondu: non. Il lui a dit: il faut que tu me dises la vérité. Abou Djaâfar lui a raconté l'histoire, se distrayant par ce que faisaient les femmes. Al Fourate lui dit: ne plaisante pas, j'ai passé la nuit précédente à te conspirer une intrigue qui, si elle avait été accomplie, t'aurait exterminé. Mais je me suis endormi après et j'ai vu en songe que j'avais à ma main une épée dégainée et que j'avançais vers toi pour te tuer. Ta mère m'a barré la route, elle avait dans la main un pain qu'elle utilisait comme bouclier entre mon épée et toi: ainsi, je n'ai pas pu t'atteindre et sur cela je me suis réveillé. Abou Djaâfar lui fit des reproches pour ce qu'il y avait entre eux, il a aussi saisi cette occasion pour réparer les discordes pendantes entre eux, s'est par la suite dévoué à lui en lui vouant une obéissance exemplaire jusqu'à ce qu'il soit bien satisfait de lui. En fin de compte, ils devinrent de bons amis. Ibn Al Fourat lui a dit: je jure par Allah que tu ne verras plus jamais de mal de ma part.

Une relaxation qui aidera à poursuivre le chemin

Il est bien entendu que, dans la religion, il y a la détente et la distraction, car cela aide la personne à continuer dans son adoration, son octroi et ses œuvres bienfaisantes. D'ailleurs, notre Messager (ﷺ) souriait et riait, ❰Que c'est Lui qui a fait rire et qui a fait pleurer❱ *(Coran 53:43)*. Il plaisantait aussi mais ne disait que la vérité. Il a même fait la course à pied avec Aïcha, qu'Allah l'agrée. Il protégeait les compagnons par des sermons, éloignant d'eux le dédain et le dégoût. Il interdisait l'approfondissement artificiel, le zèle et l'exagération. Il informait que la religion aura le dessus sur quiconque veut exagérer vis-à-vis d'elle. Et dans le Hadith, il est dit que cette religion est solide: pénétrez-y donc avec délicatesse. Dans un autre Hadith, il est dit aussi que tout adorateur a un mal qui est: la dureté, l'avidité et l'impulsion. L'être zélé ne restera pas longtemps pour être brisé parce qu'il a considéré la situation actuelle et a oublié les imprévus, la longue durée et la lassitude de l'âme. Quant au sage, il se fixe une limite minimale de travail qu'il accomplit d'une façon durable: s'il est plus actif et a plus de volonté, il augmente la dose et s'il faiblit, il se contentera de ce qu'il a coutume de faire. Et ceci est de ce qui reste des propos de certains compagnons: les âmes ont des moments d'intérêt et d'autres d'évasion. Profitez-en durant son intérêt et laissez-là durant son évasion.

Et je n'ai pas vu de groupes ayant ajouté dans la mesure, augmenté les œuvres surérogatoires et essayé d'exagérer, sans s'en abstenir et devenir plus faibles dans leurs adorations qu'au tout début.

La religion, à l'origine est venue pour réjouir, ❰ Nous n'avons pas fait descendre sur toi le Coran pour que tu deviennes malheureux ❱ *(Coran 20:2)*. D'ailleurs, Allah a blâmé des communautés qui se sont chargées au-dessus de leur capacité puis, face à la réalité, ont abandonné ce qu'elles imposèrent à elles-mêmes, ❰ Un monachisme qu'ils ont inventé et que Nous ne leur avons pas prescrit, sauf qu'ils cherchaient à obtenir la satisfaction d'Allah, mais ils ne l'observèrent pas comme il se devait ❱.   *(Coran 57:27)*

Et l'Islam se distingue des autres religions par le fait que c'est une religion innée, médiane, qui concerne l'âme et le corps, la vie ici-bas et l'Au-delà et qu'elle est simple, ❰ Telle est la religion vertueuse ❱.   *(Coran 9:36)*

Abou Saïd Al Khoudri a dit: un bédouin est venu au Prophète (ﷺ) et lui a dit: ô Messager d'Allah ! Quel est le meilleur des gens ? Il a dit: «Un croyant qui combat par lui-même et par ses biens dans le Chemin d'Allah, puis un homme isolé dans un chemin parmi les chemins de montagnes qui adore son Seigneur». Et dans une autre version: «Qui craint Allah et n'atteint pas les gens de son mal». Et d'après Abou Saïd aussi: j'ai entendu le Prophète (ﷺ) dire: «Il se peut que la meilleure possession du musulman soit des moutons avec lesquels il cherche les endroits pluvieux et les crêtes des montagnes, fuyant avec sa religion les tentations». Ce Hadith a été rapporté par Boukhari.

Omar a dit: «Profitez de l'isolement». Et comme elle est bonne, cette parole d'Al Djouneid: «L'endurance de l'isolement est mieux que les tortuosités de la compagnie». Et Al Khatabi a dit: «Même s'il n'y avait dans l'isolement que la préservation de la calomnie et de la vue de l'abomination qu'on ne peut abolir, il contiendrait alors un bien abondant».

Cela va dans le même sens du Hadith qu'a relaté Al Hakem et qui a été rapporté par Abou Dherr: «La solitude est mieux qu'une mauvaise compagnie». La chaîne de transmission de ce Hadith est appréciable.

Al Khatabi a cité, dans *Kitab Al Ouzla* (Le livre de, l'isolement), que l'isolement et la compagnie diffèrent selon leurs accessoires. On prend les preuves textuelles indiquant le profit qu'on peut tirer d'une réunion qui concerne l'obéissance des chefs politiques et des questions religieuses, et vice versa. Si toutefois le but est de se réunir et de se séparer par les corps uniquement, le mieux pour celui qui se respecte et veut préserver sa religion, est de s'éloigner de la fréquentation des gens: sous condition de préserver la compagnie quant aux questions religieuses et sociales, de continuer à saluer les gens et à rendre leurs saluts, d'assister aux enterrements pour ne citer que cela. Ce qui est demandé en fait, c'est de renoncer aux mauvaises fréquentations par ce qu'elles contiennent comme préoccupations, comme perte de temps aux dépens des tâches profitables et de faire en sorte que la compagnie devienne indispensable tout comme le repas et le dîner, ne prenant d'elle que ce qui est nécessaire, car c'est une détente pour le corps et le cœur. Et Allah en est le plus informé.

Al Qouchaïri, dans *Al Rissala* (Le message), a dit: la, voie de celui qui a choisi l'isolement est que, par cela, il pense préserver les gens de ses méfaits et non pas le contraire, parce que, cela lui, permettra de se sous-estimer et cela est la qualité de celui qui est modeste. Par contre, s'il croit à l'inverse, ce sera un signe de dédain envers les autres et cela est une caractéristique de l'orgueilleux.

Et sur ce problème d'isolement et de compagnie, les gens se divisent en deux groupes opposés, en plus d'un troisième, médian.

Le premier groupe: ils se sont isolés des gens même pour les prières du vendredi, les cinq prières, les fêtes et les réunions bienfaisantes. Ils se sont trompés.

Le deuxième groupe: ils ont fréquenté les gens dans les réunions de divertissement, d'absurdités et de bavardages inutiles, des «on a dit» et «il a dit» et de la perte de temps. Même erreur.

Et le groupe médian: ceux qui fréquentent les gens dans les adorations nécessitant la réunion, contribuent dans ce qui renferme de la vertu, de la piété, un salaire et une récompense, et s'isolent des occasions de répulsion, de détournement d'Allah et les autres choses permises, « Et ainsi Nous fîmes de vous une communauté médiane ».

(Coran 2:143)

Une pause

Oubada Ibn Al Samète a dit: le Messager d'Allah (ﷺ) a dit: «Combattez dans le chemin d'Allah, c'est une porte parmi celles du Paradis, par laquelle Allah fait disparaître le souci et le chagrin».

«Quant à l'influence du jihad sur la dissipation du souci et du chagrin, c'est une chose connue par intuition. En effet, quand l'âme laisse le bond, l'assaut et l'emprise de l'injustice, son souci, son chagrin, son malheur et sa peur augmentent. Mais si elle combat au nom d'Allah, son souci, son chagrin se transformeront par la permission d'Allah, en allégresse, en activité et en force, comme l'a dit le Très-Haut: « Combattez-les, Allah les châtiera par vos mains, les humiliera, vous donnera la victoire sur eux et guérira les poitrines d'une communauté croyante », « Et Il dissipera la colère de leurs cœurs » *(Coran 9:14-15)*. Il n'y a pas mieux qui fasse dissiper l'émotion du cœur, son chagrin et son souci que le jihad, et c'est à Allah qu'on a recours.»

Un poète a dit:

Effectivement, la souffrance se voit dans mes yeux
Et je porte l'habit blanc clair de la résignation
J'invoque Allah, étranglé par une détresse
Et voila que soudain survint la consolation
Combien de jeunes pour qui toutes les portes se fermèrent
Et qui s'ouvrirent sous l'effet de l'imploration.

Les panoramas de l'univers

Parmi les moyens de contentement et de sérénité de l'esprit, il y a la contemplation de l'impact de la Toute-Puissance sur les merveilles des cieux et de la terre. En effet, tu y goûteras un ravissement considérable dans l'œuvre du Concepteur — qu'Il soit vénéré dans Son éminence — dans la fleur, dans l'arbre, dans le ruisselet, dans le bosquet, dans la plaine et la montagne, dans la terre et le ciel, dans la nuit et le jour, dans le soleil et la lune. Tu y trouveras aussi la jouissance et l'intimité, ta foi augmentera ainsi que ta soumission, ton obéissance envers ce Créateur sublime, ❨Tirez-en une leçon, ô gens doués de vue❩.   *(Coran 59:2)*

Un philosophe qui s'est converti à l'Islam a dit: quand je doutais de la Puissance, je contemplais le livre de l'univers pour y découvrir les lettres du défi et de la création: ainsi ma foi augmente.

Des pas étudiés

Al Chawkani dit: un érudit m'a conseillé de ne pas abandonner la composition de livres, même si je ne devais écrire que deux lignes par jour. J'ai alors pris en considération son conseil: j'ai récolté ses fruits.

Et cela est la signification du Hadith: «La meilleure des œuvres du serviteur est celle qui dure même si elle est moindre».

Et on a dit: la goutte ajoutée à une goutte forme un écoulement important.

N'as-tu pas vu la corde laisser son impact
Avec le temps, sur la pierre malgré sa solidité.

Notre confusion vient du fait que nous voulons accomplir toutes nos œuvres en une seule fois. Alors, nous nous lassons, nous nous fatiguons et nous abandonnons tout. Si nous avions pris les choses une à une, en les répartissant par étapes, nous les aurions exécutées en toute sérénité, et que la prière te soit un exemple à suivre. En effet, la religion a fait qu'elle soit répartie en cinq moments distincts afin que le serviteur soit détendu, qu'il y aille rayonnant de bonheur. En effet, si elle s'accomplissait en un seul moment, elle serait lassante pour la, personne. Dans le Hadith, il y a: «Celui qui va trop vite au galop, ne gagne ni en trajet ni préserve le dos *[de sa monture]*».

Et par expérience, on a trouvé que celui qui se charge d'un travail par étapes réalise ce que celui qui le prend d'un seul trait, ne peut exécuter — avec, en plus, la conservation du tison de l'âme et de la ferveur du sentiment.

Et de ce que j'ai bénéficié de quelques érudits, il y a le fait que les prières quotidiennes agencent le temps et cela est pris de la parole du Concepteur: ❰En effet, la prière est pour les croyants une prescription à un temps fixé ❱ *(Coran 4:103)*. Si le serviteur répartissait ses œuvres religieuses et terrestres après chaque prière, il trouverait une étendue et même une ampleur dans le temps.

Et je vais de donner un exemple: si celui qui demande la science et le savoir consacrait après la prière de l'aube un temps à l'acquisition de n'importe quel art qu'il voudra, qu'après celle de la mi-journée, *Al Dhouhr*, il réservait un moment à la lecture facile de l'enseignement général, qu'après celle d'*Al Asr*, il consacrait son temps à la recherche scientifique approfondie, qu'après celle du crépuscule, *Al Maghreb*, il faisait la visite de proches et amis, qu'après celle de la nuit, *Al Icha*, il s'adonnait à la lecture des livres contemporains, des recherches, des périodiques et à la rencontre familiale: tout cela serait alors merveilleux, et celui qui l'assimilait aurait da sa clairvoyance un soutien et une lumière — ❰Ô vous qui avez cru ! Si vous craignez pieusement Allah, Il vous donnera un pouvoir de discernement, vous expiera vos mauvaises actions et vous absoudra. Allah a une générosité immense ❱.   *(Coran 8:29)*

Je t'en supplie: sans anarchie !

Parmi les choses qui troublent et dispersent l'esprit, il y a l'anarchie intellectuelle que vivent certaines personnes. Elle ne détermine pas ses capacités, ne se trace pas comme objectif ce qui fait l'unité de sa réflexion et de son point de vue. En effet, la connaissance n'est rien d'autre que des visions et des chemins qu'il faut définir et en connaître les cours, puis choisir une tendance connue, car la distinction des autres est demandée.

Parmi ce qui disperse aussi la réflexion et fait hériter les soucis, il y a les dettes, les charges financières et la cherté de la vie. Et il y a des principes dans ce problème que je voudrais bien citer:

Premièrement: celui qui économise ne devient point pauvre. En effet, celui qui dépense comme il se doit, n'utilise son argent que quand il faut, évitera le gaspillage et la prodigalité, trouvera l'assistance d'Allah, ｢En effet, les prodigues sont les frères des démons ｣ *(Coran 17:27)*, ｢Ceux qui, lorsqu'ils dépensent, ne sont ni prodigues ni avares et il y a entre cela un juste-milieu ｣.

(Coran 25:67)

Deuxièmement: l'acquisition de l'argent par les voies légitimes et la renonciation à tout ce qui est défendu par la religion. En effet, Allah est bon et n'accepte que ce qui est bon, et Allah ne bénit pas la possession malicieuse, ｢Même si le lutin te plait par son abondance ｣.

(Coran 5:100)

Troisièmement: l'effort dans l'acquisition de l'argent légitime, l'amasser de sa source pure, abandonner l'oisiveté, éviter de passer le temps dans les futilités.

D'ailleurs, le voilà Ibn Aouf qui dit: indiquez-moi le marché — ｢Une fois la prière terminée, répandez-vous sur terre, quêtez quelque part des générosités d'Allah, évoquez beaucoup Allah, peut-être récolterez-vous le succès ｣.

(Coran 62:10)

Ton prix, c'est ta foi et ta moralité

Cet homme pauvre, sans ressources, portant des guenilles et des habits très usés, le ventre affamé, les pieds nus, de souche inconnue, n'ayant ni importance, ni bien, ni tribu, ni demeure où se loger, ni meubles, ni bagages, il boit des paumes de ses mains des bassins publics avec ceux qui s'abreuvent, il dort dans la mosquée, son bras lui servant d'oreiller et le plancher de lit. Mais il est un évocateur de son Seigneur et un lecteur du Livre de son Maître, ne s'absente jamais du premier rang dans la prière et, au combat, il est passé un jour tout près du Messager d'Allah (ﷺ) qui l'appela par son nom en criant: «Ô Djoulaïbib, pourquoi tu ne te maries pas ?» Il a dit: ô Messager d'Allah, et qui me marierait, alors que je suis sans biens ni importance? Il est repassé une deuxième fois, il lui a répété les mêmes paroles et la réponse fut la même. La troisième fois: même question et même réponse. Alors le Prophète (ﷺ) lui a dit: «Ô Djoulaïbib ! Va à la maison d'untel *Al Ansari* (Médinois), et dis-lui: le Messager d'Allah (ﷺ) te passe le salut et te demande de me donner ta fille en mariage». Et cet *Ansari,* qui possédait une demeure honorable et était originaire d'une famille respectable, a dit: que le salut soit sur le Messager d'Allah (ﷺ), et comment te marierai-je, ô Djoulaïbib, ma fille alors que tu n'as ni biens, ni importance ? Sa femme entend la nouvelle et, toute étonnée, elle demande: Djoulaïbib, sans biens ni importance ? La fille, croyante, a entendu elle aussi ce qu'a dit Djoulaïbib et le message du Prophète (ﷺ). Elle dit alors à ses parents: comment vous refusez la demande du Messager d'Allah (ﷺ): jamais ! Par Celui qui a mon âme en Sa Main. Et le mariage béni a eu lieu, la progéniture bénie a suivi et la demeure basée sur la piété d'Allah et Sa satisfaction se combla et voilà qu'un annonciateur appelle au jihad: Djoulaïbib était présent à la bataille, il a tué sept mécréants avant d'être tué pour l'amour d'Allah. Il se reposa sur le sol, satisfait de son Seigneur, de Son Messager (ﷺ) et de son principe pour lequel il est mort. Le Messager (ﷺ) passe en revue les morts, les gens les lui nommaient et oublient Djoulaïbib au milieu de leur discours parce qu'il n'était ni brillant, ni célèbre. Mais le Messager (ﷺ) se le rappelle et ne l'a pas oublié: il retient son nom en dépit de la foule nombreuse, ne le néglige pas et dit: «Cependant, je n'arrive pas à retrouver Djoulaïbib». Et il le retrouve couvert de terre... Il lui essuie le visage et lui dit: «Tu as tué sept puis tu es mort ? Tu fais, partie de moi et je fais partie de toi, tu fais partie de moi et je fais partie de toi, tu fais partie de moi et je fais partie de toi». Cette médaille de la part du Prophète suffit à Djoulaïbib comme octroi, récompense et prix.

Le prix de Djoulaïbib est sa foi, l'amour du Messager d'Allah (ﷺ) envers lui et son Message pour lequel il est mort. Sa pauvreté, son indigence et le déclin de sa famille ne l'ont pas empêché d'obtenir cet honneur immense et cet acquis énorme. Effectivement, il a obtenu le martyre, la satisfaction, l'agrément et le bonheur dans la vie ici-bas et l'Au-delà: ❴Ils se réjouissent de ce qu'Allah leur a apporté de Sa générosité et ils attendent avec joie ceux qui, derrière eux, ne les ont pas encore rejoints parce qu'il n'y a nulle crainte à leur sujet et ils ne se chagrineront point❵. *(Coran 3:170)*

Ta valeur est dans tes significations sublimes et tes qualités nobles.

Ton bonheur est dans ta connaissance des choses, ton attention et ton éminence.

La pauvreté, la misère et l'inaction n'ont jamais été des obstacles dans le chemin de la suprématie, de l'arrivée et de la supériorité. Que se réjouisse donc celui qui a connu lui-même son prix, que se réjouisse aussi celui qui a réjoui son âme par son orientation, son jihad et sa noblesse et que se réjouisse enfin celui qui a très bien agi à deux reprises, qui est heureux dans les deux vies, qui a réussi aux deux occasions, la vie ici-bas et l'Au-delà.

Ô le bonheur de ceux-ci

Le bonheur d'Abou Bakr, qu'Allah l'agrée, par un verset: ❴Et l'évitera le pieux❵, ❴Qui donne de son bien pour le purifier❵.

(Coran 92:17-18)

Celui d'Omar, qu'Allah l'agrée, par un Hadith: «J'ai vu un château blanc au Paradis, j'ai dit: a qui est ce château? On m'a dit: à Omar Ibn Al Khattab».

Et Othmane, qu'Allah l'agrée, par une invocation: «Ô Allah! Absous Othmane de ses péchés, ceux qui ont précédé et ceux qui ne sont pas encore arrivés».

Et Ali, qu'Allah l'agrée: «Un homme qui aime Allah et Son Messager et qu'Allah et Son Messager aiment».

Et Saad Ibn Mouaadh, qu'Allah l'agrée: «Le trône du Miséricordieux s'est ébranlé à son honneur».

Et Abdallah Ibn Amr Al Ansari, qu'Allah l'agrée: «Allah lui a parlé directement, sans interprète».

Et Handhala, qu'Allah l'agrée: «Les Anges du Miséricordieux lui ont fait les ablutions mortuaires».

Ô le malheur de ceux-là

Pharaon: ❨Le feu auquel ils seront exposés matin et soir❩.

(Coran 40:46)

Coré (*Qâroun*): ❨Nous l'engloutîmes alors, ainsi que sa maison dans la terre❩.

(Coran 28:81)

El Walid Ibn Al Moughira: ❨Je l'épuiserai à l'escalade❩.

(Coran 74:17)

Oumeyya Ibn Khalef: ❨Malheur à tout moqueur invétéré❩.

(Coran 104:1)

Abou Lahab: ❨Maudites soient les mains d'Abou Lahab, et maudit soit-il❩.

(Coran 111:1)

Et Al Aâs Ibn Waïl: ❨Que non! Nous inscrirons ce qu'il dit et Nous lui prolongerons en durée le châtiment❩.   *(Coran 19:79)*

Une pause

«Le peu de réussite et la mauvaise opinion, l'absence de justice et la souillure du cœur, l'indolence de l'évocation, la perte du temps, l'aversion des créatures, l'éloignement entre le serviteur et son Seigneur, les invocations sans réponses, la cruauté du cœur, la disparition de la bénédiction en matière de subsistance et d'âge, la privation vis-à-vis du savoir, l'habit de l'humiliation, l'affront de l'ennemi, l'étroitesse de la poitrine, l'épreuve par des amis malfaisants qui altèrent le cœur et font perdre le temps, la longue durée des soucis, l'embarras dans l'existence, la défaillance de l'esprit: tout cela émane des péchés et de la négligence de l'évocation d'Allah, tout comme les plantes poussent par l'effet de l'eau et à l'instar des brûlures qui proviennent du feu. Bien entendu, les opposés de tous ces fléaux proviennent de l'obéissance d'Allah.»

Quant à l'impact de l'imploration de l'absolution des péchés sur le refoulement des soucis, des chagrins et de l'étroitesse, c'est l'avis de toutes les confessions et de tous les sages des différentes communautés. La désobéissance et la perversité occasionnent des soucis et des chagrins, la peur et la tristesse, l'étroitesse de la poitrine, les maladies du cœur, si bien que ces gens désobéissants, lorsqu'ils en finissent avec leurs désirs et qu'ils s'en lassent, les commettent en étant incités par ce que contiennent leurs poitrines comme malheurs — comme l'a dit le doyen de la débauche:

Un verre que j'ai bu par pur plaisir
Et un autre, qui m'a servi de médication.

Si c'est cela l'impact des péchés et des sacrilèges sur les cœurs, il n'y a donc aucun soin autre que le repentir et l'imploration de l'absolution des péchés.

Soyez accommodants avec les femmes

❨Vivez avec elles avec bienfaisance❩. *(Coran 4:19)*

❨Et Il a établi entre vous affection et miséricorde❩.
(Coran 30:21)

Dans le Hadith, il y a: «Recommandez-vous la bienfaisance envers les femmes, car elles vous sont confiées».

Et dans un autre Hadith: «Le meilleur d'entre vous est celui qui est le meilleur envers son épouse, et moi je suis votre meilleur envers mes épouses».

La maison heureuse est celle qui est remplie d'intimité, basée sur l'amour plein de piété et de satisfaction, ❨Est-ce que celui qui a fondé sa construction sur la crainte pieuse d'Allah et sur Sa satisfaction est meilleur ou est-ce celui qui a fondé sa construction sur le bord croulant d'un gouffre qui s'écroula en l'emportant dans le feu de l'Enfer? Et Allah ne guide pas à la rectitude la gent mécréante ❭.

(Coran 9:109)

Un sourire pour commencer

Parmi les heureux auspices et la bonne rencontre, il y a le fait que la femme sourie à son époux et que ce dernier en fasse de même. Effectivement, ce sourire est une déclaration initiale de bonne entente et de conciliation: «Et ton sourire au visage de ton frère est une aumône». Et le Messager (ﷺ) souriait et riait.

En prenant d'abord l'initiative dans la salutation: ❬ Saluez-vous d'une salutation de la part d'Allah, bénie et agréable ❭ *(Coran 24:61)*, et ensuite, la réponse au salut de l'un à l'autre, ❬ Lorsqu'on vous adresse un salut, saluez d'une meilleure façon ou rendez le même salut ❭.
(Coran 4:86)

Kouthayir a dit:

Azza t'a salué par une révérence et est partie
Rends-lui la même salutation, ô chameau
J'aurai bien aimé que le salut me fût adressé, je l'en
      remercierai
Ainsi, 'ô homme' aurait remplacé 'ô chameau'.

Il y a aussi l'évocation au seuil de la maison: «Ô Allah! Je te demande une bonne entrée et une bonne sortie, au nom d'Allah nous sommes rentrés et au nom d'Allah nous sommes sortis et sur Allah notre Seigneur nous comptons».

La douceur dans la parole de la part des deux époux, est aussi une cause de bonheur: ❬ Et dis à Mes serviteurs de parler de la meilleure façon ❭.
(Coran 17:53)

Ses paroles sont ensorcelantes, mais
Si elles ne dissimulaient pas la mort du musulman prudent
Lorsqu'elles sont longues, elles ne lassent point
Et quand elle abrège, l'auditeur est bien mécontent.

Comme ce serait merveilleux que l'homme et la femme renoncent aux paroles insultantes, blessantes et belliqueuses, qu'ils considèrent le côté beau, rayonnant qui existe en chacun d'eux et qu'ils ferment aussi les yeux sur leur côté faible, humain.

L'homme, s'il comptait les qualités de sa femme et évite de s'intéresser à ses défauts, serait heureux et se reposerait. Dans le Hadith, il y a: «Un croyant ne doit pas haïr une croyante, s'il déteste un trait de caractère d'elle, il en aimera un autre».

Et quel est celui qui n'a jamais été mauvais
Et où est celui qui ne possède que des qualités?

Qui est celui dont l'épée des vertus n'a jamais manqué et dont le cheval des qualités ne s'est jamais renversé: ❨N'eût été sur vous la générosité d'Allah ainsi que Sa miséricorde, aucun de vous n'aurait jamais été pur❩.   *(Coran 24:21)*

La plupart des problèmes des maisons viennent de futilités et de problèmes secondaires. En effet, j'ai vécu des dizaines d'affaires qui se sont terminées par la séparation et les raisons du feu de leurs brandons sont insignifiantes et faciles. Une de ces raisons était que l'appartement n'était pas bien ordonné, ou que le repas n'a pas été servi à temps, ou encore que l'épouse ne voulait pas trop souvent des invités de son mari. Et tu peux continuer ainsi jusqu'à la fin de cette litanie qui a pour conséquences, les malheurs et les orphelins dans les maisonnées.

Nous devons tous admettre notre réalité, notre situation et notre faiblesse et nous ne devons en aucun cas vivre l'utopie et les idéalismes qui n'arrivent qu'à ceux qui possèdent une grande détermination de par le monde.

Nous sommes des êtres humains, nous nous fâchons et nous devenons même cassants. Nous faiblissons et nous nous trompons, et nous n'avons rien d'autre à faire que de chercher la relativité dans la prospérité conjugale, même après ces courtes années qui se sont passées paisiblement.

La munificence d'Ahmed Ibn Hanbel et sa bonne compagnie sont relatées dans ce contexte. En effet, il a dit, après la mort de sa femme, la mère d'Abdallah: elle fut ma compagne pendant quarante années et je n'ai jamais été en désaccord avec elle sur un seul mot.

L'homme doit se taire si son épouse se fâche et il faut qu'elle se taise aussi si c'est lui qui est en colère jusqu'à ce que l'agitation se calme, que les sensibilités se refroidissent et que les troubles de l'âme s'apaisent.

Ibn Al Jawzi a dit dans son *Sayd Al Khâtir:* quand tu vois que ton partenaire s'est irrité et qu'il commence à dire des absurdités, ne considère pas un petit doigt de ce qu'il dit et ne lui en tiens pas rigueur, car il ressemble à une personne ivre qui ne sait rien de ce qui se passe. Patiente, ne serait-ce qu'un moment, et ne décide rien de cette situation. En effet, le démon a pris le dessus sur lui, le tempérament s'est déchaîné, la raison a disparu et si tu tiens compte de son comportement ou si tu réponds à ses actes, tu seras tout comme un homme raisonnable qui affronte un aliéné, ou quelqu'un de conscient qui blâme un inconscient et tu auras commis un péché. Au contraire, regarde-le d'un œil pitoyable, jette un coup d'œil sur le destin qui le manie et observe comment son tempérament s'est joué de lui.

Et sache que lorsqu'il s'en rendra compte, il regrettera bien ce qui s'est passé, te sera reconnaissant de ta patience envers lui. Et la moindre des choses est que tu le guides, dans ce qu'il accomplit pendant son courroux, à ce qui l'apaisera.

Et il faut que le fils prenne en considération cette situation quand son père est fâché, à l'instar de l'épouse pendant l'irritation de son mari: qu'elle le laisse se guérir par ce qu'il dit et qu'elle ne lui tienne pas rigueur. Elle constatera ensuite qu'il aura regretté et s'en sera excusé. Par contre, s'il est contrarié dans son état et ses propos, l'animosité le dominera et, une fois qu'il retrouve ses esprits, rétribuera pour ce qui aura été fait avec lui pendant son inconscience.

Mais la plupart des gens ne se comportent pas de cette manière adéquate. En effet, ils prennent en compte tout ce que fait ou dit la personne irritée. Et cela n'est nullement une réaction sage, car la sagesse est dans ce que j'ai cité — et il n'y aura que les experts qui la reconnaîtront.

L'amour de la vengeance est un poison foudroyant dans les âmes déchaînées

Dans le livre *Al Masloubouna Fi Al Tarikh* (Les crucifiés dans l'Histoire), il y a des histoires et des récits de quelques-uns parmi les oppresseurs qui ont fait encourir à leurs antagonistes les châtiments et les tortures les plus effroyables, si bien que le fait de les avoir tués n'a pas assouvi leur vengeance, ni refroidi leur mal jusqu'à ce qu'ils les crucifient sur des planches. Et ce qui étonne, c'est que le crucifié n'a plus de sensation, puisque son âme aura quitté son corps: pourquoi alors cela ? Tout simplement parce que, pour celui qui a tué, cela est apaisant et réconfortant et il aimerait encore continuer dans ses tortures. Ces âmes férocement rancunières vis-à-vis de leurs adversaires, embrasées envers leurs ennemis ne se calmeront jamais et elles ne seront en aucun cas heureuses parce que le feu de la vengeance et le volcan de la rancœur les anéantiront avant leurs rivaux.

Et le plus étonnant de tout cela, c'est qu'un des califes abbassides n'a pas eu l'occasion de tuer ses rivaux parmi les Omeyyades — morts avant qu'il ne soit au pouvoir. Il les a alors exhumés de leurs tombes même si quelques-uns n'étaient plus que des cendres. Il les a cravachés, crucifiés puis brûlés. C'est le soulèvement de la rancune violente qui met fin aux joies, aux plaisirs de l'âme et à sa stabilité. Le dommage est plus grave pour celui qui s'est vengé. En effet, il a perdu ses nerfs, son repos, son calme et sa tranquillité.

Les ennemis ne pourront pas être plus attentatoires
A un ignorant, comme il l'est pour lui-même.

❨ Et lorsqu'ils sont seuls, ils se mordent les doigts de rage contre vous. Dis: mourez de votre rage ❩.   *(Coran 3:119)*

Une pause

Il n'y a pas mieux pour celui qui est tyrannisé, offensé et dominé par ses adversaires que... le repentir sincère: les signes de son bonheur seront alors qu'il se considérera et se regardera quant à ses péchés et ses fautes. Ensuite, il s'y intéressera et essayera de les corriger par le repentir et, ainsi, il ne se préoccupera pas de ce qui lui est arrivé, tout occupé qu'il sera par le repentir et la correction de ses défauts — et il aura sans aucun doute l'assistance d'Allah, Sa protection et Sa défense. Quelle créature bien heureuse! Quel incident béni l'a atteint! Et quel effet il a laissé en lui! Mais le succès et le bon sens sont dans la Main d'Allah: rien ne peut s'opposer à ce qu'Il donne, et personne n'est en droit d'offrir ce à quoi Il s'oppose. Effectivement, cela n'est pas à la portée de tout un chacun quelles que soient sa connaissance, sa volonté et sa puissance — et il n'y a de puissance et de force que par Allah.

Qu'Il soit Loué Celui qui pardonne tant que nous péchons
Et quels que soient les péchés du serviteur, Il est indulgent
Il octroie à celui qui faute et Sa Majesté
Ne le prive pas de donner à celui qui a été malveillant.

Ne te dissous pas dans la personnalité d'autrui

L'être humain traverse trois cycles: le cycle de l'imitation, celui du choix et celui de l'invention.

L'imitation: c'est vouloir ressembler aux autres, incarner leur personnalité, prendre leurs caractéristiques, se dissoudre en eux. La raison en est l'admiration, l'attachement et le grand penchant — jusqu'à vouloir imiter les mouvements et les regards, l'accent de la voix et la façon de se retourner, etc.

Cela est un enterrement de la personnalité et un suicide moral du «moi». Et qu'est-ce qu'ils doivent endurer en contrariant leur tendance et en avançant en arrière! Tu trouves parmi eux celui qui a abandonné sa voix pour celle de l'autre, sa façon de marcher pour celle d'untel, si au moins cette imitation se faisait vis-à-vis des qualités louables qui enrichissent l'existence et lui confèrent une auréole d'éminence et de sublimité comme la science, la générosité, l'indulgence et d'autres choses semblables. Mais tu es au contraire stupéfait de voir que ces gens-là imitent la diction, la façon de parler et les signes de la main !

Je veux te redire ce que j'ai déjà avancé: que tu es une création différente et une chose bien spécifique et que c'est ta méthode selon tes qualités et tes capacités. En effet, depuis qu'Allah créa Adam jusqu'à ce qu'Il anéantisse le monde, il n'y a pas eu de ressemblance parfaite des images extérieures du corps entre deux personnes: ❴Et la diversité de vos langues et de vos couleurs❵ *(Coran 30:22)*. Pourquoi voulons-nous donc ressembler aux autres quant à nos qualités, nos talents et nos capacités ?

Le charme de ta voix est qu'elle est unique et ton élocution est bonne car elle est particulière: ❴Et dans les montagnes, il y a des rayures blanches et rouges aux différentes nuances et d'autres à la noirceur excessive❵.   *(Coran 35:27)*

Elles se sont rassemblées en trois et quatre
Et une autre, ainsi une assemblée de huit se forma
Salima, Selma, Rabab et sa sœur
Sou'da, Loubna, Al Mouna et Kutamia

Ceux qui se retiennent dans l'attente de la clémence d'Allah

Ce prédicateur éloquent, sa langue ne se tord pas lorsque ses expressions filent dans le stade de la rhétorique, mais il poursuit son chemin, éblouissant, rigoureux, débordant.

C'est le prédicateur du Messager d'Allah (ﷺ) pas plus, le prédicateur de l'Islam et c'est tout. Il élevait sa voix en présence du Messager d'Allah (ﷺ) pour le soutien de la religion: c'est Thabet Ibn Qaïs Ibn Chamâsse et Allah fit descendre: ❴Ô vous qui avez cru ! N'élevez pas vos voix au-dessus de celle du Prophète et ne lui parlez pas sur le ton que vous employez entre vous-mêmes, sinon vos œuvres seront annihilées sans que vous vous en rendiez compte》 *(Coran 49:2)*. Et Thabet a cru que cela lui était adressé. Il s'est alors isolé des gens et s'est caché chez lui, ne faisant que pleurer. Ne l'ayant pas vu, le Messager d'Allah (ﷺ) demanda de ses nouvelles. Les compagnons le mirent au courant de ce qui s'est passé, il a dit: «Que non! Mais il est des gens du Paradis». Ainsi l'avertissement s'est transformé en une bonne nouvelle.

Une euphorie a effacé ces condoléances présentées
Celui qui est affligé ne fut pas complètement désolé qu'il
* sourit.*

Et Aïcha, la mère des croyants, qu'Allah l'agrée, est restée à pleurer tout un mois, de jour et de nuit, si bien que les pleurs ont failli déchirer son foie et fendre son corps. Et tout cela parce qu'elle a été atteinte dans son honneur noble, dans sa chasteté, mais le soulagement est venu: 《Ceux qui lancent des calomnies contre les femmes chastes, distraites et croyantes sont maudits dans la vie ici-bas et dans l'Au-delà》 *(Coran 24:23)*. Elle a loué Allah et est devenue la plus pure de la pureté. Elle l'était d'ailleurs et tous les croyants se sont réjouis de ce succès manifeste.

Et les trois qui n'ont pas suivi le Prophète (ﷺ) dans la compagne de Tabouk: la terre leur est devenue trop étroite autour d'eux malgré toute son étendue, leurs âmes se rétrécirent sur eux et ils furent convaincus qu'il n'y avait de refuge d'Allah qu'auprès de Lui. Alors, la délivrance leur est venue de la part de Celui qui la détient -qu'Il soit glorifié — et le secours est descendu sur eux de par l'Audient et le Proche.

Tiens au travail qui te fait plaisir

Ibn Taymiya dit: «Une maladie m'a atteint, le médecin m'a dit: ta lecture et tes paroles en matière de science augmentent ton mal. Je lui ai dit: je ne peux m'en passer et je laisse ta science te juger. N'est-il pas vrai que lorsque l'âme est réjouie et ravie, elle consolide la nature qui repousse la maladie? Il a dit: si. Je lui ai dit: mon âme se réjouit par la science, la nature s'en raffermit et je retrouve un apaisement. Il a dit: cela ne fait pas partie de nos traitements». ❨Ne croyez pas que c'est un mal pour vous, mais c'est plutôt un bien pour vous ❩.

(Coran 24:11)

Peut-être que tes reproches auront des effets loués
Il se pourrait que les corps soient guéris par des maladies.

Nous les pourvoyons tous
ceux-ci et ceux-là

Comme nous avons besoin de l'assiduité, de fructifier le temps et à la compétition avec les souffles sur les œuvres pies, utiles et bénéfiques, nous serons heureux le jour où nous fournirons aux autres une utilité, une lucidité, un service, une culture et une civilisation. Et nous nous réjouirons aussi quand nous saurons que nous ne sommes pas venus à la vie vainement, que nous n'avons pas été créés par amusement et que nous n'existons pas par badinage.

Le jour où j'ai feuilleté *Al Aâlam* écrit par Al Zarkali, j'ai trouvé des interprétations d'Occidentaux et d'Orientaux, de dirigeants et de savants, de sages, d'écrivains et de médecins, qui sont tous éminents, émouvants, brillants. J'ai constaté aussi dans leurs comportements les normes d'Allah dans sa création, Sa promesse à ses créatures et qui sont: celui qui a bien œuvré pour la vie ici-bas a eu sa part d'elle, telle que la diffusion, la célébrité, la notoriété et ce qui suit cela comme fortune, postes et décorations. Et celui qui a bien œuvré pour l'Au-delà, il le trouvera ici et là-bas en matière d'utilité, d'acceptation, de satisfaction, de salaire et de récompense: ❨Nous les pourvoyons tous — ceux-ci et à ceux-là — des biens de ce que donne ton Seigneur et rien ne peut s'interposer aux dons de ton Seigneur ❩.

(Coran 17:20)

Dans ce livre, j'ai trouvé que ces génies, qui ont fourni à l'Humanité des avantages, des réalisations et qui n'ont pas œuvré pour l'Au-delà — surtout ceux qui ne croient pas en Allah et à Sa rencontre — ont finalement fait le bonheur des gens plus qu'ils ne firent le leur, qu'ils ont réjoui les âmes des autres plus que les leurs. En effet, parmi eux, il y a celui qui s'est suicidé, celui qui se déchaîne contre sa réalité et s'irrite de son genre de vie et d'autres encore qui vivent misérablement et dans l'embarras.

Je me suis demandé: quel est le bénéfice si je fais le bonheur des autres en étant moi-même malheureux, si je suis utile à tout le monde alors que je ne le suis pas pour moi-même ?

Tu as fait le bonheur de beaucoup alors que tu es malheureux
Et tu as fait rire tout le monde alors que tu pleurais.

J'y ai trouvé également qu'Allah a donné à chacun de ces esprits émérites tout ce qu'Il voulait, conformément à Sa promesse: un groupe parmi eux a obtenu le prix Nobel parce qu'ils l'ont voulu et ont tout fait pour y arriver. D'autres se sont distingués et ont accédé au premier rang de la célébrité car ils la cherchaient et en étaient passionnés. Et d'autres encore qui se sont enrichis, puisqu'ils désiraient la fortune et s'y étaient intéressés. Sans oublier parmi eux aussi, les gens vertueux et adorateurs d'Allah qui ont acquis la récompense de ce monde et le meilleur salaire de l'Au-delà et qui désirent la générosité de la part d'Allah et Sa satisfaction.

Parmi les équations justes et acceptables: il y a que l'anonyme heureux — et certain de sa méthode et de son chemin — a une meilleure chance que l'illuminé célèbre qui est malheureux par ses principes et ses idées.

Effectivement, un berger de chameaux musulman dans la péninsule arabique est dans une situation plus heureuse par son Islam que Tolstoï, l'écrivain célèbre. En effet, le premier a passé son existence, bien rassuré, satisfait, tranquille, connaissant son sort et son recours, alors que le second a vécu avec une volonté lacérée, des efforts dispersés, sa soif de ce qu'il désirait ne s'est pas assouvie et il ne savait pas ce qui l'attend.

Chez les musulmans, il existe le plus important médicament que l'humanité ait jamais connu et le plus sublime traitement que l'être humain ait jamais découvert. C'est la croyance au Destin et la

Fatalité. Un sage a d'ailleurs dit: celui qui dénie le Destin et la Fatalité ne sera jamais heureux dans la vie ici-bas. Et je t'ai beaucoup répété cette signification de plusieurs façons et je l'ai fait intentionnellement parce que je sais de par moi-même et par l'intermédiaire de beaucoup d'autres que nous croyons au Destin et à la Fatalité dans ce que nous aimons — et qu'il nous arrive de nous en irriter dans ce que nous détestons. Et c'est pour cela donc que la condition de la Foi et la convention de la Révélation restent: «Que nous croyons au Destin: son bien et son mal, sa douceur et son amertume».

Et celui qui croit en Allah, Il guide son cœur

Je rapporte une histoire pour que paraissent le bonheur de celui qui est satisfait du Destin et le désarroi, la turbidité et le doute de celui qui s'en est irrité:

Voici un écrivain américain des plus illuminés qui s'appelle Bodlee, auteur de *Riah Aala Al Sahra* (Des vents sur le désert) — et de quatorze autres livres. Il s'est installé en Afrique du Nord-Ouest où il a vécu avec une communauté de nomades musulmane qui accomplissaient la prière, observaient le Ramadhan et évoquaient Allah. Il a fait des récits sur certains de leurs scènes alors qu'il était avec eux: un jour, une violente tempête s'est soulevée, elle a pris les sables du désert au-dessus de la Méditerranée et les a jetés dans le fleuve du Rhône en France. Cette bourrasque était si brûlante que je sentais que les cheveux de ma tête s'ébranlaient au niveau du cuir chevelu sous l'effet de la chaleur caniculaire. J'étais si courroucé que je me sentais poussé au bord de la folie. Cependant, les Arabes ne s'étaient nullement plaints de cette situation. Ils ont haussé leurs épaules en disant: une Fatalité prédestinée. Ils se remirent au travail, pleins d'entrain. Le vieux chef de tribu a dit: nous n'avons pas trop perdu de choses, nous méritons que nous perdions tout, mais — qu'Allah soit loué et gratifié — il nous reste encore à peu près de

40% de nos bêtes avec lesquelles nous pouvons recommencer de nouveau notre travail.

Il y avait aussi un autre incident. Un jour, nous traversions le désert en voiture, un des pneus a éclaté et le chauffeur avait omis de prévoir la roue de secours. Je fus pris de colère, l'inquiétude et les soucis m'envahirent en demandant à mes compagnons bédouins ce que nous devrions faire. Ils m'ont rappelé que la colère n'était d'aucune utilité et qu'au contraire elle poussait la personne à se comporter indignement et à commettre de grandes fautes. Nous continuâmes donc notre route avec notre voiture à trois roues. Nous avancions lentement quand soudain le moteur cessa de tourner: il n'y avait plus d'essence. Là aussi, rien n'a bronché quant à la réaction de mes compagnons: ils gardèrent leur calme comme si de rien n'était et, mieux encore, ils continuèrent leur chemin à pied en fredonnant des chansons !

Les sept années, que j'ai passées au Sahara parmi les bédouins nomades, m'ont convaincu que les toxicomanes, les malades souffrant de troubles psychologiques et les ivrognes qui abondent en Amérique et en Europe ne sont que des victimes de la civilisation pour laquelle la vitesse est essentielle.

Maintenant, je ne souffre plus de l'inquiétude. Je vis au Sahara ou, plutôt, là-bas — dans le paradis d'Allah. J'y ai trouvé la sérénité, le contentement et la satisfaction. Cependant, beaucoup de gens se moquent du déterminisme auquel croient les bédouins et ridiculisent leur soumission au Destin et à la Fatalité.

Cependant, qui sait ? Peut-être que les bédouins ont-ils touché le cœur de la vérité. Quand je repense au passé, que j'examine mon existence, je constate en toute évidence qu'elle se modelait durant des époques éloignées selon les événements qui survenaient et qui n'étaient point dans la conjoncture ou de ce que je pouvais repousser. Et les Arabes appellent ce genre d'événements: "Destin'', "Répartition'' ou "Fatalité d'Allah''. Et à toi de le désigner comme tu voudras.

Je résume tout cela en disant: dix ans après mon arrivée, je suis sur le point de quitter le Sahara et je conserve toujours l'attitude des Arabes vis-à-vis de la Fatalité d'Allah. Je fais face aux incidents vraiment inévitables par le calme, la soumission et la sérénité. Et ces traits de caractère, que j'ai hérités des Arabes, sont arrivés à me calmer les nerfs beaucoup plus que ne l'auraient fait des milliers d'analgésiques et de médicament !

Je dis, quant à moi: les bédouins du Sahara ont reçu cette vérité de la lampe de Mohammed (ﷺ) et que le résumé du Message de l'Infaillible est de sauver les gens de l'égarement, de les sortir de l'obscurité vers la lumière, de secouer la poussière de leurs têtes, de les délivrer des fardeaux et des chaînes. Le Document avec lequel le Messager (ﷺ) de la rectitude a été envoyé contient les secrets de la tranquillité et de la sécurité. On y trouve des indications contre le découragement: c'est d'allier une reconnaissance du Destin et le travail en connaissance de cause. C'est également l'aboutissement vers un objectif, des efforts pour le salut et un labeur nécessitant un résultat. Sache que le Message divin t'est venu pour déterminer tes réactions dans l'univers habité afin que ton esprit s'apaise, que ton cœur se rassure, que tes soucis se dissipent, que ton travail se purifie, que ton caractère s'embellisse: bref, pour que tu sois le serviteur idéal qui aura connu le secret de son existence et aura compris le but de sa naissance.

La Voie médiane

《 Et ainsi Nous fîmes de vous une communauté médiane 》.

(Coran 2:143)

Le bonheur est dans le juste-milieu: ni exagération, ni adversité. Ni excès ni négligence. Le juste-milieu est en effet un procédé divin béni qui interdit au serviteur l'injustice des deux extrémités. Une des particularités de l'Islam est que c'est une religion médiane entre le christianisme et le judaïsme. Le Judaïsme qui s'est préoccupé de la science et a abandonné le travail et le Christianisme qui a exagéré dans l'adoration et a rejeté la preuve. L'Islam est donc venu avec la science et le travail, l'âme et le corps, la raison et le Coran couplé à la Sunna.

Et parmi ce qui te réjouit dans ta vie médiane, il y a la le juste-milieu dans l'adoration: n'exagère pas car tu épuiseras ton corps, tu anéantiras ton dynamisme et ta persévérance. Et ne t'en détourne pas en abandonnant les œuvres surérogatoires, car tu accompliras tes obligations avec défaillance et tu te laisseras aller aux atermoiements. Concernant tes dépenses: ne gaspille pas ton argent, car tu consommeras ton revenu et tu resteras consterné et appauvri. Ne retiens pas non plus tes générosités et ne sois pas avare dans tes octrois, sinon tu seras blâmé et misérable. Le juste-milieu aussi dans ton caractère: c'est-à-dire entre le sérieux excessif et la souplesse apprêtée, entre la morosité austère et le fou rire, entre l'isolement lugubre et la fréquentation débridée.

C'est la méthode du juste-milieu dans la prise en main des affaires, le jugement sur les choses et le comportement envers les autres. Donc, pas d'excès qui rendra la mesure des valeurs instable et pas de diminution qui dissipera les principes du bien, parce que l'excès est un luxe et le gaspillage et la diminution constituent une insuffisance et une parcimonie — ❨Allah guida alors, avec Sa permission, ceux qui ont cru vers la partie de la vérité sur laquelle ils n'étaient pas d'accord et Allah guide qui Il veut à une voie rectiligne❩.

(Coran 2:213)

La bienfaisance est entre les deux méfaits: celui de l'excès et celle de la négligence. Le bien est aussi entre les deux maux: celui de l'exagération et celui de l'aversion. La vérité se trouve, elle aussi, entre les deux faussetés: celle de l'abondance et celle de l'insuffisance. Et le bonheur, enfin, est situé entre les deux malheurs: celui de l'impétuosité et celui de la régression.

Ni ceci, ni cela

Mouttaref Ibn Abdallah dit: la plus mauvaise des marches est celle dans laquelle la personne s'efforce jusqu'à ce qu'elle s'épuise et qu'elle éreinte sa bête de somme. Et dans le Hadith, il y a: «Le plus mauvais des responsables est celui qui est inflexible». C'est-à-dire celui qui est trop sévère envers sa famille ou envers ceux dont il a la tutelle. La générosité est entre la prodigalité et l'avarice, le courage entre la lâcheté et l'audace, le discernement entre l'emportement et l'abrutissement, le sourire entre la morosité et le rire, la patience entre la sévérité et l'irritation, l'extravagance a pour médicament la diminution de cette incohérence et l'extinction d'une partie de cette flamme brûlante. L'insuffisance a pour médicament une grande détermination, un éclat de détermination et une lueur d'espérance, ❨Guide-nous sur la Voie rectiligne❩, ❨La Voie de ceux que Tu as gratifiés, pas ceux qui font l'objet de courroux ni les gens égarés❩.

(Coran 1:6-7)

Une pause

Dans toute l'existence, il n'y a pas plus difficile que la patience, que ce soit vis-à-vis de ce qui est désiré ou de ce qui est détesté. Et particulièrement si la durée s'est prolongée ou qu'on a désespéré de la délivrance. Et cette durée a besoin d'un approvisionnement de voyage, qui se manifeste sous différentes façons:

- L'estimation de l'affliction qui aurait pu être plus grave.

- Si l'épreuve est plus grande, il y a toujours plus grave qu'elle: par exemple, la perte d'un fils, pendant qu'il en reste un autre plus cher.

- L'espoir d'une compensation dans la vie ici-bas.

- L'estimation de la récompense dans l'Au-delà.

- La jouissance que cela lui procure en imaginant les éloges et les louanges de la part des créatures et le salaire de la part du Juste, qu'Il soit glorifié.

Et de là, on comprend que l'irritation n'est d'aucune utilité, mais qu'elle déshonore la personne concernée.

Pour ne pas citer d'autres choses qui sont discréditées par la raison et la pensée, il n'y a pas dans le chemin de la patience d'autres frais. Il faut toutefois que l'esprit de celui qui patiente en soit préoccupé et que cela l'aide à traverser les heures de son affliction.

Ceux qui sont les alliés d'Allah

Parmi les qualités des alliés d'Allah — les bien-aimés —, il y a: l'attente de l'appel à la prière avec désir, la ruée pour être présent au moment de la proclamation de la grandeur d'Allah qui indique le commencement de la prière, la séduction par le premier rang, s'asseoir régulièrement dans la Mosquée du Prophète (ﷺ), particulièrement entre sa Tombe et son Minbar, la pureté de la poitrine, la manifestation des signes de la Sunna, l'évocation abondante d'Allah, acquérir avec labeur ses biens légitimes, l'abandon de ce qui ne les concerne pas, la satisfaction par la tempérance, l'apprentissage de la Révélation — Coran et Sunna —, faire preuve de peine face aux calamités des musulmans, la renonciation aux antagonismes, la patience face aux calamités, la persévération dans les bienfaits.

Le juste-milieu dans le mode de vie est la chose idéale: pas de richesse qui pousse à la tyrannie, ni de pauvreté qui fait oublier. Mais, simplement ce qui suffit et guérit, qui subvient à la finalité de la vie. Cela est donc la plus sublime des existences quant au profit et la meilleure subsistance quant à l'utilité.

Et il y a aussi la suffisance: une maison où tu habites, une épouse à qui tu as recours, une voiture convenable et une quantité suffisante d'argent qui subvient à tes besoins.

Allah est clément envers Ses serviteurs

Un des notables de la ville de Riyadh m'a raconté qu'en 1376 H. un groupe de marins d'Al Djabel sont allés en mer pour une séance de pêche. Pendant trois jours et trois nuits, ils n'ont pas pêché le moindre poisson. Ils accomplissaient néanmoins régulièrement leurs cinq prières quotidiennes. Et dans leur voisinage, il y avait un autre groupe d'hommes qui ne se sont jamais prosternés à Allah, qui bien entendu ne pratiquaient pas la prière et pourtant ils eurent ce qu'ils demandaient de la mer: des poissons. Un membre du premier groupe a dit: qu'Allah soit loué! Nous faisons la prière à Allah, le Glorieux, le Sublime, à ses horaires fixés mais nous n'avons rien obtenu, alors que ceux-là, qui n'ont pas accompli ne serait-ce qu'une prosternation à Allah, regardez leur prise ! Le démon leur instigua alors de délaisser la prière. Ils abandonnèrent donc la prière du *Fajr*, celle du *Dhohr* et celle de l'*Asr*. Ils se dirigèrent à la mer et finirent par avoir un poisson. Ils l'ont sorti, lui ont ouvert le ventre dans lequel ils trouvèrent une perle précieuse. L'un d'eux l'a prise de sa main, l'a retourna et se mit à l'observer avant de dire: qu'Allah soit loué ! Lorsque nous obéissions à Allah, nous ne l'avons pas obtenue et quand nous Lui avons désobéi, la voilà entre nos mains ! Ce don est contestable. Puis il a pris la perle, l'a jetée à la mer et a dit: Allah nous compensera, je jure par Allah que je ne la prendrai pas, puisque nous l'avons obtenue après avoir renoncé à la prière. Allons-y, déménageons de cet endroit où nous avons désobéi à Allah. Ils se sont éloignés d'environ trois *miles* de cet emplacement et ils ont installé leur tente. Ils se sont rapprochés de la mer, pêchèrent un poisson qu'ils l'éventrèrent. Imaginez ce qu'ils ont trouvé: et oui ! la perle qu'ils ont jetée ! Ils dirent alors: louange à Allah qui nous a octroyé un don gracieux. Une fois qu'ils se remirent à prier, à évoquer Allah et à demander Son Absolution, ils prirent donc la perle.

Regarde l'acquisition: d'abjecte pendant la désobéissance, elle s'est transformée après en une substance noble durant l'obéissance — ❴S'ils s'étaient contentés de ce qu'Allah et Son Messager leur avaient donné et s'ils avaient dit: nous nous en tenons à Allah. Allah nous donnera de Sa générosité de même que Son Messager. C'est Allah que nous recherchons❵. *(Coran 9:59)*

C'est la clémence d'Allah, et celui qui renonce à une chose pour l'amour d'Allah, Allah le compensera par bien meilleure qu'elle.

Ceci me rappelle une histoire d'Ali, qu'Allah l'agrée. Alors qu'il entrait à la mosquée de Koufa pour y accomplir la prière surérogatoire de la matinée, il a trouvé un garçon devant la porte. Il lui a dit: ô garçon, surveille ma mule jusqu'à ce que je fasse ma prière. Et il est rentré à la mosquée avec en tête l'idée de donner au garçon un dirham pour sa surveillance.

Entre-temps, le garçon a arraché la muselière de la tête de la mule, l'a prise et s'est dirigé vers le marché pour la vendre. Ali est sorti, ne trouva pas trouvé l'enfant et a vu que la mule ne portait plus de muselière.

Il envoya un homme à sa recherche et lui dit: va au marché, il se pourrait qu'il soit en train de la vendre là-bas. L'homme est parti, il a trouvé le garçon debout près de la muselière, attendant qu'un acheteur se présente. Il l'a achetée pour un dirham et est retourné annoncer la nouvelle à Ali qui a dit: qu'Allah soit loué! J'avais l'intention de lui donner un dirham légal, il a voulu qu'il soit illégal.

C'est la clémence d'Allah, le Glorieux, le Sublime, Il suit Ses serviteurs là où ils marchent, là où ils habitent et là où ils déménagent: ❨Vous ne pouvez pas être préoccupés et réciter pour cela du Coran et vous ne pouvez pas faire quoi que ce soit sans que Nous ne soyons témoins de vos actes lorsque vous vous y engagez, et rien n'échappe à ton Seigneur, fût-ce le poids d'un atome sur terre et dans le ciel❩.
(Coran 10:61)

❨ *Et Il le pourvoit de là où il ne s'attend point* ❩
(Coran 65:3)

Al Tanoukhi a cité dans son livre *Al Faraj Bâad Al Chida* (Le soulagement après la détresse) ce qui convient à cette situation: un homme a épuisé toutes ses ruses, les portes de l'existence se fermèrent pour lui et un jour ils finirent, lui et sa famille, par ne rien posséder. Il a dit: nous n'avons rien trouvé à manger, ma famille et moi, le premier jour et le deuxième. Lorsque le soleil commença à disparaître, mon épouse m'a dit: va et presse-toi, demande quelque subsistance, quelque nourriture ou quelque aliment, nous allons mourir de faim. Il a dit: je me suis rappelé que j'avais une parente. Je suis allé donc chez elle et je lui ai raconté la mésaventure. Elle a dit: nous n'avons rien si ce n'est ce poisson qui s'est gâté et qui sent mauvais. J'ai dit: donne-le moi, nous sommes sur le point de périr. Je le pris donc, je l'ai éventré, j'y ai trouvé une perle que j'ai vendue pour des milliers de dinars. Je mis au courant ma proche parente qui n'a voulu prendre que sa part de la somme. Il a dit: je me suis enrichi par la suite, j'ai meublé ma demeure, ma situation s'est améliorée et mes revenus se sont accrus. Ce n'est rien d'autre que la clémence d'Allah, qu'Il soit glorifié.

❰Tout ce dont vous jouissez comme bienfait provient d'Allah❱.
(Coran 16:53)

❰Lorsque vous imploriez le secours de votre Seigneur et qu'Il vous répondit aussitôt❱.
(Coran 8:9)

❰Et c'est Lui qui fait descendre la pluie bienfaisante❱.
(Coran 42:28)

Un des adorateurs vertueux nous a raconté: j'étais avec ma famille au Sahara du côté des bédouins. J'adorais Allah, étant plein de piété et de repentir et j'évoquais beaucoup mon Seigneur. La réserve d'eau avoisinante s'est épuisée. Je suis allé en chercher pour les miens et j'ai trouvé que le ruisseau s'est asséché. Je m'en suis retourné chez moi, puis nous cherchâmes de l'eau à gauche et à droite: pas une goutte ne se manifesta. Nous fûmes saisis par la soif et mes enfants en eurent grand besoin. Je me suis rappelé le Seigneur, qu'Il soit glorifié, le Proche, le Répondant. Je me suis levé, j'ai fait mes ablutions à sec, je me suis orienté vers la *Qibla,* en direction de la Mecque, en vue de faire une prière surérogatoire. Ensuite, j'ai soulevé mes mains vers le ciel en pleurant jusqu'aux larmes. J'ai supplié Allah avec insistance et Ses paroles me vinrent à l'esprit: ❰Et qui répond à la personne contrainte quand elle l'invoque...❱ *(Coran 27:62)*. Je jure par Allah qu'il n'a fallu que le temps de me lever pour qu'un nuage se forme dans le ciel, pourtant très dégagé, juste au-dessus de l'endroit où nous étions. Il a donc bien dominé ce site, puis ses eaux se mirent à descendre si bien que les ruisselets qui nous entouraient à gauche et à droite se remplirent. Nous avons étanché notre soif, nous nous sommes lavés, nous avons fait nos ablutions et nous louâmes Allah, le Glorieux, le Très-Haut. Puis nous nous sommes déplacés un peu plus loin de cet endroit: il n'y avait qu'aridité et sécheresse. J'ai su alors qu'Allah l'avait conduit spécialement à moi en réponse à mes implorations. Encore une fois, j'ai loué Allah, le Sublime: ❨Et c'est Lui qui fait descendre la pluie bienfaisante après qu'ils en eurent désespéré et déploie Sa miséricorde et c'est Lui le Protecteur digne de louanges❩.

(Coran 42:28)

Il est nécessaire qu'on implore Allah, le Glorieux, le Sublime, avec insistance parce, personne d'autre ne parfait les âmes, ne subvient aux besoins, ne guide à la rectitude, ne favorise le succès, n'affermit, ne soutient, ne vient au secours: il n'y a que Lui, loué et glorifié soit-Il. Et Allah a cité un de Ses Prophètes et a dit: ❨Et Nous fîmes son épouse bien meilleure pour lui. Ils s'empressaient d'accomplir des bienfaits. Et ils Nous invoquaient par désir et par crainte et ils Nous adoraient avec ferveur❩.   *(Coran 21:90)*

Allah l'a compensé par ce qui est meilleur

Ibn Rajeb et bien d'autres ont rapporté qu'il y avait à la Mecque un homme parmi les gens vraiment adorateurs. Il était si pauvre qu'il ne trouva rien pour assouvir sa faim atroce. Il était sur le point de périr quand, en errant dans les quartiers de la Mecque, il trouva un collier de grande valeur. Il l'a pris et s'est dirigé à l'Enceinte sacrée. Là, un homme était à la recherche de cet objet. Il implorait les gens à son sujet. Il a dit: l'homme en question me l'a décrit dans ses plus petits détails: je le lui ai donc remis espérant qu'il m'en donnerait une récompense, mais rien de cela ne se passa. En effet, le propriétaire l'a repris et s'en est allé sans me donner ne serait-ce qu'un dirham. J'ai dit alors: ô Allah ! J'ai laissé cela à Toi, compense-moi par quelque chose de bien meilleur. Il s'est alors dirigé vers la mer, est monté dans une barque et est parti à l'aventure. Un cyclone s'est déclaré, brisant la barque. Il est monté sur une planche et le voilà maintenant à la surface des eaux, secoué à droite et à gauche par des vents violents. Il se retrouva sain et sauf sur une île où il a trouvé une mosquée et des gens qui y faisaient la prière. Il en fit de même, puis ayant vu des feuilles du Coran, il les prit et se mit à lire. Les habitants de l'île lui dirent: tu sais donc lire le Coran ? Il a dit: oui. Ils lui dirent: alors, fais-le apprendre à nos enfants. Il s'est mis à leur enseigner le Coran en échange d'un salaire. Ensuite, dit-il, j'ai écrit quelque chose et ils me dirent: voudrais-tu apprendre à nos enfants l'écriture ? J'ai dit: oui. Je les ai initiés donc à cela pour un autre salaire.

Puis ils m'ont dit: il y a une fille orpheline dont le père était un homme bienfaiteur parmi notre tribu, mais il est mort en l'a laissant seule: voudrais-tu l'épouser ? J'ai dit: il n'y a pas de mal à cela. Effectivement, nous nous sommes mariés. Lorsque je suis renté chez elle pour la première fois, j'ai constaté qu'elle portait au cou le fameux collier. Je lui ai dit: raconte-moi l'histoire de ce collier. Elle m'a rapporté la nouvelle en disant que son père, un jour, l'avait perdu à la Mecque et qu'un homme l'a trouvé et le lui a remis. Dès lors, son père, au cours de ses prosternations dans sa prière, implorait Allah de faire en sorte que sa fille ait un époux pareil à cet homme-là. J'ai dit alors: c'est moi l'homme en question.

Le collier est retourné à lui dans la légalité, parce qu'il a renoncé à une chose pour Allah, Allah lui a donné en récompense une chose bien meilleure. «Allah est bon et Il n'accepte que ce qui est bon.»

Si tu dois demander une chose, demande-la à Allah

L'indulgence d'Allah est proche. En effet, Il entend et Il répond. S'il y a une défaillance, c'est bien de notre part, nous sommes dans un besoin pressant de L'invoquer et de persister. Nous ne devons pas nous en lasser, ni nous décourager. Et qu'on ne dise pas: j'ai invoqué, j'ai invoqué sans avoir eu de réponse. Nous devons vautrer nos visages dans la terre et crier et insister: «Ô le Majestueux, ô le Vénérable!». Nous devons répéter cela, tous Ses meilleurs noms et Ses hautes qualifications, jusqu'à ce qu'Il réponde — qu'Il soit glorifié — à nos supplications ou qu'Il nous octroie de ce qu'Il a choisi pour nous, ❪Invoquez votre Seigneur en toute humilité et discrétion❫.   *(Coran 7:55)*

Un prédicateur a cité dans une de ses thèses qu'un homme musulman est allé dans un pays étranger y demandant l'asile pour lui et sa famille. Il a sollicité aussi qu'on lui accorde la nationalité, mais les portes se sont fermées à son visage. Il a employé tous les moyens, il y a mis tous ses efforts, il s'est adressé à toutes ses connaissances pour l'aider. Mais hélas, toutes les ruses ont échoué et toutes les voies furent barrées. Ensuite, il a rencontré un érudit fervent et lui a exposé son problème. Ce personnage lui dit: tu as à ta disposition le dernier tiers de la nuit, évoques-y donc ton Maître, c'est Lui qui simplifie les choses, le Glorieux et le Très-Haut. Et ceci est la signification qu'on trouve dans le Hadith: «Si tu dois demander une chose, fais-le à Allah et si tu sollicites une aide, sollicite celle d'Allah, et sache que si la nation s'unissait pour te faire profiter d'une chose, elle ne te fera profiter que de la chose qui t'a été destinée par Allah». Cet homme a dit: je jure par Allah que j'ai abandonné les demandes de soutien des gens et leurs médiations, et j'ai persévéré sur les implorations pendant le dernier tiers de la nuit, comme me l'a conseillé ce docte personnage. Je m'adressais à Allah et L'invoquais juste avant l'aube en y mettant toute mon insistance. Quelques jours après, j'ai adressé une requête normale sans qu'il y ait entre eux et moi aucun intermédiaire. Je n'ai attendu que peu de temps après cette pétition, et voilà qu'un beau matin, je fus surpris chez moi par une convocation m'invitant à me présenter pour la délivrance de la nationalité. Il est inutile de dire que j'étais dans une situation bien difficile.

❪Allah est clément envers Ses serviteurs❫.   *(Coran 42:19)*

Les minutes précieuses

Al Tanoukhi a rapporté: un ministre à Bagdad — qu'il cita nommément — a spolié les biens d'une vieille femme. Il l'a privée de ses droits et a saisi ses propriétés. Elle s'est présentée chez lui pour se plaindre de son injustice et de son abus de pouvoir. Mais il ne s'est ni abstenu, ni repenti, ni revenu sur sa décision. Elle a alors dit: je demanderai l'assistance d'Allah contre toi. Il s'est mis à rire et à se moquer d'elle puis lui a dit: tu as devant toi le dernier tiers de la nuit ! Il a dit cela avec raillerie, du fait de sa tyrannie et de son dévergondage. Elle est partie donc et a persisté sur justement le dernier tiers de la nuit. Peu de temps après, ce ministre fut destitué, ses richesses furent saisies ainsi que ses biens immobiliers. Ensuite, on le flagella au marché pour le punir des méfaits commis contre les gens. La vieille femme s'est approchée de lui en lui disant: tu as si bien fait ! Tu m'as décrit le dernier tiers de la nuit et je l'ai trouvé merveilleux !

Effectivement, ce tiers est plus cher que notre vie, plus précieux que tous nos instants, la durée où le Seigneur de la Toute-Puissance dira: «Y'a-t-il un quémandeur à qui Je donnerai ? Y'a-t-il quelqu'un qui implore le pardon à qui Je pardonnerai ? Y'a-t-il un invocateur à qui Je répondrai ?»

J'ai vécu dans mon existence comme un jeune homme, j'ai entendu des paroles et je fus marqué dans ma vie par des incidents que je n'oublierai jamais tant que le monde existera. Je n'ai pas trouvé quelqu'un plus rapproché que le Proche, le soulagement est auprès de Lui, le secours est de Son ressort et c'est Lui qui détient la clémence — Lui, le Glorieux, le Très-Haut.

J'ai voyagé par avion avec un groupe de gens, d'Abha à Riyadh lors de la crise du Golfe. En plein ciel, on nous annonça que nous devons retourner à l'aéroport d'Abha suite à une panne technique de l'avion. En effet, nous descendîmes dans l'attente de la réparation de ce qu'il y avait à réparer. Une fois la réparation faite, nous reprîmes le ciel. Arrivés à Riyadh, les roues de l'avion ne descendirent pas pour l'atterrissage. Le pilote se mit à tourner en rond dans le ciel de la ville durant toute une heure. Il a essayé plus d'une dizaine de fois d'atterrir, mais rien à faire: il reprend le vol à chaque fois et nous fûmes vraiment terrorisés. Beaucoup d'entre nous se sont effondrés, les femmes se mirent à pleurer bruyamment, j'ai vu les larmes couler sur les joues, nous étions donc entre le ciel et la terre, attendant la mort qui nous paraissait plus imminente qu'un clin d'œil. Je me suis rappelé toute chose, je n'ai pas trouvé mieux que les bonnes œuvres, le cœur s'en est allé à Allah — qu'Il soit glorifié et à l'Au-delà. Mais voici que les futilités, les bassesses et les mesquineries de ce bas monde nous revinrent et nous nous mîmes à répéter: «Il n'y a de divinité qu'Allah, c'est à Lui qu'appartient la Royauté, c'est à Lui qu'appartient la louange et Il est capable de tout faire». Une acclamation pleine de sincérité. Un vieil homme s'est levé et s'est mis à conseiller aux gens de s'en tenir à Allah, de L'implorer, de demander Son Pardon et de se repentir à Lui.

Allah a bien dit que les gens sont: ﴾Quand ils montent en bateau, ils invoquent Allah, Lui vouant la religion﴿. *(Coran 29:65)*

Et nous avons imploré Celui qui répond à l'être contraint lorsqu'il L'invoque. Nous y avons mis toute notre insistance. Un laps de temps s'est écoulé, la onzième tentative est restée vaine, mais la douzième a donné ses fruits: nous atterrîmes en toute sécurité. Quand nous descendîmes de l'avion, nous avions eu l'impression que nous étions sortis des tombes: les âmes redevinrent ce qu'elles étaient, les larmes se sont asséchées, les sourires se firent voir, et comme Allah — le Glorieux et le Sublime — est vraiment clément !

Combien nous implorons Allah pour un mal survenu
Quand nos peines se dissipent, nous oublions,
Nous le supplions en mer pour qu'Il sauve notre bateau
Lorsque nous retournons à la côte, nous transgressons,
Nous planons dans le ciel en sécurité et douceur
Nous ne chutons pas car d'Allah nous avons la protection.

C'est la clémence du Créateur, le Glorieux, le Très-Haut et Son attention. Rien d'autre.

«Qui avons-nous pendant la détresse ?»

Le journal *Al Qacîme*, une ancienne publication du pays, a rapporté qu'un jeune homme à Damas a réservé pour un voyage. Il a informé sa mère que l'avion décollera à telle heure et lui a demandé de le réveiller à l'approche du rendez-vous. Il s'est donc endormi. Entre-temps, sa mère a entendu les prévisions atmosphériques pendant les informations. Il y était dit que les vents étaient très violents, que le temps était couvert et qu'il y avait des tornades de sable. Par crainte pour son fils unique, elle ne l'a pas réveillé afin de lui faire rater le voyage, puisque les conditions atmosphériques n'étaient pas favorables, et cela d'autant plus qu'elle avait peur des situations imprévues. Quand elle s'est assurée que l'avion avait décollé avec ses voyageurs, elle est allée réveiller son fils: mais elle l'a trouvé mort dans son lit.

❴ Dis que la mort que vous fuyez, vous rencontrera, puis vous serez rendus à Celui qui connaît le monde du visible et de l'Invisible, qui vous informera alors de ce que vous faisiez ❵.   *(Coran 62:8)*

Voulant fuir la mort, il s'y mena.

Les masses ont bien dit: le rescapé aura une route en pleine mer

Quand le terme arrive à sa fin, n'importe quelle chose tue l'être humain.

Quelques histoires sur la mort

Le cheikh Ali Al Tantaoui a mentionné parmi ce qu'il a vu et ce qu'il a entendu: en Syrie, un homme est monté à l'arrière d'une camionnette qui transportait un cercueil apprêté aux morts, sur lequel il y avait une bâche pour l'occasion. Il s'est mis à pleuvoir, l'eau a commencé à couler sur le passager qui s'installa donc dans le cercueil et se couvrit de la toile. Un deuxième homme est monté et s'est assis près du cercueil. Il ne savait pas, bien entendu, qu'il y avait quelqu'un d'autre. Et la pluie continuait de tomber. Tout à coup, le premier homme, pour savoir si la pluie a cessé ou non, sortit sa main du cercueil et se mit à l'agiter. Le second fut pris de frayeur, d'anxiété et de peur, pensant que le mort s'est ressuscité ! Sans s'en rendre compte, il sauta de la voiture, il est tombé sur la tête et décéda.

Ainsi Allah a destiné qu'il meure de cette façon et par ce moyen.

Toute chose est soumise au Destin et la Fatalité

Et dans la mort, il y a des leçons, et quelles leçons !

Et que l'être humain se rappelle toujours qu'il porte la mort, qu'il œuvre pour la mort, qu'il attend la mort matin et soir. Et comme elle est bonne la parole claire et magnifique qu'Ali Ibn Abi Taleb qu'Allah l'agrée, a prononcée: «L'Au-delà avance en s'approchant, le monde ici-bas avance en s'écoulant, soyez donc les fils de l'Au-delà et non de cette vie. En effet, aujourd'hui, c'est le travail sans compte et demain, c'est le compte sans travail».

Ceci nous est bénéfique dans la mesure où il invite l'être humain à se préparer, à s'équiper, à considérer sa situation et à y remédier. Qu'il se repente de nouveau et qu'il sache qu'il a affaire à un Seigneur généreux, puissant, sublime, magnanime.

Effectivement, la mort ne demande la permission de personne, elle ne favorise aucun non plus, elle ne courtise pas les gens et elle ne les avertit pas de sa venue, ❨Et nulle âme ne sait ce qu'elle acquerra demain et nulle âme ne sait sur quelle terre elle mourra❩.

(Coran 31:34)

❨Vous ne pourrez ni le reculer, ni l'avancer d'un jour❩.

(Coran 34:30)

Al Tantaoui a aussi rapporté ceci: le chauffeur d'un bus rempli de voyageurs regardait à droite et à gauche, puis soudain il arrêta le véhicule. Les passagers lui dirent: pourquoi t'es-tu arrêté? Il répondit: pour ce vieil homme qui fait signe des mains afin de monter avec nous. Ils dirent: mais nous ne voyons personne ! Il leur dit: regardez-le. Ils lui dirent: mais il n'y a personne ! Il leur dit: il est maintenant en train de monter dans le bus. Ils dirent tous ensemble: par Allah ! Nous ne voyons aucun être humain ! Tout à coup, le chauffeur tomba mort sur son siège.

Ainsi son heure est arrivée, sa mort est survenue et cela ne fut qu'une cause: ❨Lorsque leur terme échoit, ils ne le reculent point d'une heure, ni ne l'avancent❩ *(Coran 7:34)*. L'être humain devient lâche face à la frayeur, son cœur s'angoisse des choses qui pourraient occasionner sa mort et voilà que justement c'est ce qui est rassurant qui le tue — ❨Ceux qui dirent à leurs frères tout en restant: s'ils nous avaient obéi, ils n'auraient pas été tués. Dis: repoussez donc la mort loin de vous-mêmes, si vous dites la vérité ❭ *(Coran 3:168)*. Et le plus étonnant en nous est que nous ne pensons à la rencontre d'Allah, le Glorieux, le Très-Haut, à l'insignifiance de la vie ici-bas, au voyage sans retour, que lorsque nous tombons dans des cas de panique.

Tous ceux que vous invoquez se sont égarés, excepté Lui

En 1413 H., je suis allé de Riyadh à la ville de Dammam. Je suis arrivé à midi environ. Je suis descendu à l'aéroport et je cherchais après un ami à moi qui travaillait et ne sortait que tard dans l'après-midi. J'ai donc pris un taxi et je suis allé à l'hôtel. Quand j'y suis entré, il n'y avait pas beaucoup de gens. Effectivement, ce n'était ni une période de congés, ni celle de visites touristiques. J'ai pris une chambre au quatrième étage: elle était un peu isolée des fonctionnaires et des ouvriers et j'étais seul à l'hôtel. Je suis rentré à ladite chambre, j'ai posé ma valise sur le lit et je suis allé faire mes ablutions dans la salle de bain que j'ai refermée derrière moi. Après avoir fini, j'ai voulu l'ouvrir pour sortir mais elle était vraiment fermée. J'ai essayé par tous les moyens: rien à faire, elle ne s'ouvrait pas. Ainsi, je me suis retrouvé dans cet endroit étroit, sans fenêtre par laquelle je peux voir, ni téléphone pour appeler au secours, ni un proche que je pourrais héler, ni même un voisin. Seul, quoi. Là, je me suis rappelé le Seigneur de la Toute-Puissance, le Glorieux. Je suis resté ainsi le tiers d'une heure qui me parut être trois jours. Une portion d'heure qui a fait couler ma sueur, qui a fait trembler mon cœur, qui a fait ébranler le corps pour des raisons telles que: l'endroit est étranger et étrange, ceci est une surprise, il n'y a pas de possibilité d'informer un proche ou un ami, et ce, d'autant plus que l'endroit n'était pas convenable. Alors les leçons et les souvenirs se manifestèrent, les événements se soulevèrent en vingt minutes.

L'existence pourrait se ternir par une heure de détresse
Et toute la terre se restreindre à un seul endroit.

A la fin, j'ai pensé à démonter complètement la porte. Effectivement, j'ai commencé à l'ébranler de mon corps chétif, tout en étant faible et perplexe. J'ai constaté alors que la plaque de fer s'ouvrait petit à petit comme l'aiguille d'une montre. Je continuais donc: quand je me fatiguais, je me reposais, puis je reprenais jusqu'à ce que, enfin, la porte s'ouvrît. J'avais l'impression que j'étais sorti d'une tombe. Je suis retourné à la chambre, j'ai loué Allah pour ce qui est arrivé. Cela me rappela la faiblesse de l'être humain, l'insuffisance de ses ruses, la mort qui le poursuit, les négligences en nous-mêmes, en nos existences et notre oubli de l'Au-delà.

❲Craignez un jour où vous serez ramenés à Allah❳.

(Coran 2:281)

❲Où que vous soyez, la mort vous atteindra, fussiez-vous dans des forteresses imprenables❳.

(Coran 4:78)

Sur ce sujet, j'ai lu des merveilles et j'ai entendu des choses bien bizarres. Ainsi l'homme qui va à la mort rencontre la vie, un autre qui s'en va à la vie, voilà que c'est la mort certaine. L'un demande la guérison, mais c'est l'anéantissement qu'il récolte, l'autre se sacrifie en demandant la mort qu'il croit certaine, alors qu'il en sort indemne. Qu'il soit glorifié, le Créateur, le Concepteur, le Sage, le Sublime dans Sa grandeur.

Il se pourrait que les corps se rétablissent par des maladies

Les biographes ont mentionné ceci: un homme a été atteint de paralysie, il resta chez lui, passa de longues années de lassitude, de désespoir et de découragement. Les médecins furent incapables de le guérir. Ils ont mis au courant sa femme et ses fils. Un jour, un scorpion lui tomba dessus du toit de sa maison. Bien entendu, il n'a pas pu se déplacer de sa place pour l'éviter. Pis: il lui est monté à la tête, l'a frappé à plusieurs reprises de sa tête et l'a dardé maintes fois. Son corps s'ébranla des plantes de ses pieds jusqu'au sommet de sa tête. Et voilà que la vie se répand dans ses membres, que la guérison et le rétablissement circulent dans tous les sens de son corps, et le voici qui s'agite, qui se relève: il est debout sur ses pieds, il se déplace dans sa chambre, il ouvre la porte, sa femme et ses enfants accourent, ils n'en croyaient pas leurs yeux et ils faillirent s'évanouir de surprise. Il leur raconta alors ce qui s'est passé.

Qu'Il soit glorifié Celui qui a fait que la guérison de cet homme soit en cela !

J'ai raconté cela à un médecin qui n'a pas hésité à le croire en affirmant qu'il y avait un sérum empoisonné qui était utilisé avec un diluant chimique pour le traitement de ces paralytiques.

Il est sublime dans Sa grandeur, le Clément: Il n'a pas descendu une maladie sans lui descendre un médicament.

Les alliés d'Allah ont des prodiges

Voici Sila Ibn Achim l'adorateur et l'ascète parmi la génération ayant succédé aux Compagnons: il est parti au Nord pour combattre dans le chemin d'Allah. La nuit le surprenant, il s'en alla alors à une forêt avoisinante pour accomplir sa prière. Il entre parmi les arbres, fait ses ablutions et se leva pour la prière quand un lion carnassier surgit en face de lui. Il s'approche de Sila qui est en pleine adoration, il tourne autour de lui, mais Sila resta impassible, continua sa prière et son évocation. Après avoir terminé, il salua et dit au lion: si tu as des ordres pour me tuer, vas-y, mange-moi ! Sinon, laisse-moi évoquer mon Seigneur. Le lion laissa tomber sa queue et partit de l'endroit abandonnant Sila à sa prière.

Et je t'invite à jeter un coup d'œil sur *Al Bidaya wa Al Nihaya* (Le début et la fin) et bien d'autres livres d'Histoire, et ceci est mentionné sur Safina, le domestique du Messager d'Allah (ﷺ). Dans les biographies des Compagnons, où il est dit qu'il était venu avec un groupe d'hommes, par la côte de la mer, quand ils mirent leurs pieds à terre, un lion est venu vers eux dans le but de les dévorer. Safina lui a dit: ô lion, je suis un compagnon du Messager d'Allah (ﷺ) et je suis son serviteur, ceux-là sont de ma compagnie et tu ne peux en aucun cas nous faire mal. Le lion s'est enfui en poussant un rugissement qui a rempli toute la région.

Et il n'y a qu'un obstiné qui renierait ces faits et ces événements, sinon, il y a dans les lois d'Allah dans Sa création, ce qui atteste cela. Et n'était la crainte d'être trop long, je raconterais des dizaines d'histoires véridiques et établies dans ce contexte, mais ce récit te suffira pour savoir qu'il y a un Seigneur clément, sage à Qui rien n'échappe. Effectivement, la Science d'Allah poursuit les gens, ainsi que Son Indulgence, Son Témoignage et Sa Connaissance: ❨Il n'y a pas de conciliabule entre trois sans qu'Il soit leur quatrième, ni entre cinq sans qu'Il en soit le sixième, ni moins de cela, ni plus sans qu'Il soit avec eux là où ils sont❩.   *(Coran 58:7)*

Allah suffit comme Garant et Témoin

Boukhari a mentionné ceci dans son *Sahih:* un homme israélite a demandé à un autre qu'il lui prête mille dinars. Il lui a dit: as-tu un témoin? Il a répondu: je n'ai de témoin qu'Allah. Il lui a dit: Allah me suffit comme témoin, as-tu un garant? Il a répondu: je n'ai de garant qu'Allah. Il a dit: Allah me suffit comme garant. Puis il lui a donné la somme demandée. L'homme est parti après qu'ils se sont entendus sur un rendez-vous et une date. Dans cette région, il y avait un fleuve qui les séparait. Quand le délai expira, l'homme est venu rembourser le créancier. Il s'est arrêté au bord du fleuve cherchant une barque qui le lui ferait traverser. Mais il n'y en avait pas aux alentours. Il est resté longtemps là à attendre jusqu'à la tombée de la nuit: pas une barque en vue. Il a dit: ô Allah! Il m'a demandé si j'avais un témoin, je n'ai trouvé que Toi et il m'a demandé si j'avais un garant, je n'ai trouvé que Toi; ô Allah, transmets-lui ce message! Il prit donc une planche, la creusa et y mit les mille dinars tout y incluant une lettre. Il la jeta dans le fleuve. Elle est partie avec la permission d'Allah, par Son indulgence, par Son attention — le Sublime et le Très-Haut. L'homme qui a prêté de l'argent est sorti attendre son ami, puisque c'était la date fixée. Il se tint au bord du fleuve, mais il ne vit personne. Il se dit: pourquoi ne prendrais-je pas du bois pour ma famille ? La planche se présenta à lui avec les dinars qu'elle contenait: il l'a prise et s'en est retourné chez lui. Il l'a brisée et y trouva et l'argent et le message.

Parce que le Témoin a soutenu et que le Garant a tenu sa garantie — qu'Il est sublime dans Sa grandeur !

❰Et c'est à Allah que doivent s'en remettre les croyants❱.

(Coran 3:122)

❰Et c'est à Allah que vous devez vous en remettre si vous êtes croyants❱.

(Coran 5:23)

Une pause

Labid a dit:

Ne sois pas sincère envers l'âme quand tu lui parles
Car la franchise à son égard altère l'espoir.

Et Al Basti a dit:

Fais profiter ton esprit, déprimé par les soucis, d'un repos
Tu te relaxeras et préoccupe-le en l'amusant
Cependant, si tu lui fais cela, que la dose
Ne dépasse pas celle du sel qu'on ajoute aux aliments.

Abou Ali Ibn Al Chibl a aussi dit:

Par la protection du corps, l'âme reste dedans
Tout comme les braises de feu restent dans un récipient
Ne lui prolonge pas non plus la durée de son espérance
Et ne la tue pas par un désespoir rebutant
Promets-lui du bien-être durant les cas de détresse
Et rappelle-lui les afflictions pendant le contentement
L'un et l'autre lui seront considérés comme une vertu
Et par leur combinaison se fera l'avantage du médicament.

Purifie ta subsistance
que tes invocations soient exaucées

Saad Ibn Abi Waqas comprenait cette vérité. En effet, il est parmi les dix qui ont eu la promesse de rentrer au Paradis, et le Messager (ﷺ) a invoqué Allah pour que ses tirs d'arc soient bien dirigés, pour que ses invocations soient exaucées: quand il implorait Allah, la réponse venait comme le lever du jour.

Omar, qu'Allah l'agrée, a envoyé des gens parmi les Compagnons afin de s'enquérir sur la justice de Saad à Koufa. Les habitants l'ont loué et quand ils furent dans la mosquée dans le quartier des Bénis Abs, un homme s'est levé et a dit: pourquoi ne m'avez-vous pas questionné sur Saad ? Il n'est pas équitable dans les affaires, il ne juge pas non plus avec impartialité et ne marche pas avec les citoyens. Saad a alors dit: ô Allah ! S'il a fait cela par ostentation et par recherche d'une renommée, fais qu'il soit aveugle, qu'il vive très longtemps et qu'il soit exposé aux épreuves. Effectivement, il vécut bien longtemps, ses sourcils lui tombèrent sur les yeux et il narguait les jeunes filles du harem et les touchait dans les rues de Koufa en disant: un vieillard charmé, la malédiction de Saad m'a atteint !

C'est la relation avec Allah, la sincérité de l'intention envers Lui, la certitude dans Ses promesses — qu'Allah, le Seigneur des univers, soit béni.

Et dans le livre *Siar Aalam Al Noubala* (Biographies des nobles éminents), il est dit sur Saad: un homme s'est levé et a commencé à injurier Ali, qu'Allah l'agrée. Saad a pris sa défense, mais l'homme a persisté dans ses insultes et ses injures. Saad a alors dit: ô Allah ! Punis-le par ce que Tu veux. Un chameau est venu de Koufa en toute vitesse, ne reculant devant rien, traversa la foule, arriva près de l'homme en question, lui piétina le corps jusqu'à qu'à la mort, au vu et au su de tout le monde.

❨Assurément, Nous soutenons Nos envoyés et ceux qui croient dans la vie ici-bas et le Jour où se dresseront les témoins❩.

(Coran 4:51)

Si je t'expose ces histoires, c'est pour consolider ta foi et ta conviction quant aux promesses de ton Seigneur, ainsi tu L'invoqueras, tu te confieras à Lui, tu sauras aussi que la clémence est de Son ressort et qu'Il t'a ordonné dans Sa révélation en disant: ❨Invoquez-Moi et Je vous répondrai❩ *(Coran 40:60)*, ❨Et si Mes serviteurs t'interrogent à Mon sujet, Je suis tout proche, Je réponds à l'invocation de l'invocateur quand il M'invoque❩. *(Coran 2:186)*

Al Hajaj a convoqué Al Hassan Al Basri pour lui nuire. Ce dernier s'en alla à lui en ayant à l'esprit l'attention d'Allah, Sa clémence et la certitude dans Sa promesse. Il se mit à implorer son Seigneur, acclamant Ses noms les meilleurs et Ses qualifications les plus éminentes, tant et si bien que l'attitude d'Al Hajaj envers lui se transforma de fond en comble. En effet, Allah lui lança dans le cœur de la peur si bien qu'il se prépara pour accueillir Al Hassan: il s'est déplacé jusqu'au seuil de la porte pour l'attendre, puis il le fit asseoir sur son lit, lui parfuma la barbe, le traita avec bienveillance et s'adressait à lui avec respect !

Qu'est-ce que cela pourrait être si ce n'était une emprise du Seigneur de la Toute-Puissance et de l'Honneur ?

La clémence d'Allah est contenue dans les mondes humain et animal, dans la terre et la mer, dans la nuit et le jour, dans ce qui animé et ce qui est inerte, ❨Et il n'est pas de chose qui ne Le glorifie tout en Le louant, mais vous ne distinguez pas leur glorification. Il est si magnanime et si Absoluteur❩. *(Coran 17:44)*

Il s'est avéré que le prophète Souleimen, que la paix soit sur lui, connaissait le langage des oiseaux. Il sortit avec les gens pour accomplir la prière afin qu'il pleuve, vu l'état de sécheresse qui sévissait. En cours de route, entre sa demeure et le lieu de prière, il vit une fourmi les pieds en l'air, implorant le Seigneur de la Toute-Puissance, Celui qui donne, qui octroie, qui est indulgent, qui vient au secours. Souleimen dit alors: ô gens ! Retournez, l'imploration d'autrui vous suffira.

Une pluie bienfaisante s'est mise à couler avec abondance, suite à l'invocation de cette fourmi dont Souleimen, que la paix soit sur lui, avait compris le langage. Et alors qu'il avançait avec son armée immense, elle conseilla à ses sœurs dans le monde des fourmis: « Une fourmi a dit: ô fourmis ! Rentrez dans vos demeures sinon Souleimen et ses soldats vous écraseraient sans s'en rendre compte », « Il sourit donc et rit de par ses paroles ».   *(Coran 27:18-19)*

Souvent l'indulgence du Créateur, le Glorieux et le Très-Haut, se manifeste spécialement pour ces animaux.

Effectivement, Abou Ya'la a mentionné dans la transmission d'un Hadith *Qodoussi*, qu'Allah dit *(hors Coran)*: «Par Ma puissance et Ma gloire, n'étaient les vieillards qui se courbent dans la prière, les nourrissons qui s'allaitent et les animaux qui paissent, Je vous aurais privés de ce qui goutte du ciel».

Et il n'est aucune chose qui ne Le glorifie avec louange

La huppe dans le monde des oiseaux a connu son Seigneur, s'est inclinée à Son maître et s'est soumise à Son créateur. Allah, le Glorieux et le Sublime, a dit à propos de Souleimen: « Et il passa en revue les oiseaux, puis a dit: qu'ai-je à ne point voir la huppe, ou bien serait-elle parmi les absents ? » « Je la châtierai sévèrement ou je l'égorgerai même, ou elle devra me fournir une excuse manifeste » « Elle se posa non loin et dit: j'ai su ce que tu n'as pas pu savoir et je te rapporte de Saba une nouvelle sûre et certaine » « J'ai trouvé qu'une femme était leur reine, qu'elle était comblée de toutes choses et qu'elle possédait un trône magnifique » « Je l'ai trouvée, avec son peuple, se prosterner devant le soleil plutôt qu'à Allah et Satan leur a embelli leurs actes: il les a détournés du chemin et ils ne se sont donc pas bien guidés » « Qu'ont-ils donc à ne pas se prosterner à Allah qui fait sortir ce qui est caché dans les cieux et sur terre et qui sait ce que vous cachez et ce que vous déclarez » « Allah, il n'y a de divinité que lui, le Seigneur du Trône suprême » « Il a dit: nous allons voir si tu dis vrai ou tu n'es qu'une menteuse » « Va avec ma lettre que voici, lance-la leur, puis éloigne-toi d'eux et attends leur réponse ❭.

(Coran 27:20-28)

La huppe est partie donc, et cette longue histoire s'est produite et s'est terminée par ces résultats historiques dont la cause fut cet oiseau qui a connu son Seigneur, si bien que quelqu'un parmi les érudits a dit: c'est surprenant ! La huppe est plus intelligente que Pharaon qui a mécru dans la prospérité et dont la croyance ne lui fut d'aucune utilité dans la détresse alors que sa foi, à elle, en son Seigneur dans la prospérité, lui fut d'une immense utilité dans la difficulté.

La huppe a dit: ❬ Qu'ont-ils donc à ne pas se prosterner à Allah qui fait sortir ce qui est caché.... ❭ *(Coran 27:25)* et Pharaon a dit: ❬ Je ne vous ai connu aucun dieu autre que moi... ❭ *(Coran 28:38)*. Ainsi le malheureux est bien celui dont l'intelligence est inférieure à celle de la huppe et qui est, de surcroît, incapable de discerner son salut — contrairement à la fourmi. Et celui qui manque de sagacité est celui dont les voies se sont obscurcies, dont les cordes se sont coupées et dont les organes sont devenus inutiles, ❬ Et ils ont des cœurs avec lesquels ils ne comprennent pas, et ils ont des yeux avec lesquels ils ne voient pas, et ils ont des oreilles avec lesquelles ils n'entendent pas ❭.

(Coran 7:179)

Dans le monde des abeilles, la clémence d'Allah est contenue aussi, Son bienfait coule et Son attention poursuit ce pauvre petit insecte qui part de sa cellule par la permission du Créateur à la recherche de sa subsistance. Elle ne se pose que sur ce qui est bon, pur et sain, aspire le nectar, rôde autour des fleurs, adore les roses, et s'en retourne, bourrée d'une boisson de différentes couleurs contenant une guérison pour les humains, directement à sa ruche et nullement à une autre. Elle ne se perd pas, ni ne s'embarrasse en cours de route, ❬ Et ton Seigneur a révélé aux abeilles: faites des montagnes des demeures, ainsi que des arbres et de ce qu'ils font comme treillages ❭ ❬ Puis mangez de tous les fruits et suivez en toute docilité les voies de votre Seigneur, il sortira de leurs ventres une boisson de couleurs différentes contenant une guérison pour les humains. Dans ceci, il y a certainement un signe pour des gens qui méditent ▶.   *(Coran 16:68-69)*

Ton bonheur de ces récits, de ce discours et de ces leçons est que tu saches qu'il y a une clémence cachée d'Allah, le Seul et l'Unique. Ainsi, tu L'imploreras, uniquement Lui, tu attendras l'absolution de Lui seul, tu Lui demanderas tout ce que tu voudras à Lui seul et que, de ton côté, tu as une obligation religieuse qui est descendue dans le pacte divin et dans la Voie céleste qui est: tu es tenu de te prosterner à Lui, de Le remercier, de Le prendre comme Maître, de t'adresser à Lui de tout cœur. Et tu dois savoir que tous ces êtres humains et tout ce monde immense ne te seront d'aucun secours, pour la simple raison qu'ils sont misérables et qu'ils sont dans un besoin pressant d'Allah: ils demandent, eux aussi, leur subsistance matin et soir, leur bonheur, leur santé, leur intégrité, leurs affaires, leurs fortunes, leurs postes, etc., d'Allah qui possède toutes choses.

◀ Ô humains ! C'est vous les pauvres qui avez besoin d'Allah et Allah est le Riche et le Loué ▶ *(Coran 35:15)*. Comme tu dois être convaincu que rien d'autre qu'Allah ne peut te guider, te soutenir, te protéger, prendre soin de toi, te préserver, t'octroyer, tu devrais aussi unifier ton orientation, approprier au Seigneur l'Unicité, la divinité, la demande, le secours et l'espoir. Tu dois savoir aussi apprécier les humains à leur juste valeur, que la créature a besoin de son Créateur, que l'évanescent a besoin de l'Eternel, que le pauvre a besoin du Riche, que le faible a besoin du Puissant. Et la puissance, la richesse, l'éternité, la gloire, c'est Allah seul qui les possède.

Si tu as su tout ça, sois heureux de, Sa proximité, de Son adoration, de ta soumission à Lui: ainsi, si tu implores Son pardon, Il te pardonne, si tu te repens à Lui, Il accepte ton repentir, si tu sollicites de Lui, Il te donne, si tu Lui demandes ta subsistance, Il subvient à tes besoins, si tu L'appelles à ton secours, Il te soutient et si tu le remercies, Il t'ajoute encore.

Sois satisfait d'Allah, le Glorieux et le Sublime

Parmi les conséquences de «J'ai accepté Allah comme Seigneur, l'Islam comme religion et Mohammed (ﷺ) comme Prophète», il y a le fait que tu sois satisfait de ton Seigneur qu'Il soit glorifié, de Ses lois, de Son Destin et Sa Fatalité, fût-il en bien ou en mal, doux ou amer.

La sélection dans la croyance au Destin et à la Fatalité n'est pas exacte, c'est-à-dire que tu es satisfait quand la sentence est favorable à l'égard de tes vœux et tu t'irrites lorsqu'elle contrarie ton désir et ton penchant. Ceci n'est pas du ressort du serviteur.

Effectivement, les gens d'une communauté ont été satisfaits de leur Seigneur dans la prospérité et se sont fâchés dans l'épreuve, ont obéi dans l'aisance et se sont opposés dans les représailles, ❨ S'il est touché par une bienfaisance cela le rassure et s'il est atteint par une épreuve, il se retourne de fond en comble, il a perdu ce monde et l'Au-delà ❩. *(Coran 22:11)*

Les bédouins embrassaient l'Islam: s'ils trouvaient un bien-être, des pluies bienfaisantes, du lait en abondance, de la verdure luxuriante, ils disaient: c'est une religion de bienfaisance. Alors, ils obéissaient et préservaient leur religion.

Mais si, au contraire, ils trouvaient de la sécheresse, de l'aridité, de l'infertilité, du déclin dans les biens, des pâturages rasés, ils retournaient sur leurs pas, renonçaient à leur message et à leur religion.

Ceci est donc l'islam de la passion, l'islam du désir de l'âme. Cependant, il y a d'autres gens qui sont satisfaits d'Allah, le Glorieux et le Sublime, parce qu'ils veulent ce qu'il y a auprès de Lui, ils veulent Son Visage, ils cherchent une générosité d'Allah et Sa satisfaction, ils œuvrent donc pour l'Au-delà.

Nous sommes satisfaits de Toi, comme Seigneur et Créateur
Et du Mustapha, choisi comme rectitude et lumière,
Nous désirons une vie soumise à la Révélation
Ou une mort qui contrariera les adversaires.

Celui qu'Allah propose à l'adoration, le choisit et le sélectionne au service de la Foi et qui n'en est pas satisfait, est, on ne plus, apte à l'effondrement éternel et l'anéantissement perpétuel: ❨Nous lui avons apporté Nos signes, il s'en est alors détaché. Dès lors, Satan le poursuivit et il devint ainsi parmi les corrompus❩ *(Coran 7:175)*, ❨Si Allah avait su en eux quelque bien, Il les aurait fait entendre et s'Il les faisait entendre, ils se retireraient certainement en se détournant❩.

(Coran 8:23)

La satisfaction est le plus grand portail de la religion, par lequel les bien-aimés entrent chez leur Seigneur — ceux qui étaient réjouis de Sa Voie, qui obéissaient à Ses ordres et se résignaient à Son jugement.

Le Messager d'Allah (ﷺ) a partagé les butins rapportés de Hounayn. Il a donné à beaucoup de chefs arabes et à ceux parmi les Arabes qui avaient embrassé l'Islam récemment, tout en laissant les *Ansar* (Médinois), confiant qu'il était en ce que contiennent leurs cœurs comme foi, certitude, satisfaction et large bienfaisance. Certains ont eu l'impression qu'ils reprochaient cela au Prophète (ﷺ) pour ne pas avoir pu discerné la finalité d'un tel acte noble du Prophète. Il les rassembla donc, leur dévoila le secret qu'il y avait dans la question, leur affirma qu'il était de leur côté, qu'il les aimait et que s'il a donné aux autres, c'est tout simplement dans le but d'amadouer leurs cœurs, du fait de leur insuffisance en matière de conviction. Quant à eux, il leur dit: «N'êtes-vous pas satisfaits que les gens partent avec des moutons et des chameaux alors que vous partez avec le Messager d'Allah (ﷺ) dans votre caravane ? Les *Ansar* sont des vêtements de dessus et les gens sont des vêtements de dessous, que la miséricorde d'Allah soit sur les *Ansar* et les fils des *Ansar* et les petits-fils des *Ansar*. Si les gens prenaient un chemin de montagne et une vallée et que les *Ansar* prenaient un *[autre]* chemin de montagne et une vallée, je prendrais le chemin et la vallée des *Ansar* ». La réjouissance les submergea, la joie les combla, le réconfort descendit sur eux et ils ont obtenu la satisfaction d'Allah et de Son Messager (ﷺ).

Ceux qui aspirent à la satisfaction d'Allah et désirent ardemment le Paradis dont la largeur égale celles des cieux et de la terre, n'accepteront pas ce bas monde dans sa totalité en échange de cet octroi grandiose.

Un bédouin a embrassé l'Islam en présence du Messager (ﷺ) qui lui a donné une somme d'argent. L'homme a dit: ô Messager d'Allah! Ce n'est pas pour cela que je t'ai donné mon serment d'allégeance. Le Messager d'Allah (ﷺ) a dit: «Pour quoi tu m'a donné ton serment d'allégeance?» Il a dit: je l'ai fait dans l'espoir qu'une flèche perdue me rentre par ici *[désignant sa gorge de son doigt]* et sorte par ici *[en montrant sa nuque]*. Il lui a dit: «Si tu es sincère envers Allah, Il le sera envers toi». Effectivement, il participa à une bataille et une flèche perdue l'a transpercé — comme il l'a espéré — et il est retourné à son Seigneur, satisfait et satisfaisant.

Qu'est-ce que les biens et les jours, qu'est-ce que la vie
Qu'est-ce que ces trésors d'or et de bijoux considérables
Qu'est-ce que la gloire et le château élevé, qu'est-ce que
      l'envie
Et qu'est-ce que tous ces tas d'objets de valeur inestimable
Rien du tout, tout joyau ambitionné sera anéanti
Et ne restera qu'Allah le Donateur le plus charitable.

Un jour, le Messager d'Allah (ﷺ) distribua de l'argent: il en donna à des gens dont la foi était insuffisante, la loyauté peu profonde et qui étaient inexistants dans le monde des idéaux, en laissant ceux dont les épées se sont ébréchées dans le chemin d'Allah, qui ont dépensé leurs biens pour la cause, dont les corps furent blessés dans le jihad et pour la défense de la religion. Ensuite, il s'est levé, fit un discours par lequel il leur expliqua la situation, puis il leur dit: «Je donne à des gens pour la cupidité et l'irritation qu'Allah a placées dans leurs cœurs, et je laisse d'autres pour la foi — ou le bien — qu'Allah a placé(e) dans leurs cœurs tel que 'Amr Ibn Taghlab». Ce dernier a dit: une parole que je n'échangerais pas pour toute la vie ici-bas et tout ce qu'elle contient.

C'est là le fait d'être satisfait d'Allah, le Glorieux et le Sublime, et du jugement du Messager d'Allah (ﷺ). Il demande ce qu'il y a auprès d'Allah car, pour un Compagnon, la vie toute entière ne vaut pas une parole d'agrément et souriante de la part du Prophète (ﷺ).

Les promesses du Messager (ﷺ) à ses compagnons étaient une récompense d'Allah, un Paradis auprès de Lui et une satisfaction de Sa part. Et le Prophète (ﷺ) n'a jamais promis à l'un d'eux, un château, le gouvernement d'une province, ni un jardin. Il leur disait: quiconque fera cela, aura le Paradis. A un autre, il disait: et il sera mon compagnon dans le Paradis? car ce qu'ils ont sacrifié, ce qu'ils ont dépensé et ce qu'ils ont fourni comme efforts n'ont de récompense que dans l'Au-delà. En effet, ce bas monde et tout son contenu ne suffiraient pas à les compenser, puisque c'est un prix méprisable, un octroi sans valeur et une récompense insignifiante.

Chez Al Tirmidhi: Omar, qu'Allah soit satisfait de lui, a demandé la permission au Messager d'Allah (ﷺ), d'accomplir les rites de la 'Omra, le petit Pèlerinage. Le Prophète lui a dit: «Ne nous oublie pas dans tes invocations, ô mon *[cher]* frère».

Et celui qui a dit cette parole est le Messager de la rectitude (ﷺ), l'Imam infaillible, qui ne prononce aucune parole sous l'effet de la passion. Mais c'était une parole éminente, précieuse et de grande valeur. Omar a dit après: une parole que je n'échangerais pas pour tout ce monde et ce qu'il contient.

Et tu dois t'imaginer un instant que le Messager d'Allah t'a dit à toi, en personne: ne nous oublie pas dans tes invocations, ô mon *[cher]* frère!

> *Nous avons émigré, la caravane s'endormit et la nuit tire à
>   sa fin*
> *Je n'ai pas dormi par ton évocation, ô le plus noble des
>   gens*
> *Parce que tu as rempli les cœurs d'amour*
> *Et que tu as éclairé tout comme la lune, les nuits obscures.*

Le Messager d'Allah (ﷺ) était satisfait de son Seigneur d'une façon indescriptible: il l'était dans la pauvreté et la richesse, en temps de guerre et de paix, en position de faiblesse et de force, dans la maladie et la santé, dans la détresse et la prospérité.

Il a vécu l'amertume, la peine et les tourments de l'état d'orphelin. Malgré cela, il était satisfait, il s'est tant appauvri qu'il ne trouva même pas de quoi se payer des dattes de piètre qualité. Il s'attachait une pierre sur le ventre sous l'effet de la terrible faim qui le prenait. Il lui est arrivé de mettre en gage son bouclier chez un juif contre de l'orge. Il dormait sur une sorte de paillasson en paille qui lui laissait des traces sur son flanc. Et trois longues journées pouvaient passer sans qu'il trouvât rien à manger. Cependant, il était satisfait du Seigneur des univers: « Béni soit Celui qui, s'Il voulait, te ferait bien mieux que cela: des jardins sous lesquels couleraient des rivières et te ferait des châteaux ».

(Coran 25:10)

Et il a été satisfait de son Seigneur durant le premier affrontement: le jour où il prit place dans le parti d'Allah et que le monde, tout le monde — avec ses hommes avec et ses montures, ses richesses, ses décors, sa vanité et son orgueil — se dressa contre lui. Dans ces conditions-là aussi, il était satisfait de son Seigneur. Comme il était satisfait de son Seigneur dans la période la plus embarrassante: le jour de la mort de son oncle et de son épouse Khadîdja. Il fut offensé atrocement, démenti énergiquement, son amour-propre fut blessé, sa sincérité fut visée. On lui a même dit: menteur, magicien, oracle, aliéné, poète !

Il était satisfait également le jour où il fut expulsé de sa ville natale — le foyer de son enfance, le terrain de ses jeux quand il était gosse et des coutumes de sa jeunesse. Il se retourna le jour de l'Emigration pour regarder la Mecque, les larmes aux yeux et dit alors: «Tu es le plus cher pays d'Allah pour moi et si tes habitants ne m'en avaient pas fait sortir, je n'en serais jamais sorti».

Et il fut satisfait d'Allah lorsqu'il est parti à Taëf pour exposer sa mission. Il y fut confronté à la plus infâme réponse et au plus mauvais accueil. On le lapida jusqu'à ce que le sang coule de ses pieds. Mais malgré cela, il était satisfait de son Maître.

Il était satisfait d'Allah alors qu'il est sorti malgré lui de la Mecque en se dirigeant vers Médine. Il était toutefois poursuivi à cheval et des obstacles de toutes sortes lui furent dressés sur son chemin.

Il fut satisfait de son Seigneur à chaque place, à chaque endroit et à chaque instant.

Il a participé à la bataille d'Ouhoud où sa tête fut fracturée, sa dent fut cassée, son oncle fut tué, ses compagnons furent égorgés et son armée fut battue. Cependant, il dit: «Mettez-vous en rang derrière moi que je glorifie mon Seigneur».

Il fut satisfait de son Seigneur alors qu'une alliance mécréante composée d'hypocrites, de juifs et d'idolâtres s'est levée contre lui. Il s'est néanmoins dressé avec fermeté, s'en remettant à Allah et Lui laissant le dénouement de la question.

Et en récompense de cette satisfaction: ❴Et ton Seigneur te donnera certainement ce qui te satisfera❵. *(Coran 93:5)*

Des cris dans la vallée de Nakhla

Mohammed, l'infaillible (ﷺ), fut sorti de la Mecque où sont son épouse, ses enfants, sa maison, son pays. Il fut expulsé et soumis à l'errance, il s'est rendu à Taëf où il fut démenti et confronté à l'apostasie. Pis encore: les pierres lui tombèrent dessus, tout comme l'offense, les insultes et les injures.

Les larmes coulaient de ses yeux, ses pieds se vidaient du sang de la pureté et son cœur s'agitait par l'amertume de l'affliction. A qui recourir ? A qui adresser la demande ? A qui se plaindre ? Et vers qui aller ? Vers Allah ! Vers le Puissant, vers le Dompteur, vers le Glorieux, vers le Soutien.

Mohammed (ﷺ) s'orienta donc vers la *Qibla [direction vers laquelle s'orientent les musulmans dans la prière]*, s'adressa à son Seigneur, remercia son Maître, de sa langue jaillirent les expressions plaintives, les confidences sincères, les demandes chaleureuses, il invoqua, insista, pleura, se plaignit, déplora et souffrit.

Les yeux par les malheurs, sont en pleurs
Et les joues par les tragédies, sont desséchées
Ses lèvres sont les jours qui embrassent un visage
Que les tonnerres et les pluies ont sculpté.

Ecoute la plainte du Prophète (ﷺ) adressée à son Maître, son Dieu, la nuit de Nakhla:

"Ô Allah! Je me plains à Toi pour la faiblesse de ma force, l'insuffisance de mon subterfuge et mon insignifiance pour les gens. Toi le plus Miséricordieux des miséricordieux, le Seigneur des faibles, Toi mon Seigneur, à qui me confies-Tu? A un proche qui se renfrognera, ou à un ennemi à qui Tu as donné le pouvoir sur moi. Si Tu n'es pas courroucé contre moi, cela m'est indifférent. Cependant, Ta sûreté m'est plus large. Je demande Ta protection — par la lumière de Ton visage qui illumina les ténèbres, qui amenda la situation de la vie ici-bas et de l'Au-delà — contre Ta colère afin qu'elle ne me touche pas ou Ton mécontentement pour qu'il ne m'atteigne pas. Louange à Toi jusqu'à ce que Tu sois satisfait et il n'y a ni puissance, ni force que par Toi».

Récompenses destinées au premier groupe

❲Allah a été satisfait des croyants lorsqu'ils te faisaient allégeance sous l'arbre. Il a su ce qu'il y avait dans leurs cœurs, Il fit descendre sur eux la sérénité et leur réserva en récompense un succès prochain❳.

(Coran 48:18)

Ceci est l'objectif qu'espèrent les croyants, que demandent les gens sincères et que désirent ceux qui seront couronnés de succès... La satisfaction d'Allah, pas plus. D'ailleurs, il n'y a pas plus sublime, ni plus élevé, ni plus éminent, ni plus précieux que cela. La satisfaction est la plus sublime des demandes, le plus noble des desseins et le plus éminent des dons.

Dans le verset ci-dessus, on y trouve la satisfaction d'Allah. Dans un autre, Il a mentionné l'absolution: ❲Afin qu'Allah t'absolve tes péchés passés et futurs❳ *(Coran 48:2)*. Dans un troisième, Il a parlé de repentir: « Allah a accepté le repentir du Prophète, des Emigrés et des Ansâr » *(Coran 9:117)*. Et dans un quatrième, l'indulgence: « Allah t'a pardonné, pourquoi leur as-tu permis ? »   *(Coran 9:43)*

Cependant, ici c'est la satisfaction certaine parce qu'ils t'ont donné le serment d'allégeance sous l'arbre et qu'Allah a su ce qu'il y avait dans leurs cœurs. En effet, c'est un serment par leurs vies précieuses pour satisfaire le Roi Véridique, par la disparition de leurs chères âmes pour le contentement de l'Unique, du Dompteur, ainsi que de leurs existences. Pourquoi ? Parce que par leur mort le Message vivra, par leur assassinat la religion sera éternelle et par leur départ sans retour le pacte sera perpétuel.

Il a su ce qu'il y avait dans leurs cœurs quant à la foi ferme, la conviction solide, la loyauté pure, la sincérité abondante. Effectivement, ils se sont épuisés et ont veillé, ils ont été affamés et assoiffés, ils furent atteints par les torts et l'adversité, par la peine et la langueur, mais Il a été satisfait d'eux.

Ils se sont séparés de leurs épouses, de leurs enfants, de leurs biens et de leurs maisons. Ils ont goûté l'amertume de la séparation, les tourments de l'expatriation, les peines des déplacements, le chagrin du déménagement: cependant Il a été satisfait d'eux.

Est-ce que la récompense de ces combattants-là, de ces défenseurs de la Foi, serait des chameaux, des vaches et des moutons ? Est-ce que la gratification de ces partisans du Message, de ces défenseurs de la religion, serait des offres pécuniaires ? Penserais-tu que la fièvre de cette élite choisie, de cette fine fleur, serait refroidie par des dirhams comptés, ou des vergers luxuriants ou des maisons ornées ? Que non !

Leur contentement sera dans la satisfaction d'Allah, leur réjouissance se fera par l'indulgence d'Allah et leurs poitrines seront refroidies par une parole: « En récompense pour ce qu'ils ont patienté, Il leur donna Paradis et soie » « Ils s'y sont accoudés sur des divans, ils n'y voient ni soleil ni froid glacial » « Ses ombrages les couvrent de près et leurs cueillettes se font docilement » « On tourne autour d'eux avec des vases d'argent et des coupes de cristal ⟩ ⟨De cristal en argent et dont le contenu a été savamment dosé⟩.

(Coran 76:12-16)

La satisfaction même sur des braises brûlantes

Un homme des Béni Abs est sorti à la recherche de ses chameaux qui se sont égarés, en s'absentant durant trois jours. Cet homme était bien riche, Allah lui a donné ce qu'Il a voulu comme argent, chameaux, vaches, moutons, garçons et filles. Et tout cela était dans une maison bien spacieuse, située sur une voie d'écoulement des eaux de pluie dans la région des Béni Abs, dans l'aisance, la tranquillité et la sécurité: ni le père, ni les enfants n'ont pensé que les incidents leur rendraient visite et que les calamités les envahiraient.

Ô toi le dormeur, réjoui par le début de la nuit
Les incidents pourraient survenir à l'aube.

Toute la famille, grands et petits, se sont endormis et, avec eux, leurs biens sur une terre plane. Leur père étant absent, à la recherche des bêtes égarées, Allah leur envoya un écoulement torrentiel qui ne laissa rien devant lui. Il emporta les rochers tout comme la terre, il les traversa à la fin de la nuit. Il les a tous envahis, arracha leurs maisons de leurs bases, prit avec lui tous les biens, ne laissa personne de la famille, leurs âmes sortirent avec les flots d'eau. Ce ne sont plus que des souvenirs, comme s'ils n'avaient jamais existé: ils devinrent un récit que les langues racontaient.

Trois jours après, le père est revenu à la vallée. Rien ne bougeait. Il n'aperçut personne, pas âme qui vive, ni quelqu'un capable de parler, ni compagnon. L'endroit est rasé, bien nivelé, ô Allah ! Quelle catastrophe horrible ! Ni épouse, ni garçon, ni fille, ni chameau, ni mouton, ni vache, ni dirham, ni dinar, ni vêtement. Rien du tout: c'est une terrible calamité !

Et en plus de cette épreuve, il aperçut un de ses chameaux égarés. Il courut après lui et l'attrapa par la queue, mais il le botta au visage et lui creva les yeux. L'homme s'est mis à hurler en plein désert, espérant que quelqu'un l'entendrait et le ramènerait à un abri. Peu après durant le même jour, un autre bédouin l'a entendu. Il est venu à lui, l'a guidé, puis l'a ramené chez Al Walid Ibn Abdelmalik, le calife à Damas, en lui a racontant l'histoire. Al Walid lui demanda: comment vas-tu ? Il a répondu: je suis satisfait d'Allah.

C'est une parole immense, sublime, qu'a prononcée ce musulman qui porte l'Unicité dans son cœur. Il est ainsi devenu un signe pour les demandeurs, une leçon et un exemple à prendre en considération pour ceux qui le veulent.

Et la raison d'être de tout cela: le fait d'être satisfait d'Allah.

Et celui qui n'est pas satisfait et qui ne se résigne pas à ce qui a été prédestiné, s'il peut avoir un tunnel sous terre ou une échelle dans le ciel ou s'il veut: « Qu'il accroche donc une corde bien haut et qu'il s'y pende pour voir alors si son stratagème dissipera l'objet de sa rancœur ».   *(Coran 22:15)*

Une pause

Abou Ali Ibn Al Chibl a dit:

Si tu es bouleversé, confie à ton âme un espoir
D'une promesse des biens d'un Paradis apprêté
Et que ton espérance sans ton désespoir, soit une protection
Afin qu'avec les instants, tes soucis soient dissipés
Et ne divulgue pas tes peines à tes compagnons
Car parmi eux il y a des envieux et des rancuniers
Et renonce aux prévisions des événements
Cela procure au vivant maintes morts avant son décès
Les chagrins ne peuvent pas être incessants
Tout comme la joie dans la famille ne peut s'éterniser
Si ce n'était la duperie de l'âme envers la raison
L'existence ne serait par naturelle pour les éveillés.

La prise de décision

《Quand tu auras pris une décision, remets-toi en à Allah 》.

(Coran 3:159)

《Allah aime ceux qui s'en remettent à Lui 》.   *(Coran 3:159)*

Beaucoup d'entre nous ne savent que faire quand il s'agit de prendre une décision. On est saisi par l'inquiétude, la perplexité, l'embarras et le doute, si bien qu'on est pris d'une douleur constante et d'un mal de tête permanent. Le serviteur devrait demander conseil et demander aide à Allah dans le choix à faire, et méditer un peu. Si l'avis le plus convenable et la meilleure issue prédominent, qu'il prenne l'initiative sans recul. La phase de la consultation étant terminée, il se décide et s'en remet à Allah, s'engage avec fermeté pour mettre fin à l'hésitation et à la confusion.

Le Messager d'Allah (ﷺ) a demandé conseil aux gens, du haut de son Minbar sur la compagne d'Ouhoud. Ils lui ont conseillé de sortir, il mit donc son armure et prit son épée. Ils lui dirent cependant: peut-être que nous t'y avons obligé sans que tu le veuilles, ô Messager d'Allah? Reste donc à Médine. Il a dit: «Il n'est pas advenu qu'un Prophète enlève son armure après l'avoir mise avant qu'Allah ne tranche entre lui et ses ennemis». Il a pris la ferme décision de sortir. Il n'est pas question d'être indécis, mais cela demande une acuité, une détermination et une détermination réelle. En effet, le courage, la bravoure et le commandement sont contenus dans la prise de décision.

Le Messager (ﷺ) a consulté ses compagnons à Badr: 《Consulte-les sur la question 》 *(Coran 3:159)*, 《Et leurs affaires sont soumises à une consultation mutuelle entre eux 》 *(Coran 42:38)*. Ils lui ont donné leurs points de vue, il prit alors la décision et s'est ainsi engagé sans que rien le fasse hésiter.

L'hésitation est une nuisance à l'opinion, une froideur dans la détermination, une fragilité dans la décision, une dispersion des efforts et un échec dans le déplacement. Et cette perplexité n'a de médicament que la décision, la détermination et la fermeté. Je connais des gens qui, depuis des années, avancent et reculent sur des décisions peu importantes, sur des problèmes insignifiants, et je ne connais d'eux que l'esprit du doute et de la confusion en eux-mêmes et dans ceux qui sont autour d'eux.

Ils ont donné l'occasion à l'échec d'atteindre leurs esprits: il y est parvenu. Ils ont permis au désarroi de visiter leurs pensées: il l'a fait.

Il te faut donc, après que tu étudies l'événement, que tu médites sur le problème, que tu demandes des conseils et l'avis de ceux à qui tu te confies, que tu te fais aider du Seigneur des cieux et de la terre dans le choix de la meilleure décision, que tu avances sans reculer, et que tu mettes en application ce qui t'a paru immédiatement et sans tarder.

Abou Bakr Al Seddik a consulté les gens sur les batailles de l'apostasie. Ils lui ont tous conseillé de ne pas faire de combat, mais ce Calife sincère a vu sa poitrine se détendre en faveur de la bataille parce que c'était pour glorifier l'Islam, couper la racine de la discorde, exterminer les groupes qui dévièrent quant à la sainteté de la religion. Il a donc vu par la Lumière d'Allah, qu'il valait mieux faire le combat. Il a alors tenu à sa décision et a même juré: par Celui qui a mon âme en Sa Main, je combattrai ceux qui ont fait une distinction entre la prière et la *Zakate*, l'aumône légale. Par Allah ! Je les combattrais s'ils me privaient de *[la chose la plus infime]* qu'ils donnaient au Messager d'Allah (ﷺ). Omar a dit: quand j'ai su qu'Allah a détendu la poitrine d'Abou Bakr, j'ai compris que c'était la rectitude. Il s'est lancé dans ce qu'il avait entrepris, il a eu le dessus et il s'est avéré que son point de vue était béni, correct, sans équivoque ni retors.

Jusqu'à quand notre confusion ? Jusqu'à quand devrons-nous changer de place ? Et jusqu'à quand notre indétermination dans la prise de décision ?

Si tu as une opinion, aie donc une décision
Car ton point de vue s'altérera si tu es indécis.

Il est de la nature des hypocrites de faire échouer la stratégie par leur façon de trop répéter les dires et la reconsidération du point de vue: ❨S'ils étaient sortis parmi vous, ils ne vous auraient ajouté que de la confusion dans votre manière de voir et ils se seraient empressés de vous diviser. Ils vous souhaitent la discorde❩ *(Coran 9:47)*, ❨Ceux qui dirent à leurs frères tout en restant, s'ils nous avaient obéi, ils n'auraient pas été tués. Dis: repoussez donc la mort loin de vous-mêmes si vous êtes véridiques❩. *(Coran 3:168)*

Ils font toujours accompagner leurs paroles de «si». Ils aiment aussi «comme» et ils sont passionnés de «peut-être». Leurs existences sont bâties sur l'atermoiement, sur l'avance, le recul et l'hésitation, ❨Ils sont indécis entre cela, ni à ceux-ci, ni à ceux-là❩. *(Coran 4:143)*

Une fois avec nous et une autre avec eux. Une fois ici et une autre là-bas.

Comme dans le Hadith: «Comme la brebis chassieuse entre deux troupeaux de moutons». Et eux, dans les périodes de crises, ils disent: ❨Si nous étions au courant du combat, nous vous aurions suivis❩. *(Coran 3:167)* Cependant, ils mentent envers Allah et envers eux-mêmes. Au contraire, ils se réjouissent pendant les crises et viennent en temps prospères. L'un d'eux dit: ❨Donne-moi la permission et ne me soumets pas à la tentation❩ *(Coran 9:49)*. Il n'a pris que la décision de la défaillance et de la frustration. Et ils disent à propos des Coalisés, *Al Ahzâb:* ❨Nos maisons sont sans défense, mais elles ne sont pas du tout ainsi❩ *(Coran 33:13)*. Mais ce n'est qu'une dérobade de l'obligation et une fuite de la vérité manifeste.

«*Sois ferme, Ouhoud !*»

La nature du croyant inclut aussi: la fermeté, la détermination, la perspicacité et la décision, ❨Les croyants sont seulement ceux qui croient en Allah et en Son Messager, puis qui n'ont pas douté❩ *(Coran 49:15)*. Quant à ceux-là: ❨Ils sont indécis dans leurs doutes❩ *(Coran 9:45)*, et, dans leur décision, ils sont hésitants, font volte face et ne tiennent pas à leurs promesses. Tu dois, ô être humain, lorsque l'éclair de la pertinence brille, que la prédominance du doute te paraît

et que la prépondérance du profit est évidente, t'engager sans recul ni
retard.

Rejette «peut-être», «si», et «ultérieurement»
Et avance telle une épée dans la paume d'un héros.

Un homme a été indécis vis-à-vis du divorce de son épouse qui
lui a fait goûter tant d'amertume. Il est allé se plaindre à un sage qui
lui a dit: depuis combien de temps dure votre mariage? Il a dit:
depuis quatre années. Il lui a dit: ça fait quatre années que tu bois le
poison?

C'est vrai qu'il faut de la patience, de la tolérance et de
l'expectative, mais jusqu'à quand? Le sagace sait pertinemment que
cette chose arrivera ou non, qu'elle se corrigera ou non, qu'elle doit
continuer ou non: qu'il prenne donc une décision.

Un poète dit:
Le traitement de l'âme pour ce qu'elle n'aime pas
Est dans l'empressement de la séparation.

Des biographies et des études des situations des gens, il s'est
avéré qu'ils étaient confus et embarrassés face à de nombreuses
circonstances, mais qu'ils l'étaient encore plus face à quatre
problèmes.

Le premier: dans la scolarité et le choix de la spécialité, il ne sait
pas quelle section il doit suivre et il reste ainsi tout un temps à
réfléchir à cela. J'ai connu des étudiants qui ont perdu des années, en
raison de leur hésitation dans le choix des sections et des facultés.
L'un est indécis durant la période des inscriptions, les reportant de
jour en jour jusqu'à ce que le délai imparti à l'opération expire. Il rate
ainsi une année entière. L'autre opte pour une branche, passe une
année ou deux puis, n'étant pas satisfait, il abandonne, préférant,
paraît-il, la *Chari'a*. L'année suivante, c'est l'économie. L'année
d'après, c'est la médecine et sa vie passe ainsi en particules
éparpillées.

S'il avait bien étudié sa question, avait demandé conseil, s'était
fait aider d'Allah dans le choix dès les premiers temps, puis s'était

engagé en ne reculant devant rien, il aurait préservé son âge, économisé son temps et obtenu ce qu'il voulait de cette spécialité.

Le deuxième: le travail approprié. Effectivement, il y a celui qui ne sait pas quel est l'emploi qui est à sa convenance. Une fois, il opte pour une fonction, il l'abandonne pour un poste dans une société puis il devient commerçant et, en fin de route, il fait faillite: il est à la merci de la pauvreté. Ne trouvant rien à faire, il passe sa journée à la maison, augmentant de la sorte les rangs des oisifs.

Le troisième: le mariage. La plupart des jeunes sont embarrassés et confus dans le choix de leur future épouse. L'opinion des autres entre aussi en jeu. Le père voudrait une femme toute autre que celle qui intéresse le fils et sa mère. Et il se pourrait que l'enfant soit d'accord sur le choix de son père mais il arrivera ce qu'il ne voulait pas, ce qu'il n'aimait pas et ce qu'il ne préférait pas.

Mon conseil à ceux-là est qu'ils n'acceptent, en particulier en ce qui concerne le mariage, que ce qu'ils apprécient au point de vue de la religion, de la beauté et de compatibilité parce que le sort d'une femme est en jeu et il n'est pas permis de prendre de risques.

Le quatrième: l'embarras et la confusion se concrétisent aussi lors d'un divorce. Un jour, il voit que la séparation est la solution, un autre jour, il pense qu'il vaudrait mieux continuer à vivre ensemble. Et ainsi de suite: la lassitude le hante, son âme est enfiévrée, son point de vue devient altéré et la question se disperse d'une telle façon qu'Allah Seul sait.

Le serviteur devrait mettre fin à ces cas de détresse psychologique par une décision ferme parce qu'il n'a qu'une seule existence, que le jour ne se renouvellera pas et que l'heure ne reviendra jamais. Il devra la vivre donc dans le bonheur qu'il se procurera lui-même par la prise de la décision convenable. Le musulman, quand il veut, se décide et s'en remet à Allah, après avoir demandé conseil et après s'être fait aider d'Allah dans le choix de la décision: il devient alors comme a dit l'autre:

Quand il se décide sur un point de son dilemme
Il s'engage, ne s'intéressant point aux conséquences.

Une vigueur comme celle d'un écoulement, un tranchant tel celui de l'épée, une détermination pareille à celle du temps et une lancée semblable au lever de l'aube, ⦗ Mettez-vous d'accord, vous et vos associés sur votre affaire, et que votre affaire ne soit pas une peine pour vous, puis exécutez sur moi votre sentence sans m'accorder de sursis ⦘.   *(Coran 10:71)*

Tout comme tu condamnes, tu seras condamné

Que nous sommes étonnants ! Nous voulons que les gens soient patients alors que nous nous irritons, qu'ils soient généreux alors que nous sommes avares, qu'ils soient fidèles à la fraternité alors que nous y faillons.

Tu voudrais un homme émérite sans aucun défaut,
Un bâton répandrait-il une odeur sans fumée ?

Et ils ont bien dit: où pourrais-tu trouver un frère parfait ?
Un autre a dit:
Tu ne garderas aucun frère si tu n'acceptes pas de lui
Les défauts, où sont donc ces hommes parfaits ?

Et Ibn Al Roumi a dit:
Et c'est bien étonnant que tu veuilles le parfait
Dans la vie, alors que tu ne l'es point.

Une pause

Le poète Ilia Abou Madhi a dit:
Ô toi qui te plains sans aucun mal
Que deviendrais-tu si tu étais vraiment malade ?
Le pire crime dans la vie est le fait qu'une âme
Veuille éviter la mort avant qu'elle ne l'aborde
Qui voit les épines dans les fleurs et qui n'aperçoit
Nullement la rosée qui y forme une guirlande

Est un bien lourd fardeau pour la vie
Celui qui pense que la vie est une charge bien lourde
Et celui dont l'âme est dépourvue de beauté
Ne discerne dans l'Univers, aucune chose splendide
Profite donc de l'aube tant que tu y es
Ne crains pas son départ avant même qu'elle ne s'évade
Et si un souci dans ta tête t'égare
Ne t'en préoccupe pas trop afin qu'il ne devienne pas rigide
Les oiseaux des collines ont découvert son fin fond
Ce serait humiliant que tu aies envers elle, de la mégarde
Ne vois-tu pas, alors que le champ ne leur appartient pas,
Qu'ils en ont fait leur pâturage et leur lieu de quiétude.

L'impôt des paroles charmantes

Notre bonheur se complète par l'accomplissement de nos obligations envers notre Créateur puis envers Sa création. A l'égard d'Allah puis à l'égard de l'être humain. Effectivement, la parole est facile à prononcer, à rédiger et à composer, mais la difficulté se trouve dans le fait de l'exprimer dans des idéaux quant aux qualités louables et œuvres sublimes, ❨Ordonneriez-vous aux gens la bienveillance en vous oubliant vous-mêmes alors que vous récitez le livre, n'êtes-vous donc point sensés ?❩ *(Coran 2:44)*

Celui qui recommande le bienfait sans l'accomplir lui-même et qui condamne le méfait sans y renoncer lui-même, sera placé, comme c'est dit dans le Hadith authentique, le Jour de la Résurrection dans le feu, tournant autour de ses entrailles tel l'âne autour du moulin à bras. Ceux qui seront en Enfer lui demanderont le secret de sa perte, il leur dira: je vous recommandais la bienveillance sans la faire et vous défendais de perpétrer le méfait alors que j'en commettais.

Ô toi l'homme qui éduque autre que lui
N'aurait-il pas été préférable que cette éducation te soit
    destinée ?

Abou Mou'adh Al Razi, le célèbre prédicateur, s'est levé, pleura et fit pleurer les gens, puis il a dit:

Celui qui n'est pas pieux et recommande aux gens la piété
Est un médecin qui traite les gens alors qu'il est malade.

Un de nos prédécesseurs commençait par faire l'aumône lui-même avant de la recommander aux gens: ainsi ils consentaient, convaincus, à en faire autant.

Et j'ai lu qu'un prédicateur dans les siècles préférés, voulant recommander aux gens l'affranchissement des esclaves suite à la demande de beaucoup d'entre ces derniers, a réuni une somme d'argent, action qui lui a demandé beaucoup de temps. Puis il a affranchi une personne dans les fers. Alors, au cours d'un sermon, il demanda aux gens d'affranchir des esclaves: effectivement, un bon nombre parmi eux le furent.

Le repos, c'est dans le Paradis

❲Nous avons créé l'être humain pour l'éprouver❳.

(Coran 90:4)

On a demandé à Ahmed Ibn Hanbel: quand nous reposerons-nous? Il répondit: lorsque tu auras mis le pied dans le Paradis, tu te reposeras.

En effet, il n'y a pas de repos avant le Paradis. Dans la vie ici-bas, il y a des tracasseries, des tourmentes, des épreuves, des accidents, des afflictions, des catastrophes, des maladies, des soucis, des chagrins, de la tristesse et du désespoir.

Tu t'es accoutumé à la souillure alors que tu la veux
Saine de toute bassesse et de toute impureté.

Un camarade de classe du Nigeria, homme de confiance, m'a informé que sa mère le réveillait dans le dernier tiers de la nuit. Il lui disait: ô mère, j'ai envie de me reposer un peu! Elle lui disait: je ne t'ai réveillé que pour ton repos ô fils: quand tu rentreras au Paradis, repose-toi.

Masrouk, un érudit parmi nos prédécesseurs, dormait en se prosternant. Ses compagnons lui dirent: pourquoi ne reposes-tu pas ton âme ? Il a dit: c'est son repos que je veux.

Ceux qui cherchent le repos en abandonnant les obligations, ne cherchent en vérité que le supplice.

Le repos se concrétise par l'accomplissement des bonnes œuvres, par l'utilité transcendante et par l'investissement du temps dans ce qui rapproche d'Allah.

Les mécréants veulent avoir leur prospérité dans ce bas monde, ainsi que leur repos. C'est pour cela qu'ils disent: ❨Notre Seigneur, avance-nous notre part avant le Jour des comptes❩. *(Coran 38:16)*

Un exégète du Coran a dit: c'est-à-dire notre part de bien et de subsistance avant le Jour de la Résurrection.

❨Ceux-là aiment la vie rapide❩ *(Coran 76:27)*, ils ne pensent ni au lendemain, ni à l'avenir. C'est ainsi qu'ils perdirent aujourd'hui et demain, le travail et le résultat, le début et la fin.

Et c'est ainsi que fut créée la vie: elle se termine par l'extinction. C'est une boisson impure, un mélange coloré qui ne se stabilise pas sur une chose déterminée, une grâce et une disgrâce, une détresse et une prospérité, une richesse et une pauvreté.

Quelqu'un a dit:

Nous trimbalons à notre guise, puis nous serons logés,
Ceux qui ont des biens comme ceux qui en sont privés,
Dans des fosses dont les dessous sont des cavités
Et dont le dessus est couvert de plaques apprêtées.

C'est ainsi la fin:

❨Puis ils furent rendus à Allah, leur Maître véritable. N'est-ce point à Lui qu'appartient la sentence et Il est le plus rapide à dresser les comptes❩. *(Coran 6:62)*

Une pause

Ilia Abou Madhi a dit:

Combien tu te plains et tu dis que tu es sans ressources
Alors que la terre, le ciel et les étoiles t'appartiennent
Les champs sont à toi, leurs fleurs et leurs parfums
Leur brise et les rossignols qui chantonnent
L'eau autour de toi scintillante comme de l'argent
Tout comme de l'or, le soleil au-dessus de toi rayonne
Et la lumière griffonne des maisons décorées qu'elle détruit
Peu après, sur les flancs et les sommets des montagnes
La vie te sourit pourquoi n'es-tu donc pas réjoui ?
Elle t'a bien accueilli, pourquoi es-tu donc si morne ?
Si tu es mélancolique pour une gloire passée
Il est impossible que par les remords, elle revienne
Ou si tu crains l'arrivée d'une catastrophe
Il est improbable que ta maussaderie la retienne
Et si tu n'es plus jeune, ne dis surtout pas
Que le temps a vieilli, car il est inconcevable que cela
    advienne
Regarde, de la terre apparaissent encore des images
Qui par leur beauté, donnent l'impression qu'elles
    marmonnent.

La douceur contribue à
l'acquisition de ce qui est désiré

Des textes, authentiques et autres, ont été susmentionnés sur la douceur qui reste un médiateur qui n'est jamais repoussé dans la demande des choses. Et tu dois savoir qu'une voie étroite entre deux murs et qui ne peut être utilisée que par une seule voiture à la fois, ne peut être traversée que si le chauffeur s'y prend avec délicatesse, attention et préservation. Mais s'il veut passer en vitesse par cet endroit étroit, il heurtera les murs à droite et à gauche, sa voiture sera endommagée et pourrait s'arrêter. Pourtant, c'est la même voiture et la voie ne s'est ni rétrécie, ni élargie. Ce qui a différé, c'est la façon de conduire: l'un y est allé avec douceur et l'autre avec violence. C'est pareil pour l'arbrisseau que tu plantes dans une cour: si tu verses de l'eau dessus petit à petit, il sera irrigué et en profitera. Par contre, si tu prends de cette même eau et que tu la lances d'un seul trait sur la plante, elle sera arrachée de sa place. La quantité d'eau est la même, mais la méthode a changé.

Celui qui enlève son habit avec douceur assure sa préservation, contrairement à celui qui l'ôte avec force et le retire en hâte. Ce dernier se plaindra par la suite de l'arrachement d'un bouton et de la déchirure de son vêtement.

Et ce qui amuse dans la découverte du mensonge des frères du prophète Youssouf, lorsqu'ils sont revenus avec son habit prétendant que le loup l'avait mangé: c'est qu'ils lui ont retiré son vêtement avec douceur si bien qu'il n'y eut aucune déchirure. Or, si le loup l'avait vraiment dévoré comme ils prétextaient, il aurait bel et bien déchiqueté — et non enlevé — le vêtement.

Notre existence a besoin de douceur, envers nous-mêmes: «Et ton âme a un droit sur toi», à l'égard de nos frères: «Allah est, doux, Il aime la douceur», à l'égard de la femme: «De la douceur à l'égard des femmes».

Sur les ponts en bois que les Turcs ont construits sur les fleuves, il est écrit: doucement, doucement. En effet, celui qui traversera calmement ne tombera sûrement pas ; par contre, celui qui voudrait traverser rapidement, il n'est pas impossible qu'il ne se retrouve au fond du fleuve.

Dans les mémoires d'un écrivain syrien, alors qu'il habitait dans la ville d'Al Salmia, il est dit: j'avais voulu traverser en motocyclette un pont en planches de bois que les Turcs avaient érigé sur le fleuve. Ceci demandait évidemment de la douceur et de la circonspection. Mais moi, j'y suis allé en toute vitesse: arrivé au milieu du pont surplombant le milieu du fleuve, je regardais à droite et à gauche sans me soucier ni de moi-même, ni de ma moto qui s'est mise à balancer.

J'ai alors perdu son contrôle tant et si bien que nous nous retrouvâmes au fond du fleuve, moi et ma bécane... C'était une longue histoire.

Sur les entrées des jardins de fleurs et de roses dans quelques villes d'Europe, il est écrit sur des pancartes: «Vas-y doucement», parce que celui qui pénètre en toute hâte ne voit pas ces belles plantes et ne peut assurer la préservation de ces fleurs magnifiques qui pourraient être piétinées, brisées et anéanties, en fin de compte. Tout cela serait dû au manque de douceur et d'attention.

Il y a une équation pédagogique qui dit: l'oiseau n'agit pas en douceur comme le fait l'abeille. Et dans le Hadith, il y a: «Le croyant est comme l'abeille, elle mange de ce qui est bon, donne ce qui est bon, et quand elle se pose sur un bâtonnet, elle ne le brise pas». L'abeille ne laisse aucun impact sur la fleur, effectivement. Elle suce le nectar calmement et obtient ce qu'elle veut avec douceur. Alors que l'oiseau, malgré la petitesse de son corps, avertit les gens de sa descente sur les épis et quand il veut se poser, il se laisse tomber tout court et sautille pour se déplacer.

Et j'ai encore dans la tête l'histoire du dessinateur hindou qui a produit un tableau très joli dont voici une idée: un épi de blé sur lequel un oiseau s'est posé. On y voit cet épi rempli de grains, bien développé, de haute taille. Le roi l'a suspendu à un mur de son cabinet et les gens y entrèrent pour le féliciter roi et complimenter l'artiste pour la splendeur de son œuvre. Un homme bien pauvre se faufila parmi la foule, arriva jusqu'au tableau et contesta la beauté de cette peinture en soutenant que son contenu était illogique. Les gens vociférèrent à son encontre et s'excitèrent, puisqu'il avait contrarié l'assemblée. Le roi l'a convoqué avec douceur et lui a demandé: qu'est-ce que tu as ? Il répondit: ce qui est peint dans ce tableau est faux et c'est une erreur de l'avoir exposé. Il a dit: et pourquoi ? Parce que le dessinateur a représenté l'oiseau sur l'épi dressé bien droit et ceci est incorrect, puisqu'il devrait fléchir sous le poids de l'oiseau d'autant plus que ce dernier ne connaît rien à la douceur. Le roi lui dit: tu as raison. Les gens dirent: tu as raison. Le tableau fut enlevé de sa place et la récompense offerte au dessinateur fut retirée.

Aussi, les médecins recommandent la douceur dans le traitement, dans l'accomplissement du travail ainsi que dans la prise et l'octroi.

Celui-là arrache son ongle de sa main, celui-ci se brise la dent, l'autre s'étouffe en mangeant parce qu'il a pris une grande bouchée et ne l'a pas bien mâchée.

L'eau coule avec douceur ou à flots et les vents, quand ils soufflent avec violence, sont dévastateurs. J'ai lu un livre d'un de nos prédécesseurs dans lequel il est dit: la douceur de l'homme lorsqu'il rentre chez lui, lorsqu'il en sort, lorsqu'il s'habille, lorsqu'il se déchausse et lorsqu'il monte sur sa monture, est partie intégrante de son discernement.

La précipitation, la témérité, l'inconséquence en abordant les affaires et le traitement des choses, sont capables de procurer des préjudices et d'entraver l'utilité, parce que, encore une fois, le bien s'édifie par la douceur, «Quand la tendresse est contenue dans une chose, elle l'embellit, et quand elle en est ôtée, elle la souille».

La tendresse dans les relations assure l'obéissance des âmes, attire les cœurs et entraîne le dévouement des esprits.

La douceur de la part des humains est la clé de toute bienfaisance: les âmes obstinées s'y soumettent et les cœurs rancuniers se repentent sous son effet, ❪C'est par un effet de la grâce d'Allah que tu te montres doux à leur égard, si tu étais un rustre au cœur dur, ils se seraient dispersés loin de toi❫. *(Coran 3:159)*

Sois douce, ô toi lune lumineuse
Et ne sois pas comme les vents rugissants
Tu as par ta clarté, rempli mon visage
Et le tien dans toute cette obscurité, est florissant
Et ce vent s'est déchaîné avec arrogance
Faisant trembler les châteaux et les maisons.

Une pause

Taha Hussein parle de lui-même à la troisième personne du singulier:

«Il se voyait tel un être humain parmi les gens, qui est né comme ils l'ont été, qui a vécu à leur instar. Il répartissait son temps et ses activités comme ils le font mais il n'a apprivoisé aucune personne et rien ne le rassurait. Il y avait entre lui, les gens et les choses une cloison dont l'apparence inspirait satisfaction et sécurité, mais dont la réalité laisse dégager près d'elle irritation, peur, inquiétude et psychopathie dans un désert lugubre sans frontières, sans panneaux de signalisation, où il ne distingue point la route qu'il devrait prendre ni l'objectif qu'il voudrait atteindre».

Cheikh Al Islam Ibn Taymiya dit: «Le cœur est traversé des fois par une réjouissance telle que je me dis: si ceux qui sont au Paradis sont ainsi, ils sont effectivement dans une existence agréable».

Et Ibrahim Ibn Ad'ham a dit: «Notre existence est telle que les rois nous frapperaient de leurs épées s'ils s'en, apercevaient».

L'inquiétude ne te servira à rien

Je voudrais arriver par ces paroles à un résultat signifiant que le serviteur ne devrait pas s'inquiéter, qu'il se soumette à la sentence, qu'il soit satisfait de ce qu'Allah lui a choisi et qu'il ne regrette pas le passé.

J'aspirais à l'école élémentaire, à être le premier dans ma classe, si bien que je me surmenais dans la révision et la préparation de mes cours. Quand je remettais ma feuille de composition, l'inquiétude me prenait, car j'étais effrayé et apeuré du résultat. Je refaisais les réponses des questions à la maison, je me corrigeais et me notais moi-même. J'étais tellement inquiet que je me rongeais les, ongles et quand on nous remettait les copies, des fois j'en étais satisfait et d'autres, contrarié. Et je ne me rappelle absolument pas que mon inquiétude avait augmenté mes notes, ni modifié mes réponses, ni amélioré mon classement.

J'ai vécu sans me soucier des catastrophes
Parce que mes soucis ne m'ont été d'aucune utilité.

Le repos avec le minimum de subsistance

Je suis allé à l'institut des sciences de Riyadh, laissant ma famille au Sud. J'ai habité chez mes oncles dans des difficultés relatives à l'existence. Je m'efforçais dans mes études tout en souffrant des moyens de transport et des obligations de la maison. Chaque matin, je marchais entre trois quarts d'heure et une demi-heure et le soir, sur le chemin du retour, cela me prenait la même durée ou un peu plus. Je participais, en compagnie de ceux qui étaient avec moi, à la préparation du manger. Le matin, à la mi-journée et le soir, je balayais et lavais la demeure, je réparais aussi les meubles détériorés et je mettais de l'ordre dans la cuisine. Je révisais mes cours, je participais également aux activités de l'institut, j'obtenais des résultats satisfaisants et un classement réconfortant. Je n'avais qu'un seul habit, pas plus. Je le lavais, le repassais et le remettais. Je le portais à la maison, à l'institut et pour les occasions de fêtes parce que la bourse était insignifiante et qu'elle couvrait les frais de restauration, le loyer et les nécessités de la vie. Nous achetions peu de viande et goûtions rarement aux fruits, alors que nous étions dans un travail assidu en raison de ce que nous avions à réviser, à apprendre et des informations que nous devions rechercher. Je n'avais de temps libre qu'une fois par mois, si ce n'est plus, pour les distractions. On avait dix-sept matières environ à étudier. En effet, on a été envahi par l'anglais, la géométrie, l'algèbre et toutes les catégories des sciences, en plus des matières religieuses et de littérature arabe. J'avais commencé, depuis ma première année au collège, à emprunter des livres littéraires à la bibliothèque de l'institut des sciences. Quand je me mettais à lire un livre de littérature, on avait l'impression que je n'étais plus parmi mes compagnons, tellement j'étais concentré.

Et ce que je veux souligner de toutes ces paroles: c'est que malgré cette détresse, cette peine, cette difficulté, cette insuffisance financière, j'étais heureux, je dormais des deux yeux, en toute sérénité, mon âme pleinement satisfaite. Puis la vie a continué, qu'Allah soit loué, et j'ai trouvé par la suite un logement plus reposant, de la bonne et suffisante nourriture, des vêtements de différentes sortes et une prospérité dans l'existence. Cependant, je n'étais pas resté dans l'état d'esprit du début: les préoccupations, les ennuis et l'impureté m'ont pris. Tout cela est une preuve que l'abondance des choses n'est pas nécessairement un facteur de bonheur et de repos. Aussi, ne pense pas que ta pauvreté est la cause de tes soucis, de tes peines, de tes chagrins et du manque de luxe dans ton existence. Ce n'est absolument pas vrai. La situation de la plupart de ceux qui vivent modestement est plus satisfaisante que celle de la majorité des riches.

Attends-toi au pire

J'étais en première année secondaire à l'institut d'Abha, où j'ai si tenu à être très bien classé. J'ai concouru même pour la première place et j'étais quasiment sûr du second rang. Le total des notes me permettait d'avoir le prix d'excellence, mais que prévoirais-tu d'autre, après mes révisions, mes efforts et mes veillées ? Une fois les résultats connus, il s'est avéré que je faisais seulement partie de ceux qui avaient réussi: j'ai échoué en anglais, cette matière était difficile pour mon esprit, lourde pour mon âme et je n'arrivais ni à la comprendre, ni à l'apprendre. Elle fut donc la cause de ma frustration. Un nuage noir et sombre de chagrins me prit, l'insomnie me hanta pendant plusieurs nuits, ceux de mes camarades qui ont voulu se réjouir de mon échec l'ont fait à leur aise, parce que ceci n'était pas du tout prévu dans l'institut, d'autant plus que je me suis préparé à recevoir le prix d'excellence et à être classé premier. Mes sentiments flambèrent, mon âme se resserra tant que, sous l'effet de cette consternation et de l'exagération de ma souffrance, j'ai dit ce vers à un de mes professeurs qui m'a parlé pour me consoler et m'encourager:

> *A toute chose accomplie, il y a une imperfection*
> *La bonne existence ne transforme point l'être humain.*

Par la suite, chaque fois que je me rappelais l'exagération de cette affaire et mon recours justificatif à ce vers, je m'étonnais de moi-même et j'en riais même. Tout ce chagrin ne me fut d'aucune utilité, comme cette inquiétude n'a rien changé au résultat. Au contraire, si j'avais continué ainsi, je n'aurais pas pu réviser et réussir au deuxième tour.

Je te dis: ne pense pas que lorsque tu te chagrines, tu t'écumes de rage et tu t'épouvantes pour ton échec, tu réussiras sur-le-champ, ou que le résultat changera en ta faveur, que non! Mais tu confirmeras l'échec et tu redoubleras l'insuccès.

Quand j'ai fait ma soutenance du magistère sur le Hadith, j'ai désiré, comme tout un chacun, la mention "excellent". J'ai pensé que j'avais bien répondu aux questions posées, que j'avais excellé dans le débat. Mais voilà que l'évaluation a été «Très bien». J'ai accordé à la question plus qu'il n'en fallait comme intérêt, contrariété et chagrin. Mon ami m'a dit en me raisonnant: imagine que tu n'aies point obtenu le magistère, que la soutenance fût annulée pour une raison ou une autre, qu'aurais-tu fait? Puis quelle est la différence scientifique entre les deux mentions, puisque le diplôme est le même?

Il a eu bien raison dans ce qu'il a dit, mon bon sens m'est revenu et mon esprit s'est calmé. Quand tu prévois une contrariété et une chose affligeante, prépare-toi à accepter la plus mauvaise prévision, puis sauve ce qui peut l'être. Quant à la chute dans l'abandon, la remontrance et l'inquiétude, cela ne procurera aucune chose concrète si ce n'est l'étroitesse de la poitrine et l'impureté de l'esprit.

Et j'ai bénéficié de cette leçon dans la soutenance de la thèse de doctorat. Je l'ai déposée dans de favorables conditions scientifiques et administratives. J'en ai tant attendu la soutenance, mais elle fut reportée pour bien longtemps. La nouvelle de son report me fut donc facile à supporter et je ne m'en suis pas trop préoccupé comme je l'ai été avant. Et ceci nous entraîne à prévoir les plus malheureuses épreuves, à coexister avec les plus graves hypothèses, puis nous continuons normalement notre chemin comme si de rien n'était.

Celui qui prévoit la faillite de son commerce et la perte de ses biens, sera satisfait d'un déficit partiel. Celui qui s'attendait à être tué louera Allah pour avoir fait seulement l'objet d'un emprisonnement: ainsi, la douleur et la souffrance seront faciles et insignifiantes.

Si tu as la subsistance et la sûreté, tu n'as que faire de la vie

Nous étions en l'an 1400 H. dans un camp de prédication islamique à la frontière du Yémen. Le cheikh Abdelaziz Ibn Baz en a fait l'inauguration. Après la cérémonie, je suis parti en compagnie de notre enseignant du commentaire du Coran, à la faculté des fondements de la religion, à Abha. Au retour, nous prîmes la route Abha-Tihama. C'était montagneux, difficile et en majorité détérioré sous l'effet des pluies torrentielles. Cependant, malgré son grand savoir en commentaire du Coran, ce cheikh ne savait pas très bien conduire. Mais malgré cela, il a refusé que je prenne le volant. Je ne savais pas d'ailleurs si c'était par pitié pour moi ou pour sa voiture. Ah, si au moins, avec sa mauvaise conduite, il roulait lentement. Au contraire, il s'élançait comme s'il était sur un champ de course au point qu'il a failli nous précipiter dans un ravin bien profond. Il accélérait si fort que son moteur faisait entendre un bruit strident. En toute vérité, cette nuit-là, je l'ai passée entre la vie et la mort en disant adieu à la vie, me voyant dans l'Au-delà puis je constate que je suis encore vivant. Je me serre les dents, les pieds et les mains puis je me détends un peu, je lui parle, j'essaie de le conseiller. Rien à faire. C'était comme si je lui disais d'accélérer et d'être plus audacieux. Nous continuâmes ainsi jusqu'à ce que nous arrivions à une vaste vallée par un temps pluvieux.

Une pluie torrentielle nous surprit, mais à laquelle nous n'accordâmes aucune attention. Quand nous fîmes en son bon milieu, les roues de la voiture commencèrent à s'enfoncer petit à petit tant et si bien que l'eau pénétra à l'intérieur de la voiture que nous abandonnâmes sur place. Nous traversâmes tant bien que mal la vallée et nous restâmes sur la route de minuit environ jusqu'au lever du jour, sans nourriture, ni boisson, ni couvertures, ni paillasse. Puisque nous nous attendions à mourir, nous fûmes satisfaits d'avoir eu comme butin de cette aventure d'être de retour. Et nous trouvâmes que notre situation était confortable par rapport aux prévisions escomptées qui se résumaient en notre mort certaine dans ces violents déversements d'eau.

Nous louâmes donc Allah pour nous avoir sauvegardés, même après tant de souffrance et la lassitude du voyage et de la veillée. Au petit matin, quelqu'un est venu et nous a secourus. Ainsi, nous rentrâmes sains et saufs. Et cela me rappela le bateau de guerre: c'est un Américain qui a participé à la deuxième guerre mondiale. Son bateau eut coulé, ayant été atteint par un missile. Il resta donc treize jours au fond de la mer du Japon. Il n'avait que de l'eau fraîche et du pain sec. Quand il en sortit indemne, on lui a demandé: quelle est la plus grande expérience dont tu as bénéficié? Il a dit:: j'ai appris pendant ces jours effroyables que celui qui était en bonne santé et qui avait à sa disposition du pain et de l'eau, possédait la vie ici-bas en sa totalité.

Et moi, je te dis: qu'est-ce que c'est la vie? Est-elle autre chose que l'intégrité du corps, la sérénité de l'esprit, du pain que tu manges, de l'eau que tu bois, un habit que tu portes et pour le reste, on n'en a que faire...

Pourquoi ne faisons-nous pas, toi et moi, de comptes dans nos existences? Interrogeons-nous: qu'avons-nous et que nous manque-t-il?

Et nous constaterons que ce que nous avons dépasse 80% des moyens d'existence et des agréments de la vie, et que ce qui nous manque n'atteint pas 20% de luxe et de bonheur. Et la plupart des gens sont comme toi et moi, sauf dans des cas exceptionnels où l'épreuve est supérieure à l'octroi. Cependant, toi et moi nous pleurons ce qui nous manque et nous ne sourions pas pour ce que nous avons. Nous nous chagrinons pour ce que nous n'avons pas comme faveurs mais nous ne sommes pas heureux pour ce qui nous a atteint comme bienfaits. Nous déplorons ce qui nous a éprouvés et

nous ne remercions pas pour ce qui nous reste et qui est en notre
possession.

Eteins le feu de l'animosité avant qu'il ne s'embrase

Dans ma courte existence courante, j'ai constaté que chaque fois
qu'il m'est arrivé d'aller réclamer mon droit ou me faire réhabiliter
pour une critique ou une contrariété, je perdais plus que je ne gagnais
sans parler de mes remords. Je m'explique: je pensais que lorsque
j'examinais la véracité d'une méchanceté que quelqu'un a dite sur
moi ou d'une contrariété qu'untel m'a fait subir, je pourrais par des
questions, des demandes et des enquêtes me restituer mes droits, ma
considération et mon rang. Alors que c'était exactement le contraire
qui arrivait. Effectivement, la morosité naissait entre cette personne
et moi, l'antagonisme continuait, le conflit demeurait et l'homme
persistait dans sa faute. Par la suite, je souhaitais de tout mon cœur
que cela ne fût pas arrivé, que je n'eusse rien demandé, ni enquêté, ni
questionné et que le plus beau aurait été le pardon, l'indulgence, le
détachement, la patience, l'endurance, la négligence de cette chose et
ceci est la logique de la Révélation véridique: ❨Sois indulgent,
ordonne selon les convenances et détourne-toi des ignorants❩
(Coran 7:199), ❨Qu'ils soient indulgents et qu'ils pardonnent❩
(Coran 24:22), ❨Et qui refoulent leur colère et pardonnent aux gens❩
(Coran 3:134), ❨Et s'il leur arrive d'être en colère, ils pardonnent❩
(Coran 42:37), ❨Repousse de la plus belle manière et voilà que celui
avec qui tu avais une animosité devient tel un ami chaleureux❩
(Coran 41:34), ❨Et lorsque les ignorants leur adressent la parole, ils
disent: *salâmâ*❩. *(Coran 41:34)*

Donc, si tu entends d'une personne quelconque une parole
répugnante, ne lui rends pas la pareille, car elle se transformera en
dix. Si tu es calomnié dans un poème, fais semblant de n'avoir rien
entendu parce que si tu le contrais par un autre, de ta part, ce serait un
sujet d'occupation des gens et tous les gens de lettres l'apprendraient.
Si tu es le sujet d'un article acerbe, fais-le mourir en le négligeant,

tout comme s'il était destiné à quelqu'un d'autre que toi. Si tu as été critiqué avec rancœur par quelqu'un, néglige-le et fais-lui sentir qu'il parle au mur des voisins. Jadis, nos prédécesseurs disaient: supporter les critiques, c'est déjà les enterrer.

> *La mer débordante ne peut être altérée*
> *Par une pierre qu'un garçon y a jetée.*

La mer: pure est son eau et *halal* sont ses *[animaux]*, même inertes, parce que la grande quantité d'eau, quand elle aura dépassé les deux cruches, ne contiendra point d'impureté. C'est ainsi pour l'homme noble, celui qui patiente: il a une immunité contre le mal de ceux qui le détestent, ❨C'est celui qui te déteste qui est le mutilé❩ *(Coran 108:3)*, et il est vacciné contre l'absurdité des gens aberrants, ❨Tu es sous Nos yeux❩. *(Coran 52:48)*

Ne sous-estime personne

J'ai connu dans ma vie une qualité que j'ai expérimentée et utilisée et je n'en fus nullement désabusé. C'est que les éloges raffinés et brefs influent sur les gens quels que soient leur dévotion, leur ascétisme et leur éloignement des apparences. Effectivement, les paroles louables les touchent et les rassurent peu ou prou, selon la personne.

J'ai fréquenté des érudits pieux, à la fois sincère. Quand ils font l'objet d'éloges et de gratifications, leurs tempéraments s'adoucissent, leurs âmes se purifient, l'expression de leurs visages s'illuminent. En effet, la parole douce réagit positivement sur les cœurs. La voie de la vérité, héritée du Prophète (ﷺ) de la vérité, est de placer les gens selon leur rang relativement à leur révérence et leur dignité. C'est un don divin de réjouir les gens et de se réjouir soi-même par le bon comportement, ❨C'est par un effet de la grâce d'Allah que tu te montras doux à leur égard. Et si tu étais un rustre au cœur dur, ils se seraient dispersés loin de toi❩. *(Coran 3:159)*

L'auteur du livre *Kaifa Takseb Al Asdiqa* (Comment avoir des amis) voit que parmi les facteurs d'attirance des gens, il est le fait de les louer d'une façon extravagante et l'excès dans leurs éloges. Je ne suis pas d'accord avec cela, mais je suis pour la juste mesure et la modération: ❨Allah a déterminé pour chaque chose une mesure❩ *(Coran 65:3)*. Donc, pas de flatterie découverte et intentionnelle, et pas d'éloignement et d'austérité sévère, non plus: mais de la bonne humeur, une dignité et une munificence.

Effectivement, il est de notre bonheur d'apprivoiser les gens, parce qu'ils sont dignes de louanges, d'invocation en leur faveur et de compassion, surtout qu'ils sont les témoins d'Allah sur terre, ❨Et tenez aux gens le meilleur langage❩.   *(Coran 2:83)*

Et dans ma vie, j'ai connu des gens qui excellent dans l'art d'assimilation: les cœurs s'attachent alors rapidement à eux, les âmes s'abattent sur eux comme des feuilles de saule par un vent doux et froid, les regards les suivent là où ils arrivent et partout où ils vont, leurs visages sont radieux à l'égard des gens, leurs cœurs sont purs, leurs langues innocentes. Ah, pour leur bonheur! Ah, pour le bonheur qu'ils procurent aux gens!

Et l'être humain est capable, par un effet de la grâce d'Allah — qu'Il soit glorifié dans Son éminence — de rechercher l'acquisition de l'acceptation sur terre. Cela ne demandera sûrement pas les trésors de Coré pour l'acheter, ni le royaume de Souleimen, ni le califat de Haroun Al Rachid, mais tout simplement par la loyauté de l'intention à l'égard d'Allah, la sincérité envers Lui, le penchant vers le bien des gens, l'amour d'Allah et de Son Messager (ﷺ) et l'aversion de sa propre âme, son humiliation, le mépris et la remontrance vis-à-vis d'elle.

Cependant, les qualités louables et les belles coutumes sont fatigantes parce qu'elles sont ascendantes. Quant à la mauvaise moralité et à l'agressivité du caractère, elles sont faciles à acquérir pour celui qui les désire, parce qu'elles sont décadentes. Bien entendu, la montée est coûteuse et pénible et la descente, par contre, est facile et simple.

Pour celui qui est vil, l'humiliation est insignifiante
Comme une blessure ne peut être douloureuse pour un
    mort.

J'ai aussi goûté la saveur de la vie et j'ai trouvé un genre qui attire de la réjouissance à toi et aux autres par le fait de respecter leurs talents, de reconnaître leurs aptitudes, d'encourager leurs ambitions, de ne pas ravir leurs efforts et de ne pas, non plus, annuler leurs rôles.

Ce qui contrarie aux gens leurs existences et souille leurs esprits: celui qui ne voit que sa propre personne, c'est lui l'astre de perle, la coupole de l'orbite, la rareté de l'époque, la bénédiction du temps. A part lui, tout le monde est incapable, alors qu'il est plein de défauts et qu'il fait l'objet de remarques.

J'ai fréquenté des gens qui ont fourni des efforts dans la bienfaisance selon leurs niveaux et leurs aptitudes. Je pensais qu'ils connaissaient leur valeur, qu'ils n'exagéraient pas leurs rôles ou qu'ils ne surestimaient pas leurs rangs. Mais lorsque je les ai vraiment connus, j'ai constaté que la plupart d'entre eux considéraient que leurs efforts étaient mésestimés par les autres et que, en fait, ils étaient beaucoup plus importants qu'on ne se l'imaginait.

Pour cet étudiant qui a composé des brochures occasionnelles pour les initiés, je lui adresse des compliments pour ce qu'il a présenté: et le voilà qui se met à parler d'une façon prolixe du nombre qu'il en a distribué, comment les gens ont accueilli cette initiative, combien il en a vendu, des éloges que certains en ont faits. De ses paroles, on voit qu'il est bien fier de sa personne, qu'il se donne à lui et à ce qu'il a présente de l'importance et, surtout, qu'il avait de la répugnance pour celui qui ne lui avouait pas cela, lui sous-estimait son rang, ne reconnaissait pas ses efforts ou ignorait son rôle.

Tout comme j'ai entendu une cassette acceptable d'un autre étudiant qui n'était ni célèbre, ni connu. J'ai voulu le féliciter et l'encourager pour l'inciter à continuer et à persévérer en lui téléphonant. Dès que j'ai commencé à lui parler de sa cassette, faisant des éloges de son contenu, il saisit l'occasion exceptionnelle qui se présentait à lui pour y mettre de sa personne. Il a commencé par implorer Allah pour qu'Il fasse que cela profite à tous les musulmans et musulmanes, que l'utilité soit générale — comme si cette cassette s'était répandue d'Est en Ouest, qu'elle avançait comme le soleil. Puis il m'a raconté comment s'est passée la conférence, le nombre de participants et un tas d'autres choses que je ne pensais jamais entendre de sa part. J'ai alors su que l'âme humaine surestimait considérablement son poids, sa valeur, son rôle, son influence. Et quelle n'était sa contradiction quand elle s'apercevait qu'on négligeait son aptitude et qu'on amoindrissait son rang !

J'ai fait le compliment d'un prédicateur pour un prêche qu'il avait présenté dont j'ai entendu parler mais auquel je n'ai pas assisté. Il m'a informé du grand nombre d'auditeurs qui y avaient assisté, de l'effet que cela avait eu sur eux, de leurs pleurs et du repentir de quelques-uns sous son influence.

Donc, méfie-toi d'annihiler le rang de quelqu'un, quelle que soit son importance, de mépriser les autres et d'amoindrir leurs valeurs, ◀ Qu'un groupe ne se raille pas d'un autre, ils pourraient être meilleurs qu'eux, et que des femmes ne se moquent pas d'autres femmes qui sont peut-être meilleures qu'elles ▶. *(Coran 49:11)*

Les gens aiment que tu encourages leurs talents, que tu t'en préoccupes, que tu les assistes et ceci est un procédé coranique raisonnable: ◀ Ne congédie pas ceux qui invoquent leur Seigneur au début du jour et le soir ▶ *(Coran 6:52)*, ◀ Et tiens-toi résolument en compagnie de ceux qui invoquent leur Seigneur au début du jour et le soir ▶ *(Coran 18:28)*, ◀ Il a froncé les sourcils et s'est retourné ▶ ◀ Parce que celui qui était venu à lui était aveugle ▶ ◀ Qu'en sais-tu, peut-être qu'il est venu se purifier ? ▶   *(Coran 80:1-3)*

On a évoqué dans la biographie du Messager d'Allah (ﷺ) que celui qui détourna Jabala Ibn Al Ayhem de l'Islam, était le fait de n'avoir pas été placé dans son véritable rang et qu'on ne s'est pas intéressé à lui comme il l'espérait et prétendait.

Taha Hussein a cité dans son livre *Al Ayam* (Les jours), que, lors de l'examen d'entrée, un cheikh d'Al Azhar, dans lui a dit: lis, ô aveugle, la sourate *Al Kahf*. Cette parole est restée dans son oreille, elle l'ébranlait, le secouait et le contrariait tant et si bien qu'il a assailli Al Azhar d'injures, d'insultes et de rancœur, puis il l'a quitté à jamais. Qui donc s'abaisse lui-même et ne s'alloue aucun poids ? Qui donc voit qu'il n'est rien du tout et qu'il n'a aucune importance à mentionner? Aucun, évidemment. Tout un chacun estime bien sa personne, se surestime et connaît sa valeur.

Dans une assemblée quelconque, tu as dû constater que quiconque prend la parole utilise le «moi» et la première personne du singulier — j'ai dit, je suis sorti, j'ai rencontré, on m'a dit, on m'a adressé... Voudrions-nous, toi et moi, sans indifférence, briser ces tendances et ces secrets psychologiques ?

A l'institut de Riyadh, en deuxième année du collège, je m'adonnais à la poésie et je m'y intéressais. J'ai même écrit un poème dans la revue de l'établissement. Quelques professeurs m'ont fait des propos élogieux, je me suis alors vu dans la peau d'Abi Tammam ou d'Al Moutanabi, ces célèbres poètes — si ce n'était pas un peu mieux.

Une délégation d'élèves d'un autre institut est venue dans le nôtre pour une visite. Une cérémonie en leur honneur a été célébrée et on m'a chargé de lire un poème, puisqu'il n'y avait pas de poètes parmi les autres élèves. J'ai donc composé cette poésie parce que, « Si vous ne trouvez pas d'eau, faites des ablutions sèches avec de la terre pure » *(Coran 4:43)*. J'ai eu toutefois l'honneur de la présence du professeur de littérature de l'institut qui a fait des éloges sur le poème, sur son style, sur l'éloquence de ses termes. Je l'ai alors cru et j'ai pensé que c'était un chef-d'œuvre, qu'il était unique, mais lorsque j'ai grandi, que j'ai goûté à la véritable littérature, que j'ai connu la poésie, j'ai ri de moi-même et de mon poème, et voici d'ailleurs ses premiers vers:

A toi, ô mon éminent institut, mon salut
Rempli de cordialité et avec tous les espoirs.

Qu'avons-nous à gagner, toi et moi, à briser les autres ? Ils ne renonceront pas à leurs comportements, mais nous souillerons leurs tempéraments, récolterons leur antagonisme et leur aversion.

Il ne te reste donc qu'à louer le côté positif de l'existence des gens, à faire les éloges de leurs bonnes qualités, à les complimenter pour leurs vertus et à fermer les yeux sur leurs défauts et leurs négligences.

Tout comme tu condamnes, tu seras condamné

Un sage dit: celui qui surveille les défauts des autres ressemble aux mouches qui ne se posent que sur les plaies. Et quelques-uns sont atteints de «mais»: à chaque fois que tu lui parles de quelqu'un, il te dit: il a beaucoup d'actes de bienfaisance, mais... Ecoute ce qui vient après, mais... Des satires répugnantes, des injures vicieuses, des diffamations intentionnelles: ❨Malheur à tout moqueur et médisant invétéré❩ *(Coran 104:1)*, ❨Diffamateur et rapporteur❩ *(Coran 68:11)*, ❨Ne vous médisez pas en vos absences❩.   *(Coran 49:12)*

Mon bonheur et le tien se trouvent dans le fait d'être à l'origine de celui des gens, de les réjouir, de reconnaître leurs talents, leurs aptitudes et leur bienfaisance. Et j'ai remarqué que nous acquérons le respect des gens, leur reconnaissance et leur intérêt selon ce que nous leur exprimons.

Il en est de même pour la négligence, l'éloignement et le dédain. Nous aurons de leur part suivant ce que nous leur montrons.

Qui est donc cet intelligent d'entre nous qui voudrait être honoré par les autres alors qu'il adore les humilier ? Et qui souhaite leur respect alors qu'il fait tout pour leur déshonneur ? Ceci est une péréquation injuste, ❨Malheur aux escamoteurs❩.   *(Coran 83:1)*

Ne ravis pas les efforts des autres

J'ai déduit des relations sociales que le bonheur de ton ami et le tien se font par: le fait de lui allouer le bon accueil qui lui convient tel que l'appeler par le nom qu'il aime le plus, c'est-à-dire celui par lequel il est connu ou par son surnom. Et il n'y a pas plus froid, ni plus lourd que de nommer un frère par des appellations inconnues telles que: «Eh toi», ou «eh toi là-bas». Aimerais-tu que ton nom soit ignoré intentionnellement ou qu'il soit prononcé incorrectement ou que ton nom de famille soit faux? Je ne pense pas!

La méthode de négligence et d'exclusion, prouve la lourdeur du caractère, l'abondance de la susceptibilité et la froideur des sentiments.

Quelle serait grande la surprise de la femme dans son foyer, qui, après avoir bien ordonné l'intérieur de sa maison, rangé son salon, parfumé agréablement la chambre, constate que son mari qui vient d'entrer, ignore tout ceci comme si de rien n'était, en ne la complimentant ne serait-ce que d'une parole aimable, et en ne lui montrant ni admiration, ni attention. Ce genre de comportement est une frustration de l'effort et une destruction de l'intérêt.

Aussi, prête attention et montre de l'intérêt à autrui, complimente celui qui a accompli un bienfait, loue le bon spectacle, la belle odeur, les œuvres bienfaisantes, les qualités vertueuses, le poème émouvant, le livre utile, pour que tu sois écrit sur le registre des fidèles, des loyaux, de ceux qui sont vraiment hommes.

Renonce à la ressemblance factice

J'ai entendu le poète Omar Abou Richa alors qu'il présentait son poème *Ana Fi Mekka* (Moi à la Mecque) dont voici le premier vers:

Tu es encore malgré le passage des nuits
Le siège de la vérité, ô mariée des sables.

Mon attention fut attirée par la bonne élocution, la bonne qualité de l'exposition et la douceur des notes. J'ai donc appris la poésie, la manière de sa lecture, puis j'ai composé un poème, je l'ai présentée à l'institut des sciences en essayant de me mettre dans la peau d'Abou Richa et d'imiter sa façon de lire. Mais je ne suis pas Abou Richa: ce qui eut pour conséquence cette lourdeur dont a fait l'objet mon exposition qui fut lassante et froide, si bien que j'ai renoncé à l'imitation et que j'ai lu la poésie à ma façon. La même mésaventure est arrivée à l'imam d'une mosquée de Djedda, derrière qui j'ai accompli la prière nocturne du *'Icha*. En effet, il avait voulu imiter un célèbre lecteur de Coran, mais c'était bien loin de là. Le son de la voix n'était pas le même, ni d'ailleurs l'accent. Cet imam s'épouvanta, sa voix s'embrouilla, sa respiration se coupa. Je fus touché par le fait de le voir dans cette situation et face à ce qu'il devait endurer pour s'être imposé ce qu'il ne pouvait nullement exécuter. Et j'eus la certitude que le Créateur, le Glorieux, le Sublime, avait créé à tout être humain des aptitudes, des talents et des qualités qui ne ressemblaient nullement à ceux des autres: ❲ A chacun de vous Nous avons établi une législation et une voie bien claire ❳.   *(Coran 5:48)*

Il ne te reste donc qu'à être selon ta façon de faire, tes traits de caractère et tes talents, si tu veux avoir de l'originalité et de l'influence: ❲ Chacun agit selon sa propre manière ❳ *(Coran 17:84)*. N'imite pas les voix des autres, ni leurs façons de discourir, de marcher ou de s'asseoir et cela afin que tu t'évites la servitude de l'imitation et sa dépendance, ainsi que le prix de la ressemblance. Ton attirance, ta beauté et ton affabilité se font par ton indépendance dans la créativité, dans ton influence, dans ton originalité dans l'octroi et ta distinction dans l'exposition.

Si tu es incapable d'une chose, renonces-y

Je faisais le prêche du vendredi dans la mosquée de la ville d'Abha et le contenu était comme dans presque tous mes prêches, sur la biographie du Messager d'Allah (ﷺ). Les gens étaient satisfaits de ce que je leur présentais, qui était, à mon sens, convenable. On m'avait demandé précédemment de parler de la cherté du mariage, vu l'impact que cela avait sur les gens. C'était un sujet estimatif qui tenait plus aux exemples réels et aux incidents de la société. Mais je n'étais pas très actif dans ce genre d'exposés, puisque mon aptitude, mon talent et mon activité étaient dans la *Sira,* ou la biographie du

Prophète (ﷺ), où je trouvais du repos et du réconfort. J'ai donc répondu favorablement à la demande et j'ai improvisé un sermon sur le mariage et ses coûts. J'ai cité un Verset coranique et un Hadith, puis je suis rentré dans le sujet, allant à droite et à gauche dans le but de joindre la dispersion du thème, ses exceptions et ses mystères. Mais je ne lui ajoutais en fait que des déchirements et des ruptures. La sueur me submergea, l'aversion et la froideur se manifestèrent, et j'ai terminé le prêche dont le seul titre qui lui convenait était «Une lueur à l'horizon», afin qu'il soit aussi errant et aussi froid. Dès lors, je fus convaincu qu'il me serait préférable de parler dans le domaine où j'excelle, de discourir dans ce que je maîtrise pour reposer mes nerfs de la peine de ce qui est factice. Et dans la Révélation, il est bien dit: ❴Et je ne suis pas de ceux qui s'adonnent à ce qui est artificiel❵ *(Coran 38:86)*. Omar a dit aussi: il nous a été interdit de faire dans ce qui est factice.

Nous devons tous, si nous cherchons le bonheur, la sérénité, la bonne qualité de ce que nous présentons aux gens, parler, agir, octroyer la chose que nous pouvons, que nous savons bien faire et que nous accomplissons comme il se doit, dans le Hadith, il est dit «Allah aime de chacun de vous, lorsqu'il fait un travail, qu'il le perfectionne», parce que la perfection est une guérison de l'âme de la maladie des remords, un repos de la conscience, des souffrances de la réprimande et le dépôt rendu à ses propriétaires.

Ne sois pas anarchique dans ta vie

Un jour, j'ai rassemblé douze commentaires du Coran: al Tabari, Ibn Kathir, Al Bagahoui, Al Zamakhchari, Al Qortobi, *Al Dhilâl*, Al Chanqiti, Al Razi, *Fat'h Al Qadir*, Al Khazen, Ibn Messaoud et Al Qassimi. Puis j'ai décidé de lire, chaque jour, un verset dans chacune de ces interprétations. Je commençais par le premier jusqu'à ce que je termine le verset, puis je passe au second, puis au troisième et ainsi de suite jusqu'à ce que je termine les douze explications. Ensuite, je me suis posé une question: qu'ai-je retenu de tout cela ? Pas grand-chose à citer, si ce n'était le sens de quelques mots que, pour presque la totalité, je n'ignorais pas. Aussi, j'ai ressenti de la lassitude, de l'ennui et de la confusion, pour la simple raison que la méthode utilisée dans la lecture n'était pas efficace, qu'elle n'était ni coordonnée, ni ordonnée, mais que c'était de l'improvisation et de la précipitation.

Voudrais-tu en tirer profit avec sérénité et obtenir des résultats tout en étant comblé ? Ne te perturbe pas par beaucoup de sources de documentations et de références, par la dispersion de l'esprit, par la fatigue du cœur. Mais tu devrais étudier une méthode efficace et plaisante qui mènera au but et te protègera de la précipitation, de l'ennui tout en te garantissant la persévérance et la continuité même si le rendement en est faible. Car, persévérer, fût-ce avec peu de travail, c'est un fondement sublime. En effet, le Messager d'Allah (ﷺ) aimait le travail de celui qui y persévérait même si c'était en petite quantité.

❰ Vous avez été distraits par la prolifération ❱.   *(Coran 102:1)*

Je suis allé un jour avec enthousiasme à une librairie publique. Après avoir eu une somme considérable d'argent pour y acheter un livre de chaque titre, en raison de ma grande passion et de mon désir ardent, j'ai rempli donc les étagères de toutes les spécialités et j'ai même acheté des dizaines de livres de psychologie, de précis des fondements du *Fiqh* et des titres constituant la crème en matière de culture générale. J'ai voulu y jeter un coup d'œil, mais je n'ai su ni par où commencer, ni comment, ni lequel je devais choisir, ni celui à laisser.

J'ai même constaté que la plupart de ces livres contenaient presque les mêmes informations: ce qui se trouvait dans celui-ci, était dans l'autre. J'ai remarqué aussi que certains ne contenaient pas l'utilité escomptée, d'autres renfermaient des paroles sans analyse, des expressions sans aucun sens. Des années passèrent et des dizaines de ces livres stagnèrent sur leurs étagères sans que j'en touche aucun, d'autant plus que je fus énervé par leur présence, leur rangement et leur mélange. Aussi, quand l'occasion s'est présentée, j'en fis part à des érudits intelligents et à des hommes nobles qui m'ont conseillé en me suggérant une méthode efficace et profitable qui consistait à acheter les joyaux des livres, les originaux et les ouvrages de base. Ensuite de les classer avec rigueur, de les étudier et de persévérer dans leur analyse et dans leur prospection, tout en laissant les autres — sauf pour des exposés ou des cas similaires. Mon âme s'est rassurée, mes sentiments se sont calmés et mon esprit s'est apaisé devant cette opinion très pertinente.

Si tu as une bibliothèque ou que tu aimes la lecture pour en tirer profit, prends les livres originaux et les meilleurs recueils, puis accorde-leur ton intérêt pour échapper à la peine de la dispersion, la préoccupation de l'esprit et l'embarras dans le choix.

Ils ont dit: prends le meilleur de toute chose, je leur ai dit:
Le meilleur est une grâce, mais il faut le discerner.

❨Vous avez été distraits par la prolifération❩ ❨Jusqu'à ce que vous ayez visité les cimetières❩.   *(Coran 102:1-2)*

Par cette occasion, je me rappelle quelques étudiants qui demandaient des renseignements sur les livres nébuleux, les manuscrits rares et les ouvrages bizarres, tout en assemblant en permanence des livres et en les lisant superficiellement, sans que leur connaissance des originaux soit suffisante. Leur seul souci était d'accroître le nombre de livres dans leurs bibliothèques, de fasciner les gens par des titres d'œuvres telles que *Al Kabrit Al Ahmar* (Le soufre rouge). Il y avait même parmi eux celui qui soupirait de ne pas avoir pu se procurer le commentaire de Mouqâtil Ibn Souleimen alors qu'il n'a pas lu en entier celui d'Ibn Kathir, et celui qui déplorait de ne pas avoir *Fawayid Tammam* (Les avantages de Tammam), alors qu'il ne connaît de *Fat'h Al Bâri*, en matière de commentaire de Hadiths, que le nom de son auteur et la couleur de sa couverture, ❨Il en est parmi eux des incultes qui ne connaissent le livre que comme souhaits et qui ne font que conjecturer à son sujet❩. *(Coran 2:78)*

Ne te préoccupe pas des sentiers en abandonnant l'avenue distincte et ne te tourmente pas par les choses partielles après avoir renoncé aux choses globales. Et par sagesse: il faut commencer par ce qui est fondamental, puis ce qui est important. Le chemin devient long pour celui qui ne connaît pas le dessein, sa monture se fatigue, il se surmène et n'obtient pas ce qu'il demande.

CONCLUSION

Toi et moi, allons-y, adressons-nous au Riche, l'Unique, le Glorieux, le Seul, l'Eternel, le Vivant et le Superviseur, Celui Qui est digne de tout Respect et de tout Honneur, jetons-nous au seuil de Sa Divinité, recourons à la porte de Son Unicité, pour Lui demander tout en insistant sur la demande, pour Le solliciter en attendant Son octroi, c'est Lui le Guérisseur, le Suffisant et c'est Lui le Créateur, le Pourvoyeur, Celui qui donne la vie, Celui qui donne la mort.

❰Notre Seigneur ! Donne-nous dans la vie ici-bas un bienfait et dans l'Au-delà un bienfait et préserve-nous du châtiment du Feu❱.

(Coran 2:201)

«Ô Allah ! Nous te demandons le pardon, la sûreté et la plénitude durable dans la vie ici-bas et dans l'Au-delà».

«Ô Allah ! Nous te demandons du Bien que t'a demandé Ton Prophète Mohammed (ﷺ) et nous implorons Ta protection contre le mal contre lequel Ton Prophète Mohammed (ﷺ) a imploré Ta protection».

«Ô Allah ! Nous Te demandons protection contre le souci et l'embarras, contre l'incapacité et la paresse, contre l'avarice et la lâcheté, contre l'assujettissement des dettes et la sujétion des hommes».

«Gloire à ton Seigneur, Maître de la Toute-Puissance, très au-dessus de ce qu'ils fabulent, salut sur les Messagers et louange à Allah, Seigneur des univers.»

Table des matières